약물작용의 기본이론

Introduction to the Pharmaceutical Sciences 2nd.

An Integrated Approach

원저 NITA K. PANDIT, ROBERT P. SOLTIS
옮김 이석용 외 20인

$$pH = pK_a + \log \frac{[base]}{[acid]}$$

군자출판사

Wolters Kluwer
Health

Lippincott
Williams & Wilkins

약물작용 기본이론
Introduction to the Pharmaceutical Sciences Second Edition

첫째판 1쇄 인쇄 2015년 6월 15일
첫째판 1쇄 발행 2015년 6월 24일

지 은 이 NITA K. PANDIT, ROBERT P. SOLTIS
옮 긴 이 이석용 외 20인
발 행 인 장주연
출 판 기 획 이경헌
편집디자인 한은선
표지디자인 김민경
발 행 처 군자출판사
　　　　　등록 제 4-139호(1991. 6. 24)
　　　　　본사 (110-717) 서울특별시 종로구 창경궁로 117 (인의동 112-1)동원회관 BD 6층
　　　　　전화 (02) 762-9194/5　　　팩스 (02) 764-0209
　　　　　홈페이지 | www.koonja.co.kr

ISBN 978-89-6278-806-8
정가 35,000원

집필진

| 대표역자 |

이석용　성균관대학교 약학대학

| 역 자 |

강건욱	서울대학교 약학대학	**이윤정**	단국대학교 약학대학
김민선	순천대학교 약학대학	**이정미**	성균관대학교 약학대학
김소희	아주대학교 약학대학	**장춘곤**	성균관대학교 약학대학
명창선	충남대학교 약학대학	**정재훈**	삼육대학교 약학대학
박필훈	영남대학교 약학대학	**정철호**	계명대학교 약학대학
배수경	가톨릭대학교 약학대학	**정혜진**	경상대학교 약학대학
배정우	계명대학교 약학대학	**제현동**	대구가톨릭대학교 약학대학
손의동	중앙대학교 약학대학	**조정숙**	동국대학교 약학대학
신상미	조선대학교 약학대학	**최영희**	동국대학교 약학대학
이용수	덕성여자대학교 약학대학	**최현진**	차의과학대학교 약학대학

나의 옛 스승이 항상 말하던 단순히 생각하라는 의미는 어떤 부분의 전체를 가장 간단한 말로 축소시키라는 것이다. 즉, 제1 원리로 돌아가라는 의미이다.

- Frank Lliyd Wright

이 책은 Introduction to the Pharmaceutical Sciences의 제2판이다. 제1판은 2007년에 출판되었다. 제2판에서는 여러 가지 점이 개선되었는데 가장 중요한 것은 훌륭한 공저자 Dr. Robert Soltis의 합류이다. 그는 Drake대학교에서 나와 함께 Introduction to the Pharmaceutical Sciences 과목을 공동강의하고 있다. 그의 약리학 분야에서의 전문성이 이 책의 여러 장들을 크게 개선시켰다.

제2판의 철학은 변하지 않았다. 이 책은 초보자나 비전문가에게 약과학의 간단하고 통합적이며 논리정연한 개요를 제공하는 입문 책이다. 우리는 모든 약과학 학문의 기초원리를 소개하고 설명하며, 그들 사이의 연관성을 보여주고, 그들의 약과학적 및 치료학적 응용을 언급할 것이다.

다양한 학문들의 통합이 우리에게 특히 중요하며, 새로운 소제목 "An Integrated Approach"로 이를 반영하였다. 약사들은 약물치료의 문제점들을 해결하기 위하여 약과학 및 임상과학의 지식을 종합할 수 있어야 한다. 약의 발견과 개발에서 약과학 연구자들은 그들이 다학제간 프로젝트 팀에 참여한 것처럼 분야에 대한 넓은 이해를 가지고 있어야 한다.

본 책이 목표로 하는 독자는 약학대학 신입생, 학부 3학년 정도의 과학도, 그리고 약과학 분야에 초보인 다른 과학자들이다. 우리는 독자들이 대학 2학년 수준의 일반화학, 유기화학, 생물학, 대수학의 기초와 함께 과학과 수학 지식을 가지고 있을 것으로 예상하였다. 초보수준의 생화학과 계산학의 일부 지식이 도움이 되지만 꼭 요구되는 것은 아니다. 생리학적인 개념들이 필요시 소개되었다.

우리의 경험에 의하면 약과학의 용어, 중요한 개념들 그리고 이들 개념들 사이의 연결들을 이해하는 학생들은 후반부에 나오는 특화과정의 보다 발전된 물질들을 더 잘 이해할 수 있다. 그들은 각 학문을 사이로처럼 다룰 것 같지 않고 종종 교수가 놓치는 연관성들을 발견하기도 한다.

교재는 다루는 범위의 원하는 깊이에 따라 한 학기 또는 1년 과정 동안 사용되어야 한다. 한 학기 과정에는 이 책의 모든 주제를 다 다루려고 할 필요는 없다. 과목의 목적과 이후의 과정에 따라 주제를 선택하면 된다. 1년 과정에서는 이 책 전체를 상세한 논의와 함께 다루고 필요시 추가적인 자료를 더하여 읽으면 된다. 약학대학 학생들은 이 책의 기본 개념들을 이해한 후 약리학, 약제학, 약물동력학, 의약화학을 학습하게 된다. 대학원생들에게 이 책은 그들이 선택한 약학분야의 각 전공에서 문제의 해결책을 학습하고 연구하기 위한 넓은 맥락을 제공할 것이다. 이 책이 교재로 집필되었지만 약과학의 전반적인 개념을 필요로 하는 제약산업에 새로 입문한 연구자들에게도 매우 유용할 것으로 생각된다.

이 책에서 의도하지 않았던 것을 언급하는 것도 중요하다. 약과학의 사전, 실험실 연구자를 위한 방법론 책, 또는 약과학 분야 중 한 분야의 전문가를 위한 책이 되는 것을 원하지 않았다. 우리는 약과학의 공통적인 개념들을 강조하고자 하였기 때문에 특정 주제와 어느 한 분야의 상세한 내용에 대한 설명은 제한하였다. 이러한 것을 충족시키는 교육과정이나 훌륭한 서적들이 있으며 각 장의 끝에 추천하고자 하는 것을 제시하였다.

우리는 단순함, 명료함 그리고 간결함을 추구하였기에 학생들이 실제로 책을 읽게 될 것이다. 이론이나 가설의 역사적 발전과정은 생략하였다. 일관성과 가독성을 제공하고자 물질들에 대한 것은 주요문헌에 언급하지 않았다. 그러나 서술들이 일반적으로 받아들여지는 과학적인 관점을 반영하도록 모든 노력을 기울였다. 알아야 하는 개념들은 강조하였고, 알면 좋은 내용과 약학 교과과정 후반에 배우게 되거나 직접적으로 연관이 없는 자료는 최소화하였다.

Nita K. Pandit, PhD
Robert Soltis, PhD

CONTENS

서론
Introduction

약과학은 약물의 설계(design), 작용(action), 전달(delivery), 배치(disposition)와 임상용도 등을 다루는 복합학문이다. 이 분야는 화학(유기화학, 물리화학, 분석화학), 생물학(해부생리학, 생화학, 분자세포생물학), 수학, 물리학 및 화학공학과 같은 기초 및 응용과학의 많은 분야를 필요로 하며 그들의 이론을 적용하여 약물을 연구한다.

약과학은 아래의 예와 같이 여러 전문분야로 나누어진다.

- 약리학(Pharmacology): 생체에 대한 약물의 생화학적 및 생리학적 효과를 연구한다.
- 약력학(Pharmacodynamics): 약물과 약물의 표적사이의 세포적 및 분자적 상호작용을 연구한다.
- 약물독성학(Pharmaceutical toxicology): 약물의 유해한 효과나 독성효과를 연구한다
- 약동학(Pharmacokinetics): 생체의 여러 부위에서 약물의 농도-시간 상관성을 조절하는 인자들에 대하여 연구한다.
- 의약화학(Medicinal chemistry): 약동학과 약력학을 최적화하기 위하여 약물을 설계하고 새로운 약물의 합성을 연구한다.

- 약제학(Pharmaceutics): 최적의 흡수, 안전성, 약동학 및 특허권 취득 등을 위해 약물조성을 연구하고 설계한다.
- 약물유전체학(Pharmacogenomics): 환자에서 약물반응에 대한 유전적 변이의 영향을 연구한다.

새로운 발견들이 약물과학을 발전시키고 확장시키기 때문에 새로운 전문분야들이 계속적으로 추가될 것이다. 동시에 이들 약물학의 전문분야들 사이의 경계들은 모호해지고 있다. 많은 기본 개념(이론)들이 모든 약과학에 공통적으로 적용된다. 이 책에서는 모든 분야의 약과학 연구와 약물치료에 적용되는 기본 개념들에 대하여 중점적으로 다루어진다.

약이란 무엇인가?

넓은 의미로 약은 질병의 진단, 치료 또는 예방에 사용되는 물질을 말한다. 이들은 합성되거나 반합성되거나 천연에서 유래된 화합물 또는 화합물 복합체일 수 있다. 대부분의 약은 신체의 일부와 상호작용하여 신체 내 생리학적 또는 생화학적 과정을 변화시킨다. 약은 장기, 조직 또는 세포가

가지고 있는 기능을 감소시키거나 증가시킬 수 있지만 그들에게 새로운 기능을 부여하지는 않는다. 예로서 약은 혈압을 하강시키거나, 위에서 산 생성을 감소시키거나, 요생성을 증가시키거나, 골밀도를 증가시키기 위해 사용될 수 있다. 백신과 유전자치료와 같은 일부 치료는 전통적인 개념으로는 약이 아니지만 질병의 치료에 또한 사용된다.

이상적인 약은 아래의 조건을 가진 약이다.

• 필요한 약리학적 작용을 가지고 있다.
• 부작용이 없다
• 적절한 시간에 적절한 농도로 원하는 지점에 도달한다.
• 필요한 기간 동안 작용부위에 머무른다.
• 더 이상 필요없을 때 신체로부터 빠르게 완전히 제거된다.

새로운 약을 개발할 때 이러한 조건들 모두가 완전히 얻어질 수 없지만 연구와 개발과정에서 이들 조건들이 고려되고 최적화하는 것이 필요하다. 신약의 성공여부는 약이 이들 조건에 얼마나 가까이 근접했느냐에 달려 있다.

약은 어떻게 작용하는가?

약의 작용부위는 약이 희망하는 작용을 수행하는 신체 내의 장소이다. 예로서 약은 뇌, 심장, 눈 또는 신장에 작용한다. 장기 내에서 약은 특정 형태의 세포와 같은 장기의 특정 구성요소에 작용한다. 약물은 세포의 밖에서 작용을 수행하기도 하고 세포 안으로 들어가 세포내에서 작용을 수행하기도 한다. 또한 세포막에서 세포표면에 작용하기도 한다.

약물은 작용부위에 존재하는 표적분자와 상호작용하여 작용하고 건강에 유익한 방향으로 표적분자의 활성을 변화시킨다. 약물표적은 주로 특정 질병과정에서 역할을 하는 단백질, 단백질 복합체 또는 핵산과 같은 생체분자이다. 대부분의 경우 표적에 일시적으로 결합하여 작용을 발휘한다. 약물-표적 결합은 표적을 활성화시키거나 표적의 정상적인 활성을 차단하여 생리적 효과를 나타낼 수 있다. 표적의 일반적 형태가 수용체(receptor)이며, 대부분 세포막에 있는 단백질이고, 내인성 화합물이나 약물과 같은 특정분자와 결합하여 세포의 기능을 변화시킬 수 있다. 약물과 수용체와의 상호작용 및 약리학적 작용으로 유도되는 일련의 연쇄반응들이 약력학 분야로 널리 간주된다.

약물-표적 상관관계를 설명하기 위해 자주 인용되는 것이 자물쇠와 열쇠의 관계이다. 즉, 표적은 문에 있는 자물쇠이며 어떤 약물(열쇠)이 이에 결합하여 자물쇠를 열 수 있다(그림 1-1). 당연히 열쇠는 다른 자물쇠에는 맞지 않고 다른 열쇠들은 이 자물쇠를 열 수 없다. 일부 열쇠는 이 자물쇠에 맞을 수 있으나 완전히 맞지는 않는다. 결과적으로 이들 불완전한 열쇠들은 문을 열 수 없다. 불완전한 열쇠는 자물쇠에 끼워짐으로 인해 원래의 열쇠가 자물쇠에 끼워지는 것을 차단하여 결과적으로 문이 열리는 것을 차단한다.

빗대어 설명하면 표적은 매우 특이하고 일정한 크기와 모양을 가진 열쇠구멍을 가진 자물쇠분자이다. 이 열쇠구멍분자를 표적의 활성부위라고

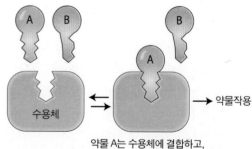

약물 A는 수용체에 결합하고,
약물 B는 수용체에 결합할 수 없다.

그림 1-1 약물-수용체 결합을 도식화한 그림. 약물 A는 수용체에 보상적인 구조를 가지고 있어서 수용체에 결합할 수 있다. 약물 B의 구조는 수용체에 적합하지 않아서 결합은 일어나지 않는다.

하며 상보적인 크기, 모양 및 전하를 가진 열쇠분자와만 상호작용할 수 있다. 약물분자의 3차원적 모양이 표적의 구조에 완전히 맞아야만 표적을 활성화할 수 있다. 따라서 자물쇠와 열쇠처럼 약물과 그들의 표적 사이의 상관관계는 고도의 특이성을 가지고 있다.

사실 대부분의 표적은 자물쇠만큼 견고하지 않고 활성부위는 환경에 따라 모양이나 크기가 다소 변할 수 있다. 또한 대부분의 약물은 열쇠만큼 특이적이지 않다. 따라서 표적-약물 상호작용은 단순한 자물쇠-열쇠 개념보다 훨씬 더 복잡하다. 극히 일부 약물들이 그들의 의도된 표적과 배타적으로 상호작용하며, 대부분의 약물들은 한 가지 이상의 표적에 결합하여 의도하지 않았던 생리적 생화학적 과정에 영향을 준다. 이것이 약물의 원치 않는 부작용(side effects) 또는 독성을 유발시킨다.

약은 어떻게 설계되는가?

약물설계는 질병에 대한 이해와 질병에 관련된 표적 생체분자의 구조와 기능의 이해를 바탕으로 새로운 약물을 발견하는 과정이다. 질병에 대해 이해하고 질병에 관련된 표적 생체분자의 구조와 기능이 알려졌을 때 표적에 결합하여 표적의 기능을 변화시킬 수 있는 구조를 가진 화합물이 합성될 수 있다. 이들 화합물의 구조는 컴퓨터모델링 등을 통하여 표적에 더 적합하도록 점진적으로 다듬어진다. 약물은 표적에 결합할 수 있는 것에 더하여 세포막과 같은 우리 신체 내 장벽을 통과할 수 있어야 한다. 또한 약물은 약물을 배척시키거나 분해시키는 생체 보호기전을 적절하게 이겨낼 수 있어야 한다. 그리고 궁극적으로는 생체가 약물을 제거하거나 배설할 수 있는 것이어야 한다. 신약개발에 대한 이러한 체계적인 접근을 합리적 약물설계라 한다.

과거에 대부분의 약물은 식물 또는 미생물과 같은 천연물의 연구를 통하거나 다양한 구조를 가진 매우 많은 수의 화합물의 합성에 의해 발견되었다. 그런 후 이들 합성 또는 천연의 화합물들은 실험실에서 여러 종류의 생물활성에 대하여 시험되었다. 이와같이 무작위 스크리닝(random screening)이라 불리는 시행-착오 접근법은 많은 중요한 약물들의 발견과 개발을 이루었다. 아직도 이러한 방법은 약물 발견에서 한 부분을 차지하고 있고 선도물질을 확인하기 위해 제약회사들이 종종 사용하는 방법이다. 그런 후 이들 선도물질들은 유기합성으로 구조가 변화되어 개선된 특징을 가진 새로운 화합물로 개발된다.

대부분의 약물은 화학적 합성을 통하여 만들어진 작은 유기 화합물이지만 생물학적 과정을 통하여 생성되는 생물의약품(Biopharmaceutical drugs 또는 Biologics)이 점점 일반화되어 가고 있다.

약물은 어떻게 투여되는가?

약물은 작용부위의 의도한 표적에 도달한 후에만 의도한 작용을 발휘할 수 있다. 이는 심장에 작용하는 약물은 심장에 있는 적합한 표적에 도달해야만 하고, 뇌에 작용하는 약물은 뇌에 있는 표적에 도달해야만 한다는 것을 의미한다. 약물을 약물의 작용부위에 직접적으로 적용하는 것이 종종 불편하거나 불가능하며 그 대신에 약물의 작용부위와 멀리 떨어진 투여부위에 투여된다. 투약의 정확성과 편리성 때문에 약물은 거의 항상 하나의 제형(정제, 패취제, 흡입제 등)으로 만들어진다. 또한 약물의 방출을 조절하거나 지속적으로 방출하게 하기 위해 제형이 설계될 수 있다.

투여 방법과 형태는 생체의 보호 장벽, 약물의 물리적 화학적 특성, 임상적 요구사항, 환자의 순응성 등을 고려하여야 한다. 대부분의 약물은 환자가 가장 선호하는 방법인 경구적으로 투여된다. 경구로 투약 후 약물은 제형으로부터 방출되어 혈류 속으로 들어가야 한다 (이 과정을 흡수라

한다). 그럼으로써 약물이 작용부위에 도달한다. 흔하지만 덜 편리한 다른 투여방법은 주사이다. 이는 경구적으로 흡수될 수 없는 약물과 환자가 경구용 의약품을 복용할 수 없는 상황에 적용 가능하다.

약물은 체내에서 어떻게 운반되는가?

약물배치(Drug disposition)란 용어는 약물이 혈류에 들어간 후의 약물의 분포, 대사, 제거를 말한다. 흡수 후 순환 혈액은 분포라고 하는 과정을 통해 약물을 신체 곳곳으로 운반한다. 각각의 조직에 얼마나 많은 약물이 도달했는지, 조직에 약물이 얼마나 길게 머물러 있는지는 각 약물의 특성과 조직의 특성에 달려 있다.

약물이 의도한 작용을 수행한 후 신체는 정상적인 생리적 과정으로 약물을 불활성화하고 제거할 수 있어야 한다. 생체 내 효소들이 대사(metabolism 또는 biotransformation)라는 과정을 통해 약물을 분해하고 불활성인 산물로 전환시킨다. 약물과 그들의 대사산물은 배설(excretion)이라는 과정을 통해 요와 같은 폐기물 액체에 섞여 생체로부터 제거된다. 약자인

ADME(Absorption, Distribution, Metabolism, Excretion)는 생체 내에서 약물의 흡수와 배치 특성을 의미한다. 그림 1-2에 이러한 과정을 간단히 도식화하였다.

약물은 어떻게 임상적으로 환자에게 사용되는가?

환자에서 약물의 치료용도와 효과를 연구하는 것이 약물치료학(Pharmacotherapeutics)이다. 약물치료학의 초점은 약물이나 질환이 아니고 환자에 있다. 약물은 모든 환자에서 똑같이 작용하지 않으며 환자와 환자 간 약물반응의 다양성은 매우 흔하게 나타난다. 치료효과의 다양성은 환자의 신체 크기와 구성 성분, 나이, 질환, 환경적 요인 및 유전적 영향의 차이에 의해 나타난다. 이것은 또한 두 가지 약물이 약력학적 또는 ADME 과정에서 같은 기전에 대해 경쟁하여 생기는 약물상호작용에 기인하기도 한다. 약물과학을 충분히 이해하는 것은 적절한 약물치료를 제공하고, 약물상호작용을 예측하고 피해가기 위해 꼭 필요하다.

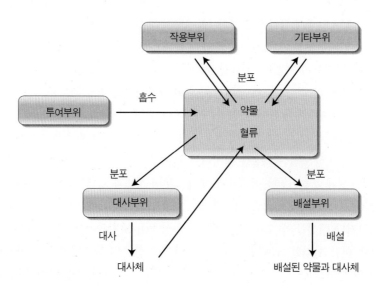

그림 1-2 약물투여 후 약물흡수와 약물배치과정

유전적 요인은 약물치료에 어떻게 작용하는가?

약물과학과 임상과학의 중요한 과제는 각 개인에서 약물치료가 왜 다르게 반응을 나타내는가를 이해하고 이러한 다양성을 고려하여 약물설계를 하는 것이다. 약물유전체학(Pharmacogenomics) 분야가 지금까지 답변할 수 없었던 질병과 약물치료의 특성에 대한 여러 가지 어려운 의문점들을 해명할 것으로 믿고 있다. 약물유전체학은 유전적 소인이 약물에 대한 개인의 반응에 어떻게 영향을 주는가를 연구하는 학문이다. 유전자와 그들 단백질에 대한 많은 지식이 약물과학자가 질병의 원인을 이해하고 더 좋은 약물을 설계하도록 도움을 줄 것이다. 많은 제약회사들이 특정 환자군에서 일정하고 예측가능한 작용을 가지는 약물을 도출하기 위해 약물연구에 약물유전체학적 연구법을 적용하고 있다. 또한 유전자와 단백질 그리고 그들의 기능에 대한 지식은 과학자들이 약물치료에 대한 대체방법으로서 유전적 결함을 고치고 질병을 치료하는 것을 가능하게 할 것이다.

신약은 어떻게 개발되며 시판이 승인되는가?

식품의약품안전처(FDA, Food and Drug Administration)는 시판되는 의약품을 규제하고 신약의 시판을 허가하는 정부기관이다. 식약처는 혼합성분 및 특정 용량의 약물을 포함한 완성된 제형을 의약품으로 규정한다. 식약처는 같은 약물의 다른 용량 또는 다른 제형의 의약품은 별개의 다른 의약품으로 인식한다.

신약의 개발과 발굴의 과정은 길고, 복잡하고 매우 위험성이 있다. 전형적으로 약물을 처음 발굴하여 시판하기까지는 평균 10년이 소요된다. 이 발굴, 개발 및 승인 과정이 그림 1-3에 요약되어 있다.

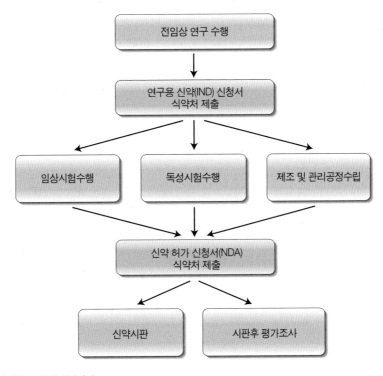

그림 1-3 신약의 개발, 승인 및 시판과정

결어

약물과학은 약물의 작용과 배치의 이해를 기초로 하여 환자에 안전하고 유효한 의약품을 설계하는 목적을 가진 넓은 범위의 상호 연관된 학문분야들을 모두 포함한다. 이 책에서 약물과학의 기초적인 개념을 이해하게 될 것이다. 앞부분의 장에서는 약물과학의 근간이 되는 기초과학으로부터 유래한 원리들이 설명될 것이다. 이들 원리들에 대한 충분한 지식은 이 책의 나머지 부분들을 이해하기 위한 초석이 될 것이다. 나머지 장들에서는 이들 원리들을 약물수송, 약물 배치 및 약물 작용에 적용하고 학문분야 간 통합된 연구방법을 통하여 최종적으로 약물치료와 신약개발에 적용하는 것을 고찰할 것이다.

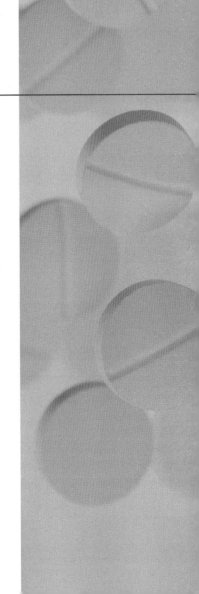

약물화학

> 기능을 이해하려면
> 구조를 학습하라.
> - Francis Crick

2 약물의 표적

Drugs and Their Targets

제1장 개요에서 기술한 바와 같이, 약물은 질병을 진단, 치료 또는 예방하기 위해 사용되는 모든 물질로 광범위하게 정의할 수 있다. 제2장에서는 약물을 화합물 또는 분자로 보는 관점에서 약물의 작용을 고찰하고자 한다. 약물이 유익한 작용을 나타내기 위해서는 다음 두 과제를 완수해야 한다. (1) 약물이 작용부위에 도달해야 하며, (2) 인체에 존재하는 또 다른 분자인 표적과 상호작용해야 한다. 두 분자 간의 화학작용에 의해 이들 단계에 얼마나 잘 도달할지, 또 그 이후에 얼마나 효과적일지가 결정된다. 때로는 이 두 작용을 성취하기 위해 필요한 분자의 특성이 서로 상반되기도 한다.

약물을 투여하면 그 약물은 장벽이나 잠재적 표적이 될 수 있는 다양한 생체계와 만나게 된다.

• 해부학적 장벽: 약물이 투여 부위에서 작용부위로의 이동을 막는 세포막
• 화학적 장벽: pH나 수분 함량에 따라 약물의 용해도 및 이온화도에 영향을 미칠 수 있는 체액
• 생화학적 장벽 및 표적: 약물과 결합하여 그 결과로 세포내 또는 세포외로 약물을 이동시키거나, 약물을 파괴하거나, 또는 표적반응이나 의도하지 않은 반응을 일으키는 데 관여하는 수송체, 효소 및 수용체

약물이 작용부위에 잘 도달하고, 의도하지 않은 효과 없이 표적과 최적의 상호작용을 하기 위해서는 장벽을 잘 통과하게 하거나 표적에서 적절하게 작용할 수 있도록 약물 분자의 구조를 변형시켜야 할 수도 있다. 약물의 구조 및 화학적 성질과 이들이 약물의 작용에 미치는 영향은 다음과 같다.

• 용해도, 분배계수 및 이온화 정도와 같은 물리화학적 특성은 약물이 위장관계로부터 얼마나 잘 흡수되는지와 인체 내에서의 이동에 영향을 줄 수 있다.
• 공명 구조 및 유도 효과와 같은 화학적 특성은 표적 또는 다른 단백질과 약물과의 결합에 중요한 역할을 할 수 있다.
• 입체 화학은 약물 분자의 모양과 크기를 고려하며, 약물이 표적과 어떻게 상호작용하는지와 약물이 적절한 의도 반응을 나타낼 수 있을지에 영향을 미칠 수 있다.

신약개발 과정에서 약물 분자가 작용부위에 잘

도달할 수 있게 하는 특성과 의도하는 효과를 나타내도록 하는 특성 간에 균형이 필요할 수도 있다. 시판되고 있는 대부분의 약물들은 본래 그 형태로 발견된 것이 아니라 가장 효과적인 치료제로 만들기 위해 실험과 변형 과정을 거친 결과이다. 원하는 표적반응을 나타내는 물질의 확인을 시작으로 하여, 독성이 있거나 흡수, 분포, 대사 및 배설 과정 중 하나 또는 그 이상의 문제점 또는 제조과정이 매우 복잡하거나 비용이 많이 드는 등의 바람직하지 않은 성질을 개선하기 위해 분자를 변화시킨다. 따라서, 최초의 화합물은 희망하는 활성을 증가시키고, 원하지 않는 특성을 제거 또는 감소시키려는 목적으로 변형될 수 있다. 다음에서는 약물이 바람직한 표적 반응을 나타내는 기본 원리에 대해 기술하고, 바람직한 작용을 유지하면서 잠재적 문제를 개선하도록 약물을 변형시키는 방법을 연구하고자 한다. 제12장과 제13장에서는 표적에서의 약물의 작용을 더욱 상세하게 다룰 것이다.

표적과 생물학적 활성

제1장에서 기술한 자물쇠 및 열쇠와의 유사성을 상기해 보자. 약물이 표적반응을 나타내기 위해서는 표적과 꼭 맞아야만 한다. 이 개념은 상보성(complementarity)으로 알려져 있다. 약물과 표적은 상보적 양상으로 서로 꼭 맞는 3차원적 모양을 가져야 한다. 그 다음에 약물과 표적 간의 결합이나 상호작용의 결과로 표적 반응이 일어난다.

약물의 표적은 대부분 인체에서 만들어지는 단백질이다. 미생물이 만드는 단백질에 결합하는 항생제나 항바이러스 약물은 예외에 해당된다. 약물은 단백질 내에 있는 특정 부위나 포켓에 결합하여 단백질의 활성을 변화시킨다. 약물이 결합했을 때 궁극적으로 일어나는 작용은 그 단백질이 본래 갖고 있는 기능에 따라 결정된다. 약물의 작용에 관한 가장 중요한 개념 중 하나는 어떤 약물이라 하더라도 새로운 생물학적 기능을 창조할 수는 없다는 것이다. 즉, 약물은 그 표적이 갖고 있는 본래의 기능을 증가시키거나 감소시킬 수 있을 뿐이다. 예를 들면, 손상에 따른 통증과 염증은 몇 가지 물질의 합성과 유리에 의해 야기된다. 비스테로이드성 소염제인 ibuprofen (Motrin)은 이러한 물질을 합성하는 효소를 억제한다. 이 약물은 새로운 기능을 만드는 것이 아니며, 표적 단백의 작용을 억제함으로써 통증이나 염증을 방해한다. 따라서 약물의 작용을 이해하기 위해서는 먼저 단백질의 작용과 기능을 이해해야 할 것이다.

단백질이란 무엇인가?

단백질은 유전자의 활성 조절, 세포내 또는 세포 간 신호전달 및 대사과정을 진행시키는 등의 다양한 역할을 수행한다. 단백질은 인체의 세포나 조직, 기관의 구조와 기능 및 조절에 반드시 필요하다. 세포나 조직이 건강한 상태를 유지하려면 단백질을 생성할 수 있어야 하며, 생성된 단백질은 정확한 기능을 할 수 있어야 한다. 중요 단백질의 조성이나 양에 변화가 생기면 질병으로 이어질 수 있다.

약물-단백질 간의 상호작용은 약물의 작용과 기능 면에서 매우 중요한 역할을 한다. 오늘날 사용되고 있는 많은 약물들은 단백질에 있는 포켓이나 통로 또는 미세세공(pore)에 작용한다. 또한 약물들은 단백질의 도움으로 수송되거나 대사 또는 배설된다. 따라서 단백질은 약물의 작용 표적의 대상이 될 수 있으며, 약물은 특정 단백질의 작용 표적이 될 수 있다.

단백질의 구조는 복잡성에 따라 1차, 2차, 3차 및 4차의 4개 단계로 나눌 수 있다 (그림 2-1). 단백질의 1차 구조는 그 단백질을 구성하는 아미노산의 서열로 나타낸다. 2차 구조는 α-helix와 β-sheet를 형성할 수 있도록 인접한 아미노산 간에

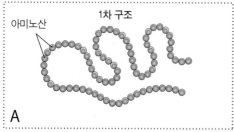

1차 구조

아미노산

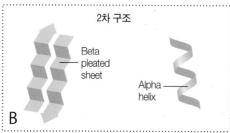

2차 구조

Beta pleated sheet

Alpha helix

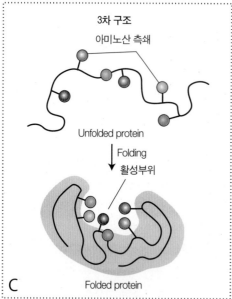

3차 구조

아미노산 측쇄

Unfolded protein

Folding

활성부위

Folded protein

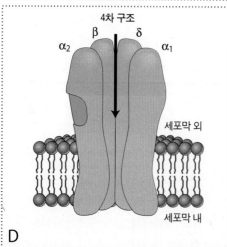

4차 구조

β　δ

α_2　α_1

세포막 외

세포막 내

발생하는 수소결합에 의해 결정된다. 3차 구조는 매우 조직적이며, 뚜렷한 내부와 외부가 존재하는 3차원적 모양을 가진다. 이 3차원적 모양에 의해 몇 개의 포켓 또는 결합부위(또는 활성부위)가 생성되기도 하며, 적절한 구조를 가진 분자가 이곳에 결합할 수 있게 된다. 많은 단백질들은 2~6개의 폴리펩티드(polypeptide) 사슬이나 아단위(subunit)가 스스로 모여 집합체(assembly)를 형성하며, 이것이 단백질의 4차 구조이다. 예를 들면, 골격근 수축에 매우 중요한 역할을 하는 막단백인 아세틸콜린 수용체는 5개의 아단위가 모여 근육세포의 막에 나트륨 이온을 유입할 수 있는 통로를 형성한다. 최종적으로 형성된 구조를 가진 단백질만이 기능을 나타낸다.

　일반적으로 약물은 다음과 같은 4가지 형태의 조절성 단백표적과 상호작용하여 효과를 나타낸다(그림 2-2).

• 수용체 단백: 수용체는 다른 세포로부터 신호를 받고 처리한다. 수용체를 표적으로 하는 약물의 예로 히스타민 H_1 수용체에 결합하여 봉쇄하는 항알레르기 약인 cetirizine(Zyrtec)이 있다.

• 이온통로 단백: 통로 단백은 세포내 또는 세포외로 용질 및 이온의 통과를 조절한다. 국소마취제인 procaine(Novocain)은 나트륨 이온 통로에 결합하여 봉쇄함으로써 통증 신호의 전달을 차단한다.

• 효소: 효소는 생화학적 반응과 대사 반응을 촉매한다. Celecoxib(Celebrex)라는 약물은 COX2 (cycloxygenase 2) 효소에 결합하여 억

그림 2-1　단백 구조의 4단계를 묘사하는 그림. 1차 및 2차 구조는 특별한 결합부위를 갖고 있지 않다. 이러한 결합부위는 단백질이 특이한 방식으로 접힐 때나 다른 단백질 아단위(subunit)와 조합할 때 형성된다. 패널 D는 아세틸콜린 수용체-이온채널 복합체의 다섯 개 아단위 중 하나를 제거하고 세로로 관찰한 그림이다. 나머지 아단위는 내부 채널을 만들고 있다. 약간 굽은 구조를 가진 알파 나선은 채널의 둘레를 형성한다.

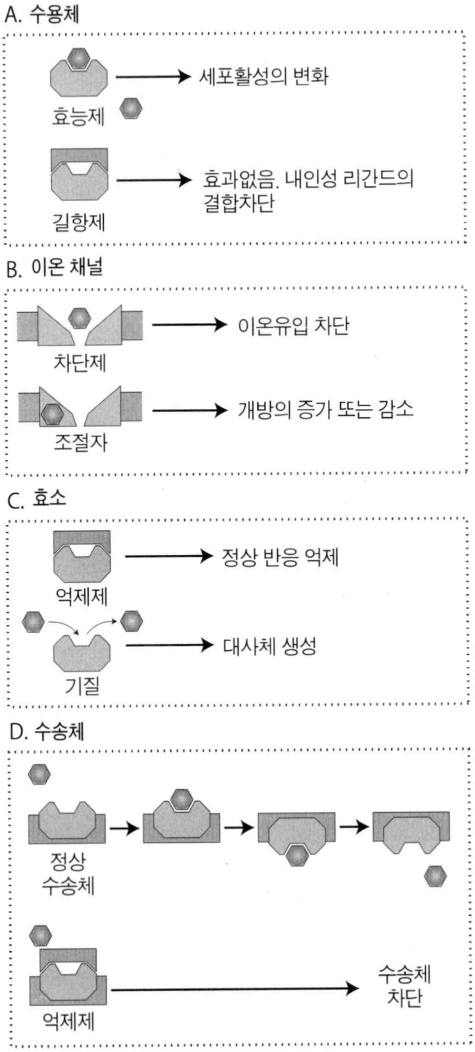

A. 수용체

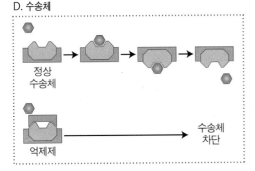

효능제 → 세포활성의 변화

길항제 → 효과없음. 내인성 리간드의 결합차단

B. 이온 채널

차단제 → 이온유입 차단

조절자 → 개방의 증가 또는 감소

C. 효소

억제제 → 정상 반응 억제

기질 → 대사체 생성

D. 수송체

정상 수송체

억제제 → 수송체 차단

그림 2-2 약물과 상호작용하는 단백 표적의 형태

제함으로써 통증과 염증을 매개하는 물질의 생성을 저해한다.

• 수송체: 수송체는 세포의 안과 밖으로 물질을 수송한다. Fluoxetine(Prozac)은 뇌에서 세로토닌 수송체를 억제하여 세포에서 일련의 변화를 유발함으로써 결과적으로 우울증을 완화시킨다.

단백질-리간드의 상호작용

일반적으로 약물의 표적으로 선정되는 단백질은 리간드라고 불리는 화학적 전달 분자와의 상호작용에 의해 세포의 기능을 수행하는 단백질이다. 리간드는 단백질과 결합하여 복합체를 형성하는 이온 또는 분자를 말한다. 이 복합체가 결과적으로 표적 반응을 일으킨다. 리간드는 인체 내에 이미 존재하는 내인성이거나 약물의 형태로 인체에 투여되기도 한다. 내인성 리간드의 예로는 신경 전달물질과 호르몬 등이 포함된다. 대부분의 약물은 그 작용을 발현함에 있어 내인성 리간드를 대신하도록 고안되었다. 일례로 morphine은 통증 제어를 위해 인체에서 만들어지는 화합물인 endorphin이 사용하는 수용체와 동일한 수용체를 뇌에서 사용한다.

단백질과 리간드 간의 결합에 있어서의 근원적 개념은 리간드와 단백질의 활성부위 간의 상보성 (complementarity) 또는 "적합성"이다. 리간드가 그 작용을 나타내기 위해서는 단백질의 특정 부위에 꼭 들어맞아야 한다. 단백질과 리간드 간의 정합은 모양뿐만 아니라 그들 간의 친화력에 달려있다. 약하고 가역적인 결합에 의해 단백질과 리간드가 결합하고 그 복합체가 유지된다. 기능성 그룹의 상보적 모양과 방향에 따라 수소결합 공여기와 수용기가 정렬되며, 소수성 그룹은 또 다른 소수성 그룹과 함께 위치하게 되고, 양전하는 음전하와 가까이 놓이게 된다(그림 2-3).

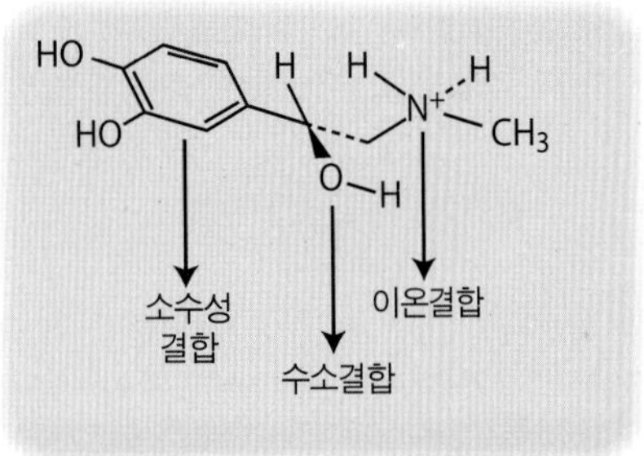

소수성 결합

수소결합

이온결합

그림 2-3 약물 분자의 관능기가 단백질의 특정 아미노산이 갖고 있는 상보적 관능기와 정렬하여 결합부위를 형성하는 그림.

표적과의 결합

약물 개발을 위한 관심의 대상이 되는 수많은 표적에는 내인성 리간드가 존재한다는 점을 고려해 볼 때, 약물이 표적에 결합하기 위해 보유해야 할 물리, 화학적 특성을 결정하는 것을 출발점으로 삼는다. 약물작용발생단(pharmacophore)은 표적과 결합하는 가장 단순한 구조를 말한다. 하지만 대부분의 약물 분자는 약물작용발생단보다 더 복잡하며, 이는 장벽이나 잠재적 독성의 극복과 관련된 문제에도 역점을 두어야 하기 때문이다. 약물의 구조에 대한 총체적 개념에는 여러 가지 요소가 있다. 담체 그룹(vector group)은 약물이 작용부위로 향하게 하는 데 있어서 중요한 역할을 하며 독성을 최소화할 수 있도록 도와주기도 하지만 표적과의 결합에는 관여하지 않는다. 담체 그룹은 다시 운반 그룹(carrier group)과 취약 그룹(vulnerable group)으로 나뉜다. 운반 그룹은 그 분자의 이온화 및 친지성을 조절하며 그 결과로 약물의 흡수와 분포 및 배설에 영향을 미친다. 취약 그룹은 효소의 작용에 민감하며 약물의 대사를 결정한다.

약물작용발생단(pharmacophore)

약물작용발생단은 표적단백이나 수용체와 상호작용하는 분자의 특성을 말한다. 분자에서 이 부

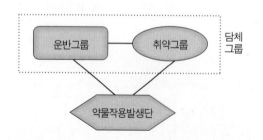

그림 2-4 후보약물의 일반적 구조를 이루는 전형적 요소. 약물작용발생단은 표적과 결합하여 생물학적 반응을 발현하는데 필요하다. 담체 그룹(vector group)은 분자의 물리화학적 성질을 규정한다. 운반 그룹(carrier group)은 흡수, 분포 및 배설을 조정한다. 취약 그룹(vulnerable group)은 약물대사를 결정한다.

분을 변형시키면 생물학적 활성이 바뀌게 된다. 약물작용발생단과 표적 간에는 물리화학적 및 입체화학적 상보성이 있어야 한다. 즉, 이들의 크기나 모양 및 전하가 둘 간의 정합이 가능하도록 허용해야만 한다. 분자의 여러 부분이 모여 약물작용발생단을 형성할 수 있다. 다음의 본문에서 볼 수 있듯이 약물작용발생단의 일부분을 변형시키면 약물이 특정 수용체에 결합할 수 있는 능력을 바꾸거나 약물이 발현하는 생물학적 반응을 변경시킬 수 있으며, 이는 다른 표적이나 수용체는 3차원적 모양이 다르기 때문이다.

일단 약물작용발생단이 확립되면 여러 개의 유도체를 합성한다. 유도체는 선도물질과 동일하거나 유사한 약물작용발생단을 가지면서 그 분자의 다른 부분에 차이가 있는 화합물을 말한다. 분자의 한 부분이(알킬 사슬의 길이처럼) 단순하고 일정하게 증가하는 구조를 가지는 유도체라면, 그 유도체는 상동 계열(homologous series)의 일부라고 할 수 있다. 유도체를 만드는 목적은 약리학적 활성을 보유하면서 바람직하지 못한 성질을 배제하거나 최소화하기 위함이다. 합성한 유도체는 실험실에서의 시험을 거쳐 동물실험 및 더 나아가 인체 임상시험을 진행할 화합물을 선정한다.

상보성

우리가 고려해야 할 두 가지 형태의 상보성은 물리화학적 상보성과 입체적 상보성이다. 물리화학적 상보성은 두 분자 간의 물리화학적 상호작용의 존재를 말하며, 입체적 상보성은 리간드의 모양이 작용부위의 모양과 잘 맞는지 어떤지를 말한다. 이 두 상보성이 상호작용의 세기를 결정한다.

물리화학적 상보성

일반적으로 세포의 정상적 과정에 있어서 단백질

과 리간드 간에 공유결합은 형성되지 않는다. 따라서 두 분자를 끌어당기고 복합체로 유지시키기 위해서는 몇 가지 형태의 더 약한 비공유결합이 필요하다. 대부분의 경우, 단백질과 리간드 간의 초기 끌림은 단백질 결합부위와 리간드가 지닌 반대 전하 간의 이온 상호작용과 같은 원거리 힘에 의해 발생한다. 리간드가 단백질에 근접함에 따라 수소결합과 같은 근거리 힘이 추가적 끌림이나 방향성을 제공한다. 끝으로 반데르발스 힘과 소수성 상호작용이 복합체의 방향성 및 안정화에 작용한다. 따라서 대부분의 단백질-리간드 상호작용에 의한 최종 복합체의 형성은 여러 가지 다른 분자 간의 힘에 의존한다. 단백질-리간드 결합에 관여하는 다양한 물리화학적 상호작용 중에서 이온결합 및 소수성 상호작용이 가장 중요한 것으로 보인다.

　리간드와 단백질 간의 초기 상호작용은 종종 이온성이기 때문에 약산 및 약염기의 이온화 상태가 매우 중요하다. (이온화된 아미노산에서) 전하를 띤 원자는 때로 단백질 활성부위에 정렬하여 포켓의 특정 영역에 전하를 부여한다. 활성부위와 리간드가 가지고 있는 반대 전하는 서로를 끌어당기면서 복합체 형성을 시작한다. 정전기적 상보성(electrostatic complementarity)은 부적합한 분자가 활성부위에 결합하지 못하도록 막는 데 중요하며, 리간드는 상호작용을 하기에 적합한 위치에 상보적 전하를 띤 원자를 갖고 있어야 한다.

　리간드-단백질 결합에 있어서 중요한 다른 힘은 소수성 상호작용(hydrophobic interaction)이다. 신체 중 거의 3분의 2는 물이며 이 물은 우리가 가진 모든 세포를 둘러싸고 있다. 리간드와 단백질이 상호작용 하기 위해서는 리간드가 물을 배척하고 단백질과 결합할 수 있게 해주는 강력한 힘이 필요하다. 리간드의 소수성 부분이 이것을 가능하게 해 준다. 따라서 리간드의 친지성 또한 단백과 리간드의 결합에 있어서 중요한 인자

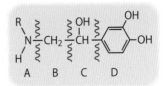

그림 2-5 알파 및 베타 아드레날린 수용체에 작용하는 약물의 약물작용발생단.

이다.

　서로 다른 두 단백질인 알파와 베타 아드레날린 수용체(그림 2-5)에 대한 약물작용발생단을 생각해보자. 이들 수용체는 각기 다른 조직이나 기관에 분포하며, 이들 부위에서 각 수용체는 활성화되어 서로 다른 효과를 나타낸다. 이 예에서 분자의 구조를 A, B, C 및 D의 4개 영역으로 나누고, 각 부위가 결합에서 어떤 역할을 하는지 살펴보자.

A 영역-아민기. 생리적 pH (7.4)에서 아민기는 양자화된 상태(양전하를 띤 상태)가 우세하며, 표적단백질의 음전하 부위와 이온결합을 형성할 수 있다. 수용체에 존재하는 음전하 부위는 카르복실산이다. 이온결합의 형성은 알파 수용체 결합에 있어서 절대적으로 중요하다.

A 영역-R 그룹. R 그룹의 크기가 증가함에 따라 알파 수용체 결합은 감소하고 베타 수용체 결합이 증가한다. 예를 들면, R이 수소에서 이소프로필기로 바뀌면 전반적인 효과는 알파와 베타 수용체 모두에 결합할 수 있는 약물에서 베타 수용체에만 결합하는 약물로 바뀐다. 아민기에 붙은 R그룹의 크기와 아민의 이온화 정도에 따라 알파 또는 베타 수용체에 대한 결합이 영향을 받는다. R 그룹의 크기가 커짐에 따라 소수성 결합이 증가한다. 소수성 결합은 베타 수용체 결합 및 활성화에 매우 중요한 반면, 이온 결합은 알파 수용체 결합과 활성화에 매우 중요하다. Albuterol

(Proventil)과 같이 임상적으로 유용한 베타 효능제는 보통 아민기에 이소프로필 또는 t-butyl 그룹을 가지고 있다.

D 영역-카테콜기. 카테콜 그룹은 분자가 가지고 있는 또 다른 소수성 영역으로 결합부위 또는 활성부위의 소수성 부분을 끌어당긴다. 두 개의 히드록실 그룹 중 하나를 제거하거나 페닐환을 소수성이 적은 그룹으로 대체하면 알파 및 베타 수용체에 대한 결합력이 감소한다.

B 영역-알파 탄소. 이 위치에 메틸기를 추가하면 알파 및 베타 수용체 결합과 활성화가 감소한다. 메틸기는 이온결합 형성과 소수성 결합에 있어서 입체적 방해를 야기한다. 즉, 메틸기는 표적이나 수용체에 존재하는 상보적 결합부위와 아민과의 결합을 물리적으로 방해한다. 뿐만 아니라 알파 메틸기가 존재하면 간에서 약물대사 및 불활성화에 관여하는 효소와 약물과의 결합에 있어서도 입체적 방해를 유발한다.

입체적 상보성

리간드와 단백질 간의 초기 끌어당김에 있어서 물리화학적 상보성이 중요하다 하더라도 리간드-단백질 복합체를 유지하기 위해서 리간드는 입체화학적 상보성도 가져야 한다. 이것은 리간드가 활성부위와 꼭 맞는 명확한 3차원적 모양과 크기를 가져야 함을 의미한다. 단백질-리간드의 결합에 있어서 입체화학적 상보성과 관련하여 입체화학의 기본 개념을 아래에 간단히 요약하고자 한다. 입체화학에 관한 더 상세한 자료는 학부 화학 교재를 참조하기 바란다.

입체이성질체(stereoisomers)는 동일한 분자식과 결합 순서를 가지고 있으나 공간적 배열이 다른 분자를 말한다. 이들 분자 간의 유일한 차이는 공간에서 원자 또는 관능기의 3차원적 방향뿐이다. 입체이성질체는 동일한 화학식과 결합을 가지고 있음에도 매우 다른 화학적, 물리적 및 생물학적 특성을 나타낼 수 있다. 입체적 상보성을 이해함에 있어서 관심을 끄는 2가지 중요한 형태의 입체이성질체가 있는데 이는 거울상 이성질체와 기하 이성질체이다.

거울상 이성질체(enantiomers) 및 분자 비대칭성(chirality). 분자 비대칭성이란 해당 물체의 거울상과 포개지지 않는 (분자나 약물과 같이) 고정된 물체의 기하학적 성질을 말한다. 거울상과 포개지지 않는 분자를 키랄(chiral)이라고 한다. 이는 분자가 거울상과 포개질 수 있는 아키랄 (achiral) 분자와는 반대 개념이다.

분자 비대칭성은 우리의 오른손 및 왼손과 흡사하다. 즉, 그 둘은 거울상이지만 포개지지 않는다. 키랄 분자의 두 거울상을 거울상 이성질체(enantiomers)라고 한다. 손과 같이 거울상 이성질체는 쌍으로 존재한다. 일반적으로 분자 비대칭성은 그 구조에 적어도 하나의 비대칭성 혹은 비대칭 중심(chiral center)을 가지고 있는 화합물에서 나타난다. 비대칭 중심이란 원자에 붙어있는 두 개의 치환기를 서로 바꾸어 주면 새로운 입체이성질체가 만들어질 때 그 원자를 말한다. 거울상 이성질체에 대하여 다양한 명명체계가 사용되어 왔으며, 가장 흔한 명명법은 쌍을 이루는 두 형태를 L- 및 D- 또는 R- 및 S-로 표기하는 것이다.

분자 비대칭성은 아미노산, 탄수화물 및 지질과 같이 생물학적으로 중요한 많은 분자에서 발견되는 특성이다. 예를 들면 천연에 존재하는 아미노산은 공통적인 입체화학을 공유하는데 그들은 모두 L-형 아미노산이다. 우리 몸은 D-형 당만을 사용하며, DNA와 RNA는 D-형 당으로 구성되어 있어 오른쪽으로 회전하는 이중나선 구조를 이룬다. 결과적으로 대부분의 세포 표적은 키랄이며, 키랄 리간드의 거울상 이성질체의 차이를

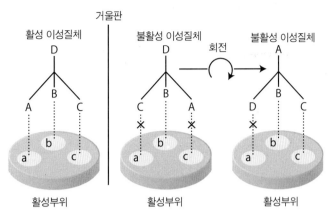

그림 2-6 약물의 두 가상적 거울상 이성질체와 수용체 활성 부위와의 결합. 활성형 거울상이성질체는 약물의 도메인 A가 활성 부위의 도메인 a와, B는 b와, 그리고 C는 c와 상호작용을 할 수 있는 3차원 구조를 가지고 있다. 세 개의 상호작용이 모두 필요하다. 이와는 대조적으로 비활성형 거울상 이성질체는 결합부위와의 상호작용이 3개 모두 동시에 일어나지 못한다. 3차원 구조의 차이에 의해 활성형 거울상체는 결합하여 효과를 나타내는 반면, 비활성형 거울상체의 경우 이것이 가능하지 않다.

인지할 수 있다. 혀에 존재하는 미각 수용체와 같은 인체의 수용체는 리간드의 입체이성질체를 구분할 수 있다. 그 예로 leucine의 한 이성질체는 달고, 다른 하나는 쓴 맛이다. 서로 다른 이성질체 화합물은 냄새도 다를 수 있다. Limonene의 한 이성질체는 오렌지향이고 다른 하나는 레몬향이다.

거울상 이성질체는 비점, 융점, 밀도 및 용해도 등 동일한 물리화학적 성질을 갖는다. 그러나 효소나 수용체와 같은 단백질과의 상호작용에 있어서는 현저한 차이를 나타낼 수 있으며, 3차원적인 모양의 차이로 인해 생물계에서는 매우 다르게 작용할 수 있다. 그림 2-6에서는 두 개의 가상적 거울상 이성질체 약물과 수용체 활성부위와의 결합을 보여주고 있다. 다시 말해서 환자가 약을 복용하였을 때 그 약물의 R형 거울상 이성질체는 S형 이성질체와 반드시 동일한 방식으로 작용하지는 않는다. 본질적으로 키랄 약물의 두 거울상 이성질체는 다른 약물로 생각해야 한다. 리간드나 약물의 입체적 형태를 구분하는 생분자의 능력은 키랄 인지(chiral recognition) 또는 키랄 식별(chiral discrimination)이라고 부른다.

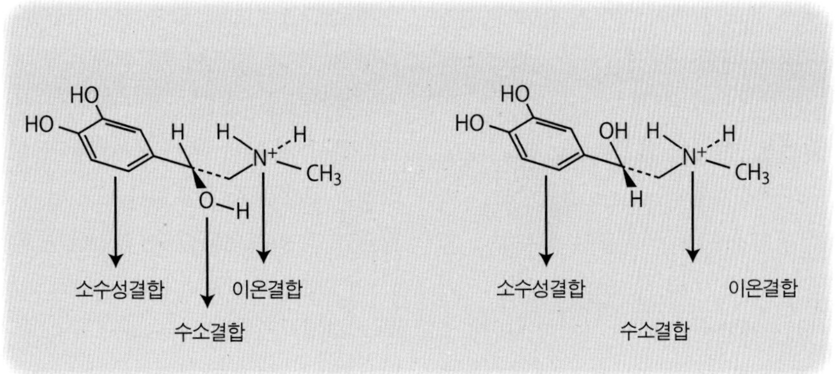

그림 2-7 키랄 센터의 방향에 따라 R형 이성질체는 수용체 활성부위와 3개의 결합을 형성하며, S형 이성질체는 2개의 결합만을 형성하는 그림.

C 영역-비대칭 중심(chiral center). C 영역에 위치한 탄소는 키랄 센터를 가지고 있다(그림 2-7). R형 이성질체에서는 표적과 수소결합 형성을 허용하는 방향으로 hydroxyl기를 제시해 준다. 이로써 결합부위로 더 강력하게 끌리게 되며 더 안정한 약물-수용체 복합체를 형성하게 된다. R형은 S형보다 25배 더 강력하다. 즉, R형이 효과를 발현하는데 필요한 양은 S형 보다 25배 적다. S형 이성질체는 C 영역에 hydroxyl기가 없는 동일 분자와 동등한 효력을 가진다.

기하 이성질체. 기하 이성질체(시스-트랜스 이성질체)는 탄소-탄소 이중결합이나 시클로헥산환에서와 같이 결합 주위의 제한된 회전으로 인해 발생한다. 시스 및 트랜스 배열은 서로 거울상이 아니며, 이온화나 친지성과 같은 물리화학적 성질이나 생물학적 활성에 있어서 상당한 차이가 있다.

기하학적 시스 및 트랜스 이성질체는 순수물질로 분리할 수 있으며, 두 이성질체의 혼합형은 흔하지 않다. 하지만 환상 화합물에 있어서 두 트랜스 이성질체는 거울상 이성질체 쌍으로 존재할 수 있다. 따라서, 시스와 트랜스 이성질체 간의 생물학적 활성의 차이는 비특이적 물리화학적 효과 또는 수용체 결합의 입체선택성에 의해 야기될 수도 있다. 그림 2-8에서는 기하 이성질체와 기하 이성체가 표적 단백에 어떻게 다르게 결합할 수 있는지를 보여주고 있다.

라세미 혼합물. 라세미 혼합물(racemic mixture) 또는 라세미 화합물(racemate)은 모든 가능한 입체이성질체를 동등 비율로 함유하고 있는 화합물을 말한다. 따라서, 하나의 키랄 센터를 가지고 있는 화합물의 경우, 라세미 화합물은 두 개의 거울상 이성체를 1:1 비율로 함유하고 있다. 라세미 혼합물 상태의 거울상 이성질체는

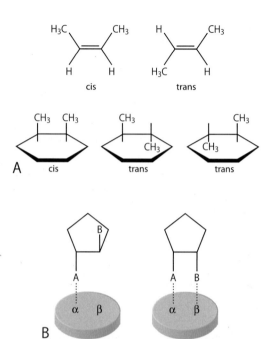

그림 2-8 A. 이중결합이나 환에서 시스-트랜스 방향의 결과에 의한 기하학적 이성질체. B. 기하 이성질체와 표적의 결합. 왼쪽 그림에서 트랜스 이성질체는 B 그룹이 효과적인 결합을 할 수 있도록 배열되어 있지 않다. 오른쪽 그림에서 시스 이성질체는 수용체와의 결합에 유리한 방향으로 두 개의 관능기를 가지고 있다.

물리화학적 특성이 같기 때문에 각 이성체를 순수하게 분리하기가 어렵다. 이러한 이유로 대부분의 합성 화합물은 오랜 기간 동안 라세미 혼합물로 생산되어 왔고, 각 입체이성질체의 성질은 알려지지 않았다. 현재 유용하게 사용되고 있는 500개 이상의 약물이 활성형 약물과 거울상 이성체를 동등 비율로 함유하고 있는 라세미 혼합물이다.

입체이성질체는 상당히 다른 생물학적 특성을 나타낼 수 있으며, 한 가지 형태의 입체 이성체가 라세미 혼합물의 치료효과보다 더 우수할 수도 있다는 것이 확인되었다. 희망하는 활성을 가지는 이성질체를 유토머(eutomer)라고 하고, 희망하는 활성이 없거나 의도하지 않은 활성이 있는 이성질체는 디스토머(distomer)라고 한다. 상업적 규모로 하나의 이성질체를 생산하여 약물로

활용할 수 있게 하는 방법도 가능하다.

분자 비대칭성은 새로운 약의 개발에 있어서 중요한 역할을 한다. 시판되고 있는 약물의 약 30%가 하나의 이성질체 형태로 판매된다. 소염제인 naproxen은 R-형이 간 독성이 있기 때문에 S-형 이성질체로 판매된다. 마찬가지로 L-DOPA는 파킨슨병 치료활성이 있지만 D-DOPA는 파킨슨 치료효과는 전혀 없고 과립구감소증(백혈구 감소로 인해 환자에게 감염이 잘 일어남)을 유발할 수 있다. 관절염 치료에 사용되는 penicillamine의 경우 S-이성체가 활성형인 반면 R-형은 매우 유독하다. 항결핵제인(S, S)형 ethambutol은 활성이 있는 반면, (R, R)형은 시력 상실로 이어질 수 있는 시신경염을 유발한다.

시스-트랜스 이성질체 약물의 예로는 estrogen 활성을 지닌 trans-diethylstilbestrol과 estrogen 활성이 트랜스형의 7%에 해당하는 cis-diethyl-stilbestrol이 있다.

약물의 물리화학적 특성

약물이 표적과 결합하기 위해 필요한 기본 구조 요건을 확인하고 나면 다른 문제들을 우회하기 위하여 또는 생물학적 활성을 더 증가시키기 위하여 구조적 변환이 때로 필요하다. 용해도, 적절한 신체 부위로 분포되는 능력, 대사에 대한 민감성, 효력의 증가 또는 독성의 감소 등과 같은 문제에 대해 기술할 필요가 있을 것이다. 약물의 다른 성질은 변화시키지 않으면서 한 가지 성질이 향상되도록 약물을 변화시키는 것은 시도해볼 만한 일이다.

생등배전자성(bioisosterism)

화학적 등배전자성(Chemical isosterism)이란 이온이나 화합물 또는 원소의 전자배열이 유사하기 때문에 그들의 물리화학적 성질이 유사한 것을 말한다. 이와 같은 개념은 원자에 대해 처음 도입되었다. 주기율표에서 같은 세로줄에 속하는 원소끼리는 바깥쪽 껍질 전자가 유사하기 때문에 동일한 전자적 특성을 나타낸다. 세로줄 상에서 동일한 크기와 질량을 가지는 원자 또한 유사한 물리화학적 특성을 가진다. 주기율표의 가로줄에 위치한 이웃 원자 간에도 이와 유사한 경향을 볼 수 있다. 따라서, 하나의 분자에서 하나 또는 그룹의 원자를 등배전자체(isostere)로 교체할 경우, 그 화합물의 물리화학적 특성이 현저하게 변하지는 않는다. 화학적 등배전자성 등가물은 동일한 물리화학적 성질을 가진 다른 화합물들을 합성하는데 사용될 수 있다.

생등배전자성(bioisosterism)은 등배전자성을 생물계에 적용하는 것으로, 물리화학적 성질이나 생물학적 활성을 바람직하게 변화시키기 위해 약물분자를 변환시키고자 할 때 길잡이 역할을 한다. 이에 대한 근본 원칙은 만일 변환된 화합물이 약물작용발생단과 마찬가지로 같은 표적과 상호작용한다면 그 변환이 지나치게 과감할 수는 없다는 것이다. 작은 구조적 변화는 특정 원자나 그룹을 생등배전자체로 교체함으로써 달성할 수 있다. 생등배전자성 변환을 하는 이유는 (1) 생물학적 활성은 유지하면서 물리화학적 또는 약동학적 성질이 개선된 유사 화합물들의 합성 또는 (2) 물리화학적 특성은 유지하면서 생물학적 효능이 증가되거나 개선된 유사 화합물들의 합성을 위함이다. 이러한 전략은 약물작용발생단에 기반하여 향상된 약물을 합성하는 데 널리 사용된다.

생등배전자성 등가물 (bioisosteric equivalents)

생등배전자성 등가물은 해당 범주 내에서 원자나 관능기의 상호 교환이 가능한 몇 개의 범주로 나눌 수 있다.

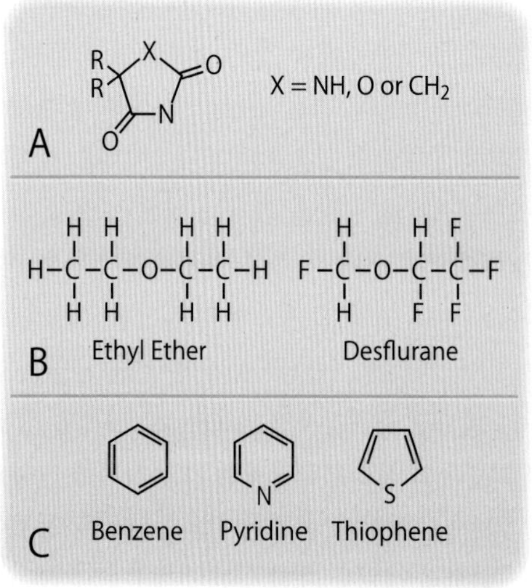

그림 2-9 A. 항간질 활성을 나타내는 약물의 약물작용발생단. B. 에틸 에테르와 desflurane의 화학 구조. 두 약물 모두 전신마취를 야기할 수 있다. C. 유사한 모양과 크기를 가진 3개의 서로 다른 헤테로환 약물.

1. 총 전자의 수가 동일한 원자 또는 원자의 그룹. O, NH 및 CH_2는 각각 총 8개의 전자를 갖고 있으므로 생등배전자체로 간주할 수 있다. 항간질 활성을 갖고 있는 약물의 약물작용발생단을 그림 2-9A에 제시하였다. X가 O, NH, 또는 CH_2 중 하나인 경우 약물의 활성은 유지된다.

2. 가장 바깥쪽 껍질에 동일한 수의 전자를 가진 원자. 할로겐은 수소와 같은 수직열에 있으므로 등배전자성이다. 흡입마취제(그림 2-9B)의 경우, 수소를 불소 원자로 대체하면 수면유도 활성은 유지되며, 에틸에테르와 같은 비할로겐성 탄화수소와 비교할 때 인화성은 감소하고 효력은 증가하는 이득을 제공한다.

3. 동일 크기와 모양을 가지는 원자 및 원자의 그룹. 수소원자의 크기는 불소원자와 유사하다. 염소원자의 크기는 삼불화 탄소(CF_3)와 유사하다. 벤젠환은 피리딘 및 티오펜(thiophene) 환계와 생등배전자성인데, 그 이유는 C=C 결합은 크기와 결합각에 있어서 C=N 결합 및 황 원자와 유사하기 때문이다(그림 2-9C).

생등배전자성의 응용

약물의 개발에 있어서 화학자는 신규 표적과 상호작용할 수 있는 새로운 약물을 만들거나 기존의 약물보다 개선된 약물을 만들기 위해 약물작용발생단이나 시판되고 있는 약물에 생등배전자성 변환을 만든다. 약물의 물리화학적 특성 또는 표적에서의 활성을 바꾼 생등배전자성 변환의 예는 다음과 같다.

지질 용해도: Propranolol과 Pindolol은 심혈관질환의 치료에 사용되는 베타 아드레날린성 수용체 차단제이다(그림 2-10A). Propranolol은 친지성이 높으며, 뇌에 잘 도달하는데, 이는 어떤 환자의 심혈관질환을 치료하는 데 있어서 반드시 필요한 특성은 아니다. Pindolol은 환 구조에 생등배전자성 변환을 했기 때문에 propranolol보다 친지성이 더 적고 뇌로 덜 이행되며, 따라서 중추신경계 효과가 적다.

효소 억제: Para-aminobenzoic acid (PABA)은 세균의 성장에 필수적이다. 이는 dihydropteroate synthetase라는 효소의 기질이며 엽산 합성에 필요하다. Sulfacetamide (그림 2-10B)는 세균 감염의 치료에 사용되는 항생제로 PABA와 구조적으로 유사하며, PABA가 결합하는 부위와 동일한 부위의 효소에 결합할 수 있다. 그러나 sulfacetamide는 기질도 아니고 효소에 완전히 꼭 맞지도 않지만 효소를 억제하여 엽산 합성을 방해한다.

수용체 차단: Histamine은 위장관계에 위치한 histamine 수용체에 작용하는 내인성 리간드이다. Histamine이 수용체에 결합하면 수용체가 변화하여 위산 분비를 야기한다. H_2 수용체 차단제인 ranitidine의 환은 histamine에 있는 환과 생등배전자성이기 때문에 동일 표적에 결합할 수 있으나 ranitidine 구조의 다른 요소가 수용체의 활성화를 허용하지 않는다(그림 2-10C). 따라서

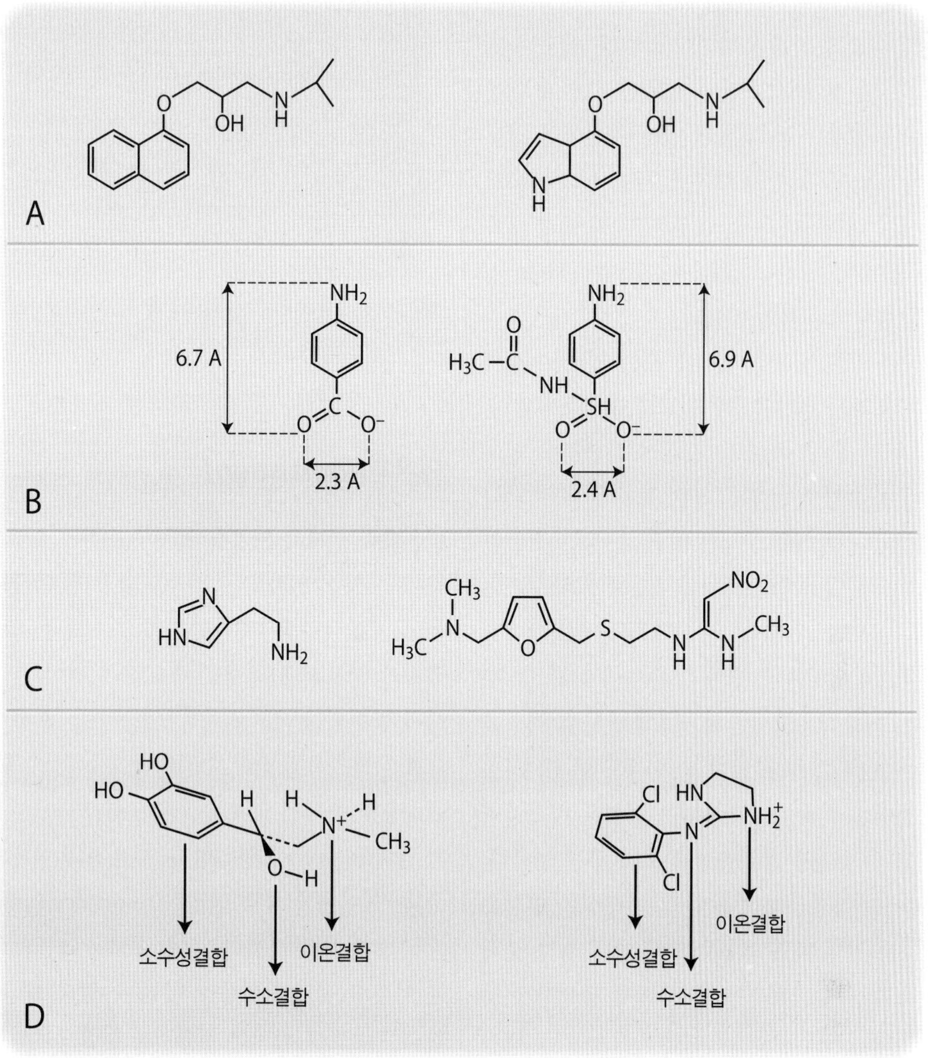

그림 2-10 생등배전자체의 예. 각 쌍의 약물에서 오른쪽에 있는 화합물은 생등배전자체 수정으로 고안된 약물이다.

ranitidine의 작용은 표적에 결합함으로써 hista-mine이 표적에 작용하여 산을 유리하지 못하도록 방해한다.

　수용체 선택성: 앞서 기술한 바와 같이 2-10D에 제시한 약물작용발생단은 알파와 베타 수용체를 활성화시킨다. Clonidine은 약물작용발생단과 구조적으로 다르게 보이지만 수용체의 입체적 및 전자적 필요조건을 충족시킨다. 이 분자의 다른 특징(hydroxyl기 대신 염소 원자의 대체 및 이미다졸환 추가)은 모든 α 및 β 수용체에 대한 약물의 결합을 제한한다. 그 결과 이 약물은 α_2 수용체라고 하는 작은 부류의 수용체에 선택적으로 결합한다.

친유-친수성의 균형

성공적인 약물이 되기 위해서 화합물은 물과 같은 극성 환경에 어느 정도 용해되어야 하며, 지질과 같은 비극성 환경에도 어느 정도 용해도를 가져야 한다. 물에 대한 용해도는 인체의 대부분이 물로 구성되어 있기 때문에 필요하다. 즉, 약물이 인체로 들어가고 인체 전반으로 이동하기 위해서는 물과 같은 환경에 용해되어야 한다. 세포나 조직은 지질을 함유하고 있기 때문에, 그리고 대부분의 약물은 이러한 지질에 먼저 녹아야만 작용부위에 도달할 수 있기 때문에 지질에 대한 용해도가 필요하다. 따라서, 대부분의 약물 분자는 (물을 좋아하는) 친수성과 (지질을 좋아하는) 친유성을 병행하여 가지고 있다.

다양한 화학적 치환기가 친유성 및 친수성에 미치는 효과는 광범위하게 연구되고 입증되었다. 만일 약물 가능성이 있는 잠재적 화합물이 친지성이나 친수성 측면에서 너무 높거나 너무 낮다면 화학자는 이러한 특성을 바꿀 수 있는 적절한 치환기를 도입하거나 제거함으로써 화학구조의 변환을 시도할 수 있다. 이는 약물작용발생단은 변화시키지 않으면서 담체 그룹에 변화를 줄 수 있으며, 약물작용발생단에 생등배전자성 치환을 하여 변화를 줄 수도 있다. 어떤 쪽이든 그 의도는 약물이 표적과 상호작용하는 능력은 변화시키지 않고 친지-친수 균형을 바꾸고자 하는 것이다. 표 2-1에는 화합물의 친유성 및 친수성에 영향을 주는 치환기의 예를 제시하였다. 친유성과 분배계수의 개념에 관해서는 제4장에서 상세히 논의될 것이다.

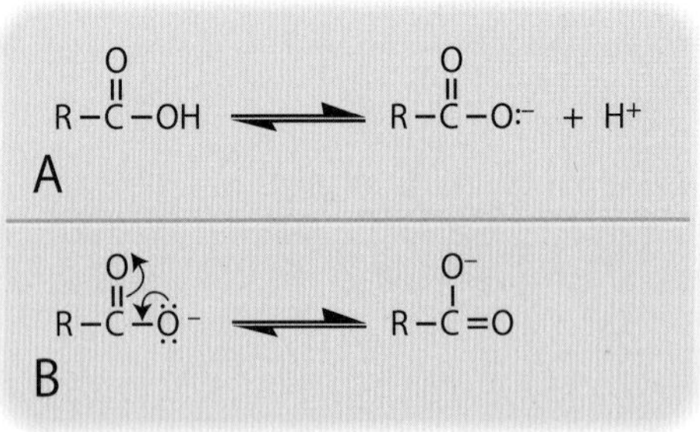

그림 2-11 A. 카르복실산 구조의 이온화. B. 카르복실산의 공명 구조.

이온화(ionization)

이온화란 분자가 전자를 얻거나 잃음으로써 음전하 또는 양전하를 띠는 능력을 말한다. 약물의 이온화는 표적과의 결합 능력에 중요하며, 약물의 흡수와 분포에 있어서도 중요한 인지이다. 약물에서 발견되는 이온화될 수 있는 가장 흔한 관능 그룹은 카르복실산과 지방족 아민이다.

수용액 중에서 카르복실산은 분해되어 음이온과 양자(proton)를 형성한다. 이온화(음이온의 형성)는 음이온의 공명 안정화(resonance stabilization)에 의해 증가한다 (그림 2-11). 약물의 구조는 이온화 정도에 영향을 미칠 수 있다. 즉, 카르복실산 주변에 위치한 치환기를 바꿈으로써 수용액 중에서 얼마나 많은 음이온이 형성되는지에 영향을 줄 수 있다. 다시 말해서 이온화나 전하가 약물과 표적과의 결합에 있어 중요하다면, 치환기를 바꾸는 것은 약물이 표적에 얼마나 잘 결합하는지에 영향을 미칠 수 있다.

전자를 끌어당기는(음전성 그룹으로 언급되거나 음성 유도효과를 가지는) 치환기는 카르복실산의 이온화 정도를 증가시킨다. 전자를 끌어당기는 그룹은 전자를 그들 쪽으로 당겨 이온화가 더 잘 일어나도록 한다. 왜냐하면 그 결합(O와 H 사이의 공유전자쌍)이 산소 쪽으로 당겨지기 때문이다. 반대로, 전자를 밀어내는 치환기는 카르

표 2-1 친수성 균형에 영향을 주는 치환기들	
치환기	구조
지질친화성을 증가시키는 치환기	
Alkyl	-CH$_3$, -CH$_2$-, and so on
Aryl	-C$_6$H$_5$
Sulfur-containing group	-S-, -SCH$_3$
Halogens	-Cl, -Br, -I
지질친화성을 감소시키는 치환기	
Hydroxyl	-OH
Carboxyl	-COOH
Carbonyl	-C=O
Amino	-NH$_2$, -NH-R
Ether	-O-

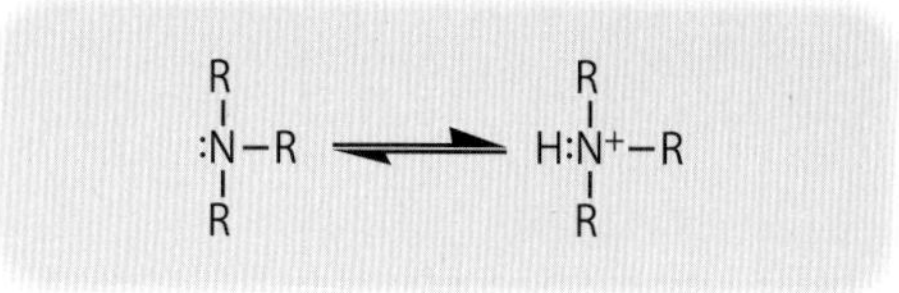

그림 2-12 지방족 아민 구조의 이온화.

복실산의 이온화 정도를 감소시킨다. 이 그룹은 전자를 그들로부터 밀어내는 경향이 있어 전자쌍을 수소 쪽으로 밀어 수소에 더 유용하게 함으로써 카르복실 그룹으로부터 수소가 잘 분해되지 않도록 한다.

수용액 중에서 아민은 자유전자쌍을 갖고 있어 양자와 결합하여 양이온을 형성한다(그림 2-12). 카르복실산에서 본 바와 같이 아민기 주변의 어떤 치환기는 이온화 정도에 영향을 미칠 수 있다. 그러나, 아민의 이온화에 대한 치환기의 효과는 카르복실산의 경우와는 반대이다. 즉, 전자를 밀어내는 그룹은 전자를 아민 쪽으로 밀어 자유전자쌍으로 하여금 양자와 결합하여 양이온을 형성하게 함으로써 아민의 이온화 정도를 증가시킨다. 전자를 끌어당기는 그룹은 전자를 아민으로부터 그들 쪽으로 끌어당겨 전자가 양자와의 결합에 덜 유용하도록 만든다. 결과적으로 전자를 끌어당기는 그룹은 아민의 이온화 정도를 감소시킨다. 전자를 끌어당기는 그룹에는 할로겐, 방향족환 및 니트로 그룹이 있다. 전자를 밀어내는 그룹에는 알킬과 비방향족환이 포함된다. 이온화 정도와 이에 영향을 주는 인자는 제3장에서 더 상세히 논의될 것이다.

구조-활성 관계
(structure-activity relationships)

구조-활성 관계(SAR)는 화합물의 분자구조와 생물학적 성질과의 관계이다. 이러한 관계에 있어서 기본이 되는 가정은 구조가 다르면 활성이 다르거나, 같은 활성이라 해도 그 정도가 다르다는

것이다. 구조와 작용 간의 관계는 약물의 약제학적 특성(용해도, 안정성, 용해), 약동학적 특성 (흡수, 분포, 대사 및 배설) 또는 약력학적 특성 (약물과 표적과의 상호작용) 등에서 발견된다. 이러한 상관관계는 질적(단순 SAR)이거나 양적(양적 SAR 또는 QSAR) 일 수 있다. 일반적으로 이는 약물이 활성을 가질 것인지와 어느 정도 활성을 가질 것인지를 예측하는 일련의 규칙이다. 따라서 SAR은 어떤 유도체가 가장 바람직한 특성을 나타낼 것인지를 예측하는 데 사용될 수 있다.

질적 예측은 하나 또는 여러 유도체의 특성과 관심 대상 화합물과의 비교에 근거한다. 예를 들어 "유사한 활성", "더 약한 활성", 또는 "더 강한 활성"과 같은 용어는 일련의 유도체의 생물학적 활성을 리드 화합물의 활성과 비교하는 질적 SAR 평가에 사용된다. 항정신병 약물인 chlorpromazine의 유도체에 대한 SAR은 그림 2-13에 제시한 바와 같다.

한편 일반적으로 양적 예측은 화합물의 어떤 특성을 그 화합물의 구조적 특징과 관련시키는 공식의 형태이다. 그것은 또한 생물학적 활성 정도에 대한 예측을 제공하기도 한다. 연구자들은 오랫동안 QSAR에 기반하여 약물 개발을 시도해 왔으며, 약물의 구조와 생물학적 활성을 수학적

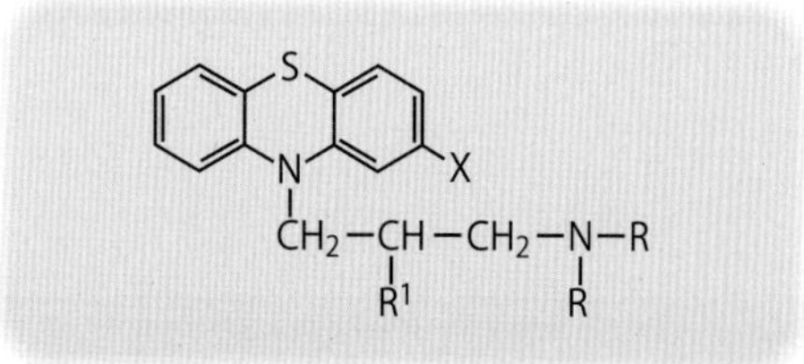

그림 2-13 항정신병 약물인 chlorpromazine의 구조-활성 상관관계 (SAR). 적절한 항정신병 작용을 나타내기 위해서는 세 개의 탄소원자가 환에 있는 질소와 곁사슬에 위치한 질소를 분리해야 한다. 두 질소 사이에 탄소 원자 2개가 위치한 경우, 항히스타민 작용이 우세하다. X 위치의 치환기는 할로겐이나 CF3와 같이 전자를 끌어당기는 그룹이어야 한다. X가 수소로 치환되면 활성이 현저히 감소한다. X가 다른 위치로 이동하면 활성을 잃는다. R'가 히드록실이나 헤테로환인 경우, 모든 활성을 잃게 된다.

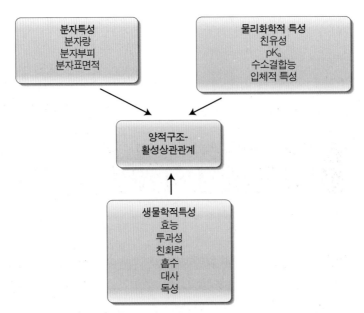

그림 2-14 QSAR의 개념도. 약물의 분자적 특성 또는 물리화학적 성질과 생물학적 또는 약물학적 행동과의 연관에 의해 관계가 확립되었다.

으로 연관시키기 위해 수많은 시도를 해 왔다. 그림 2-14에 제시한 바와 같이 QSAR 개발에 있어 많은 변수가 고려되었다. 전형적인 QSAR 분석은 2차원적 구조만을 고려하는 반면, 새로운 3차원적 QSAR 법은 훨씬 더 복잡하며 3차원적 특성을 고려한다.

분배계수나 pK_a와 같은 물리화학적 성질 또는 입체적 효과와 전자적 성질과 같은 구조적 특성과 약물의 활성을 연관시키는 공식이 개발되었다. 이와 같은 성질은 실험적으로 결정될 수 있으나 컴퓨터를 이용하여 계산하는 방법이 증가하고 있다.

QSAR을 개발하는 것은 어렵다. 일반적으로 분자는 신축성이 있으며, 활성과 연관시킬 수 있을 여러 유용한 특성을 계산할 수 있다. 효율적인 작업을 위한 방법으로 공식을 정의하기 위해 선택한 화합물은 다양해야 한다. 일단 관계가 정의되고 나면 새로운 분자나 알려지지 않은 분자를 예측하는 데 사용될 수 있다. 리드 확인을 위한 기법으로 합리적 약물 설계가 QSAR을 능가하였으나, QSAR은 리드 화합물보다 더 나은 ADME 특성을 가지는 구조를 예측하기 위하여 리드의 수정 및 최적화하는 데 중요한 도구로 계속 사용되고 있다.

핵심개념

- 단백질은 리간드라고 불리는 내인성 화합물과 결합하여 생물학적 기능을 한다.
- 약물은 수용체나 효소단백질과 같은 표적과 결합하여 작용하며, 어떠한 방식으로든 단백질-리간드 결합에 영향을 미친다.
- 리간드나 약물이 표적 부위와 결합하기 위해서는 물리화학적 및 입체적 상보성이 필요하다.
- 생등배전자성 및 SAR의 원리는 적합한 물리화학적 성질과 생물학적 작용을 제공할 수 있도록 약물작용분자단의 구조를 변환시키는 데 활용된다.

복습문제

1. 약물표적이라는 용어의 의미는 무엇인가?
2. 단백질의 주요 기능은 무엇이며, 약물의 작용은 이들 기능과 어떻게 연관되는가?
3. 약물작용발생단(pharmacophore)의 개념을 설명하시오. 담체 그룹(vector group)은 무엇이며, 약물 작용분자단과는 어떻게 연관되는가?
4. 상보성의 의미는 무엇인가? 두 가지 형태의 상보성에 대해 논의하시오.
5. 소분자 리간드와 표적 간의 결합에 있어서 키랄 인지가 왜 중요한지 설명하시오.
6. 라세미 혼합물이란 무엇인가? 라세미 혼합 약물 대신 한 가지 이성질체 약물을 사용하는 것의 장점과 단점을 토론하시오.
7. 생등배전자성을 설명하시오. 생등배전자성 등가물을 사용하는 목적과 이 때 얻을 수 있는 것은 무엇인가?
8. 단백-리간드 상호작용에 있어서 이온화는 왜 중요한가?
9. SAR이 어떻게 화합물의 생물학적 활성을 예측할 수 있는지 설명하시오.

연습문제

1. 다음 화합물에 대하여 몇 개의 광학이성질체가 가능한가?
   a. 2-pentanol
   b. 2, 8-dimethyl-5-nonanol
2. 다음 화합물 중 어느 것에서 시스-트랜스 이성질체가 가능한가? 둘 중 어느 것이 광학 이성질체를 가지는가?
   a. 1, 2, 3-trichlororcyclopropane
   b.

3. Phenylephrine의 구조식을 쓰시오. 이 화합물과 β 수용체와의 결합능력을 증가시키기 위해서는 어떠한 구조적 조정이 필요한가?
4. 아래에 제시한 화합물에 대하여 가상적 수용체 부위를 디자인하시오. 답에는 화합물과 수용체 간의 모든 결합을 명시한 화학적 연결을 보여주는 그림이 포함되어야 한다. 이온화가 가능한 그룹은 이온화 상태에 있다고 가정할 수 있다.

5. 아래의 화합물에 산성 양자(acidic proton)를 표시하고, 이온화정도가 가장 큰 것을 밝히시오.

6. 아래의 구조물들은 불안 및 불면 치료를 위해 사용되는 약물인 벤조디아제핀으로 분류된다. 구조 Ⅰ은 이 부류 화합물의 약물작용발생단을 나타낸다. 이 분자의 친유성을 변화시키면 약물이 뇌에 도달하는 능력을 변화시킬 수 있고, 이에 따라 약물이 얼마나 빨리 효과를 발현할 수 있는가를 변화시킬 수 있다.
   a. 구조 Ⅱ, Ⅲ, Ⅳ를 구조 Ⅰ과 각각 비교하고, 어떤 쌍이 더 친유성인지 결정하시오.
   b. 어떠한 변화가 생등배전자성으로 생각되는가?

7. 약리학자와 의약화학자로 구성된 팀이 새로 확인된 표적에 대한 약물작용분자단을 규명하기 위해 연구 중이다. 초기 실험을 통하여 얻은 부분적으로 규명된 약물작용발생단은 다음과 같다.

SAR 원리를 활용한 추가실험으로 다음 정보를 얻었다.

X	R₁	(CH₂)ₙ	R₂	Activity
Phenyl	H	n = 2	H	+
Thiophene	H	n = 2	H	+
Cyclohexane	H	n = 2	H	−
Phenyl	OH	n = 2	H	+
Phenyl	OH	n = 2	H	+
Phenyl	OH	n = 2	H	+
Phenyl	OH	n = 3	H	+
Phenyl	OH	n = 3	CH₃	−
Phenyl	OH	n = 3	Cl	++
Phenyl	OH	n = 4	H	−
Phenyl	OH	n = 4	CH3	−
Phenyl	OH	N = 4	Cl	+

a. 위 표에 제시된 정보를 사용하여 활성에 필요한 구조적 필요조건을 밝히고, 이 표적에 대해 좀 더 특이적인 약물작용발생단을 그리시오. 이론적 근거를 설명하시오.
b. 좀 더 확실한 결정을 하기 위해 더 시험해 보아야 할 구조가 더 있는가? 있다면 어떤 시리즈인가?
c. 거울상 이성질체를 시험할 수 있는 경우가 있는가?

참고

Chan JN, Nislow C, Emili A. Recent advances and method development for drug target identification. Trends Pharmacol Sci 2010;31(2):82-88.

Lemke T, Williams D (eds). Foye's Principles of Medicinal Chemistry, 6th ed. Lippincott Williams and Wilkins, 2008.

Nelson D, Cox M. Lehninger Principles of Biochemistry, 5th ed. W.H. Freeman, 2009.

Rang H, Dale M, Ritter J, Flower R. Rang and Dale's Pharmacology, 6th ed. Elsevier, 2007.

Van Drie J. Monty Kier and the origin of the pharmacophore concept. Internet Electron J Mol Des 2007;6(9):271-279.

3 약물의 이온화
Ionization of Drugs

2장에서 언급하였듯이 약의 작용이나 그 기전은 궁극적으로 약의 구조에 바탕을 두고 있다. 구조는 약의 물리화학적인 성질을 결정하고 이는 다시 물리적, 화학적, 생물학적 작용에서 중요한 역할을 한다. 중요한 물리화학적인 성질은 이온화이다. 이온화는 중성인 분자가 양성자(proton)을 얻거나 잃는 과정으로 양성이나 음성의 전기적 전하를 갖게 된다. 생성된 전하를 가진 것을 이온이라고 부른다.

전해질과 비전해질

이온은 전류를 소통시킬 수 있고 그러한 물질들이 용액에 있을 때 전해질이라고 한다. 화합물을 분류하는 하나의 방법은 용액 중에서 이온화여부, 그리고 얼마나 많이 이온화되는 것인가에 바탕을 두고 있다.

비전해질은 화합물로서 물에 녹였을 때 이온화되지 않고 중성으로 존재하는 물질이다. 가장 일반적인 예는 ethanol, dextrose 그리고 일부의 steroid 화합물이다. 많은 약물들이 생리학적인 조건에서는 이온화되지 않으므로 비전해질로 여겨진다. 아래의 기능기(functional groups)를 가진 화합물은 액체에서 일반적으로 이온화되지 않는다.

- 알코올과 당류
- Ether류
- Ester류
- Ketone류
- Aldehyde류
- 대부분의 amide류

그림 3-1은 약에서 발견되는 일반적인 비전해질의 기능기들이다.

강한 전해질은 물에 녹았을 때 완전히 이온화되어 양성과 음성의 이온 형태로 존재한다. 소금(NaCl)을 예로 들면 액체에서 Na^+과 Cl^-로 이온화된다. 일부의 약들은 강한 전해질로서 예를 들면 KCl(칼륨 보충제) 그리고 Li_2CO_3(조울증치료제)가 있다.

약 전해질은 부분적으로 이온화가 가능하여 용해된 물질의 일부는 이온화되지 않고 일부는 이온화되어 양성 또는 음성의 하전을 띠는 것이다. 약 전해질의 간단한 예는 초산과 암모니아이다. 많은 약들과 약학적으로 중요한 화합물들은 약한 전해질이다. 우리는 이 장에서 약 전해질의 이온화에 중점을 두고 얘기할 것이다.

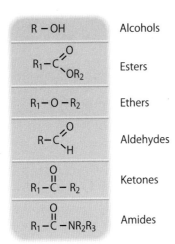

R — OH	Alcohols
$R_1-C\begin{smallmatrix}O\\\\OR_2\end{smallmatrix}$	Esters
$R_1 - O - R_2$	Ethers
$R-C\begin{smallmatrix}O\\\\H\end{smallmatrix}$	Aldehydes
$R_1-\overset{O}{\overset{\|}{C}}-R_2$	Ketones
$R_1-\overset{O}{\overset{\|}{C}}-NR_2R_3$	Amides

그림 3-1 일반적인 비전해질의 기능기 구조

약 전해질에서의 이온화의 중요성

비록 구조에 있어서 하나의 양성자를 얻거나 또는 잃거나 그리고 전하가 있거나 없거나의 단순한 차이지만 약물 또는 생물학적 활성을 가진 화합물의 이온화된(전하를 띤)형과 비이온화된(전하를 띠지 않은)형의 특성은 서로 매우 다르다. 화합물의 전하의 유무에 따라 흡수나 분포가 달라질 것이며 수용체와의 결합도 다르고 대사 및 배설도 다를 것이다. 그러므로 이온화하는 약물은 신체 내에서 이온화 및 비이온화되는 비율이 약의 활성을 결정하는 데 매우 중요하다. 약에서 이온화는 투여경로 결정에 영향을 주고 약제품의 판매 기간에도 영향을 끼친다.

Indometacin은 경구로 투여하는 항염증약으로 약의 설계 시 이온화의 중요성을 보여주는 예이다. 경구투여로 indometacin (약 전해질)은 먼저 위장관의 액체 성분에 녹아야 한다. 이온화된 형태의 약은 비이온화된 약보다 빨리 그리고 더 많이 녹을 것이다. 그러나 혈액으로 들어가기 위해서는 지질층이라는 세포 장벽을 지나야 하며 일부의 물질은 적어도 장에서 비이온화된 형태가 필요하다. 일단 indometacin이 작용부위에 도달하면 오직 이온화된 형태만 수용체와 결합한다.

그러므로, 이온화 또는 비이온화된 형태 모두 흡수, 분포, 대사, 배설 및 약력학에 중요하다.

용매로서의 물

산과 염기에 대한 Bronsted-Lowry 이론에 따르면 산은 수소 이온을 내어 줄 수 있는 것이고 염기는 수소 이온을 받아들일 수 있는 것이다. 그러므로 산으로부터 수소이온을 받을 수 있는 또는 수소이온을 줄 수 있는 추가의 다른 화합물이 필요하다. 거의 대부분의 경우, 이 다른 화합물은 물이나 용매, 그리고 생체 내의 용액이다. 물은 많은 약물반응에서 반응체로 작용한다. 또한 물은 약의 작용에서 중요한 단백질 및 생물학적 거대분자의 입체구조를 결정하는 데 중요한 역할을 한다.

물은 산 또는 염기로 작용 가능하기 때문에 특이한 용매이다. 이러한 이중의 특성을 가진 화합물을 양쪽성이 있다라 하며 ampholytes (양쪽성 비전해질)이라고 부른다. 물분자는 쌍극(작은 거리를 두고 분리되어 있는 두 개의 같은 크기의 반대 전기적 전하를 가지고 있음)을 가진다. 이것은 양성으로 전하를 띤 수소이온(양성자)을 얻거나 줄 수 있다. 물이 아래의 식에서 양성자를 받았을 때

$$H^+ + H_2O \rightleftharpoons H_3O^+ \quad \text{(식 3-1)}$$

H_3O^+는 히드로늄 이온이라고 불린다.

물은 아래와 같이 양성자를 줄 수도 있다.

$$H_2O \rightleftharpoons H^+ + OH \quad \text{(식 3-2)}$$

물의 이온화 상수 (ionization product constant, K_w)는 아래의 식으로부터 구해진다.

$$K_w = [H^+][OH^-] \quad \text{(식 3-3)}$$

이러한 관계는 액체용액에서의 양성자(수소이온)와 수산이온에 대한 관계로서 항상 일정하다. K_w의 25℃에서의 값은 10^{-14}이다.

pH의 개념

 pH 수치는 용액에서의 산성정도를 표현하는 가장 편리한 방법이며 아래와 같이 정의된다.

$$pH = -\log[H^+] \quad (\text{식 } 3\text{-}4)$$

 약자 p는 숫자를 음성로그치로 변환시키는 부호이다. pH 영역은 0에서 14까지이다. 7은 중성의 pH이며 H^+농도가 OH^-농도와 같은 지점이다. 7보다 아래는 용액이 산성이며 수소이온 농도가 수산이온농도를 초과함을 의미한다. 수산이온이 수소이온보다 많으면 그 용액은 염기성, 즉 알칼리성이며 pH는 7보다 높다.

약과 관련된 pH

체액의 pH는 1과 8사이이다. 위는 가장 산성인 구역이며 1에서 3사이이다. 장액의 정상적인 pH는 약 6~7사이이다. 혈액의 pH는 7.4로서 약 40 nM의 수소이온에 해당한다. 이 수치는 심각한 대사성 결과가 안 생긴다면 37에서 43 nM 사이로 존재한다. 각 조직에서의 각각의 pH는 각 조직의 구성 및 기능에 의해 달라지며 드물게는 8을 넘기도 한다. 그러므로 약은 pH 1~8의 생리적인 환경에 놓이게 되고 이 범위의 pH가 중요한 관심사이다. 만약 약물이 이러한 pH 구역에서 이온화되는 기능기(functional group)을 가지고 있지 않다면, 비전해질같이 행동하며 전반적 생리적인 pH에서 이온화되지 않고 존재한다.

 의약품 제제의 관점에서 제품의 pH를 조절하는 것은 약물의 분해를 최소화시키고 환자가 위안(comfort)과 복용의 순응도를 향상시키고, 약물의 전달을 증가시키는 데 중요하다. 제형, 특히 액제(용액, 현탁액, 유상액 등)는 pH 1~8의 범위를 벗어난 수치를 가질 수도 있다. 높은 수치를 가진 액제 약은 약을 더 잘 녹거나 좋은 안정성을 유지시키고 적절한 판매기간을 가지기 위해 간혹

필요할 때가 있다. 그러므로 이러한 상황에서 더 넓은 pH 영역에서 이온화 현상에 대한 이해와 고찰이 요구된다.

강산과 강염기

강산과 강염기의 특성을 살펴보면 약산 및 약염기와 구별할 수 있다. 강산은 HCl, H_2SO_4와 같이 물에서 완전히 해리되어 이온화된 형태로 존재하며 강한 전해질이 된다.

$$HCl \longrightarrow H^+ + Cl^- \quad (\text{식 } 3\text{-}5)$$

$$H_2SO_4 \longrightarrow 2H^+ + SO_4^{-2} \quad (\text{식 } 3\text{-}6)$$

 비록 우리는 편의상 반응을 모두 적지는 않지만, 형성된 양성자(H^+)는 물분자와 반응하여 hydronium ion (식 3-1참조)을 생성한다. 그러므로 강산이 물에 더해지면 용액에서 수소이온의 농도는 증가하고 pH는 감소한다.

 왜냐하면 강산이 완전히 해리되어서 H^+의 몰농도는 같으나 일양성자성산(monoprotic acid)에서는 H^+의 농도가 산의 몰농도와 같으나 이양성자성산(diprotic acid, H_2SO_4)에 있어서는 산의 몰농도가 두 배가 된다.

 유사하게 $NaOH$와 같은 강염기는 물에서 완전히 해리되고 이온의 형태로 존재한다.

$$NaOH \longrightarrow Na^+ + OH^- \quad (\text{식 } 3\text{-}7)$$

 여기에서 실제적인 염기는 물에 있는 H^+와 반응하는 수산이온 (OH^-)이다 (식 3-2와 반대 반응).

 결과적으로 H^+의 농도는 감소하고 용액의 pH는 증가할 것이다. H^+농도의 몰감소(molar decrease)는 추가된 NaOH의 몰농도와 같다.

 비록 강산과 강염기가 액제의 pH를 조절하기 위해서 가끔 의약제품에 사용되지만, 강산이나 강염기인 약은 없다.

약산과 약염기

많은 약들을 약산이나 약염기로 분류된다. 강산이나 강염기는 물에서 쉽게 해리되며 수소이온을 주거나 받는다. 주 차이점은 약산과 염기는 수소이온을 주거나 받을 능력이 감소되기 때문에 오직 일부분만이 물에서 해리된다.

약산이 물에 넣어지면 용액의 pH는 감소한다. 그러나 산분자의 일부만이 해리되어 물에 수소이온을 주게 된다. 약산 분자의 나머지는 이온화되지 않은 채로 남게된다. 그러므로 약산 분자는 용액에서 전하가 없고 이온화되지 않거나 음이온으로 전하를 띤 두 가지 형태로 존재한다. 유사하게 약염기가 물에 녹아 있을 때 분자의 일부분만이 수소이온을 받아들인다. 약염기는 용액에서 전하가 없고 비이온화되었거나 양성으로 전하를 띤 이온의 두 가지 형태로 존재한다.

전형적인 약산은 아래와 같은 기능기를 가지고 있다.

- Carboxylic acids
- Sulfonic acids
- Phenols
- Thiols
- Imides

그림 3-2는 약산의 기능기의 구조를 보여준다. 대부분의 약염기는 아래의 범주에 해당한다.

- 지방족 아민(aliphatic amines, 1급, 2급, 3급)
- 방향족 아민(1급, 2급, 3급)
- N-heterocycles(pyridine, imidazole)

그림 3-3은 약염기의 기능기의 일반적 구조를 보여준다.

일부 약물은 암모늄 양이온의 수소 4개가

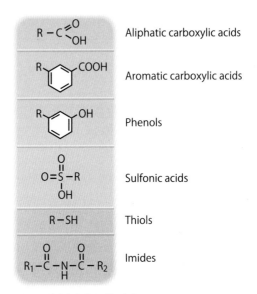

그림 3-2 일반적인 약산 기능기의 구조

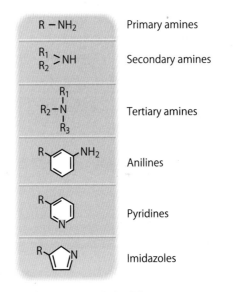

그림 3-3 일반적인 약염기 기능기의 구조

R₁—N⁺(R₂)(R₃)—R₄ X⁻   Quaternary ammonium salts

그림 3-4 4급 암모늄염의 일반적 구조

alkyl, aryl 또는 aralkyl 기(그림 3-4)로 치환된 4급 암모늄염이다. 4급 암모늄 화합물은 산이나 염기가 아닌 강한 전해질이며 물에서 완전히 해리된다. 4급 암모늄염인 약의 예로서 ipratropium bromide(Atrovent), trospium chloride(Sanctura) 가 있다.

약산과 약염기의 이온화

약산

아세틸살리실산 또는 aspirin과 같은 하나의 carboxylic acid기를 가진 약산의 이온화를 생각해 보자. 약물의 해리는 그림 3-5에서 보여주는 평형 식에 의해 나타낼 수 있다. 이 평형식에서 acetylsalicyclic acid는 수소이온을 줄 수 있기 때문에 약산이고, acetylsalicylate는 수소이온을 받기 때문에 약염기이다. 두 종류가 수소이온에 의해서만 구별되는 산염기를 짝산-짝염기(conjugate acid-base pair)라고 한다.

K_a는 산해리상수(acid dissociation constant)라고 불린다. 어떤 약산(편의상 HA로 표시)의 해리를 표현하는 가장 간편화된 방법은 아래와 같다. A⁻는 산인 HA의 짝염기이다.

$$HA \xrightleftharpoons{K_a} A^- + H^+ \quad \text{(식 3-8)}$$

약염기

하나의 아미노기를 가진 약염기인 benzocaine의 이온화가 그림 3-6이다. 어떤 염기B의 이온화 평형을 나타내는 간편한 방법은 아래와 같다.

$$B + H^+ \rightleftharpoons BH^+ \quad \text{(식 3-9)}$$

여기에서 BH⁺는 염기인 B의 짝산이다. 편의상 식 3-9를 반대의 형식으로 쓸 수 있다.

$$BH^+ \xrightleftharpoons{K_a} B + H^+ \quad \text{(식 3-10)}$$

평형식은 K_a라는 해당하는 산해리상수를 가진 약염기의 짝산의 해리로 표현되었다.

일반화

요약하면, 약산이나 염기의 짝산-짝염기 쌍의 산 형태에 대한 해리 평형을 아래와 같이 요약하게 된다.

$$HA \xrightleftharpoons{K_a} A^- + H^+ \quad \text{(식 3-11)}$$

$$BH^+ \xrightleftharpoons{K_a} B + H^+ \quad \text{(식 3-12)}$$

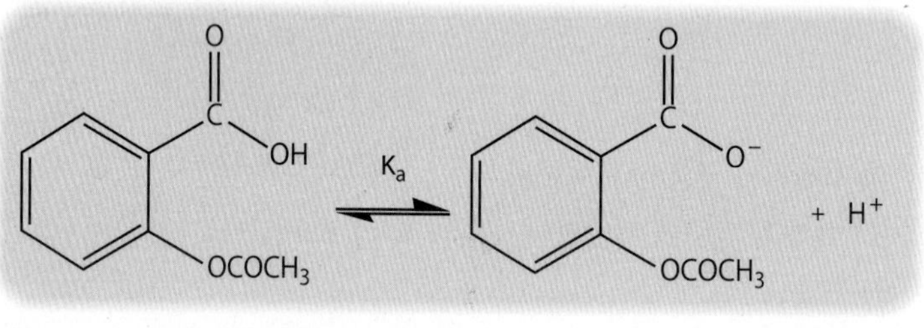

그림 3-5 약산, acetylsalicyclic acid (aspirin)의 액체용액에서의 이온화

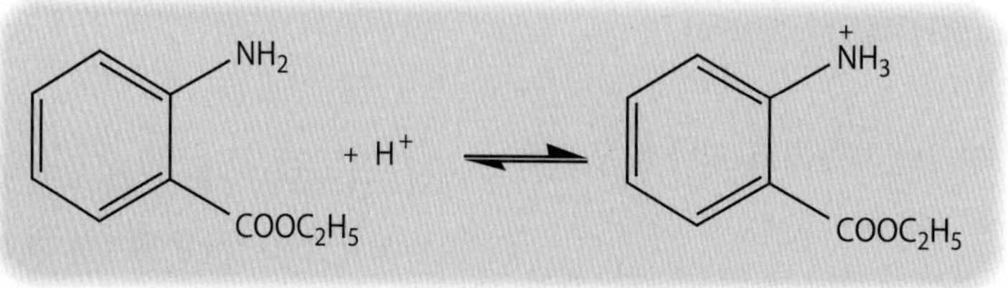

그림 3-6 약염기 benzocaine의 액체용액에서의 이온화

전하는 이온화되지 않은 약산 HA의 짝염기 형태 (A⁻)과 이온화되지 않은 약염기 B의 짝산 형태인 BH⁺에 있다. 이온들은 전하가 없는 물질 상태에서는 다르게 행동하기 때문에 우리는 주어진 상황에서 약산이나 약염기가 얼마만큼 비이온화 또는 이온화되는가에 주목하게 된다. 이것은 약물의 작용을 이해하고 예측하는 데 도움이 될 것이다.

약산과 약염기의 강도

질량 작용의 법칙에서는 약산의 해리와 약염기의 짝산의 해리에 대해서 언급하고 있다. 평형상태에서 식 한쪽의 농도를 식 다른 쪽의 농도로 나누면 각각의 농도에 상관없이 그 값이 일정하다는 것이다. 그러므로 약산은 아래와 같다.

$$\frac{[H^+][A^-]}{[HA]} = K_a \quad \text{(식 3-13)}$$

K_a 수치가 큰 것은 산이 수소이온을 주기 쉽고 광범위하게 해리한다는 것이다. 결과적으로 반대식은 애용되지 않는다. 짝염기 A-는 안정하고 수소이온을 받아들이려는 경향을 높게 가지고 있지 않다. K_a 수치가 크면 클수록 산 HA는 더 강해지고 짝염기인 A⁻는 더 약해진다. 그러므로 K_a는 짝산-짝염기쌍의 성질을 가지고 우리에게 두 형태의 세기에 대한 정보를 준다.

유사하게 우리는 약염기의 짝산에 대한 Ka에 대해서도 정의를 내릴 수 있다.

$$\frac{[H^+][B]}{[BH^+]} = K_a \quad \text{(식 3-14)}$$

K_a의 수치가 크면 클수록 BH⁺는 양성자를 내어주기 위해 해리한다. 그러므로 K_a의 수치가 크면 클수록 짝산인 BH⁺는 더 강해지고 염기인 B는 더 약해진다.

pK_a 수치

K_a의 음성로그치(-log)는 아래의 관계식에 의해 pK_a로 표시될 수 있다.

$$pK_a = -\log K_a \quad \text{(식 3-15)}$$

기호 p는 수치를 음성로그치로 변환시키는 부호이다. 이러한 조작은 K_a가 커질수록 pK_a를 작아지게 만든다. 다른 말로 하면 큰 K_a를 가진 약산(또는 약염기의 짝산)은 작은 pK_a를 가지고 반면에 작은 K_a를 가진 약산은 큰 pK_a를 가지게 되는 것이다.

pK_a 수치 자체는 우리에게 이 약물이 약산인지 약염기인지 알려주지 않는다. 예를 들면, pK_a 값이 5인 약물은 약산일 수도 있고 약염기일 수도 있다. 분자의 구조를 살펴보고 기능기(functional group)를 확인하는 것이 산인지 염기인지 판단하는 한 가지 방법이다. 또 다른 방법은 화합물을 형성하고 있는 염의 형태를 가지고 알 수 있는 방법으로 아래에서 설명될 것이다.

pK_a는 산이나 염기의 강도를 비교하기 위한 편리한 상수이다. 화합물의 pK_a가 낮을수록 짝산-짝염기쌍의 산의 형태는 강해진다. 예를 들면 pK_a가 3인 약산이 pK_a가 4인 약산보다 강하다. 반대로 화합물의 pK_a가 높을수록 짝산-짝염기 쌍의 염 형태는 강해진다. pK_a 8인 약염기는 pK_a 7인 약염기보다 강한 염기이다.

약물에서 각 이온화 가능한 기들은 짝산-짝염기쌍으로서의 상대적 강도를 의미하는 pK_a 수치를 가지고 있다. pK_a수치는 항상 수소이온을 내어주는 짝 산에 대해서 규정되어 있다는 것을 기억해야 한다. 그러므로 약산에서 pK_a는 음성으로 전하를 띤 짝염기의 형태에 수소를 주기위한 비이온화된 산에 대해 규정된다. 그러나 약염기의 pK_a는 그것의 비이온화된 염기에 수소이온을 주는 양으로 하전된 짝산에 대해 규정된다. 표 3-1

표 3-1 일부 짝산-짝염기쌍의 상대적인 강도

짝산	짝염기	pK_a
C_6H_5COOH(benzoic acid)	$C_6H_5COO^-$(benzoate ion)	4.20
CH_3COOH(acetic acid)	CH_3COO^-(acetic ion)	4.76
$C_6H_5NH_{3+}$(amilimium ion)	$C_6H_5NH_2$(aniline)	4.70
NH_3^+(ammonium ion)	NH_3(ammonia)	9.25
CH_3NH_{3+}(methylammonium ion)	CH_3NH_2(methylamine)	10.6

초산(acetic acid)과 안식향산(benzoic acid)은 약산이다. Ammonia, methylamine, aniline은 약염기이다. 낮은 pK_a를 가진 안식향산은 초산보다 강하다. 반대로 높은 pK_a를 가진 acetate ion은 benzoate보다 강한 염기이다. 가장 높은 pK_a를 가진 methylamine은 anilin보다 강한 ammonia보다 강하다. Acetic acid와 anilinium ion은 약산으로서 같은 강도를 가지고 있다. anilium ion은 pK_a가 낮으므로 약간 강한 산이다.

은 몇몇 짝산-짝염기 쌍의 상대적인 강도를 보여준다. 표 3-2는 여러 종류의 약산과 약염기에 대한 pK_a범위에 대한 목록이다. 표 3-3은 일부 흔한 약산(HA) 및 약염기(BH⁺)약의 pK_a 수치이다.

약산과 약염기의 염

약산과 약염기 약물은 때때로 그들의 염의 형태로 이용된다. 예를 들면 약산 약물인 naproxen은 sodium염의 형태 sodium naproxen으로 이용가능하다. 약염기 약물인 clonidine은 염의 형태 clonidium hydrochloride로 이용 가능하다. 약산의 염은 대개 NaOH와 같은 강염기와의 반응으로 sodium염의 형태로 얻어진다. 약염기의 염은 HCl과 같은 강산과의 반응으로 hydrochloride 염의 형태로 얻어진다. 일부 염인 형태의 약물은 약산과 약염기를 합함으로써 만들 수도 있다. 예를 들면 chlorpheniramine melate는 약염기의 염으로 chlorpheniramine을 약산인 maleic acid와 반응시킨 것이다. 염기에서는 pK_a 수치는 짝산(BH⁺) 형태를 반영한다.

염의 이름은 우리에게 이 약물이 비이온화된 상태에서 약산이나 약염기를 형성할지에 대한 정보를 제공한다. 약한 비이온화 산은 NaOH, KOH, $Ca(OH)_2$와 같은 강한 염기와 염을 형성하여 약산에 대한 sodium, potassium, calcium염을

표 3-2 약산과 약염기의 pK_a 범위

약산	
화합물 종류	pK_a 범위
Carboxylic acids(RCOOH)	2–6
Sulfonic acids(RSO_3H)	−1 to 1
Phenols(ArOH)	7–11
Thiols(RSH)	7–10
Imides(−CONHCO−)	8–11
Sulfonamides($RNHSO_2R$)	6–8

약염기	
화합물 종류	pk_a범위
Aliphatic amines	8–11
Anilines	3–5
Pyridines	4–6
포화 nitrogen heterocycles	9–11

표 3-3 일부 약산과 약염기 약의 pK_a

약물	pK_a Values	
	HA	BH⁺
Penicillin G	2.8	
Aspirin	3.5	
Warfarin	5.1	
Phenytoin	8.3	
Phenothiazine		2.5
Oxycodone		8.5
Scopolamine		7.6
Morphine		8.0

염기의 pK_a값은 중합된 산(BH⁺)의 값임.

제공한다. 반대로 약 비이온화 염기는 HCl, H_2SO_4, HNO_3와 같은 강산과 반응하여 hydrochloride, sulfate, nitrate염을 만든다.

염 자체는 물에서 그의 구성성분 이온으로 완전히 해리하는 강한 전해질이다. 그러나 만약 염의 구성 성분 중 하나라도 약산이나 약염기이면 생성된 이온은 완전히 이온화된 형태로 존재하지 않는다.

완전히 해리되어 짝산인 BH^+를 유리하는 약염기의 염산염(예를 들면 $RNH_3^+Cl^-$, $RNH_2 \cdot HCl$)을 생각해 보자.

$$BH^+Cl^- \longrightarrow BH^+ + Cl^- \quad \text{(식 3-16)}$$

짝산인 BH^+는 약산이다. 그러므로 pK_a가 나타내는 것처럼 더 많이 해리된다.

$$BH^+ \rightleftharpoons B + H^+ \quad \text{(식 3-17)}$$

약염기약물을 염으로 만드는 것은 그것의 pK_a를 변화시키지 않는다.

약산의 염도 마찬가지다. 예를 들면, 약산($RCOO^-Na^+$)의 sodium염은 물에서 완전히 해리된다. 그리고 그것의 pK_a에 따라 산-염기 평형을 이룬다. 약산의 약물을 염으로 만드는 것은 pK_a를 변하게 하지 않는다.

$$Na^+A^- \longrightarrow Na^+ + A^- \quad \text{(식 3-18)}$$

$$A^- + H^+ \quad HA \quad \text{(식 3-19)}$$

그러므로, 약산과 약염기의 염은 약한 전해질 같이 행동한다. 약산과 약염기의 이온화 및 비이온화 비율은 각각의 pK_a에 의해 결정된다.

제약회사들은 자주 몇 가지 이유로 원래의 약산이나 약염기 형태보다는 염의 형태로 약을 개발한다. 염은 안정적이고 작업하기 쉬운 결정의 형태로 보다 쉽게 결정화 될 수 있다. 그들은 액체 용액에서 쉽게 용해되고 저장 중에도 안정하다. 특히, 아민 약물의 염은 약염기 형태보다 선호된다. 많은 아민은 휘발성이고 불안정하여 고체로서 짧은 저장기간을 가진다. 만약 아민이 hydrochloride 염의 형태로 바뀌면 안정성과 유통기간이 크게 향상된다.

이온화와 pH

약한 전해질(약산과 약염기 그리고 그들의 염들)은 액체 용액에서 이온화와 비이온화된 형태로 존재함을 알았다. 이온화 및 비이온화된 형태의 상대적인 농도는 약산과 약염기의 pK_a뿐만 아니라 그것이 녹는 액체 용액의 pH에도 영향을 받는다.

Henderson-Hasselbalch 식

식 3-13과 3-14는 pK_a, pH 그리고 산이나 염기 형태의 약물의 농도 사이의 관계를 파악하는 데 사용될 수 있다. 식의 양쪽에 로그값을 취해서 적절하게 재배치하면 Henderson-Hasselbalch 식이 된다. 우리가 식 3-13이나 3-14로 시작했을 때 아래와 같은 식을 갖게 된다.

$$pH = pK_a + \log \frac{[\text{염기}]}{[\text{산}]} \quad \text{(식 3-20)}$$

[염기]는 염기형태의 약물의 농도이고 [산]은 약물의 산형태의 농도이다. 약한 산인 약물에서 [산]은 비이온화된 HA의 농도이고 약염기에서 [산]은 이온인 BH^+의 농도이며 [염기]는 비이온화된 B의 농도임을 기억하는 것이 중요하다.

Henderson-Hasselbalch 식은 다양한 형태로 쓰여질 수도 있다. 식 3-20을 다른 방법으로 재배치하면 아래와 같다.

$$pH = pK_a - \log \frac{[\text{산}]}{[\text{염기}]} \quad \text{(식 3-21)}$$

$$pK_a = pH + \log\frac{[\text{산}]}{[\text{염기}]} \quad \text{(식 3-22)}$$

$$pK_a = pH - \log\frac{[\text{염기}]}{[\text{산}]} \quad \text{(식 3-23)}$$

이 모든 식은 같은 정보를 준다.

Henderson-Hasselbalch 식은 만약 약물의 pK_a와 용액의 pH를 안다면 약물의 산과 염기형태의 비율을 계산할 수 있게 해준다. 이러한 비율은 다양한 pH에서의 산이나 염기형태의 약물의 비율 또는 백분율을 결정할 수 있다.

완충용액

완충용액은 적은 양의 산이나 염기가 더해졌을 때 또는 용액이 희석되었을 때 그 용액의 pH가 잘 변하지 않는 용액이다. 완충용액은 OH⁻가 더해졌을 때 반응할 수 있는 산과 H⁺가 더해졌을 때 반응할 수 있는 염기를 포함하고 있다. 이러한 것들은 어떠한 약산-약염기 쌍이 될 수 있으나 보통은 짝산-염기쌍이다. 완충용액의 pH는 완충물질의 pK_a, 짝산과 염기의 상대적인 농도에 의존하며 Henderson-Hasselbalch 식을 사용하여 계산되어질 수 있다.

산성 완충용액(pH<7)은 일반적으로 약산과 그 염(주로 sodium salt)으로 만들어진다. 한 예가 (pK_a=4.75)의 용액과 초산염(sodium acetate)이다. 만약 용액이 같은 몰의 농도로 산과 그 염이면 pH는 4.75가 된다. 아래의 평형은 이러한 체계를 묘사한다.

$$CH_3COOH \underset{}{\overset{K_a}{\rightleftharpoons}} CH_3COO^- + H^+$$

(식 3-24)

추가로 수소이온이 이 용액에 더해졌을 때, 그들은 CH_3COO^-와의 반응에 다 쓰여진다. 그리고 평형은 왼쪽으로 이동한다. 만약 추가로 OH⁻가 더해지면 이들은 CH_3COOH와 반응하여 CH_3COO^-를 생성하고 평형은 오른쪽으로 이동한다. 이러한 방식으로 [H⁺]와 용액의 pH는 일정하게 유지된다.

알칼리 완충용액(pH)7)은 일반적으로 약염기와 그의 염으로 구성된다. 암모니아 용액 (pK_a=9.25)과 ammonium chloride 을 예로 들면, 만약 같은 몰농도로 혼합하면 용액의 pH는 9.25가 된다.

완충용량

완충용액의 일정한 pH를 유지하는 능력을 완충용량이라고 한다. 이는 명확한 pH 변화가 일어나기 전까지 정해진 완충용액의 부피에 더해질 수 있는 산이나 염기의 양으로 정의된다. 완충시스템은 완충용액의 짝산-염기의 적정한 농도가 있기 때문에 pK_a나 그 수치에 근접한 pH에서 가장 유용하다. 그러므로 가장 효과적인 완충용액(큰 완충능을 가진)은 산과 염기를 많은 양을 포함하고 있으며 그들을 같은 양 가지고 있는 것이다. 의약품제제는 가끔 pH를 조절하고 약물의 분해를 최소화하고, 환자의 편안함과 약물 복약 순응도를 향상시키기 위하여 또는 충분한 양의 약물의 전달을 위하여 완충용액을 사용한다.

생체 완충액

체액의 pH는 췌장액의 8에서 위에서의 1까지 다양하다. 혈액의 평균 pH는 7.4이고 세포는 7.0에서 7.3 사이이다. 비록 신체의 액체사이의 pH는 굉장히 큰 차이가 있지만 각 조직에서는 그 차이는 미미하다. 예를 들면 건강한 사람의 혈액의 pH는 7.35에서 7.45 사이이다. 수소이온이 더해지거나 제거되었을 때 단백질의 amino기와 caboxylic acid기가 양성자의 인수자 또는 공여자로 작용할 수 있기 때문에 단백질은 신체에서 가장 중요한 완충제이다.

Phosphate buffer system은 세포간의 수액의 pH를 유지하는 데 있어서 가장 중요하다. 이러한 완충시스템은 $H_2PO_4^-$를 양성자주게(산)로 그리고 HPO_4^{2-}를 양성자받게(염기)로 구성되어 있다. 이러한 두 이온은 아래의 식에서처럼 서로 평형을 이루고 있다.

$$H_2PO_4^- \rightleftharpoons HPO_4^{2-} + H^+ \quad \text{(식 3-25)}$$

만약 수소이온이 추가로 들어가면 HPO_4^{2-}와 반응하여 소모되고 만약 추가로 수산화이온이 들어가면 $H_2PO_4^-$와 반응하여 HPO_4^{2-}를 생성한다. 그러므로 세포액의 pH는 일정하게 유지된다.

pH와 이온화 단면도

산이나 염기 약물 또는 그 염이 적절한 완충용액에 첨가되었을 때 용액의 pH는 변화하지 않는다. 오히려 비이온화나 이온화된 약물의 농도가 Henderson-Hasselbalch 식에 맞추어 조정된다. 약물의 이온화 및 비이온화 비율은 주요관심사이

다. 왜냐하면 하전된 또는 비하전된 약물은 의약제품 내에서 뿐만 아니라 신체에서도 다르게 행동하고 반응하기 때문이다. 약산과 그염에 대해 짝염기는 음전하를 운반하고 반면에 약염기와 그염에서는 양전하를 짝산이 운반한다. 일단 우리가 얼마의 분량의 약물이 의약제품, 혈액, 소변, 조직, 세포의 액체에서 이온화되고 비이온화되는지 안다면 우리는 다음 장에서 배울 약의 작용에 대해 어느 정도 설명하고 예상할 수 있을 것이다.

그림 3-7은 pK_a=4인 약산의 pH의 변화에 따른 [산]과 [염기]형태의 비율을 보여 준다. 그림 3-8은 pK_a=8인 염기의 유사한 개요를 보여준다. 이러한 그래프들은 Henderson-Hasselbalch 식에 기반을 두고 있으며, 우리가 만약 pK_a를 알고 있다면 어떠한 pH에서든 [산]/[염기]의 비율을 계산할 수 있다. 이러한 비율은 각 형태의 백분율 또는 비율을 계산할 수 있고 만약 [산]/[염기]=0.1이면 그 산형태의 부분은 0.1/(1+0.1)=0.0909 (즉 9.09%)이다.

이온화 및 비이온화 형태에 대한 보다 직접적인 계산 방법은 Henderson-Hasselbalch식에서 나온 아래의 식을 이용하는 것이다.

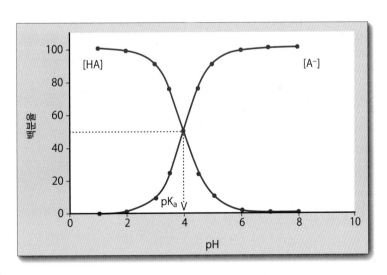

그림 3-7 pK_a=4인 약산의 pH에 따른 비이온화된 [HA]와 이온화된 [A⁻]형태의 백분율, pH=pK_a에서는 50%가 이온화되고 50%는 비이온화된다.

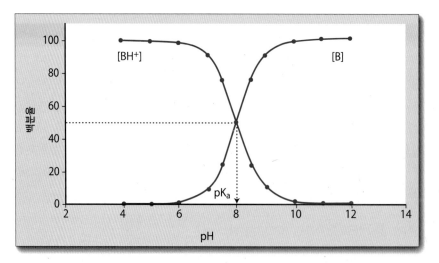

그림 3-8 pKa=8인 약염기의 pH에 따른 비이온화된 [B]와 이온화된 [BH+]형태의 백분율, pH=pKa에서는 약염기는 50%가 이온화되고 50%는 비이온화된다.

약산인 HA에 대해서는

$$f_{HA} = \frac{10^{-pH}}{10^{-pH} + 10^{-pK_a}}$$ (식 3-26)

$$f_{A^-} = \frac{10^{-pK_a}}{10^{-pH} + 10^{-pK_a}}$$ (식 3-27)

$$f_{BH^+} = \frac{10^{-pH}}{10^{-pH} + 10^{-pK_a}}$$ (식 3-28)

$$f_B = \frac{10^{-pK_a}}{10^{-pH} + 10^{-pK_a}}$$ (식 3-29)

해당 백분율은 부분에 100을 곱함으로써 계산된다.

표 3-4는 pH와 pKa의 상대적인 수치를 가지고 약산과 약염기의 이온화 정도를 보여준다. 전체적으로 아래와 같은 일반화를 만들 수 있다.

- 약산은 pH가 pKa보다 위이면 더 많은 이온화가 될 것이다. 반면에 약염기는 pH가 pKa보다 더 아래일 때 더 많이 양성으로 이온화될 것이다.
- 화합물의 pKa 근처에서의 pH에서는 pH의 작은 변화(2 pH 단위 이내)는 이온화 및 비이온화의 백분율에 큰 변화를 초래한다.

- 화합물의 pKa로부터 멀리 떨어져 있는(2 pH 단위 이상) pH에서는 pH 변화가 있어도 이온화 정도의 변화가 작다.
- 약산은 pH가 pKa에서 4단위 아래이면 거의 비

표 3-4 약산 또는 약염기의 pKa와 pH에 의한 이온화 비율의 의존성

pH−pKa	백분율 (짝산형)	백분율 (짝염기형)
−4	99.99	0.01
−3	99.9	0.10
−2	99.0	1.00
−1	90.9	9.10
−0.8	86.3	13.7
−0.6	79.9	20.1
−0.4	71.5	28.5
−0.2	61.3	38.7
0	50.0	50.0
0.2	38.7	61.3
0.4	28.5	71.5
0.6	20.1	79.9
0.8	13.7	86.3
1	9.10	90.9
2	1.00	99.0
3	0.10	99.9
4	0.01	99.99

이온화되고 pK$_a$보다 4단위 위일 때는 완전히 이온화된다.

- 약염기는 pH가 pK$_a$보다 4단위 이상이면 완전히 비이온화되고 pH가 pK$_a$보다 4단위 아래이면 완전히 이온화된다.

비완충용액의 이온화

비완충용액(예: 순수한 물)에서 약한 전해질 약물의 이온화는 약이 용해됨에 따라 pH가 일정하게 유지되지 않기 때문에 훨씬 복잡하다. 약산 RCOOH와 그의 염기성 염 RCOO$^-$Na$^+$를 생각해 보자. RCOOH가 물에 녹으면 산을 물에 더하는 것이 되므로 pH는 감소할 것이다. RCOONa가 물에 녹으면 염기(RCOO$^-$)를 물에 더하는 것이므로 pH는 증가할 것이다. 이 두 경우, 산과 짝염기 형태 상이에 Henderson-Hasselbalch 식에 따라 평형이 이루어질 것이다. 각 경우 이온화와 비이온화 약물의 비율은 약산의 pK$_a$ 및 최종 용액의 pH에 의존한다. 그러므로 두 용액의 최종 pH는 다를 것이므로 이 두 경우 이온화 또는 비이온화 비율은 다를 것이다.

유사하게 만약 약염기(R-NH$_2$)를 물에 가하면 pH는 증가할 것이며, 약염기의 산염(RNH$_3$Cl$^-$, RNH$_2 \cdot$ HCl)을 물에 녹이면 pH는 감소할 것이다. 두 경우에 용액에서 RNH$_3^+$와 RNH$_2$의 평형이 이루어지고 두 용액의 최종 pH는 다를 것이므로 이온화와 비이온화약물의 상대적인 분량은 두 용액에서 다를 것이다.

이러한 경우에 이온화와 비이온화의 비율을 측정하기 위하여 약산 또는 약염기가 물 또는 어떤 비완충용액에 더해졌을 때 어떻게 pH가 변하는지를 측정하는 것이 중요하다.

비완충용액의 pH

약산 또는 약염기를 포함하고 있는 비완충용액의 pH는 약산 또는 약염기의 pK$_a$와 용액 내 약산 또는 약염기의 농도에 의존한다. 약산 HA를 물에 가하는 것을 생각해 보면 pK$_a$와 농도에 따라 [H$^+$]의 대략적인 농도는 [H$^+$]이 산의 전체 농도 [HA]$_t$보다 훨씬 작다는 가정 아래 얻어진다. 그러나, 약산의 용액에서의 수소이온의 농도를 예측하기 위해서는 아래의 식이 사용될 수 있다.

$$[H^+] \approx \sqrt{K_a[HA]_t} \quad \text{(식 3-30)}$$

[HA]$_t$은 약산이 용액에 더해졌을 때의 전체 농도이다. 이 식은 직접적으로 pH을 얻기위해 다음과 같이 씌어질 수 있다.

$$pH = \frac{pK_a}{2} - \frac{\log[HA]_t}{2} \quad \text{(식 3-31)}$$

이 식은 K$_a$가 크고(pK$_a$가 작거나) 그리고 HA 농도가 클 때 더 산성의 용액이 된다는 것을 보여준다. 약염기의 염이 물에 더해졌을 때, 이는 약산이 물에 더해졌을 때와 유사하다며 pH는 식 3-31에 의해 구해질 것이다.

유사하게, 염기 B가 물에 더해져졌을 때의 용액의 [H$^+$]는 아래 식으로 대략 계산된다.

$$[H^+] = \frac{K_w}{[OH^-]} \approx \sqrt{\frac{K_w K_a}{[B]_t}} \quad \text{(식 3-32)}$$

[B]$_t$ 은 가해진 염기의 농도이고 K$_w$는 25℃에서 10^{-14}이다. 이 식은 용액의 pH를 계산하기 위하여 변형될 수 있다.

$$pH = \frac{pK_w}{2} + \frac{pK_a}{2} + \frac{\log[B]_t}{2} \quad \text{(식 3-33)}$$

pK$_w$(-log K$_w$)는 25℃에서 14이다. 이 식은 약산의 염으로 만든 용액의 산도를 계산할 수 있다.

비완충용액의 pH가 계산되면 Henderson-Hasselbalch식으로 약산과 약염기 약의 이온화 및 비이온화의 비율을 계산할 수 있다. 이러한 비율은 얼마나 많은 양의 약이 용해되는지에 따라 결정된다.

많은 이온화기를 가진 화합물

많은 약물과 천연 물질은 같은 물질 내에서도 여러 가지 이온화 가능한 기를 가지고 있고 그 결과 복잡한 이온화 경향을 보인다. 비록 이러한 화합물들에 대한 구체적인 논의는 이 책의 영역을 벗어나지만 간단히 요약해 보자.

양성 화합물

같은 물질 내에서 산과 염기의 기능기를 모두 가진 화합물을 양성 화합물(amphoteric compounds 또는 ampholyte)이라고 부르며, 각각의 이온화 가능한 기에 대한 pK_a를 가지고 있다.

하나의 약산기를 가진 HA와 하나의 약염기 기 B를 가진 양쪽성 화합물을 생각해 보자. 이온화는 그림 3-9에서처럼 두 가지 일반적인 경우로 나누어질 수 있다.

두 가지 경우 모두 이온화 도식은 낮은 pH에서는 양전하로 하전되고, 중간영역의 pH에서는 종합적으로 중성이고, 높은 pH에서는 음성으로 하전 된다. 차이점은 중간의 pH에서 일반적인 양성 화합물은 중성화합물을 형성하고, 양쪽이온성 양성화합물(zwitterionic ampholytes)은 양성과 음성 하전을 가진 양쪽성 이온(zwittwerion)을 형성한다. 양쪽성 이온은 전체 하전은 0이고 전기학적

으로 중성이며, 비전해질로 행동한다. 전체 하전이 0인 pH는 분자의 isoelectric point (등전점)으로 알려져 있고, 두 개의 pK_a, $pK_a(HA)$와 $pK_a(BH^+)$ 수치의 평균값이다.

양성 화합물이 일반적인지 양쪽이온성인지는 두 개의 pK_a 값에 의해 정해진다. 다른 말로 하면, pH가 낮은 데서 높게 이동할 때 HA 또는 BH^+ 중 어떤 것이 먼저 해리되는가에 따라 정해진다.

일반적인 양성화합물: 만약 산성기의 pK_a, $pK_a(HA)$가 염기기의 $pK_a(BH^+)$보다 높으면 pH가 올라감에 따라 첫 번째 양성자를 잃어버리는 기는 BH^+이고 중성종에서는 하전이 없다.

• 양쪽이온성 양성화합물: 만약 산성기의 pK_a인 $pK_a(HA)$가 염기기의 $pK_a(BH^+)$보다 낮으면, pH가 증가함에 따라 양성자를 잃는 기는 산성기이고 중성종은 양쪽성 이온이다. 가장 대표적인 예가 아미노산이다.

설명을 위해 아미노산인 glycine의 이온화가 그림 3-10에서 두 개의 평형에 의해 묘사되어 있다.

K_{a1}은 carboxylic acid의 산해리상수이고 K_{a2}는 protonated amine의 산해리상수이다. 산의 pK_a는 2.34이고 protonated amine은 9.34이다. 그러므로 glycine은 중간의 pH에서는 양쪽성이온으로 존재한다. glycine의 등전점은 5.84이다. 두 개의 pK_a가 잘 분리되어 있으므로, glycine은 등전점이나 근처에서는 완전히 양쪽성이온 형태로 존재한다. 그러나 많은 약물은 pK_a 값이 서로 근접하고 겹쳐져서 산-염기 계산은 훨씬 복잡하다.

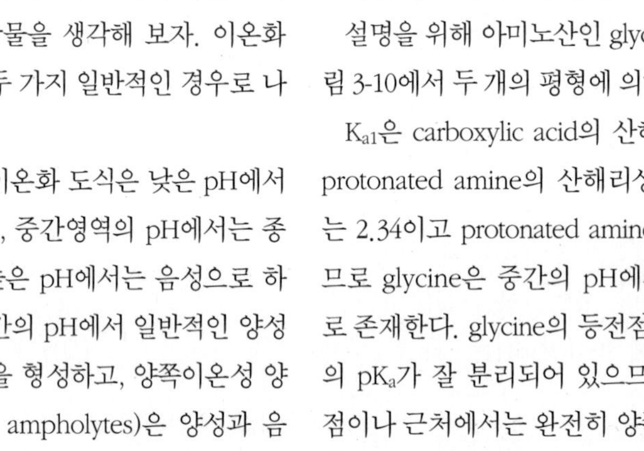

$$(HA)(BH^+) \xrightleftharpoons{K_{a(BH^+)}} (HA)(B) \xrightleftharpoons{K_{a(HA)}} (A^-)(B)$$

일반적인 양성화합물

$$(HA)(BH^+) \xrightleftharpoons{K_{a(HA)}} (A^-)(BH^+) \xrightleftharpoons{K_{a(BH^+)}} (A^-)(B)$$

양쪽이온성 양성화합물

그림 3-9 양성 화합물의 이온화 도식도

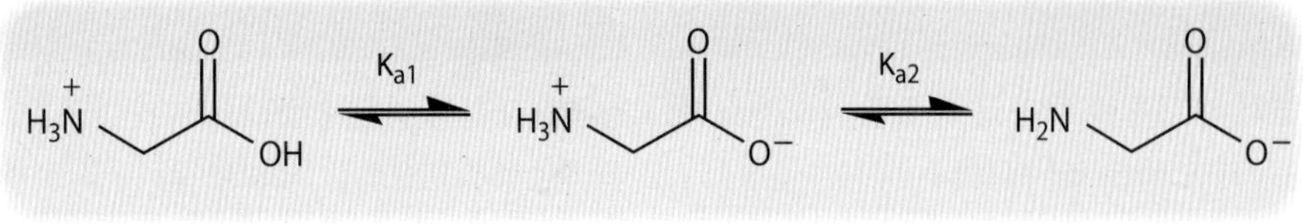

그림 3-10 양쪽이온성 양성화합물인 아미노산 glycine의 이온화 도식도

다양성자성 산과 염기

양성 화합물(amphoteric compounds)은 하나의 산과 하나의 염기 기를 가지고 있다. 하나 이상의 산기를 가지고 있는 화합물이 하나의 양성자를 내놓으면 다양성자성 산(polyprotic acid)이라고 한다. 유사하게 하나 이상의 양성자를 받아들일 수 있을 때 다양성자성 염기(polyprotic base)라고 한다. 다양성자성 산과 다양성자성 염기는 각각 이온화 가능한 기에 여러 개의 pK_a수치를 가지고 있다. 이러한 화합물의 이온화는 연속적인 방식으로 일어난다. 만약, pK_a가 넓게 떨어져 있으면(예를 들면, 적어도 4 pH 단위), 이온화 또는 비이온화의 비율을 계산하기 위해 각각 취급된다. 친근한 다양성자성 산은 3개의 이온화가능한 양성자와 3개의 pK_a 수치 (pK_{a1}=2.15, pK_{a2}=7.2, pK_{a3}=12.15)를 가진 인산이다. 이 3개의 수치들은 각각 하나씩 처리할 수 있을 만큼 충분히 분리되어 있다. 그러나 많은 다양성자성 산과 염기약물은 겹쳐지는 pK_a, 예를 들면 pK_a가 4 단위보다 가까운 범위 내 수치를 가지고 있다. 그러한 약물의 이온화 경향은 복잡하고 논의의 범위를 벗어난다. 표 3-5의 목록은 일부 양쪽성 약물과 다양성자성 약물의 pK_a 수치이다.

표 3-5 양성약물과 다양성자성 약물의 pK_a 값

약물	pK_a 값	
	HA	BH⁺
Amphoteric Drugs		
Amphotericin B	5.5	10.0
Apomorphine	8.9	7.0
Ampicillin	2.5	7.2
Baclofen	5.4	9.5
Ciprofloxacin	6.0	8.8
Enalapril	3.0	5.5
Lorazepam	11.5	1.3
Nystatin	8.9	5.1
Pyridoxine	8.9	5.0
Rifampin	1.7	7.9
Polyprotic Drugs		
Brompheniramine		3.6, 9.8
Fluorouracil	8.0, 13.0	
Doxorubicin		8.2, 10.2
Hydrochlorothiazide	7.0, 9.2	
Novobiocin	4.3, 9.1	
Prochlorperazine		3.7, 8.1
Quinidine		4.2, 7.9

핵심개념

이 장에서는 약물의 하나의 중요한 생리화학적인 성질인 이온화를 논의하였다.

- 물에 녹았을 때 강한 전해질은 완전히 해리되고 약한 전해질은 일부 해리되며, 비전해질은 해리되지 않는다.
- 많은 약물은 약전해질이다(약산, 약염기 또는 그 염).
- 약산이나 약염기의 pKa수치는 그것의 강도의 측정치이다.

- 약전해질의 이온화정도는 그것의 pKa와 용매의 pH에 의존하고 Henderson-Hasselbalch 식에 의해 계산할 수 있다.
- 약산-약염기 시스템은 완충용액으로 가장 유용하며, pKa와 가장 가까운 pH에서 가장 효과적이다.

복습문제

1. 비전해질, 약전해질, 강전해질이 물에서 녹을 때의 이온화 경향을 비교하여라.
2. 약산, 약염기, 강산, 강염기는 무엇을 의미하는지 서술하라.
3. 생리적인 pH 범위 내에서 약산, 약염기, 비전해질의 성질을 가지게 하는 기능기를 나열하라.
4. 짝산-염기 쌍의 의미를 설명하라. 어떠한 형태의 짝산이나 짝염기의 쌍이 약산으로 하전되나? 약염기로는 하전되나? 이 하전은 양성인가 음성인가?
5. 평형 산해리상수 Ka와 pKa는 약산이나 약염기의 강도에 대한 정보를 어떻게 제공하나?
6. 완충용액과 비완충용액의 차이점을 설명하시오. 산이나 염기가 더해졌을 때 비완충용액의 pH 변화는 어떻게 일어나는가? 약산이나 약염기의 염이 더해질 때는?
7. 여러 pH에서 이온화된 약물의 백분율을 결정하고 완충용액을 만드는 데 있어 Henderson-Hasselbalch식의 사용에 대해서 설명하여라.
8. 양성 화합물이 무엇을 의미하는지 설명하라. 일반적인 양성화합물은 양쪽이온성 양성 화합물과 어떻게 다른가?

실전문제

1. 산의 해리상수인 Ka가 1.74×10^{-5}이다. 이것의 pKa는?
   (pKa=-log Ka=4.76)
2. Propranol(Inderal)의 pKa는 9.50이다. 그것의 Ka는?
3. Glyburide(Micronase)는 당뇨병에 쓰이는 약산의 약물이다. pKa=6.8
   a. Glyburide의 Ka는?
   b. 어떠한 형태의 짝산-염기상이 하전되어야 하며, 어떠한 전하(양성 또는 음성)를 가져야 하나?
   c. 소장(pH=6)에서 glyburide의 몇 퍼센트가 이온화되는가? 혈액(pH=7.4)에서는?

4. Naproxen(Aleve)은 분자량이 230이고 pK$_a$=4.2인 항염증 약물이다. 아래와 같은 구조를 가졌다.

a. Naproxen은 약산인가 약염기인가?

b. 완충액의 pH가 얼마일때 짝산과 염기가 동일한 농도로 존재하는가?

c. Naproxen이 비완충액에 더해졌을 때 용액의 pH는 올라가는가 내려가는가? 이유는?

d. Naproxen의 몇 퍼센트가 pH 3의 완충용액에서 이온화되나? pH 6의 완충용액에서는?

e. pH 6인 완충용액에서 25 mg/mL naproxen 용액의 이온화와 비이온화된 약물의 몰 농도는?

f. Naproxen은 sodium염으로 사용가능하다. Naproxen sodium이 비완충용액에 가해졌을 때 용액의 pH는 올라가나 내려가나? 이유는?

5. Cimetidine(Tagamet)은 십이지장 궤양에서 과량의 위산의 분비를 감소시킴으로써 치료하는 약이다. 이 약은 pK$_a$=6.8이고 염산염으로도 사용가능하다.

a. Cimetidine은 약산인가 약염기인가?

b. Cimetidine이 위(pH=1), 소장(pH=6), 혈액(pH=7.4)에서 비이온화되는 비율은?

c. Cimetidine HCl이 비완충용액에 더해졌을 때 용액의 pH는 올라가나, 내려가나? 그 이유는?

참고

Amiji M, Sandmann BJ. Appled Physical Pharmacy, 1st ed. McGraw-Hill/Appletion & Lange, 2003.

Connors KA, Mecozzi S. Thermodynamics of Pharmaceutical Systems-An Introduction to Theory and Applications, 2nd ed. Wiley Interscience, 2010.

Florence AT, Attwood D. Physicochemical Principles of Pharmacy, 4th ed. Pharmaceutical Press, 2006.

Sinko PJ. Martin's Physical Pharmacy and Pharmaceutical Sciences, 5th ed. Lippincott Williams & Wilkins, 2006.

4 용해도와 친유성
Solubility and Lipophilicity

용해도란 액체(용매)에 녹아서 균질한 용액을 형성하는 화합물(용질)의 녹는 정도를 나타낸다. 제2장에서 우리는 이미 대부분의 약물 분자는 친수성과 친유성이 같이 있다고 배웠다. 그러므로 약물의 구조는 종종 물과 같은 극성 환경이나 지질과 같은 비극성 환경에서 녹을 수 있도록 최적화되어 있다.

약물의 용해도는 약물을 주사액이나 점안액과 같은 액상 제형으로 설계할 때 또한 중요하다. 용매는 환자에게 약물 주입을 편리하게 할 수 있도록 적절한 농도로 약물을 녹일 수 있는 것으로 선택되어야 한다.

용해도의 원리

용해도는 포화상태일 때 고체와 용해된 상태의 용질 간의 평형관계를 말한다. 용해도의 절대값은 고정된 여러 상태(온도, 압력, pH 등)하에 주어진 용매에서 포화 상태가 되었을 때의 용질의 농도(mol/L 이나 mg/mL 등으로 표시)를 나타낸다.

용매에서 용질의 용해도 평형 상태(equilibrium solubility)는 용질-용질, 용매-용매, 용질-용매 간의 상호작용이 합해진 결과이다. 고체 용질이 용매에 녹는 과정은 그림 4-1과 같이 세 개의 과정으로 설명할 수 있다. 비록 이들 과정은 차례차례로 일어나는 것이 아닌 동시에 일어나는 과정이지만, 각각의 상호작용의 역할을 이해하기 위해서 이 과정을 나누어 보는 것이 도움이 된다.

- 단계 1: 용질 고체에서 용질 분자 분리; 용질-용질 결합을 끊기 위해 에너지가 필요하다.
- 단계 2: 용질이 있을 공간을 형성하기 위한 용매 분자들의 분리; 용매-용매 결합(물에서는 수소결합)을 끊기 위해 에너지가 필요하다.
- 단계 3: 용매에 형성된 공간에 용질 분자의 삽입; 새로운 용질-용매 결합 형성에 의해 에너지가 방출된다.

단계 1에서 요구되는 에너지는 용질 분자들을 서로 고정시키는 용질의 분자간 인력과 고체상태 구조에 따라 달라진다. 고체상태에서 서로 매우 단단히 잡고 있는 분자들로 된 용질은 어떤 용매에서도 잘 용해되지 않는다. 따라서, 화합물의 고체 상태 구조는 그것의 용해도에 중요한 역할을 한다.

단계 2에서 요구되는 에너지는 용질분자를 수

단계 1

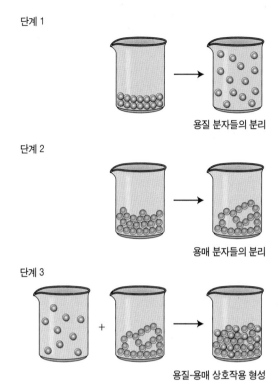

용질 분자들의 분리

단계 2

용매 분자들의 분리

단계 3

용질-용매 상호작용 형성

그림 4-1 고체 용질이 용매에 녹는 과정은 위와 같이 세 개의 과정으로 설명할 수 있다.

용하기 위해 용매에 만들어져야 하는 공간의 크기와 모양 그리고 용매-용매 결합의 세기에 따라 다르다. 물에서는 물 분자간의 수소결합을 끊기 위한 에너지가 필요하다.

용질이 용매 안으로 들어가기 위해 단계 3에서 에너지가 방출되는데 이는 단계 1, 2에서 사용한 에너지를 상쇄시켜야한다. 이 때 용질과 용매 사이의 인력이 작용하기 시작한다. 용질-용매 상호작용이 강하고 많을수록 용해도는 증가한다.

용질의 분자 크기도 용해도에 영향을 미친다. 분자의 크기가 클수록(분자량이 클수록), 일반적으로 덜 용해된다. 큰 분자는 용해 과정에서 용매 분자에 의해 둘러싸이기 더 힘들다.

약물의 고체 상태 구조

용해도는 용질의 고체 상태와 용액상태 간의 평형상태를 나타내기 때문에 용질의 고체 상태 구조에 부분적으로 영향을 받는다. 대부분의 약물은 분자나 이온의 공간 배열이 다르고 분자간 인력이 다른 하나 이상의 고체 형태로 존재한다.

결정형과 무정형 약물

대부분의 약물은 분자나 이온이 규칙적으로 배열된 결정형(crystalline)의 반복적인 패턴의 결정격자(crystal lattice)로 되어있다. 결정형 고체는 녹는 점이 일정하며, 보다 좁은 온도 범위에서 고체 상태에서 액체 상태로 변한다. 녹는점은 결정격자의 강도를 나타낸다. 결정격자가 강할수록 녹는점은 높다.

일부 약물은 일정치 않은 분자 배열을 보이며 결정격자를 분간할 수 없는 무정형(amorphous)이다. 이들 물질은 녹는점이 일정하지 않고 매우 넓은 온도 범위에서 물렁해지고 일반적으로 결정형의 동일 화합물보다 녹는점이 낮다.

약물은 무정형뿐만 아니라 여러 종류의 결정형 구조로 존재한다. 예를 들어, 널리 사용되는 항생제인 chloramphenicol-3-palmitate는 하나의 무정형과 적어도 세 개의 결정형을 가진다고 알려져 있다. 약물의 결정격자는 약물이 녹기 전에 깨져야 한다 (그림 4-1의 단계 1). 만약 약물 분자가 결정격자로 강하게 결합되어 있다면, 약물이 녹으려는 힘은 작을 것이다. 이런 이유로 결정형 약물은 같은 약물의 무정형 약물보다 비교적 낮은 용해도를 보인다.

약물의 고체 상태 구조의 중요성을 설명하기 좋은 예로는 무정형과 결정형이 모두 이용 가능한 인슐린이 있다. 무정형은 높은 용해도를 가지며, 더 빨리 녹고, 주사 이후 빠르게 혈류에 들어간다. 그래서 무정형 인슐린은 신속하게 혈당을 낮춰야 할 때 사용된다. 결정형 인슐린은 낮은 용해도를 가지며, 더 느리게 녹고, 혈류에 서서히 들어간다. 그러므로 이는 느리지만 더 지속적으로 혈당을 낮춰야할 때 사용된다.

다형체

약물은 하나 이상의 결정형을 형성할 수 있다. 이러한 성질을 다형성(polymorphism)이라 하며, 각각의 결정형을 다형체(polymorphs)라고 한다. 서로 다른 다형체는 약물 제조 시 결정화 과정의 차이에 의해 생긴다. 화학적으로는 동일하지만 다형체는 일반적으로 격자에너지, 녹는점, 용해도가 서로 다르다. 가장 낮은 녹는점을 갖는 다형체는 보통 용해도가 가장 크다. barbiturate류, sulfonamide류, steroid류와 같은 많은 약이 폭넓은 다형성을 보인다.

약물의 다형체 간의 물에 대한 용해도 차이는 약물 투여 이후 몸에서 흡수되는 정도의 차이로 나타난다. 약물의 빠른 흡수를 위해서는 여러 다형체들과 무정형 중에서 가장 낮은 녹는점을 갖는 형태로 사용하는 것에 초점을 맞춰야 한다. 그러나 이 형태들은 약물제품의 "라이프 사이클" 즉, 제조, 포장, 유통, 보관 단계 중 어떤 단계에서 안정하고 낮은 용해도를 갖는 형태로 결정화되려는 경향이 있어 예상치 못한 특성 변화가 생길 수 있다. 약물 다형체의 특성은 제약산업에서 주요 관심사인데 왜냐하면 이는 약물 공정 제작과 치료 행위에 상당한 영향을 끼치기 때문이다.

다형성의 중요도에 대한 전형적인 예로는 HIV-1에 감염된 환자에게 사용되는 protease 억제제인 ritonavir(Norvir)이 있다. 개발 초기에 ritonavir는 오직 하나의 결정형을 갖는 것으로 알려졌다. 지금은 1형이라 불리는 이 형태는 경구 투여 이후 흡수가 잘 안 되었기에 약물의 에탄올-물 용액으로 차있는 소프트-젤라틴 캡슐을 생성하는 공정이 필요하였다. 마케팅 2년 후, ritonavir 캡슐의 일부 배치가 예상보다 더 느리게 용해된다는 것이 발견되었다. 이들을 조사하자 보관 단계에서 캡슐 안에서 ritonavir의 2번째 다형체(형태 2)가 침전되는 것이 확인되었다. 2형은 1형에 비해 용해도가 절반정도여서 더 낮은 속도로 용해되었다. 이 구명 약물의 지속적인 공급을 유지하기 위해, 다형체의 문제가 해결될 때까지 경구 현탁액으로 개발되어야 했다. 상당한 시간과 노력으로 다형체 문제를 발견 및 해결하고 이후 2형을 새로운 소프트-젤라틴 캡슐로 개발하고 시장에 출시하였다.

용매

용매에 녹기 위해서 용질 분자는 용매 분자와 쉽게 상호작용하고 결합할 수 있는 작용기를 가져야 한다. 화합물은 용매와 비슷한 화학적 성질을 지닐수록 보다 더 잘 녹기 쉽고, '끼리끼리 녹는다' 라는 경험의 법칙이 적용된다.

용매의 극성

약의 용매는 극성(polar), 비극성(nonpolar), 반극성(semipolar)으로 구분된다. 쌍극자모멘트(dipole moment)와 유전상수(dielectric constant)가 큰 분자는 극성으로 여겨진다. 낮은 쌍극자모멘트와 작은 유전상수를 가진 분자는 비극성으로 분류되며, 반극성 용매는 그 중간에 위치한다. 물 분자는 쌍극자모멘트가 크므로 극성 용매이다. 비극성 용매의 예로는 탄화수소, 기름, 지질이 있다. 일반적으로 물과 섞일 수 있는 용매를 극성이거나 반극성이라 하고, 물과 섞이지 않는 용매는 비극성이라 한다.

용매로서의 물

물은 우리에게 매우 중요한 용매이다. 이 극성 용매는 많은 작용기와 일시적인 비공유(non-covalent) 결합을 형성하여 상호작용을 할 수 있다. 물과 상호작용할 수 있는 분자들은 극성이나 친수성(hydrophilic)이라 한다. 앞에서 용질이 물에 녹기 위한 중요한 상호작용들을 논했었고 이들은 다음과 같다.

- 이온-쌍극자 상호작용 : 이온-쌍극자 결합은 물과 같이 영구적인 쌍극자모멘트를 지닌 비전하 극성 분자와 이온 간에 형성된다. 이 상호작용은 매우 강하며 물을 이온의 훌륭한 용매가 되도록 해준다.
- Van der Waals 힘 : 전기적으로 중성인 분자 간의 인력을 총괄하여 Van der Waals 힘이라 한다. 이 분자 간 힘은 매우 약하고 분자들이 서로 상당히 가까워졌을 때만 생긴다.
- 쌍극자-쌍극자 상호작용 : 전하는 없지만 영구적인 쌍극자모멘트를 지닌 극성분자들은 가까운 거리에 있을 때 서로 상호작용을 할 수 있다. 그러므로 물은 비록 전하는 없지만 쌍극자모멘트를 가진 약물 분자와 상호작용 할 수 있다. 이 상호작용은 보통 이온-쌍극자 결합보다 약하다.
- 쌍극자-유도 쌍극자 상호작용 : 영구적인 쌍극자모멘트를 지닌 극성분자는 일시적으로 비극성 분자에 쌍극자모멘트를 유도할 수 있는데, 그 결과 두 분자 간의 인력이 생긴다. 그러므로 물은 비극성 약물 분자에 쌍극자모멘트를 유도할 수 있다. 그러나 이 상호작용은 매우 약하고 물 용해도에 큰 영향을 주지는 못 한다.
- 수소결합 : 수소결합은 물이 수소결합 공여자와 인수자를 둘 다 지녔기 때문에 약물의 물 용해도에 큰 영향을 끼친다. 일단 하나의 수소결합이 형성되면, 두 번째 수소결합이 형성될 확률이 증가하고, 이는 세 번째 수소결합 형성 가능성을 증가시키고 이러한 과정이 계속 반복된

다. 비록 각각은 약한 수소결합을 갖고 있더라도 이들은 매우 강하고 안정된 상호작용을 형성하게 된다.

이온들은 친수성이 강한데 이는 강력한 이온-쌍극자 상호작용 때문이다. 물과 여러 수소결합을 형성할 수 있는 화합물들 또한 친수성이 강하다. 다양한 작용기의 극성 순위는 그림 4-2에 나타나 있다. 일반적으로 친수성 화합물이 쉽게 물에 녹는다.

만약 용질이 여러 극성 작용기를 지닌다면, 이들 작용기가 용매화될 때 단계 2에서 필요한 에너지보다 더 많은 에너지를 방출하기 때문에 물 용해도는 높을 것이다(그림 4-1). 반대로, 물은 물과 탄화수소 간의 인력이 두 물 분자 사이의 인력보다 약하기 때문에 탄화수소를 녹일 수 없다. 일반적으로, 용질의 극성 작용기와 비극성 작용기 간의 균형이 단계 2와 3 사이의 전체적인 균형을 결정한다. 분자의 비극성 작용기의 갯수가 증가할수록(예컨대 알킬기의 첨가와 같은), 물 용해도는 감소한다. 약물 분자는 복잡하고 대부분 여러 개의 작용기를 갖는다. 이것의 전체적인 극성 정도는 화합물의 극성과 비극성 부분의 상대적인 비율에 의해 결정된다.

비극성 용매

비극성 용매는 이들 분자 간에 쌍극자모멘트가 없고, 낮은 유전상수를 지닌다. 탄화수소나 지질과 같은 비극성 용매는 용질과 상호작용 시 오직 약한 Van der Waals 힘만 사용한다. 이 힘은 전해질과 약전해질의 고체 용질을 고정시키고 있는

아마이드 > 산 > 알코올 > 케톤 ~ 알데히드 > 아민 > 에스테르 > 에테르 > 알칸

그림 4-2 약물 분자에 있는 작용기의 일반적인 극성 순서로 가장 극성인 분자(아마이드)로 시작하여 가장 비극성인 분자(알칸)로 끝난다.

극성과(이나) 이온의 상호작용 힘을 이겨낼 정도로 강하지 않다. 결과적으로 비극성 용매는 이온 간의 인력을 감소시킬 수 없기 때문에 강한 전해질이나 이온에게는 좋지 못한 용매이다. 이들 용매는 또한 약전해질의 공유결합을 끊을 수 없다. 그러나 고체 상태에서 서로 약한 Van der Waals 힘으로 고정시키고 있는 비극성 용질은 유도 쌍극자 상호작용 때문에 비극성 용매에 매우 잘 녹을 수 있다.

물과 상호작용할 수 있는 적절한 작용기를 지니지 못한 분자는 소수성(hydrophobic) 또는 비극성으로 여겨진다. 위의 작용기 순위에서 보듯, 에테르나 에스테르는 어느 정도 소수성이고, 알칸은 강력한 소수성이다. 소수성 화합물은 물에 거의 녹지 않고, 실제로 물을 밀어낼 것이다. 이러한 비극성 작용기나 비극성 화합물이 물과의 접촉을 피하기 위해 자기들끼리 뭉치는 현상을 소수성 효과(hydrophobic effect)라고 한다.

비극성 화합물은 물에 잘 녹지 않지만 탄화수소, 기름, 지질과 같은 비극성 용매에 잘 녹는다. 비극성 용매에 녹는 화합물은 친유성(lipophilic) 화합물이라고 한다. 소수성 화합물은 보통 친유성이지만 극성 용매와 비극성 용매 둘 다 녹지 않는 소수성이면서 소유성인 화합물도 있다.

반극성 용매

어떤 약물 용매는 물과 지질의 중간 성질을 보인다. 알코올과 케톤과 같은 용매는 물과도 섞이고 일부 지질에도 섞인다. 의약품에서 이들 액체는 비극성 약물을 녹이기 위해 **보조용매(cosolvent)**로 물과 함께 사용된다. 이들은 기름과 물을 또 다른 용매에 녹일 때도 사용된다.

수용성

약물이 몸에 투여될 때 그것은 대개 약이 용해되어야하는 물과 같은 환경에 접하게 된다. 예를 들어 입을 통해 섭취된 약물은 위액에서 용해되어야 한다. 만약 약이 충분히 수용성이 아니거나 용해되는 데 문제를 가지고 있다면 그것은 아마 몸에 이용가능하지 않을 것이다. 그러므로 적당한 수용성은 약물의 중요한 성질이다.

고유 용해도

간단하게 먼저 물에서 비전해질 약물의 용해에 대해 생각해보자. 비전해질 약물의 수용성은 주어진 온도일 때 물에서 그 화합물의 포화 용액의 농도이다. 포화용액에서 약물의 고체형태는 용액 중 약물화 평형상태이다. 다음과 같다:

$$Drug_{solid} \rightleftharpoons Drug_{solution} \qquad \text{(식 4-1)}$$

이것은 고체약물의 추가는 더 이상 용액에 녹을 수 없기 때문에 용액의 농도는 변하지 않는다는 것을 의미한다. 평상상수 K는 다음과 같다.

$$K = \frac{[Drug]_{solution}}{[Drug]_{solid}} \qquad \text{(식 4-2)}$$

방정식 4-2의 분자는 포화용액 상태에서 용해된 약물의 농도이다. 관례적으로 분모는 1로 맞춘다. 상수 K는 특정 온도의 물에서 비전해질 약물의 **고유용해도(intrinsic solubility, S_0)**라 불린다. 다시 말해 S_0는 방정식 4-3에서 보는 것과 같이 약물의 포화용액의 농도이다.

$$S_0 = K = [Drug]_{solution} \qquad \text{(식 4-3)}$$

고유용해도는 약물의 화학적 구조, 고체상태의 구조, 그리고 온도에 의존한다. 대부분 화합물의 고유용해도는 온도가 증가할수록 증가한다. 따라서 용해도는 항상 측정한 온도와 함께 언급된다.

약학적 적용을 위한 온도는 일반적으로 정상체온(37℃)과 조절된 실온(15~30℃)이다.

약산과 약염기의 용해도

물에서 약산과 약염기의 이온화는 용해도 방정식을 복잡하게 만든다. 이온화되는 약의 용해도는 이온화되지 않은 약의 고유용해도 뿐만 아니라 이온화된 정도 또한 고려해야 한다. 이온화된 약물과 이온-쌍극자결합을 형성할 수 있는 물의 성질때문에 일반적으로 이온의 물에 대한 용해도는 이온화되지 않은 형태의 용해도보다 훨씬 크다. 그러므로 약전해질의 전체 용해도를 결정하는 것은 고유 용해도 즉, 이온화되지 않은 형태의 용해도이다.

고체 약전해질 약물(약산 또는 약염기)이 물과 같은 환경에 접하는 경우 이온화되지 않은 형태의 고유 용해도만큼 용해될 것이다. 용해된 약물은 Henderson-Hasselbalch 방정식과 물과 같은 매질의 pH에 따라 이온화될 것이다. 약물이 이온화 됨에 따라 고체 약물들은 이온화되지않은 형태의 약물의 포화용액을 유지하기 위해 더 많이 용해될 것이다. 이 과정은 용해도 평형과 이온화 평형이 둘 다 만족될 때까지 계속 진행될 것이다.

우리는 완충용액에서 어떻게 약산과 약염기가 용해되고 이온화되는지 표현하기 위해 아래의 방정식을 쓸 수 있다.

$$HA_{solid} \rightleftharpoons HA_{solution} \rightleftharpoons H^+ + A^- \quad \text{(식 4-4)}$$

$$B_{solid} \rightleftharpoons B_{solution} + H^+ \rightleftharpoons BH^+ \quad \text{(식 4-5)}$$

약산과 약염기 포화용액은 완충용액의 pH에 따라 약물의 이온화된 형태 일부와 이온화되지 않은 형태 일부를 가지게 된다. 그러므로 아래의 식과 같이 측정된 용해도(S_t)는 약물의 전체(이온화된 형태와 이온화되지 않은 형태) 농도로 다음

과 같은 방정식으로 표현할 수 있다.

$$\text{Weak acid: } S_t = [HA]_{solution} + [A^-] \quad \text{(식 4-6)}$$

$$\text{Weak base: } S_t = [B]_{solution} + [BH^+] \quad \text{(식 4-7)}$$

포화용액에서 이온화되지 않은 약물의 농도는 항상 약물의 고유용해도 S_0와 동일하다. 그러므로 우리는 방정식 4-6과 4-7을 다음과 같이 쓸 수 있다.

$$\text{Weak acid: } S_t = S_{0(HA)} + [A^-] \quad \text{(식 4-8)}$$

$$\text{Weak base: } S_t = S_{0(B)} + [BH^+] \quad \text{(식 4-9)}$$

알려진 이온화되지 않은 형태의 약물농도, 약물의 pKa, 용매의 pH는 Henderson-Hasselbalch 방정식을 이용하여 이온화된 형태의 약물농도를 계산할 수 있다. 방정식 4-8과 4-9를 결합한 후 간단한 대수형태로 변환하면 우리는 아래의 일반적인 방정식을 얻을 수 있다.

$$\text{Weak acid: } S_t = S_0(1 + 10^{(pH - pK_a)})$$
$$\text{(식 4-10)}$$

$$\text{Weak base: } S_t = S_0(1 + 10^{(pK_a - pH)})$$
$$\text{(식 4-11)}$$

이 방정식은 pKa와 고유 용해도가 알려져 있다면 약물의 특정 pH에서도 총 용해도를 계산하는 데 사용할 수 있다. 역으로, 만약 pKa와 총 용해도가 주어진 pH에서 알려져 있다면 고유 용해도는 계산할 수 있다. 방정식 4-10, 4-11의 검토로써 우리는 약산과 약염기의 총농도 변화(증가 또는 감소)를 볼 수 있다.

pH-용해도 관계

그림 4-3은 약산과 약염기에서 pH와 용해도의 관계를 그래프로 만약 용액의 pH가 약전해질 약물의 이온화를 가능하게 한다면 총 용해도는 고유 용해도보다 증가할 것이다. 이온화의 정도가 증가할수록 약물의 총 용해도 또한 증가할 것이다. 만약 용액의 pH가 약물이 이온화되지 않도록 유지된다면 총 용해도는 고유 용해도와 같을 것이다. 약염기는 낮은 pH에서 높은 용해도를 보일 것이고, 높은 pH에서 낮은 용해도를 보일 것이다. 약한산은 높은 pH에서 높은 용해도를 보일 것이고 낮은 pH에선 낮은 용해도를 보일 것이다. 이 낮고 높음의 용어는 항상 약물의 pKa와 관계된다.

약물 염의 용해도

대부분 약산과 약염기 약물은 그들의 염으로서 활용가능하다. 염의 물리적 성질(결정구조, 끓는점, 기타 등등)은 대개 그들의 모체인 약산 또는 약염기와 많은 차이가 있다. 그러나 염형태에서 pKa나 고유 용해도는 변하지 않는다. 그러므로 완충용액에서 약산과 약산의 염(또는 약염기와 약염기의 염)의 총 용해도는 대개 같다. 그리고 pH-용해도 관계는 그림 4-3에 나타나 있다.

비완충 용액에서 용해도

우리는 약산과 약염기 또는 그들의 염이 비완충용액에서 용액의 pH변화에 따라 용해도가 변하는 것을 고찰하였다. 약산이 포화용액을 만들기 위해 물에 용해될 때 용액의 pH가 산의 pKa보다 낮아지고 결과로 용해도가 낮아진다. 역으로 약산의 염이 포화용액을 만들기 위해 물에 용해될 때 용액의 pH가 pKa보다 증가하고 결과로 용해도가 높아진다. 이 유사한 행동은 약염기와 그들의 염에서도 관찰된다.

일반적으로 비완충용액에서의 염 용액은 약물의 pKa를 기준으로 약물이 이온화되는 쪽으로 pH가 변화된다. 따라서 염은 주로 용액 pH의 변화 때문에 물에서 그들의 모체 약산 또는 약염기보다 높은 용해도를 나타낸다. 만약 용액의 pH가 측정된다면 약한 전해질 또는 그것의 염의 총 용해도는 그림 4-3에서 보여진 것처럼 나타날 것이다.

염의 용해도 곱

방정식 4-8과 4-9는 총 용해도가 이온화 증가의 정도처럼 무한하게 증가할 것이라고 예측할 수 있다. 하지만 그 약물의 이온화된 형태의 용해도는 실제로 용액 안에 존재하는 상대 이온의 농도와 타입에 의해 한계가 있다. 예를 들어, 완벽하게 이온화된 약산용액에서 만약 상대 이온이 Ca^{2+}보다는 Na^+이라면 용해도는 일반적으로 높을 것이다. 다시 말해서, 약산의 Ca^{2+} 염은 Na^+ 염보다 낮은 용해도를 가질 것이다. 고체 상태에서 염은 결정격자를 이온으로 채운 이온성 결정으로 존재한다. 일반적으로 비슷한 크기가 상대적으로 비슷한 양이온과 음이온에 의해 보다 안정된 격자가 형성되고 그리하여 더 낮은 용해성을 갖게 만든다.

따라서 약산이 거의 완벽하게 이온화되는 pH에서 총 용해도는 용액에서 형성될 수 있는 염의 타입(예: Na 또는 Ca)으로 결정된다. 더 안정하고 낮은 가용성 염은 상대 이온이 충분히 높은 농도 상황에서 침전 형성될 것이다. 이 염의 용해도는 포화된 용액에서 염의 해리반응의 평형상수로서 정의된 용해도 곱(K_{sp})이라 불리는 특별한 상수로 대변할 수 있다.

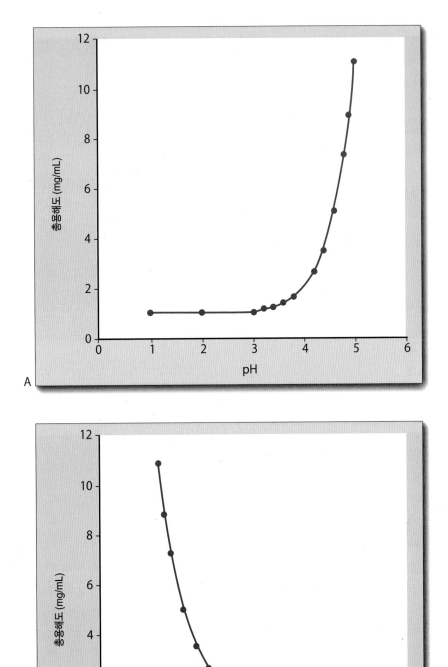

그림 4-3 용해도곱에 관한 논의는 이 책의 범위 밖이다. 주된 사항은 다른 상대 이온을 가지고 있는 약산과 약염기는 약물이 대개 이온화되는 pH에서 용해도가 달라진다는 것이다.

친유성

2장에서 우리는 약이 그들의 표적과 결합하기 위해 그리고 세포막을 통과하기 위해 다소 친유성이 필요하다는 것을 배웠다. 사실 화합물이 성공적인 약이 되기 위해 친수성과 친유성의 적당한 균형을 가져야 한다. 그러므로 의약화학자는 분자가 다소 물과 지질 환경 모두에 양립할 수 있도록 만들기 위해 약의 화학적 구조를 설계한다.

친유성이나 지질 용해도 그 자체보다 더 중요한 것은 지질과 물에 대한 약물의 친화성이다. 다시 말해 물이 공존할 때 지질 층에 약물이 해리되기 위한 능력 그리고 지질이 공존할 때 물에 약물이 해리되기 위한 능력에 가장 관심이 있다 우리 몸은 일반적으로 이러한 상황을 따르기 때문이다.

분배계수

화합물이 이온화되지 않은 비전해질 상태에서 화합물의 친유성과 친수성 사이의 균형이 분배계수(P)라 하는 매개변수로 특징지어진다. 다시 말해서 분배계수는 화합물이 물과 비교하여 지질과 상대적으로 친한 정도를 나타내는 척도이다. 실험실에서 분배계수는 물과 지질에서 화합물의 상대적 용해도를 측정함으로써 결정된다. 지질은 생물학적 지질, 즉 인지질이 가장 적당하지만 실제 실험실에서 편리를 위해 비극성 용매 모델을 사용한다. 비극성 용매의 선택에 대해 많은 논쟁

이 있었으며 가장 일반적으로 상용되는 비극성 용매는 n-octanol이고 수천가지 약물의 octanol과 물과의 분배에 대한 광범위한 데이터가 알려져 있다. 그 외 비극성 용매로는 chloroform과 iso-propyl myristate등 다른 용매가 최근 사용되지만 octanol은 P를 결정하기 위한 표준 비극성 용매로 계속해서 사용되고 있다.

물과 octanol은 서로 혼합되지 않는다. 분배계수의 결정은 이 두 용매를 섞어 두 층을 만든 다음 화합물을 이 두 층에 가하게 되고 화합물 분자는 두 개의 용매 또는 상 사이에 그림 4-4처럼 평형에 도달할 때까지 용해되고 분배될 것이다. 이 system이 평형을 이룬 후에 각 상에서 화합물의 농도를 측정하게 된다.

만약 화합물이 더 친수성이라면 화합물이 물에서 농도가 더 높을 것이다. 반면에 만약 친수성보다 친유성이라면 화합물의 농도는 octanol에서 더 높을 것이다. C_0는 octanol에서 농도를, C_w는 물에서의 농도를 나타낼 때 분배계수(P)는 다음과 같이 정의된다.

$$P = \frac{C_o}{C_w} \qquad \text{(식 4-12)}$$

그러므로 P는 octanol과 물에 대한 상대적 친화도의 척도를 제공한다. P값 1을 갖는 화합물은 octanol과 물에 대해 동일한 친화도를 갖는다. P값이 1보다 크면 화합물은 친유성이란 것을 내포

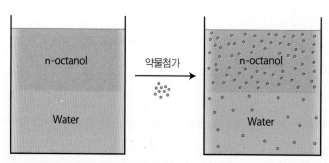

그림 4-4 Octanol과 물 사이에서 약물의 분배. 이 예에서는 평형상태에서 물보다 octanol에 더 많은 약물이 존재한다.

하며 P값이 아주 크면 화합물은 친유성이 큰 것이다. P값이 1보다 작으면 화합물은 친수성을 뜻하며 P값이 아주 작으면 화합물은 친유성이 작은 것이다. 일반적으로 실험하는 동안 더 가해진 화합물의 양은 P측정에서 영향을 미치지 않는다.

분배계수는 약물이 이온화되지 않은 상태에서 정의된다는 것을 기억해야 한다. 약전해질에서 P는 화합물이 완전히 이온화되지 않은 pH에서 측정된다. 이 점에서는 분배계수는 화합물의 고유 용해도와 유사하다. 이온화의 복잡성을 고려하지 않았지만 둘 다 화학적 구조에 의존한다. 나중에 화합물의 분배 특성에 대한 화합물의 이온화 효과를 알아볼 것이다.

Log P 값

분배계수는 편리를 위해 자주 대수적 값(log P)으로 나타낸다. 지금까지 수많은 후보 약물의 log P 값을 측정해왔다. 이러한 자료를 기초로 화합물의 약으로의 가능성에 대해 일반화할 수 있다.

$\log P < 0$ (또는 $P < 1$)인 화합물은 대개 안정한 약이 되기엔 너무 친수성이 크다고 생각된다. 특히 화합물이 반응부위에 도달하기 위해 지질 생체막을 통과하여야 한다면 약으로의 가능성은 낮다.

다른 극단적인 방면으로 $\log P > 3.5$(또는 $P > 3000$)는 대개 화합물은 물에 잘 녹지 않고 지질층에 농축되는 경향을 갖기 때문에 좋은 약이 되기엔 너무 친유성이다. 그러나 몇몇 성공적인 약물은 $0 < \log P < 3.5$인 바람직한 범위 밖의 P값을 가지고 있다. 이는 우리 몸은 간단한 물리화학적 근사치보다 더 복잡하다는 것을 보여준다. 그럼에도 불구하고 분배계수는 여전히 몸에서 약의 행동을 예측하는 데 생체 외 변수로서 유용하다. 그리고 유망한 약의 지원자를 large pool에서 선택하는 데에 유용하다.

겉보기 분배계수

분배계수의 정의는 화합물의 이온화되지 않은 형태에만 적용된다. 전해질성의 이온화는 분배행위를 복잡하게 한다. 화합물의 겉보기 분배계수(P_{app})는 octanol과 물상 사이의 화합물의 모든 형태(이온화 및 이온화되지 않은)의 농도의 합의 비율로서 정의된다.

$$P_{app} = \frac{(C_i)_o + (C_u)_o}{(C_i)_w + (C_u)_w} \quad \text{(식 4-13)}$$

여기서 C_i와 C_u는 각자 이온화와 이온화되지 않은 형태의 농도이다. 약산과 약염기는 물의 pH와 약산과 약염기의 pK_a에 따라 물에서 이온화한다. 전해질은 비극성 용매가 이온 전하를 안정화시킬 수 없기 때문에 지질이나 octanol에서 이온화될 수 없다. 다시 말해서 약물의 이온화된 형태는 물상에서 존재할 수 있으나 octanol 상으로 분배되지는 않는다. 그러므로 $C_i \sim 0$과 방정식 4-13은 아래와 같이 간단히 나타낼 수 있다.

$$P_{app} = \frac{C_o}{(C_i + C_u)_w} \quad \text{(식 4-14)}$$

분배에 있어서 pH 효과를 연구할 때 완충용액은 수층의 pH를 희망하는 값으로 유지하기 위해 사용된다. 두 층에서 평형상태는 다음과 같은 조건을 만족해야 한다.

- 수층에서 이온화된 약물과 이온화되지 않은 약물의 비율은 Henderson-Hasselbalch 식을 따른다.
- 이온화되지 않은 화합물은 그 화합물의 분배계수에 맞게 두 층 사이에 분배되어야 한다.

결과적으로, 수층에서 화합물의 이온화는

octanol로 분배될 수 있는 이온화되지 않은 화합물의 양을 감소시킨다.

만약 완충된 수층의 pH가 실제로 모든 약물이 이온화되지 않은 형태로 존재하게 한다면 C_i-0 및 방정식 4-14는 다음과 같이 나타낼 수 있다.

$$P_{app} = \frac{C_o}{(C_u)_w} = P \qquad \text{(식 4-15)}$$

그러므로 약물이 완벽하게 이온화되지 않을 때 겉보기 분배계수 P_{app}는 분배계수 P와 같다. 수층의 pH에서 이온화를 무시해도 될 정도일 때 분배계수를 측정하는 것은 약산과 약염기 약물의 P를 결정하는 하나의 방법이다. 그림 4-5와 그림 4-6은 octanol과 완충용액 사이의 분배평형을 보여준다.

만약 수층의 pH가 약물 분자의 이온화를 허용한다면 $P_{app} < P$이다. 이런 경우에 수층에서 약물이 이온화된 정도를 안다면 P_{app}는 P와 상관성을 가질 수 있다. 만약 약물의 pK_a와 수층의 pH를 알고 있다면 P_{app} 값은 Henderson-Hasselbalch식을 사용하여 결정할 수 있다. 오직 이온화되지 않은 약물만이 octanol로 분배할 수 있는 것을 고려하면

$$P = \frac{P_{app}}{(1-\alpha)} \qquad \text{(식 4-16)}$$

이 방정식은 $\alpha < 1$이라고 적용한다. 만약 pH가 전체 약물이 이온화되고 $\alpha = 1$을 만족시킨다면 수층에서 octanol로 분배될 이온화되지 않은 약물은 없다, 그리고 $P_{app} = 0$이다.

pH와 pK_a가 알고 있을 때 P_{app}를 계산하는 더 편리한 방법은 아래의 방정식을 사용하는 것이다.

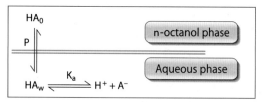

그림 4-5 Octanol과 물 간의 약산의 평형 분포를 나타낸 그림이다. 수용성 상태에서 이온화의 정도는 산의 pK_a와 수용성 상태의 ph에 의해 결정된다. 이온화되지 않은 HA 형태(분배계수 = P)만이 n-옥탄올 형성에 기여할 수 있다. 이 체계는 평형 상태에서 다음의 관계식을 따르게 된다.

$$\log \frac{[HA]_w}{[A^-]_w} = pK_a - pH$$

$$\frac{[HA]_o}{[HA]_w} = P$$

Octanol과 수용성 상태간의 약산의 겉보기 분배계수는 다음과 같다.

$$P_{app} = \frac{[HA]_o}{[HA]_w + [A^-]_w}$$

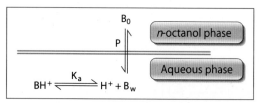

그림 4-6 Octanol과 물 간의 약염기의 평형 분포를 나타낸 그림이다. 수용성 상태에서 이온화의 정도는 염기의 pK_a와 수용성 용매의 pH에 의해 결정된다. 이온화되지 않은 B 형태(분배계수 = P)만이 n-옥탄올 형성에 기여할 수 있다. 이 체계는 평형 상태에서 다음의 관계식을 따르게 된다.

$$\log \frac{[BH^+]_w}{[B]_w} = pK_a - pH$$

$$\frac{[B]_o}{[B]_w} = P$$

Octanol과 수용성 상태 간의 약염기의 겉보기 분배계수는 다음과 같다.

$$P_{app} = \frac{[B]_o}{[B]_w + [BH^+]_w}$$

$$\text{약산} : P_{app} = \frac{P}{1+10^{(pH-pK_a)}}$$

(식 4-17)

$$\text{약염기} : P_{app} = \frac{P}{1+10^{(pK_a-pH)}}$$

(식 4-18)

그러므로 큰 분배계수를 갖는 약물은 매우 적은 약물만이 지질층으로 통과할 수 있다. 수용성 체액에서는 광범위하게 이온화되어 약물의 겉보기 분배계수는 이런 상황에서 0에 가까울 것이다. 이 개념은 지질을 포함하는 생체막, 그리고 이 막으로 약물이 통과하는 능력이 단지 P와 약물의 pK$_a$뿐만 아니라 주위 체액의 pH에도 의존하기 때문에 중요하다.

분배계수의 중요성

약물의 겉보기 분배계수는 약물의 ADME에 큰 영향을 끼친다. 빠르고 완벽하게 용출되기 위해 약물은 충분히 친수성이여야 한다. 효과적인 흡수를 위해 약물은 세포 지질막을 통과할 수 있어야 한다. 만약 그것이 너무 친유성이면 그것은 지질막에 축적되고 밖으로 다시 분배되지 않을 것이다. 그러므로 겉보기 분배계수는 약의 흡수율과 분포율을 조절한다. 그리고 분포 패턴은 얼마나 빠르게 약물이 대사되고 배설되는지에 중요한 역할을 수행한다.

소수성 효과 또는 소수성 화합물끼리의 친화성은 약물-단백질 결합과 약물-작용부위 상호작용에서 중요한 동력으로 작용한다. 그러나 친유성이 매우 큰 약물은 또한 독성을 나타내는 경향이 있다. 그러므로 친수성과 친유성의 적당한 균형은 약물의 작용과 ADME의 전형적인 과정에서 중요하다.

양친성

앞에서 언급한 것처럼, 분자에 친수성과 친유성 기를 둘 다 가진 화합물은 지질과 물에 어느 정도 녹을 수 있다. 물과 지질에 대한 상대적인 친화력은 분자의 분배계수에 의해 정해진다. 어떤 분자는 친수성 기가 분자의 한쪽 끝에 붙어있고 소수성 기는 분자의 반대쪽 끝에 붙어있다. 이러한 분자는 뚜렷한 친수성과 친유성 부위를 지니므로 양친성(amphipathic) 특징을 지니며 양친성 물질(amphiphiles)이라고 부른다. 양친성 물질의 예로는 비누와 세제, 지방산 및 인지질이 있다. 일부 약물도 양친성을 보이는데 예로는 amio-darone(Cordarone), imipramine(Tofranil), promethazine(Phenergan) 등이 있다.

양친성 화합물의 친유성 기('꼬리'라고도 함)는 일반적으로 -CH$_2$(CH$_2$)$_n$- (n > 4)와 같은 긴 탄화수소 사슬이다. 친수성 또는 극성 기('머리'라고 함)는 다음 중 하나 또는 그 이상에 해당한다.

- 알코올 또는 글리콜 같은 비전하기
- Phosphate, sulfate, carboxylate 또는 sulfonate 같은 음이온기
- Protonated amine, 또는 4급 암모늄 기와 같은 양이온기

다시 말해, 소수성 및 친수성 기의 상대적인 비율은 양친성 물질이 물과 지질 중 어디에 더 잘 녹는지를 결정한다.

표면 장력에 대한 효과

양친성 물질은 지질과 물에 단순히 분배되기 보다는 양친성 물질은 스스로 물과 지질간의 경계면에 정렬하는 즉, 꼬리부분은 지질층으로 향하고 머리부분은 수층으로 향하게 하여 경계면에서

단일층을 형성하게 된다. 양친성 물질의 이러한 성질은 기름과 물을 혼합한 emulsion을 안정화하는 데 유용하고, 의약품의 활성이 없는 구성성분(첨가제)으로 자주 사용된다.

양친성 물질은 물에 녹였을 때 공기-물 경계면에서 단일층을 형성할 수 있다. 이는 머리 부분이 물 쪽으로 당겨지고 꼬리 부분은 물에 반발해 물로부터 멀어지고자 공기쪽으로 향하기 때문에 일어나는 자연스러운 현상이다. 이러한 현상은 비극성 부분 또는 물로부터 남은 잔기들 간에 의해 유도되며 소수성 상호작용(hydrophobic interaction)이라고 한다. 공기-물 경계면에서 친수성 기가 물층으로 향함으로써 물에 대한 표면장력을 낮추게 된다. 이러한 현상은 비누용액에서 거품을 형성하는 과정에 응용할 수 있다. 2장에서 언급했듯이 약물의 비극성 부분과 그 표적 간의 소수성 상호작용은 단백질-리간드 결합에도 역시 중요하다.

양친성 물질의 단일층은 양성물질 용액과 소수성 고체 사이의 경계면에서 형성할 수 있다. 따라서 양친성 물질은 물이 지속적으로 소수성 고체와 접촉을 유지하도록 하는 습윤제로 사용된다. 양친성 첨가제는 현탁액 및 고체 제형에 사용된다. 양친성 물질의 단일층 형성은 그림 4-7에 나와있다.

미셀 형성

단일층 형성은 양친성 물질의 비교적 낮은 농도에서 가능하다. 또한 높은 농도에서 양친성 물질은 그림 4-7에서 보듯이 물에 노출되면 독특하고

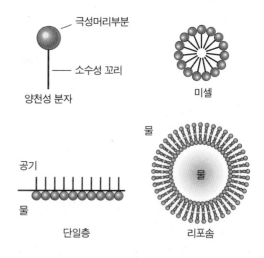

그림 4-7 양친성 분자들의 단일층, 이중층, 미셀, 리포좀(그림의 크기 비율은 실제와 일치하지 않음).

체계적인 구조를 형성할 수 있다. 소수성 결합은 소수성 꼬리가 물과 떨어져 내부에 있으며 극성 머리 부분은 외부 표면을 형성하는 미셀(micelle)로 알려진 구조로 응집하게 된다. 미셀 중심에서 소수성 그룹이 함께 모임으로써, 액체 물을 유지하는 수소결합의 파괴가 최소화된다. 극성 머리 부분이 주변 물로 끼어들어감으로써 수소결합에 참여할 수 있게 된다, 50개 이상의 분자들로 구성할 있는 미셀은 주로 구형이지만 원통형이나 다른 형태를 취할 수도 있다.

특정 양친성 물질은 미셀을 형성하는 것보다 더 쉽게 안정한 판상형 이중층을 형성한다. 예를 들면 세포막의 지질 이중층을 형성하는 인지질이 여기에 해당한다. 이중층은 소포 또는 리포좀이라 부르는 작은 소포를 형성할 수 있는데 이러한 특징은 특화된 약물전달 시스템으로 사용될 수 있다.

핵심개념

약물의 친수성과 친유성

- 용해도는 친수성을 판단하는 척도이고 분배계수는 친유성을 판단하는 척도이다.
- 분배계수가 높은 약물은 주로 고유 용해도가 낮은데 이때 수용성을 증가시키는 기가 도입되면 수용성 용해도는 증가하고 지질 용해도는 감소하게 되며 그 반대도 마찬가지이다.
- 약물의 이온화 현상은 물에 대한 용해도 및 겉보기 분배계수에 큰 영향을 미치게 된다.

약물 용해도의 일반적 원칙

- 고유 용해도는 약물의 극성과 고체상태의 구조에 따라 달라진다.
- 고유 용해도는 친수성 용매의 pH에 영향을 받지 않는다.

약산성 약물의 용해도

- 총 용해도는 pH가 증가할수록 (약물이 이온화 할수록) 증가한다.
- 최저 용해도는 pK_a 값보다 3정도 낮은 값의 pH에서 도달할 것이고 이것은 약산성 약물의 고유 용해도가 될 것이다.

약염기 약물의 용해도

- 총 용해도는 pH가 감소할수록(약물이 이온화 할수록)증가한다.
- 최저 용해도는 pK_a 값보다 3정도 큰 값의 pH에서 도달할 것이고 이것은 약염기 약물의 고유 용해도가 될 것이다.

약산 및 약염기 염의 용해도

- 완충용액에서 염의 용해도는 모체인 약산성 또는 약염기 약물의 용해도와 동일하다.
- 비완충용액에서 염의 용해도는 약물이 이온화가 잘 되도록 pH가 변하므로 모체인 약산성 또는 약염기 약물보다 용해도가 크다.

약물의 분배에 대한 일반 원칙

- 약물의 분배계수는 화학적 구조에 따라 달라진다.
- 분배계수는 이온화되지 않은 약물에 대해 규정하며 pH에 따라 변하지 않는다.
- 약산 및 약염기 약물의 겉보기 분배계수는 수성 용매의 pH에 따라 변한다.
- 약산성 약물의 겉보기 분배계수는 pH가 증가할수록 감소한다.
- 약염기 약물의 겉보기 분배계수는 pH가 감소할수록 감소한다.

복습문제

1. 왜 약물은 친수성과 친유성 특징이 모두 필요한가?
2. 무엇이 약산 또는 약염기의 고유 용해도를 결정하는가?
3. 형질다형이란 무엇이면 고유용해도에 어떤 영향을 주는가?
4. pH가 pK_a 아래로 감소할 때 약산 및 약염기의 총 용해도의 변화를 설명하라.
5. pH가 pK_a 보다 증가할 때 약산 및 약염기의 총 용해도의 변화를 설명하라.
6. 왜 약산 및 약염기 염은 모체인 약산 및 약염기의 용해도보다 높은 용해도를 가지고 있는가?
7. 화합물의 분배계수는 무엇을 의미하며 어떻게 측정하는가?
8. log P는 무엇을 의미하는가? 약물에 적당한 log P 값의 범위는 얼마인가? 만약 log P 값이 이 범위 밖에 있다면 무엇이 문제인가?
9. pH가 pK_a 이하로 감소할 때 약산 및 약염기 약물의 겉보기 분배계수의 변화를 설명하라.
10. pH가 pK_a 이상 증가할 때 약산 및 약염기 약물의 겉보기 분배계수의 변화를 설명하라.

복습문제

1. 2장의 문제 4에서 주어진 naproxen에 대한 정보를 참고하시오.
    a. Naproxen은 pH 3과 pH 6 완충용액에서 포화가 되는데 이 중 어떤 완충용액이 높은 농도를 보이며 그 이유는 무엇인가?
    b. Naproxen의 고유 용해도가 0.0001 M이라면 pH 4.2 용액에 녹이는 경우 naproxen의 총 용해도를 mg/ml 농도 단위로 계산하시오.

2. 2장의 문제 5에서 주어진 시메티딘에 대한 정보를 참고하시오.
    a. Cimetidine은 위액과 소장액 중 어디에 더 용해성이 있는가?
    b. Cimetidine과 cimetidine HCl은 비완충용액인 물에 포화될 때까지 용해된다. Cimetidine 용액과 cimetidine HCl 용액 중 어떤 용액이 높은 농도를 가지고 있는가? 이유는 무엇인가?
    c. Cimetidine과 cimetidine HCl은 pH 7 완충용액에 포화될 때까지 용해된다. Cimetidine 용액과 cimetidine HCl 용액 중 어떤 용액이 높은 농도를 가지고 있는가? 이유는 무엇인가?

3. 카르복실산 소디움염 형태의 신약이 개발되었다. 신약의 분자량은 1500이고 $pK_a = 5$, 그리고 고유 용해도는 0.002 M이다. pH 6 완충용액에 신약을 녹일 경우 약물의 최대 농도는 얼마인가? molar 농도와 mg/mL 농도 두 가지 단위로 농도를 계산하시오.

4. 비전해질 약물에 대해 분배계수 실험을 하였다. 약물을 octanol과 물이 각각 100 ml씩 포함된 n-octanol-물 혼합액에 가하여 평형에 도달하였다. 평형상태에서 octanol 층에서 약물의 농도는 0.52 M이고 수층에서 약물의 농도는 0.33 M이었다.
    a. 약물의 분배 계수는 얼마인가?
    b. log P 값은 얼마인가?
    c. 수층의 pH가 변한다면 분배 계수는 변하는가?

5. Diphenhydramine(Benadryl)은 항히스타민제로 다음과 같은 구조를 가진다.

Diphenhydramine의 n-octanol-물 분배 계수는 3500이며 pK_a는 9.00이다.
    a. Diphenhydramine의 log P 값은 얼마인가? 이때 이 약물은 친수성인가? 또는 친유성인가?

25

    b. Diphenhydramine의 겉보기 분배계수는 pH 7과 pH 9 중 어디에서 더 큰 값을 가지는가? pH 7 및 pH 9에서 겉보기 분배계수를 계산하시오.

    c. Diphenhydramine 용해도는 pH 7과 pH 9 완충용액 중 어디에서 더 큰 값을 가지는가?

    d. Diphenhydramine 염을 만든다면 산과 염기 중 어떤 형태로 해야 하는가?

6. Warfarin(Coumadin)는 항혈액응고제로 pK$_a$가 5.1이고 log P 값이 0.9인 약산성 약물이다.

    a. Warfarin의 분배계수를 계산하시오.

    b. Warfarin은 pH 2와 pH 7 중 어떤 pH에 더 이온화가 될 수 있는가? 각각의 pH에서 이온화되는 비율을 계산하시오.

    c. 겉보기 분배계수는 pH 2와 pH 7 중 어느 pH에서 더 높은 값을 가지는가? 각각의 pH에서 겉보기 분배계수를 계산하시오.

    d. 만약 warfarin 100 mg이 n-octanol-완충용액 실험계에 가한다면 octanol 층과 pH 2 및 pH 7 완충용액 층에 용해되어 있는 warfarin의 총 mg을 계산하시오.

    e. Warfarin은 pH 2와 pH 7 중 어느 pH에서 물에 더 잘 용해되는가?

참고

Amiji M, Sandmann BJ. Applied Physical Pharmacy, 1st ed. McGraw-Hill/Appleton & Lange, 2003.

Florence AT, Attwood D. Physicochemical Principles of Pharmacy, 4th ed. Pharmaceutical Press, 2006.

Martin AN, Bustamante P. Physical Pharmacy-Physical Chemical Principles in the Pharmaceutical Sciences, 4th ed. Lippincott Williams & Wilkins, 1993.

Sinko, PJ. Martin's Physical Pharmacy and Pharmaceutical Sciences, 5th ed. Lippincott Williams & Wilkins, 2006.

약물의 수송

> 언젠가 누군가는
> 물리학, 화학, 생물학이
> 각기 다른 방법을 가질 거라고
> 가정하게 될텐데, 이것보다 더
> 부정확한 가정이 있을 수 없다.
> - Thomas Henry huxley

5 생물학적 장벽을 통과하는 수송
Transport Across Biological Barriers

화 학물질이 어떤 방식으로도 인체에 영향을 주지 않는다면 약물이 아니다. 이전 장에서 우리는 약물의 중요한 물리화학적 특성에 대해 알아보았고 약물이 어떻게 표적과 상호작용하여 생물학적 반응을 나타내는지를 이해하였다. 대부분의 약물에서 표적은 투여부위에서 어느 정도 떨어져 있다. 적어도 부분적으로는 약물의 효과는 작용부위에 얼마나 많이 그리고 얼마나 빨리 도달하는지에 달려있다. 수천 종의 물질이 시험관에서 생물학적 활성을 나타내지만 대부분이 인체의 생물학적 장벽을 통과하여 표적에 도달하지 못하므로 극히 일부만 성공적인 약이 된다.

이 장에서 우리는 약물분자가 세포 안팎으로 이동하고 조직에서 조직으로 여행하는 여러 기전들을 조사할 것이다. 다음 장에서 약물 작용과 행위에 대해 이해하기 위해 우리는 이러한 생물학적 정보를 약의 물리화학적 및 약동학적 특성과 통합할 것이다.

세포는 우리 몸에서 가장 작은 기본 구조 및 기능적 단위이다. 세포막과 핵 사이의 모든 것은 세포질이다. 그것은 세포원형질(주로 염, 영양분, 기체, 효소 및 단백질이 포함된 액상 부위), 세포골격 성분 및 세포 소기관(리보솜, 내형질세망, 골지체)으로 구성된다. 세포원형질은 흔히 세포막으로 세포외액(세포 밖의 액상 부위)과 분리된 세포내액으로 불린다. 약물의 표적은 세포 내부, 세포막 또는 세포외액에 있다. 크기, 구조 및 물리화학적 특성에 따라 약물이 특정 세포 안으로 들어갈 수 있다.

세포는 흔히 조직이라는 집단으로 배열되어 인체에서 다음 단계의 구성을 나타낸다. 조직의 세포는 유사한 구조 및 기능적 특징을 지니며 함께 추가적인 특성을 제공한다. 조직의 4가지 주요 유형은 근육 조직, 신경 조직, 결합 조직 및 상피 조직이다. 그 중 후자는 인체에서 약물의 이동을 조절하는 장벽으로 기능하므로 특히 흥미롭다. 그러한 다세포성 조직 장벽을 흔히 기능성 막이라고 부른다.

약물은 여러 유형의 상피 조직을 통과하여 작용 부위와 표적에 도달한다. 예를 들어 약물이 경구로 투여될 때 혈류에 들어가기 전에 장관막을 통과해야 한다. 혈류에서 약물은 모세혈관 벽을 통해 모세혈관을 떠나 작용부위를 포함하고 있는 여러 장기와 조직으로 들어간다. 많은 내인성 물질도 합성 부위에서 이동하여 표적에 도달한다. 이것에 모세혈관 벽과 기타 조직 통과가 포함된다. 그것의 크기, 구조 및 물리화학적 특성에 따라 분자가 특정 기능성 막을 통과하거나 통과하지 못하게 된다.

이 장에서 우리는 먼저 분자가 세포막을 통과하는 여러 기전들에 대해 공부한다. 그 다음에 이러한 개념을 이용하여 분자가 상피 막과 같은 기능성 막을 통과하는 방법을 알아보게 될 것이다.

세포막을 통한 수송

세포막이나 형질막은 세포의 최외각 층이다. 그것의 주요 기능은 다음과 같다.

- 액상 세포성분을 뭉치게 한다(구조)
- 세포성분을 액상 외부용액과 분리시킨다(장벽)
- 환경에 반응한다(감수성)
- 세포내외로 물질 수송을 조절한다(조절)

이 장은 세포막의 조절 기능 세포막이 세포외액과 세포내액 사이에서 분자와 이온의 수송과 이동을 조절하는 여러 기전들에 초점을 맞출 것이다. 세포막이 수송을 조절하는 방법을 이해하기 위해 우선 그것의 구조를 검토할 필요가 있다.

세포막의 성분

세포막의 일차적인 성분은 지질, 단백질 및 지질과 단백질에 부착된 탄수화물이다. 이러한 생분자에 대한 간단한 설명을 하고자 한다. 지질, 단백질 및 탄수화물의 구조와 특성에 대한 보다 완전한 고찰은 입문용 생화학 교재에서 볼 수 있고, 여러 제안은 이 장의 마지막에 제시될 것이다.

지질은 주로 비극성 집단으로 구성된 구조적으로 다양한 생분자이다. 지질은 소수성 특징으로 전형적으로 물보다 비극성 용매에서 더 쉽게 용해된다. 지질 분자의 소수성은 물과 접촉하지 못하게 하며 세포막의 이중층과 같은 구조로 뭉치게 한다. 지질은 탄수화물과 공유결합하여 당지질을 형성하고 단백질과 공유결합하여 지단백을 형성한다.

단백질은 아미노산들이 연결되어 형성된 거대분자 사슬이며 아미노산들은 감기거나 접혀져 특징적인 3차원 구조를 가지고 있다. 이러한 대체적인 구조적 구성으로 각 단백질이 독특한 3차원적인 외형과 특성을 지니게 된다. 단백질의 3차와 4차 구조는 주위 환경에 의존하며, 단백질은 자발적으로 접혀서 주변 환경과 양립할 수 있는 구조를 채택하여 유지한다.

탄수화물은 1:2:1의 비율로 발생하는 탄소, 수소 및 산소라는 특정적인 내용물에 따라 명명된 화합물이다. 그것들은 신체의 연료와 에너지 저장고로서 중요하고 DNA와 RNA의 구조적 골격을 형성한다. 3개에서 7개 탄소를 포함하는 짧은 사슬은 탄수화물의 구성 요소인 단당류 또는 당이라고 불린다. 고리 모양의 단당류는 배당체 결합을 통해 연결되어 과당류를 형성하거나 다당류를 형성한다.

당결합체는 탄수화물과 비탄수화물 부분으로 구성된 복잡한 잡종 분자이다. 세포막에서 당결합체의 2가지 중요한 유형은 당단백과 당지질이다. 탄수화물은 그것들이 결합한 단백질과 지질에 특정한 생물학적 기능을 부여한다. 세포막에 박혀서 세포표면을 세포기능에 중요한 특정 과당류 구조로 덮는다.

지질 이중층

유체 모자이크 모형은 세포막 구조의 좋고 단순한 설명을 제공한다. 그것은 거의 모든 세포막의 기본 구조 단위가 다양한 단백질이 박힌 지질 이중층이라고 제안한다. 또한 그것은 세포막이 구성분자가 막에서 자유로이 확산되는 유체 구조라고 묘사한다.

인지질. 생물학적 막의 주요 지질은 인산염 함유 분자집단인 인지질이다. 글리세롤은 인산기에 연결된 수산기를 지닌 가장 흔한 인지질 골격을 형성한다. 2개의 다른 수산기는 2개의 포화 또는 불포화 지방산의 카르복시기와 에스터화된다. 인지질의 지방산은 예를 들어 미리스트산(탄소 14개), 팔미트산(탄소 16개) 및 아라키돈산(탄소 20개)처럼 대개 짝수의 탄소를 포함한다.

인산염 다리의 다른 쪽 끝은 알코올 흔히 콜린과 같은 질소 함유 알코올과 결합한다. 이 자리에 연결되는 다른 알코올에 ethanolamine, serine, threonine 및 inositol 등이 포함된다. 그 알코올이 인지질에 이름을 부여한다(예를 들어 phosphatidylcholine, phosphatidylserine). Phosphatidylcholine은 대부분 세포막의 주요 성분이다. 여러 지방산이 글리세롤 잔기의 1번과 2번 탄소에 결합하므로 각 인지질은 실제로 밀접하게 연관된 분자 가족이다. 그림 5-1은 전형적인 인지질 분자의 구조를 보여준다.

인지질 분자의 인산기는 음전하를 지니며 반면에 알코올은 아민기의 이온화로 양전하로 대전된다. 따라서 인지질은 생리적 pH에서 음전하이거나 양쪽성 이온이다(순전하는 없음).

인지질은 양쪽 친화성 지질이다. 양쪽 친화성 분자는 소수성 부분과 친수성 부분을 가져서 소수성 결합의 결과로 미셀과 이중층 등 다양한 구조를 형성한다. 인지질 분자에서 지방산은 소수성 꼬리를 형성하고 반면에 극성 알코올 말단은 극성의 머리 부분을 형성한다. 따라서 인지질은 그림 5-2에서 보이는 것처럼 자발적으로 모여서 지질 이중층을 형성한다.

이중층의 특징. 이중층은 극성의 알코올 머리 부분이 주변 물과 접촉하고 지방산 꼬리가 연속적인 소수성 내부를 형성하는 2층의 인지질 분자들로 구성된 판 유사 구조이다. 이중층은 폐쇄되어 세포 내부와 세포 외부의 수성 부분을 분리하였다. 그것은 인지질 분자의 지방산 사슬과 수소 결

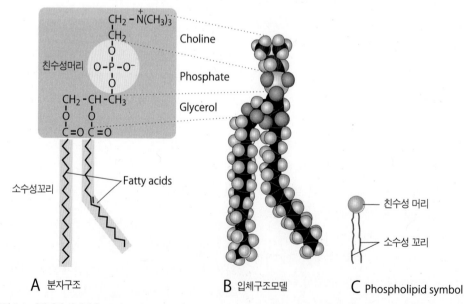

A 분자구조   B 입체구조모델   C Phospholipid symbol

그림 5-1 전형적인 인지질인 phosphatidylcholine의 구조. A와 B. Phosphatidylcholine의 구조식과 입체모형. 지방산(그 중 하나는 불포화 지방산)이 소수성 부분을 형성하고 반면에 친수성 부분에 글리세롤, 인산염 및 알코올(이 경우 choline)이 포함된다는 것에 주목하라. 생리적인 pH에서 인산염이 음성으로 대전되고 콜린이 이온화되고 양성으로 대전되므로 친수성 머리가 양쪽성 이온이라는 것에도 주목하라. 인지질 분자의 그림이 세포막의 도해에서 보인다.

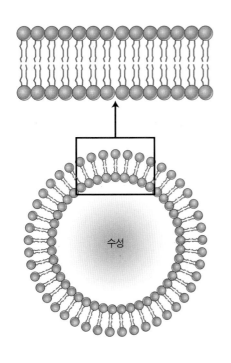

그림 5-2. 인지질 이중층의 도해. 이중층이 인지질 분자의 2개 층으로 구성되어 있고 극성 머리 부분이 바깥쪽을 향해 있음에 주목하라. 이중층은 수성의 내부 및 외부 부분을 갖는 폐쇄 구조를 형성한다.

합 사이의 소수성 및 반데르발스 상호작용과 극성 머리 부분과 물 분자 사이의 정전기적 상호작용으로 뭉쳤다.

스테로이드 (콜레스테롤)와 지방산 등과 같은 다른 양쪽 친화성 또는 친지성 분자들은 이중층에서 산재된다. 이들 화합물은 인체의 여러 유형의 세포에 다양한 용량으로 존재한다. 각 막의 독특한 지질 구성이 막의 유동성이나 강도에 공헌한다. 이러한 복잡한 지질 혼합물의 용융 온도는 체온 이하이어서 이중층을 점성 유체처럼 이동하게 한다. 열운동으로 이중층의 인지질과 기타 분자들이 장축을 따라 자유로이 회전하고 막내에서 옆으로 분산된다.

지질 이중층의 소수성 내부는 분자의 이동을 제한한다. 이온과 기타 극성 화합물은 이중층을 통해 매우 느리게 통과하거나 전혀 통과하지 않고 반면에 작은 지용성 화합물은 이중층을 쉽게

통과한다.

세포 단백질

비록 지질 이중층이 세포막의 골격을 제공하지만 단백질과 같은 기타 유형의 분자도 존재한다. 이러한 단백질의 존재는 이중층의 특성을 상당히 변화시킨다.

가용성 단백질. 혈장 단백과 효소와 같은 가용성 단백질은 체내 수성 환경 (세포내 및 세포외액)에서 발견되고 물에서 양립할 수 있는 특정한 구조를 채택하고 있다. 접힌 단백질 분자의 내부에 뭉쳐서 물을 차단하는 소수성 아미노산이 많이 있다. 접힌 단백질의 외부에 대전되거나 물과 수소 결합하는 친수성 아미노산이 많이 있어서 단백질을 수용성으로 만든다. 수용성 단백질은 대개 구형이고 빽빽이 들어찼다.

막 단백질. 막 단백질은 세포막의 지질 이중층의 소수성 부위 근처에 위치한다. 세포막의 내부 및 외부 표면에 있는 단백질 (외인성 또는 말초성 단백질)은 접혀서 많은 소수성 아미노산이 막 지질에 근접하거나 막 지질 안에 고정된다. 세포질이나 세포외액의 수성 환경에 접촉하는 아미노산은 대개 친수성이어서 단백질이 물에서 양립하게 한다.

지질 이중층에 박힌 단백질은 내인성 또는 내장성 단백질로 불린다. 대부분은 이중층의 안팎 표면에서 수성 환경으로 연장된 부분이 있다. 이중에 존재하는 단백질 부분은 소수성 아미노산 잔기로 구성되고 반면에 물에 노출되는 부분은 대개 친수성이다. 많은 내장성 막 단백질은 이중층을 통과하여 펼쳐져 있고(막관통단백질) 이중층 내외부 표면으로 연장된 부분이 있다. 그림 5-3은 지질 이중층과 말초성 및 내장성 단백질이 존재하는 세포막을 보여준다. 비록 단백질이 이중

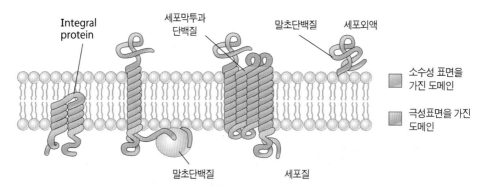

그림 5-3 막단백질이 포함된 인지질 이중층. 단백질이 지향되어 소수성 부위가 지질 이중층에 존재하고 반면에 친수성 부위는 수성 세포질이나 세포외액에 노출된 것에 주목하라.

층 안에서 이동하지만 크기가 커서 막 지질보다 매우 느리게 분산한다.

막 단백질이 다양한 역할을 수행하고 흔히 기능을 근거로 하여 명명된다.

- 지표 단백질은 세포를 서로 구별한다. 면역계는 이러한 단백질을 사용하여 외부 침입자를 구별한다.
- 수용체 단백질은 세포 외부와 세포 내부 사이의 정보의 통로와 연관된다.
- 수송 단백질은 세포 내외로 물질의 수송을 조절한다. 수송 단백질은 통로 단백질과 운반체 단백질 2가지 유형으로 분류된다.
  - 통로 단백질은 대개 이온과 작은 친수성 분자가 통과하는 물이 채워진 구멍이나 통로를 만드는 막관통단백질이다. 일반적으로 통로는 통과를 허락하는 용질이나 이온의 유형에 매우 특이적이다. 많은 통로에 문이 있어서 세포의 필요에 따라 개방되거나 폐쇄된다.
  - 운반체 단백질은 기질(이온이나 분자)이 결합하는 부위가 하나 이상 있는 막관통단백질이다. 그 다음 운반체 단백질은 세포의 안팎으로 기질을 수송한다.

2장에서 설명한 것처럼 많은 이러한 단백질들은 다양한 내인성 물질과 약물의 표적이다.

많은 단백질들은 지질처럼 탄수화물에 공유결합하여 세포-세포 상호작용에서 중요한 당단백(그림 5-4)을 형성한다. 중요한 예는 세포 안팎으로 약물이나 기타 기질을 수송하는 데 중요한 P-당단백이다. P-당단백에 대해서는 이 장의 후반부에서 더 자세히 설명할 것이다.

세포막의 대부분의 당단백과 당지질은 거의 전적으로 세포 외부 표면의 탄수화물 사슬을 갖는다. 대부분의 세포막의 외부 표면의 음전하는 여러 당단백과 당지질에 부착된 탄수화물인 시알산이 음전하로 대전되었기 때문이다.

수송의 기전들

세포막은 반투과성 또는 선택적으로 투과성이어서 특정 유형의 분자는 통과하게 하고 다른 것은 통과를 제한한다. 세포막을 통과하는 물질의 수송에 대한 3가지 주요 기전은 다음과 같다.

1. 수동 확산
2. 운반체 매개성 수송
3. 세포내 섭취와 세포외 유출

이들 과정은 세포 생존에 필요한 물질을 수송하기 위해 존재한다. 구조 또는 특성상 이들 물질과 유사한 약물과 기타 분자도 이러한 수송 기전

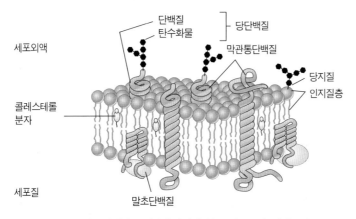

그림 5-4 인지질 이중층과 다양한 유형의 막 단백질, 당단백 및 당지질을 보여주는 세포막의 도해.

을 이용한다. 일부 약물의 표적이 세포 내부에 존재하여 작용을 나타내기 위해 약물은 세포 안으로 들어가야 한다. 다른 약물은 세포막에 존재하는 표적을 가지지만 세포 안으로 들어갈 수 있다. 이장의 후반부에서 보게 되는 것처럼 세포 안으로 들어가거나 떠나는 능력으로 약물이 흡수되고 작용부위에 도달한다.

수송 속도는 특정 세포막의 구성과 용질의 특성(크기, 친유성, 전하 등)에 의존한다. 수동 확산으로 일부 저분자량 용질(약물)이 세포막을 통과한다. 운반체 매개성 기전으로 적절한 특성의 소분자 또는 대분자가 수송된다. 특정 조건에 따라 수동 확산과 운반체 매개성 기전은 세포 안팎으로 물질을 수송한다.

세포내 섭취와 세포외 유출은 거대분자(단백질)와 소입자(바이러스와 세균)의 수송에 대한 주요 기전이다. 세포내 섭취로 물질이 세포내로 들어가고 반면에 세포외 유출로 물질이 세포 외부로 수송된다.

수동 확산

확산은 분자가 높은 농도 부위에서 낮은 농도 부위로 두 부위가 같은 농도에 도달할 때까지 이동하는 자연 발생적 경향이다. 그것은 체계가 평형에 도달하려고 노력하는 과정이고 매질에서 분자의 무작위의 약동학적 운동의 결과이다. 수동 확산은 에너지에 의존하지 않는 확산 과정을 설명한다. 즉 확산이 발생하는데 에너지의 원천이 요구되지 않는다. 수동 확산은 두 부위 사이에 농도차이 또는 농도 경사가 존재하는 한 진행된다. 두 부위의 농도가 같아지고 평형에 도달하면 더 이상 두 부위의 농도상 순변화가 없다. 두 부위 사이에 분자의 교환이 평형을 유지하지만 같은 속도로 일어난다.

세포막과 같은 장벽은 높은 용질 농도와 낮은 용질 농도 부위를 분리한다. 확산이 발생하기 위해 막은 확산성 용질에 대해 투과성이 있어야 한다. 즉 그것은 용질이 통과하게 해야 한다. 막이 용질에 대해 비투과성이라면 농도경사가 존재하더라도 확산이 일어나지 않는다.

확산 계수(D)는 특정 매질에서 분자가 확산되는 속도를 측정하는 상수이다. 그것은 단위 시간당 단위 농도경사에 따라 단위 면적을 통해 확산되는 물질의 양으로 정의된다. D는 분자의 크기(또는 분자량), 확산이 일어나는 매질의 점도 및 온도에 의존한다. 용질의 분자량이 크거나 매질의 점도가 높으면 확산 계수가 낮아진다. 온도가 높으면 확산 계수가 높아진다. D의 단위는 cm^2/s 이다.

세포 안팎으로 확산하는 확산 계수 D의 용질의 수동 확산을 고려하자. 두 부위(세포내액과 세포외액)는 세포막으로 분리된다. 막의 한쪽 면의 농도는 C_1이고 막의 다른 쪽의 농도는 C_2이다($C_1 >$ C_2인 것으로 가정한다). 막이 용질에 대해 투과성이 있다면 높은 농도 쪽(공여자 측)에서 낮은 농도 쪽(수용자 측)으로 수송이 발생한다. 농도 경사의 크기는 수동 확산의 원동력으로 생각된다.

Fick의 확산 법칙은 수동 확산 과정을 설명하는 수학적 표현이다. 그것은 수동 확산의 속도(소위 흐름 또는 시간에 따르거나 단위 농도/시간에 따른 공여자 측 농도상 변화, 예로 mg/s)가 다음과 같다고 서술한다.

- 용질 (mg/mL)의 농도 경사($C_1 - C_2$)에 정비례
- 용질 (cm^2)에 노출된 막 표면적 (A)에 정비례
- 용질 (cm^2/s)의 확산 계수 (D)에 정비례
- 막(cm) 두께 (h)에 반비례

$$\frac{dC}{dt} \propto -\frac{A \cdot D(C_1 - C_2)}{h} \quad \text{(식 5-1)}$$

세포막은 말초성 및 막관통 단백질이 박힌 지질 이중층으로 구성되어 있다. 용질은 극성에 따라 막 지질이중층을 통해 또는 막관통 통로 단백질에 의한 친수성 구멍을 통해 확산으로 세포막을 통과한다.

친수성 구멍을 통한 수동 확산. 지질 이중층은 막 단백질의 친수성 중심부에 의한 비특이적인 수성 구멍을 포함한다. 이러한 수성 구멍은 작은 분자(물)와 작은 용해된 용질이 구멍 직경(~0.5 nm)보다 작다면 그림 5-5에서 보이는 것처럼 구멍을 통해 확산되게 한다. 수송은 세포내와 세포외 부위 사이의 농도 경사에 의해 진행되는 수동 확산에 의해 진행되며 에너지가 요구되지 않는다.

대부분의 약물과 내인성 물질 분자는 너무 커서 세포막의 이런 좁은 수성 구멍을 통해 수송되지 않는다. 따라서 친수성 단백질 구멍을 통한 수동 확산은 세포 안팎으로의 약물 수송에서 중요한 경로가 아니다.

지질 이중층을 통한 수동 확산. 세포막은 지질 이중층에 용해되는 분자에 투과적이다. 용질들은 지질 이중층의 한쪽 면으로 들어가고 이중층을 통해 확산되며 지질 이중층의 다른 쪽 면으로 나온다. 세포외 용질 농도가 높다면 용질이 세포 안으로 수송되며 반면에 세포내 농도가 더 높다면 세포 밖으로 수송될 것이다. 친수성과 친유성의 적절한 균형이 이런 유형의 수송에 필수적이다. $\log P < 0$인 분자는 이중층 지질을 분할하여 들어가기에 충분한 친유성이 없다; $\log P > 3.5$인 분

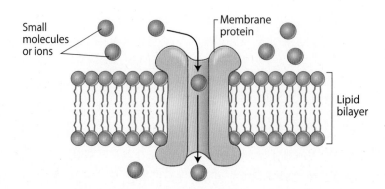

그림 5-5 수성 단백질 구멍을 통한 매우 작은 용질과 이온의 수송에 대한 도해.

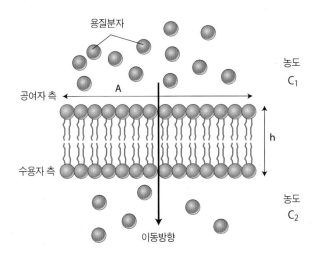

그림 5-6 세포막의 지질 이중층을 통한 용질의 수동 확산의 도식적인 표현. 수송의 방향은 고농도 부위 (공여자 측)에서 저농도 부위 (수용자 측) 방향이다. 막의 두께는 h이고 약에 노출된 막 면적은 A이다.

자는 지질에 머무르는 경향이 있고 수성 세포내 또는 세포외액으로 분할하여 나가지 않는다.

적절한 분배 계수의 전하를 갖지 않은 분자는 지질 이중층을 통해 확산한다. 이온을 포함하는 친수성 분자는 지질 이중층에서 유의한 정도로 가용성이지 않다. 따라서 지질 이중층은 약산과 약염기 약물의 이온형에 대해 비투과성이고 이들은 수동 확산으로 세포막을 통과하지 못한다. 오직 비전해질 약물과 약산과 약염기성 약물의 비이온형만이 세포막을 통해 수동적으로 확산한다. 이것은 n-octanol과 물 사이에 화합물을 분할하는 것과 유사하다. 오직 비이온화된 중성 형태만 수성 단계에서 n-octanol 안으로 분할된다.

지질 이중층을 통한 수동 확산은 대부분의 약물이 세포내외로 수송되는 주요 방식이다. 이것은 약물 분자가 친수성과 친유성 사이의 균형을 최적화하고 그러한 수송을 가능하게 하도록 의도적으로 설계되는 이유이다.

지질 이중층을 통한 수동 확산의 속도. 세포막의 지질 이중층을 통해 용질이 확산되는 속도는 추가적으로 지질 이중층과 물 사이의 분배 계수에 의존적이다. 이중층에 들어가는 용질은 쉽게

더 빨리 확산한다. 실제는 n-octanol과 물 사이의 분배 계수를 사용하여 지질-물 분배를 추정하고 Fick의 법칙의 수정형을 얻을 수 있다.

그림 5-6은 두께 h와 노출 표면적 A의 세포막을 통한 분배 계수 P와 확산 계수 D의 용질의 수동 확산을 설명한다. 용질의 중성형(비이온형)의 세포외 농도는 C_1이고 세포내 농도는 C_2이다. 지질 이중층이 중성형에만 투과성이어서 전체 농도보다 중성형의 농도를 고려하는 것이 적절하다.

$C_1 > C_2$이어서 세포외 공여자 측에서 세포내 수용자 측으로 수송이 발생한다고 가정하자. 수동 확산의 속도는 다음과 같다.

$$\frac{dC}{dt} = -\frac{P \cdot A \cdot D(C_1 - C_2)}{h} \quad \text{(식 5-2)}$$

음성 표시는 경시적으로 공여자 측 농도가 감소한다는 것을 나타낸다. 실제로 분자는 세포 내외로 지속적으로 확산한다. 그러나 더 높은 세포외 농도 때문에 세포 내부로의 확산 속도가 세포 외부로의 확산 속도보다 더 크다. 수송의 대체적인 방향은 세포 내외로의 수송 속도의 총결과이다.

수송 속도가 식 5-2의 인자들에 의해 어떻게 영

향을 받는지를 고려해 보면 용질이 큰 막 표면적과 접촉한다면 수송이 더 빨라질 것이다. 큰 세포막의 두께 h는 확산 경로를 길게 만들고 그 결과로 수송을 더 느리게 한다. 용질의 확산 계수 D가 크다면 용질이 신속히 이동하여(작은 분자는 더 큰 확산 계수를 갖는다) 높은 수송 속도를 초래한다.

친유성과 친수성 사이의 균형. 용질의 분배 계수 P가 크면 용질이 매우 친유성이고 지질 이중층에서 쉽게 용해된다는 것을 의미하고 식 5-2가 높은 수송 속도를 예측한다는 것을 의미한다. 식 5-2는 또한 수송 속도가 농도 경사 (C_1-C_2)에 의해서도 영향을 받는다고 설명한다. 수송 과정 초기에는 $C_2 = 0$이고 수송 속도가 가장 높을 것이다. 만일 용질이 매우 수용성이라면 C_1이 높고 식 5-2는 높은 수송 속도를 예측한다. 따라서 공여자 측의 높은 농도의 용질은 낮은 농도에 도달한 것보다 초기에 더 빨리 수송될 것이다. 공여자와 수용자 측의 매질이 수성이므로 극성 용질은 고농도가 될 것이고 더 빨리 수송될 것으로 예측된다. 이것은 더 큰 친유성의 용질이 더 큰 수송 속도를 갖는다는 예측에 모순되는 것으로 보인다.

실제로 친수성과 친유성 모두가 약물 수송에 중요하고 좋은 약물은 이들 특성 사이의 균형이 요구된다. 수송은 P와 C_1 모두에 의존한다. 매우 극성인 분자(대개 매우 낮은 P를 갖는다)는 물에서 지질로 느리게 분배된다. 수용체가 세포막 내부나 세포 내부에 있다면 이러한 분자는 원하는 시간에 그것에 도달할 낮은 확률을 가질 것이다. 반대로 매우 친유성인 분자(매우 높은 P를 갖는다)는 확산 과정의 진행에 필요한 높은 세포내 또는 세포외 농도에 이르지 못한다. 게다가 그러한 분자는 막 지질에 포획되어 세포질로 나가서 원하는 표적에 도달하지 못한다. 따라서 친수성과 친유성 특징이 균형 잡힌 약물은 최적의 수송을 달성하여 지질 막으로의 유입이나 이탈이 느려지지 않게 된다.

비전해질의 수동 확산. 적절한 P의 비전해질 용질이 초기에 세포외액에 존재하고 세포내액에 존재하지 않는 상황을 고려해 보자. C_1을 공여자 측의 전체 용질 농도라고 하고 C_2를 수용자 측의 전체 용질 농도라고 하자. 초기에는 $C_2 = 0$이고 농도 경사는 C_1이다.

확산이 시작되고 용질이 세포안으로 수동적으로 수송된다. C_2가 증가됨에 따라 농도 경사 (C_1-C_2)가 점진적으로 감소하여 확산이 느려진다. 결국 $C_1 = C_2$ 되고 농도 경사가 0이 되고 평형에 도달하여 수동 확산이 중지된다. 공여자 또는 수용자 측의 pH는 비전해질의 수송 속도에 영향이 없고 평형에서 공여자와 수용자 측의 용질의 전체 농도가 동등하다. 용질이 세포에서 소모되거나 세포에서 제거되면 C_2는 작게 유지되고 수동 확산이 지속된다. 세포 안으로의 수송을 고려하였지만 세포내 농도가 세포외 농도보다 더 높다면 세포내부에서 세포외부로 수동 확산이 발생할 수 있다는 것을 기억하자. 이 경우에 세포내부가 공여자이고 세포외부가 수용자이다.

약산과 염기의 수동 확산. 용질이 약산이나 약염기라면 상황이 약간 다르다. 이러한 용질은 이온화되어 화합물의 pK_a와 공여자 및 수용자 용액의 pH에 의존한 이온형 및 비이온형 농도를 갖는다. 지질 이중층은 비이온형에 대해 투과성이 있으나 이온형에 대해 비투과성이다. 따라서 약산과 약염기의 비이온형만이 세포막을 통해 수동적으로 확산한다. 따라서 지질 이중층을 통한 약산과 약염기의 확산에 대한 원동력은 그림 5-7에서 묘사되는 것처럼 비이온형의 농도 경사이다.

수동 확산에 대한 pH와 pK_a의 영향. pK_a가 7인 약

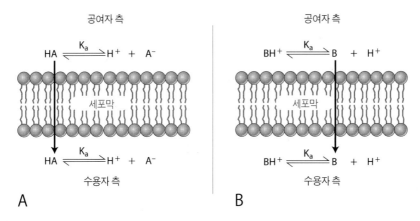

그림 5-7 고농도(공여자 측)에서 저농도(수용자 측)로의 지질 이중층을 통한 약산 (A)과 약염기 (B)의 수동 확산. 비이온형의 농도(전체 약물 농도가 아님) 경사는 확산을 위한 원동력이다.

산성 약물 HA를 고려해 보자. 우선 전체 공여 약물 농도 $[HA]_{total}$가 0.1 M이고 수용자 측에 약물이 없다고 가정하자. 또한 공여자와 수용자 pH가 7이라고 가정하자. 공여자 측 약물이 50% 비이온화 (Henderson-Hasselbalch 식을 이용하여 결정됨)되어 비이온형 농도 $[HA]$는 0.05 M이다(그림 5-8A). 수송이 아직 시작되지 않았으므로 $[HA]$의 농도 경사(0.05 M - 0 M)는 0.05 M이다.

확산에 대한 원동력이 존재하고 HA가 지질 이중층을 통해 수동적으로 확산되기 시작한다. 일단 일부 HA가 수용자 측에 나타나기 시작하자 이온화되어 Henderson-Hasselbalch 관계를 충족시킨다. 이것은 수용자 측의 약물이 50% 이온화되고 50% 비이온화된다는 것을 의미한다. 막을 가로질러 HA의 유효한 농도 경사가 존재하는 한 확산이 지속되지만 수용자 측 농도가 증가하여 점진적으로 속도가 느려진다.

투과성 물질(비이온화된 HA)의 농도 경사가 0이 되면 다시 말해 비이온화된 HA의 농도가 공여자 및 수용자 측에서 동등하다면 결국 평형에 도달된다. 동시에 공여자 및 수용자 측에서 Hen-

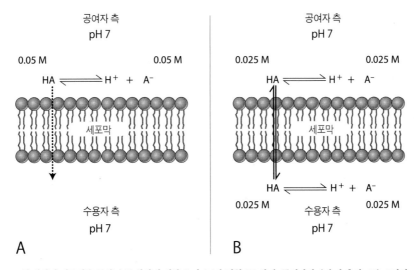

그림 5-8 pK_a = 7인 약산의 세포막을 통한 수동 확산에 대한 초기 (A)와 평형 (B) 상태. 공여자와 수용자 측의 pH는 7이다.

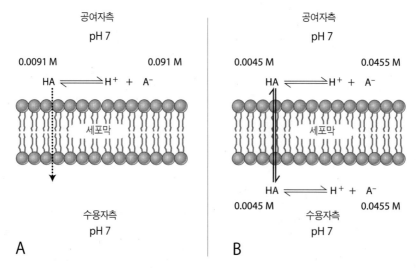

그림 5-9   pKₐ가 6인 0.1 M 약산 HA의 세포막을 가로지르는 수동 확산에 대한 초기 (A)와 평형 (B) 상태. 공여자 및 수용자 측의 pH는 7이다. 초기 농도 경사가 그림 8.6의 그것보다 더 작아서 이 체계가 평형에 도달하는 데 시간이 더 걸린다는 것에 주목하라.

derson-Hasselbalch 관계가 충족되어야 한다. 이러한 특정한 경우에 양쪽의 약물이 50% 이온화되어야 한다. 모든 형태의 약물 농도가 그림 5-8B에서 보이는 것처럼 된다면 이런 조건이 충족된다. 약물이 약염기라면 유사한 결과가 얻어진다.

이것은 약물의 pKₐ가 세포외 및 세포내액의 pH와 같은 단순한 경우의 예이다. 그림 5-9와 5-10은 pKₐ가 환경의 pH와 다른 상황을 설명한다.

그림 5-9는 pKₐ가 6인 0.1 M 약산의 수동 확산의 평형 상태를 보여주고 반면에 그림 5-10은 pKₐ가 8인 0.1 M 약염기의 그것을 보여준다.

수용자 및 공여자 측의 pH가 같다면 세포막을 가로지르는 약산과 약염기 약물의 수동 확산에 대해 다음과 같이 말할 수 있다.

• 약물은 친수성 통로를 통해 확산되기에 너무

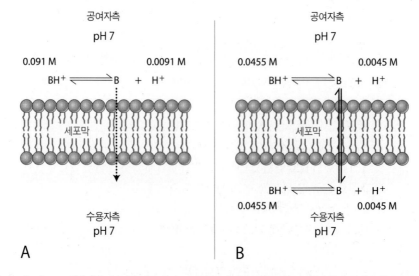

그림 5-10   pKₐ가 8인 0.1 M 약염기의 세포막을 가로지르는 수동 확산에 대한 초기 (A)와 평형 (B) 상태. 공여자 및 수용자 측의 pH는 7이다.

커서 오직 지질 이중층을 통해 확산된다.

- 수동 확산의 속도는 비이온형의 농도 경사에 의존한다.
- 비이온형의 농도는 환경의 pH, 용질의 pK_a 및 전체 농도에 의존한다.
- 양쪽에서의 비이온형 농도는 평형에서 같다.
- 양쪽에서의 이온형 농도는 평형에서 같다.
- 양쪽에서의 용질(이온화 + 비이온화)의 전체 농도는 평형에서 같다.
- 만일 용질의 어떤 형태가 세포에서 소모되거나 세포에서 제거된다면 농도 경사가 유지되고 수동 확산이 지속된다.

이온 포획. 공여자 및 수용자 용액의 pH가 다르다면 반투과성 막을 가로지르는 평형을 이해하는 것이 더 복잡하다. 이전처럼 비이온화된 용질(투과성 물질)의 농도가 양쪽에서 동등하다면 평형에 도달한다. 그러나 공여자와 수용자 측 사이의 pH가 다르다면 이온화된 용질의 농도가 양쪽에서 다르다는 것을 의미한다. pH가 높을수록 이온화가 잘된다. 따라서 전체 용질 농도는 용질이 더 이온화된 쪽에서 더 높고 용질이 더 높게 이온화된 쪽에 포획되었다고 한다. 일반적으로 이온 포획은 약염기가 산성 체액에 축적되게 하고 약산이 염기성 체액에 축적되게 한다.

이온 포획 평형. pH가 7인 공여자 측에서 pH가 8인 수용자 측(그림 5-11A)으로의 수동 확산으로 세포막을 통과하는 pK_a가 6인 약산을 고려해 보자. 초기에 확산이 시작하기 전에 공여자 측의 상황은 그림 5-9A와 같다. 일단 수송이 시작하고 일부 비이온화된 HA가 수용자 측으로 확산되면 그것은 pH가 더 높아서 수용자 측에서 많이 이온화된다. Henderson-Hasselbalch 식을 이용하면 양쪽에서 이온형과 비이온형의 비율이 다음과 같아진다:

$$\frac{[A^-]_{donor}}{[HA]_{donor}} = 10 \quad \text{and} \quad \frac{[A^-]_{receiver}}{[HA]_{receiver}} = 100$$

평형에서 상황이 어떠한가? $[HA]_{donor}$ = x라고 표기된다면 평형의 정의에 의해 $[HA]_{receiver}$ = x이다. 동시에 Henderson-Hasselbalch 식을 충족시키기 위해 $[A^-]_{donor}$ = 10x이고 $[A^-]_{receiver}$ = 100x이다. 이 체계의 전체 약물 농도는 0.1 M; 달리 표현하면 다음과 같다.

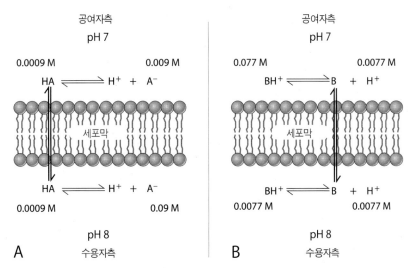

그림 5-11 공여자와 수용자 측의 pH가 다를 때 세포막을 가로지르는 수동 확산에 대한 평형 상태. A. 수용자 측에서 약산 (pK_a = 6)의 이온 포획. B. 공여자 측에서 약염기 (pK_a = 8)의 이온 포획.

$$[HA]_{donor+receiver} + [A^-]_{donor+receiver} = 112x = 0.1\,M$$

모든 형태의 개별적인 농도를 결정하는 x를 풀었더니 대략 0.0009 M이 얻어졌다. 따라서 공여자 측의 전체(비이온화 + 이온화) 약물 농도는 0.0099 M이지만 수용자 측의 전체 약물농도는 0.0909 M이다(그림 5-11B). 달리 표현하면 수동 확산 과정 후에 대부분의 약물이 수용자 측에 존재한다는 것이다.

이온 포획의 임상적 결과. 이온 포획의 예는 화학요법제로 인간의 종양을 치료하는 경우에 발견된다. 종양의 세포외 pH(pH_e)가 산성이고 반면에 세포내 pH(pH_i)는 중성-알칼리성이다. 정상 조직은 일반적으로 바깥이 알칼리성인 pH 경사를 갖는다. 이온 포획으로 anthracyclines, anthraquinones 및 빈카 알칼로이드 등의 약염기성 약물이 세포외 종양 용액에 포획되고 세포내 표적에 도달하지 못하게 된다. 한편 종양의 더 낮은 pH_e로 chlorambucil과 같은 약산이 비교적 중성의 세포내액으로 잘 흡수된다.

이온 포획의 또 다른 중요한 설명은 모친에서 태아로 국소 마취제와 같은 약염기 약물의 태반 이동이다. 태반 막은 모친과 태아의 순환 사이에 접속기로 작용하고 생리적으로 중요한 물질의 교환을 가능하게 한다. 태아 혈장 pH는 모친의 pH보다 낮으며 염기성 약물(국소 마취제)이 태아 순환에 도달하면 더 이온화되게 한다. 이온화된 분자가 태반을 쉽게 통과하지 못하므로 이것은 효과적으로 태아 측 순환에 그것들을 포획한다. 이것은 또한 확산을 위한 지속적인 경사를 유지시킨다. 그러한 이온 포획은 특히 태아 혈장 pH가 더 낮아지는 태아 가사 기간 동안 아주 중요한 효과이다.

소포체, 용해소체 및 기타 세포내 입자와 같은 세포내 소기관에서도 이온 포획이 발생한다. 세포질의 pH는 대략 7이고 반면에 이들 소기관에서의 pH는 대략 5정도로 더 낮다. 이러한 산도는 소포체 막 등의 소기관 주위의 막의 양성자 펌프(능동 수송 기전)에 의해 유지된다. 약염기 약물이 세포로 들어가면 세포질에 비해 소기관에 대략 100배의 비율로 농축된다. 대식세포의 포식용해소체의 이온 포획은 기본적인 항말라리아 치료제인 chloroquine의 유효성에 대해 기여한 것으로 여겨진다.

공여자와 수용자 측의 pH가 이온화 약물에만 중요한 문제라는 것이 이전 논의에서 명백하다. 생리적 조건에서 이온화되지 않는 약물에 대해서는 pH는 수동 확산에 영향을 주지 않는다.

운반체 매개 수송

이전의 설명에서는 세포막을 친유성 용질이 지질 이중층을 통해 수동적으로 확산되는 단순한 반투과성 장벽으로 간주하였다. 그러나 많은 친수성 용질도 세포막을 통과하여 세포 안으로 들어가거나 세포 밖으로 나갈 수 있다. 세포막의 수성 구멍이 너무 작아서 친수성 물질이나 약물이 통과할 수 없기 때문에 이러한 것을 가능하게 하는 다른 수송 기전이 존재해야 한다.

신체는 수동 확산으로 지질 이중층을 통과하기 어려운 여러 중요한 극성 용질을 수송하는 특별한 과정이 있다. 예를 들어 대부분의 세포에 필수 에너지 원천인 포도당은 수동 확산으로 세포에 들어갈 수 없다. 극성 용질이 세포막을 통과하는 과정은 용질이 운반체라는 세포막 단백질과 결합하고 편승하는 운반체 매개 수송이다. 적절한 구조를 가진 약물이 이러한 운반체에 결합하고 이를 이용하여 세포막을 통과한다.

수송체. 수송체는 특정 분자나 이온이라는 기질에 대해 여러 활성 부위를 갖는 필수적인 막 단백질이다. 수송체는 세포막의 한쪽 면에서 기질과 결합하고 지질 이중층을 통해 그것을 다른 쪽으로 수송한다. 세포막이 사실상 액체의 특성을 가지고 있고 막 단백질의 이동을 허용한다는 것을 상기하자. 수송체는 수송하도록 설계된 특정 기질을 인지하고(흔히 부착된 탄수화물을 통해) 결합하는 능력을 지닌다. 예를 들어 포도당은 GLUT 수송체라는 일군의 내장성 막 단백질에 의해 수송된다. 많은 수송체는 특이성과 입체선택성을 보인다. 예로 D-포도당이 포도당 수송체로 수송되지만 L-포도당은 수송되지 않는다. 수송체 매개 수송은 기질이 친유성이기를 요구하지 않는다. 친수성과 친유성 용질 모두가 이런 방법으로 수송 된다.

수송체는 그들의 기능에 따라 세포내외로 분자를 운반한다. 수송체 매개 수송의 묘사가 그림 5-12에 제시되었다. 세포막은 항상성에 필요한 용질을 수송하는 특정 수송체를 포함한다. 천연 기질과 구조적으로 유사한 약물도 이들 수송체에 결합하여 수송된다. 신장, 간, 내장 및 기타 조직에 존재하는 수송체가 약물의 제거, 분포 및 흡수에 작용한다고 과학자들이 한동안 알고 있었다. 그러나 최근에야 이들 기전의 일부가 신중히 시험되었고 이해되었다. 연구를 통해 많은 약물 수송체가 다소 비선택성이어서 여러 구조의 약물을 수송한다는 것이 밝혀졌다. 특히 유기 양이온과 결합하는 수송체가 양성자가 부착된 여러 아민 약물을 수송하는 데 중요하다. 약물 수송체의 총 수는 여전히 잘 모르고 많은 수송체의 기능도 완전히 규명되지 못했다. 이들 수송체의 유전적 변이가 특정 약물에서 개인 간 약물반응의 편차를 설명하는 것으로 보인다.

수송체도 특정 질환에 대한 좋은 약물 표적이 된다. 많은 병원체는 아미노산과 비타민과 같은 필수 영양분을 제공받기 위해 그들의 숙주에 의존한다. 세균의 수송 단백질은 필수 영양분의 수송을 억제하여 병원체를 죽이도록 약물을 설계하는데 있어서 매력적인 표적이다.

운반체 매개 수송 속도. 막의 공여자 측에서 기질이 수송체와 결합한 후 기질-수송체 복합체는 구조상 변화를 겪는다. 지질 이중층에서 가용성인 이러한 복합체는 수용자 측으로 확산된 후 기질을 유리한다. 수송체는 그 다음 원래 구조로 회복되고 다른 기질 분자를 수송하여 운반체 매개 과정을 지속한다.

운반체 매개 수송의 속도는 Michaelis-Menten 역학에 의해 지배된다. Michaelis-Menten 식은 다음과 같다:

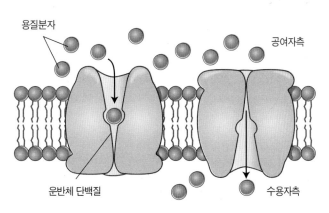

그림 5-12 운반체-매개 수송의 묘사. 용질 분자는 막의 공여자 측에서 운반체에 결합한다. 그 다음 약물이 복합체에서 분리되어 수용자 측에 유리된다. 운반체 매개 과정은 세포내외로 약물을 수송한다.

$$V = \frac{V_{max}[S]}{K_m + [S]} \qquad \text{(식 5-3)}$$

V는 수송 속도이고 K_m은 Michaelis-Menten 상수이고 V_{max}는 최대 수송 속도이고 [S]는 수송되는 기질의 농도이다.

V_{max}와 K_m은 함께 수송체의 역학적 행위를 [S]의 기능으로 정의한다. 주어진 양의 수송체가 최대 속도로 얼마나 빠르게 진행할 수 있는지를 측정한 V_{max}는 최대 수송 가능 속도이다. V_{max}는 존재하는 수송체 분자의 총 수와 세포막의 수송체의 이동성과 관련된다.

K_m은 최대 속도에 도달하기 위한 기질의 양에 대한 대략적인 측정치이다. 낮은 K_m은 수송체와 기질 사이의 높은 친화성과 빠른 수송 속도를 의미하고 역도 또한 같다. K_m은 세포막의 양쪽에서 달라서 기질이 막의 수용자 측에서 쉽게 유리된다. 그러한 K_m상 차이는 한 방향에서의 수송에도 유리하다.

유용한 수송체의 농도는 대개 고정되고 제한되어 있다. 낮은 기질 농도 ($<< K_m$)에서 모든 기질 분자와 결합하여 수송할 충분한 수송체 분자가 있고 수송 속도는 기질 농도에 직접적으로 의존한다. 매우 높은 기질 농도에서 모든 수송체 분자는 기질로 점유되고 포화된다. 이런 포화 이상의 기질 농도상 증가는 수송 속도를 더 이상 증가시키지 않는다. 중등도 기질 농도에서 수송 속도는 기질 농도에 따라 여전히 증가하지만 비례해서 증가하지 않는다.

운반체 매개 수송의 유형. 운반체 매개 수송 과정의 2가지 주요 유형은 촉진 확산과 능동 수송이다. 2개의 차이는 외부 에너지 원천의 존재유무에 달려있다.

촉진 확산. 촉진 확산은 공여자와 수용자 측 사이에 농도 경사가 있을 때만 발생하는 운반체 매개 과정이다. 다른 말로 수송체가 농도 경사의 방향으로 높은 농도 부위에서 낮은 농도 부위로만 기질을 수송한다. 다른 확산 과정처럼 촉진 확산은 에너지 원천을 요구하지 않고 평형에 도달하면 중지된다. 관련된 수송체는 한 번에 한 분자를 수송하는 단일수송체(uniporter)(그림 5-13A)라고 한다. 이런 유형의 수송체의 예는 농도 경사의 방향에 따라 세포내외로 포도당을 수송하는 포도당 수송체인 GLUT1이다. 신체에서 촉진 확산 수송체를 이용하는 약물의 예는 penicillin, furosemide, morphine 및 dopamine 등이다.

촉진 확산에 의해 용질이 수송되는 속도는 다음에 의존한다.

- 용질의 농도 경사
- 막에서 수송체 분자의 농도
- 수송체와 기질 사이의 친화도(1/Km)

일반적으로 촉진 확산의 속도는 수동 확산의 그것보다 더 크다. 기질의 농도가 낮을 경우 공여자 측에서의 농도가 증가하면 농도 경사를 증가시키고 따라서 수송 속도를 증가시킨다. 그러나 공여자 측에서 기질 농도가 충분히 크다면 세포막에 기질과 결합할 수송체 분자가 충분하지 않을 수도 있다. 이 수치 이상으로 농도가 증가되더라도 수송체가 포화되어 수송 속도가 더 이상 증가하지 않는다.

능동 수송. 능동 수송은 수송체가 필요하고 포화된다는 점에서 촉진 확산과 매우 유사하다. 그러나 능동 수송 과정은 낮은 농도 부위에서 높은 농도 부위로 농도 경사에 반대하여 기질을 수송할 수 있다. 이것은 단순 확산 과정이 아니고 세포에서 에너지 원천을 요구한다. 수송에서 이러한 세포 에너지 자원의 능동적 참여로 능동 수송이라

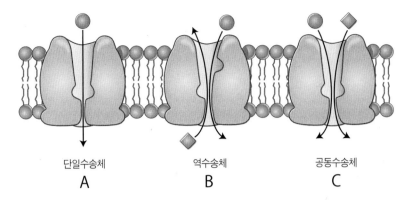

단일수송체
A

역수송체
B

공동수송체
C

그림 5-13 수송체 매개 수송에 포함되는 수송체의 여러 유형. A. 단일수송체는 한 번에 한 분자를 수송하고 촉진 확산이나 능동 수송에 포함된다. B와 C. 역수송체는 막을 통해 한 용질을 한 방향으로 수송하고 동시에 막을 통해 다른 용질을 반대 방향으로 수송한다. 공동운 반체는 동시에 막을 통해 2개 용질을 같은 방향으로 수송한다. 이들은 모두 능동 과정이다.

고 명명되었다.

그림 5-13B와 C에서 설명된 것처럼 단일수송 체이외에 2가지 다른 유형의 수송체가 능동 수송 에 관여된다. 역수송체(antiporter)는 막을 통해 한 용질을 한 방향으로 수송하고 동시에 막을 통 해 다른 용질을 반대 방향으로 수송한다. 공동운 반체(symporter)는 동시에 막을 통해 2개 용질을 같은 방향으로 수송한다. 이들 운반체 모두가 기 능하기 위해 에너지가 필요하다. 대사성 독약이 라는 물질은 에너지 원천을 제거하여 능동 수송 을 감소시킬 수 있다.

능동 수송을 이용하는 약물의 예(Drug Efflux) 로 내장막을 통한 5-fluorouracil과 일부 강심 배당 체의 이동, methyldopa의 뇌내 흡수 및 특정 약물 의 담즙과 요 분비가 있다.

약물 배출(Drug Efflux). 약물 배출(유출)은 기질을 세포밖으로만 수송하는 능동 수송 과정에 부여된 특수한 용어이다. 수송체는 배출 단백질 또는 배 출 펌프라고 불린다. 배출의 주요 기전은 ATP의 가수분해에서 나온 수송 에너지를 얻는 수송체 단백질에 의존한다. 배출은 세포가 원하지 않는 물질을 신속히 제거하는 보호 기전으로 생각된 다. 배출 수송체는 이물질의 섭취에 대한 장벽을

제공하고 담즙이나 요 배설을 촉진한다. 그러나 배출 펌프도 세포에서 약물을 제거하고 세포내 약물 농도를 유효 농도 이하로 감소시킨다.

다제 배출(Multidrug efflux)은 단일 수송체(다 제 내성 수송체 또는 MDR 수송체)가 구조적 유사 성이 없는 많은 약물을 인식하고 세포 밖으로 퍼 내는 현상이다. 이러한 운반체 중 많은 것은 막 수송체 중 ABC (ATP-결합 카세트) 초과에 속한 다. MDR 수송체는 기질이 세포내로 들어오는 도 중에 지질 이중층을 수동적으로 통과할 때 기질 을 탐지하고 결합하는 막 단백질이다. 기질은 그 다음 세포외 환경으로 역수송되어 세포내로 들어 오지 못한다(그림 5-14). 이것은 특정 기질이 세 포내로 들어오는 것을 제한하거나 적어도 그것들 이 세포내로 느리게 수송되게 한다. 결과적으로 기질의 세포내 농도가 기대된 것보다 더 낮게 된 다. 실제 세포내 약물 농도는 세포내로의 수동 확 산과 세포 밖으로의 배출의 순 결과에 의존한다.

다른 포유동물의 수송체와 MDR 수송체의 특 징적인 차이는 그들의 광범위한 기질 특이성에 있다. 다른 선택성(고전적) 수송체와 달리 MDR 수송체는 광범위한 기질을 인식하고 다룬다. MDR 수송체에 임상적으로 중요한 다제내성 펌 프 P-gp와 다제내성 단백질 MRP가 포함된다. 인

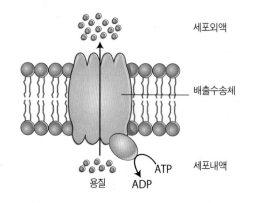

세포외액

배출수송체

세포내액

용질

ATP

ADP

그림 5-14 막 운반체 단백질을 통한 세포 외부로의 다제 배출의 그림. 세포에서 발생한 에너지 (ATP가 ADP로 변환)가 이 과정에 요구되는 것에 주목하라.

간에서 이들 배출 펌프가 위장관, 간 및 신장 세포와 뇌, 고환 및 난소 모세혈관에서 발견된다.

정상 조직에서 MDR 수송체는 독소에 대한 보호 기전과 대사성 부산물의 세포 밖 수송체로 작용한다. 연관된 수송체가 많은 병원성 세균과 곰팡이와 기생성 원충에서도 발견된다. 배출 펌프는 비정상 세포나 저항성 세포에서 과발현된다. MDR 수송체 배출의 결과인 다제내성은 세균 및 암세포에서 생기는 것으로 알려진다. 아마도 수송체를 많이 발현하는 세포가 생존하고 약물을 퍼내는 데 효율적이기 때문에 한 때 효과적인 약물이 효과가 없어진다.

화학요법제와 항균제의 배출이 바람직하지 않으므로 수송 운반체의 억제는 그러한 치료의 효능을 개선시키는 방법이 된다. 현재 유용한 많은 약물(verapamil, quinine)은 MDR 수송체를 억제하는 것으로 알려졌고 따라서 세포 밖으로의 배출을 감소시킨다. 이들 약물들의 대부분은 억제 활성이 우연히 나타나고 약물의 주요 사용과 연관되지 않는다. 예를 들어 verapamil은 심혈관 질환을 치료하기 위해 사용되어왔고 나중에 P-gp 매개성 배출을 억제하는 것으로 밝혀졌다. 원칙적으로 이들 배출 억제제 중 하나가 효과를 개선하기 위해 항암 또는 항균제와 병용된다. 그러나

필요한 용량이 과량이고 부작용이 심각하다.

기존 항생제와 항암제의 활성을 개선하는 MDR 단백질의 효과적인 억제제를 찾기 위한 연구가 진행되고 있다. 이들 억제제는 MDR 수송체 단백질과 결합에 대해 높은 친화성을 갖는다. 예를 들어 항암제와 병용 투여되면 억제제는 수송체 단백질을 점유하고 약물이 세포내에서 유효 농도에 도달하게 한다.

세포내 유입과 세포외 반출

이들은 소낭 형성으로 세포막을 통해 물질 (대개 단백질, 다당류, 핵산 및 항체 등의 거대분자)이 수송되는 소낭성 수송 과정이라고도 불린다. 세포막이 소낭을 형성하여 세포 외부의 물질을 내재화하는 과정인 세포내 유입(endocytosis)으로 물질이 세포 내부로 섭취된다. 세포외 반출(exocytosis)에서 세포 내부의 소낭이 세포막과 융합되어 세포외액으로 내용물을 배출한다. 세포내 유입과 세포외 반출은 능동 수송에서와 유사하게 농도 경사에 반대하여 발생하고 세포성 에너지를 요구한다.

세포내 유입. 세포내 유입의 3가지 주요 기전이 그림 5-15에서 보이는 것처럼 세포에서 나타난다. 수용체 매개 세포내 유입에서 세포는 세포막에서 세포외액으로 연장된 수용체 부위와 결합하는 과량의 특정 분자와 소량의 기타 세포외 물질을 섭취할 수 있다. 세포내 유입의 덜 특이적인 기전은 세포가 세포외액에서 소량의 액체를 섭취하는 음세포작용(pinocytosis)이다. 세포외액에서 발견되는 모든 용질이 소낭에 감싸여 액체와 함께 세포 내부로 수송된다.

마지막으로 식작용(phagocytosis)은 세포가 세균과 바이러스 등의 큰 분자를 삼키는 세포내 유입의 한 형태이다. 식작용은 필요한 물질을 세포

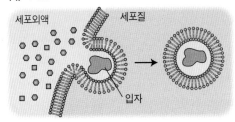

A. 식작용

세포외액   세포질

입자

B. 음세포작용

세포막

C. 수용체 매개 세포내 유입

수용체

소낭

그림 5-15 세포내 유입의 3가지 주요 기전. 세포막이 세포외 물질을 섭취하여 세포내 소낭을 형성한다.

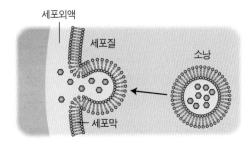

세포외액

세포질

소낭

세포막

그림 5-16 세포외 반출의 묘사.

조직을 통한 수송

세포막이 세포내외로 분자의 통로를 조절하도록 설계된 많은 구조적 특징을 갖는다고 배웠고 분자나 입자가 세포막을 통과하여 세포 안팎으로 이동하는 여러 기전에 대해 검토하였다. 일부 극성 분자가 수동 확산으로 세포막을 통과할 수 없고 특정 수송체 단백질에 대한 기질이 아니라면 세포내로 들어갈 수 없다. 따라서 많은 극성 약물이 세포내로 들어갈 수 없다.

약물이나 기타 분자가 상피 조직과 같은 세포층을 접촉하게 되면 가설에 근거해서 그림 5-17에 묘사된 것처럼 세포 사이의 수성 공간을 통한 확산(부세포적 수송)이나 세포를 통과(세포횡단 수송)하여 이러한 기능성 막 장벽을 통과할 수 있

내로 수송하는 방법이라기보다는 주로 세포성 방어 기전이다. 예를 들어 백혈구는 식작용으로 원충, 세균, 죽은 세포 및 유사한 물질을 섭취하여 감염을 회피한다.

세포외 반출. 세포외 반출 동안 세포내 막으로 둘러싸인 소낭이 원형질막과 융합하고 열려서 내용물을 세포외액으로 유리한다. 세포는 세포외 반출을 이용하여 단백질, 분비물 및 폐기물을 세포에서 배출한다. 췌장에서 분비된 인슐린과 신경 세포에서 분비된 신경전달물질처럼 세포에서 분비된 많은 신호전달 물질이 세포외 반출로 세포외로 유리된다. 세포외 반출이 그림 5-16에 묘사된다.

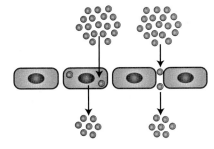

세포횡단 수송   부세포적 수송

그림 5-17 다세포성(상피 또는 내피) 막을 통과하는 용질의 2가지 주요 수송 경로를 보여주는 그림. 이 막은 단일 세포층으로 구성된다. 분자가 세포연접을 통해 세포 사이를 이동할 때 부세포성 수송이 발생한다. 세포횡단 수송에 약물 분자가 세포막을 통하여 세포를 횡단하는 것이 포함된다.

다. 이러한 2가지 경로 중 어느 것이 약물에 유용한지는 분자의 특징과 논의가 되는 상피 조직의 특징에 달려 있다.

상피 조직 특히 그것을 통하여 물질의 수송을 조절하는 구성인자로서의 구조적 특징을 알아보자.

상피 조직

신체의 내부 공간과 외부 표면은 상피 조직, 상피 막 또는 상피라는 조직으로 둘러싸여 있다. 상피 조직은 신체에 대한 보호 장벽으로 기여한다. 신체 내외로 이동하는 모든 물질이 일종의 상피를 통과한다. 그것은 한쪽 면의 세포 덩어리와 다른 쪽의 공간(내강) 사이의 접점을 제공한다. 내강에 노출된 세포 표면을 내강 표면이라고 한다. 세포의 측면과 기저부를 기저측면 또는 기저표면이라고 한다. 상피 조직의 예에 피부의 외각층, 환경에 노출된 신체내강의 표면(예로 입, 위장관 및 기도) 및 내부 장기를 덮는 조직 등이 있다.

상피 조직은 흔히 판으로 배열된 단일 혹은 여러 층의 세포로 구성된다. 그 판은 기저막이라는 결합 조직에 기초하여 세포를 고정시키고 그것들을 다른 조직에 부착시킨다. 어떤 장기에서 기저막은 중요하다. 예로 신장의 기저막은 혈장이 요로 변하는 과정에서 여과 장치로 기여한다. 다른 부위에서 기저막의 부재는 기능적으로 중요하다. 간에서 기저막의 부재는 혈장이 간세포와 직접적으로 접촉하게 한다.

상피는 세포의 모양과 세포층의 수에 의존하는 것으로 서술된다. 수로 분류될 때 상피 조직은 단순형 (한 층)과 중층형 (한 층 이상)으로 구별된다. 모양으로 분류될 때 상피 조직이 비늘 모양 (평평하고 비늘과 유사), 직육면체 (정육면체와 유사) 또는 원주형 (길고 기둥과 유사)이다. 여러 유형의 상피 중 일부가 그림 5-18에서 묘사된다.

상피 세포는 흔히 섬모 (기관의 안감을 대는 세포에서 관찰됨) 또는 미세융모 (소장의 상피에 존재함)와 같은 표면 분화를 나타낸다. 섬모는 전문화된 세포에서 발견되는 운동성이고 털 모양의 표면 돌기이고 상피 표면 너머로 유체나 점액을 이동시킨다. 미세융모는 흔히 내강측에서 물질의 흡수에 관여되는 상피 세포에서 발견되는 비운동성이고 손가락 모양의 세포 표면 돌기이다. 상피 조직은 밑에 있는 결합 조직 안으로의 분비선이라는 깊이 들어간 것도 나타낸다. 분비선은 여러 물질의 분비와 배설에 책임이 있다.

세포 연접

세포 집단이 모여서 조직이나 장기의 일부를 형성한다면 각 세포가 적절한 장소에 위치해야 하고 인근 세포와 통신할 수 있는 것이 중요하다. 조직의 한 가지 중요한 특징은 세포들이 특화된 접촉이나 연접으로 긴밀히 뭉친다는 것이다. 이러한 접촉은 인접한 세포의 막 단백질 사이의 상호작용의 결과이다. 세포 연접은 3가지 기능적 부류로 나눠진다. 부착 연접, 간극 연접 및 치밀 연접이다. 이들 특화된 세포 연접이 모든 조직의 세포-세포 및 세포-기질 접촉의 많은 지점에서 발생하지만 특히 상피에서 중요하고 풍부하다.

- 부착 연접(anchoring junctions)은 세포성 부착을 제공하여 막 단백질을 이용하여 세포를 뭉치게 한다. 그것들은 구조적 응집을 제공하고 피부와 심장과 같이 일정한 기계적 압박을 받는 조직에 가장 풍부하다.
- 간극 연접(gap junctions)은 조직의 세포들이 통합된 단위로 반응하게 하는 통신성 연접이다. 인접 세포의 단백질이 모여서 물질과 화학 정보가 전달되도록 하는 통로를 형성하여 한 집단의 세포들이 조율된 행동을 하도록 한다.
- 치밀 연접(tight junctions)은 인접 세포 사이의 공간을 밀봉하여 물질이 세포간 공간을 통해

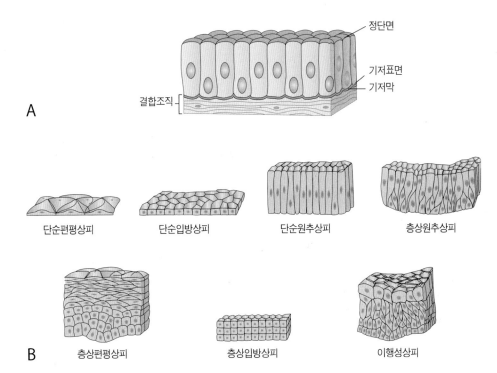

그림 5-18. A. 전형적인 상피 조직의 구조. 상피 세포는 기저막으로 밑에 있는 결합 조직에서 분리된다. 세포의 선단면이 환경에 노출되고 반면에 기저 표면은 기저막에 기초한다. B. 층의 수와 세포의 모양에 근거한 상피의 유형. 단순한 상피는 한 세포층으로 구성되고 반면에 중층의 상피는 여러 층을 갖는다. 상피 조직은 세포 모양에 따라 비늘 모양 (평평하고 비늘과 유사), 직육면체 (정육면체와 유사) 또는 원주형 (길고 기둥과 유사)으로 분류된다.

세포 사이를 이동하는 것을 조절한다. 치밀 연접은 조직을 통과하는 부세포성 수송을 고찰하는데 있어서 가장 중요한 유형의 세포 연접이다.

치밀 연접의 역할

인접하는 상피 세포의 세포막의 특정 단백이 세포간 공간을 통해 직접적으로 접촉하여 복잡하고 통과할 수 없는 망 (그림 5-19)을 형성하여 치밀 연접이 형성된다. 이러한 단백질 망은 선단면 바로 아래의 좁은 띠에서 인접 세포를 밀봉한다.

치밀 연접은 상피 조직을 통한 물질의 부세포성 수송 즉, 내강 측에서 기저외측 쪽 또는 기저외측 쪽에서 내강 측으로 세포 사이의 물질 이동을 조절한다. 전형적인 상피의 치밀 연접의 직경이 1

nm 미만이어서 분자량이 대략 200 이상인 분자가 세포와 세포 사이를 통하여 부세포성으로 확산할 수 없다. 인접 세포의 막 단백질 사이에 접촉이 많을수록 연접이 더 치밀해진다. 그러나 세포 사이의 이러한 밀봉이 완전하거나 균일하지 않다. 치밀 연접은 거대 분자에 대해 거의 항상 비투과성이지만 소분자에 대한 투과성은 여러 상피에서 다양하다. 상피는 부세포적으로 통과가 허용되는 분자의 크기에 따라 흔히 치밀성 또는 누출성으로 분류된다.

치밀 연접은 상피 조직의 장벽 기능에 필수적이다. 그들의 존재는 잠재적으로 유해한 분자 특히 거대 분자가 내강 측에서 기저외측 쪽 또는 기저외측 쪽에서 내강 측으로 상피를 통과하는 것을 억제한다. 이러한 장벽은 가변적이고 생리적

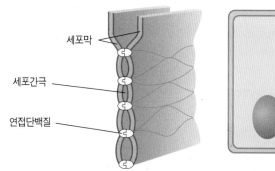
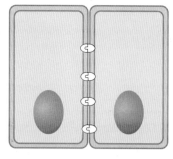

그림 5-19 상피 세포 사이의 치밀 연접을 보여주는 그림. 치밀 연접은 인접 세포를 함께 밀봉하고 세포 간 공간을 통한 물질의 이동을 억제한다.

으로 조절되며 그것이 붕괴되면 인체의 질병이 초래된다.

상피 조직을 통과하는 약물 수송

주사이외의 경로로 약물이 투여되면 투여 부위에서 상피와 접촉한다. 이론적으로 약물은 이러한 상피 조직을 부세포적으로 또는 세포를 관통하여 통과한다. 앞에서 설명한 바에 따르면 대부분의 약물은 분자가 너무 커서 상피의 치밀 연접을 통해 확산할 수 없으므로 부세포적으로 상피성 막을 통과할 수 없다고 할 수 있다. 단지 일부 무기물과 금속 이온(칼슘과 철)만이 장 상피를 통해 위장관에서 혈액으로 약물이 흡수될 때 상피를 통해 부세포적으로 확산될 수 있게 작다.

대부분의 약물에 유용한 유일한 경로는 세포를 관통하는 기전으로 상피를 통과하는 것이다. 약물 분자가 각 세포층 안팎으로 연속적으로 이동하여 세포를 통과한다. 장 상피처럼 단일 층으로 된 상피에서 약물은 장 상피 세포 안팎으로 이동해야 한다. 피부와 같은 다층성 상피에서 약물은 여러 표피 세포들 안팎으로 이동해야 한다.

앞에서 이미 약물이 세포안으로 들어가거나 세포를 떠나는 다양한 방법(수동 확산, 운반체 매개 수송 또는 세포내 유입/세포외 배출)을 설명하였

다. 약물 분자가 이동 경로에 있는 모든 세포들 안팎으로 이동해야 하는 것을 제외하고 앞서 언급한 기전들로 약물이 상피 조직을 통과한다. 약물이나 다른 분자가 상피를 통과하기 위해 어떤 경로를 이용하는지는 막이 약물을 인식하는 운반체를 갖는지와 약물 분자가 통과세포외 배출 (세포 안으로의 세포내 유입과 그 다음 세포 밖으로의 세포외 배출; 그림 5-20 참조)을 하기에 적절한 특징을 갖는지 그리고 약물의 물리화학적 특성(크기, 이온화 상태, 분배 계수)에 의존한다.

수동적 세포관통 확산. 상피를 통과하는 수동적 세포관통 수송의 속도는 세포막을 통과하는 수송에서 익숙한 식으로 주어진다. 그 식에서의 용어는 이전과 약간 다른 의미를 갖는다.

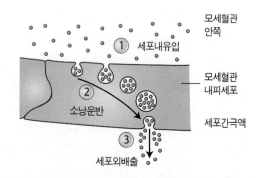

그림 5-20 세포를 통한 물질 수송의 통과세포외 배출의 그림. 이 경우 물질이 모세혈관 내피세포를 통해 소낭에서 이동한다.

$$속도 = -\frac{D \cdot A(C_1 - C_2)}{h} \qquad \text{(식 5-4)}$$

문맥에서 A는 약물에 노출된 상피의 표면적이고 (C_1-C_2)는 상피 (하나 또는 여러 세포층)를 가로지르는 약물 (비이온형)의 농도 경사이고 h는 상피의 두께이다. 수송이 연속적인 지질 이중층을 통해 발생하므로 수송 속도는 여전히 약물의 분배 계수인 P에 의존한다.

수송 속도가 식 5-4의 용어에 얼마나 영향을 받는지를 알아보자. 약물이 상피의 넓은 표면적과 접촉한다면 수송이 더 빨라질 것이다. 약물 확산 계수 D가 크다면 용질이 상피를 통해 신속히 이동하여(작은 분자가 더 큰 확산 계수를 갖는다) 높은 수송 속도를 초래한다. 용질 분배 계수 P가 크다면 용질이 지질 이중층에 쉽게 용해되고 높은 수송 속도를 가질 것이다. 상피가 두꺼우면(큰 h) 확산 경로가 길어지고 수송이 느려진다.

특정 용질의 통로를 허용하는 주어진 상피막의 내재성 능력을 투과 계수라고 하며 다음과 같이 표시된다.

$$투과 \ 계수 = \frac{P \times D}{h} \qquad \text{(식 5-5)}$$

투과 계수의 단위는 cm/s이다. 투과 계수는 용질의 특성 (지질 이중층에서의 분배 계수와 확산 계수)과 막의 특성 (두께) 모두에 의존한다. 신체 여러 부위의 상피가 서로 다른 조성과 특징을 가져서 약물의 투과 계수가 다른 상피보다 어떤 상피에서는 더 빠를 수도 있다는 것에 주목하는 것이 중요하다.

운반체 매개 수송. 수송 단백질의 역할이 신속히 부각되고 있고 일부 약물들이 이들 운반체에 의해 기능성 막을 통과하여 일부분 수송되는 것으로 보인다. 수송 단백질이 약물의 흡수, 분포 및 배설에서 상당한 역할을 수행한다는 것을 보여주는 임상적 증거가 축적되고 있다. 상피를 통한 흡수에서 P-gp 배출이 장막을 통한 일부 약물의 투과성을 제한하는 것으로 알려져 있다. 동시에 많은 극성 펩티드 유사 약물이 아마도 운반체 매개 과정을 통해 상피를 통과한다.

이것이 일부 약물에서는 중요한 경로이지만 대부분의 약물에서 중요한 역할을 수행하지 않는다.

통과세포외 배출(Transcytosis). 통과세포외 배출은 논의된 다른 수송 기전에 비해서 상대적으로 느린 과정이다. 따라서 수동 확산이나 운반체 매개 과정으로 효과적으로 수송되는 약물에서는 통과세포외 배출에 의한 수송은 무시된다. 그러나 다른 기전으로 세포막을 통과할 수 없는 물질에서 통과세포외 배출은 중요하다. 예를 들어 많은 단백질 (항원, 보툴리누스 독소 및 경구용 백신)이 경구 섭취 후 혈류로 들어간다. 이 경우에 장 상피 세포를 통한 통과세포외 배출이 수송 기전이 된다. 이런 식으로 수송되는 거대 분자의 양은 극히 작지만 생물학적 반응을 초래하기 충분하다.

이런 과정이 상대적으로 느리고 수송되는 물질의 양이 매우 작아서 통과세포외 배출이 대부분의 소분자 약물의 막 통과 수송에서는 중요하지 않다. 통과세포외 배출이 백신과 같은 일부 거대 분자의 수송에 중요한 기전이지만 느리고 상대적으로 비효율적인 과정이고 상피를 통과하는 대부분의 약물의 수송에서는 중요하지 않다.

상피 조직을 통과하는 수송의 요약. 종합적으로 약물 분자 또는 기타 물질이 다음 기준 중 하나를 충족시키면 상피 막을 통과할 수 있다.

• 상피 세포의 지질 이중층을 수동적으로 통과하기에 충분히 친유성이다.
• 상피 세포막을 통과해서 그것을 수송하는 운반체를 갖는다.
• 통과세포외 배출 기전의 사용을 허용하는 특징을 갖는다.

수동 세포관통 확산은 상피를 통과하는 약물의 수송에 있어서 주요한 기전이다. 따라서 적절한 친유성이 없는 극성 약물은 이러한 기전으로 상피 조직을 통과할 수 없다. 극성 분자와 단백질과 같은 거대분자가 상피를 통과하는 유일한 방법은 운반체 매개 기전이나 통과세포외 배출이다. 이것은 규칙이라기보다는 예외이다.

결과적으로 상피는 대부분의 극성 약물 또는 거대분자에 비투과성이고 적절한 물리화학적 특성 (크기, 이온화 상태, 분배 계수)의 조합을 갖는 분자에 대해서만 투과성이 있다.

내피(Endothelium)

내피 또는 내피막이라는 상피 조직의 특성화된 유형이 혈관벽, 림프관 및 체강의 장 표면을 구성한다. 내피세포는 심장에서 모세혈관까지 전체 순환기계의 내부를 한층으로 도배하고 있으며 대부분의 모세혈관 벽을 형성한다. 내피세포는 상피 세포보다 더 헐겁게 들어차 있다. 세포 사이의 간격이 여과 장치로 작용하는 성긴 단백질 망을 갖고 있어 거대분자는 보유하고 소분자를 통과시킨다.

모세혈관 내피를 통한 약물 수송

체내 약물 분포에서의 순환기계의 역할때문에 모세혈관 내피는 우리가 알아야 할 가장 중요한 내피막이다. 일단 약물이 체내 투여된 부위로부터 상피 막을 통과하면 모세혈관 벽을 통과하여 혈류로 들어가고 그 다음 체내 여러 부위에서 혈류를 떠나야 한다. 내피세포 사이가 느슨하기 때문에 약물 분자가 내피를 통과하여 수송되는 데 부세포성 경로가 중요하다.

내피를 통과하는 부세포성 수송. 모세혈관 내피 접합의 크기는 5 ~ 30 nm의 범위이다. 일반적으로 분자량이 20,000에서 30,000까지인 분자는 모세혈관 내피를 통해 부세포적으로 확산한다. 즉 혈액과 혈관 밖(혈관계 또는 혈관과 림프관 바깥쪽)의 공간 사이에서 확산한다. 이동할 수 있는 분자량 한계는 정확하지 않다. 물(분자량 18)과 같은 소분자는 신속히 이동한다. 분자 크기가 증가하면 수송 속도가 감소한다. 분자량이 100,000 이상인 거대분자는 매우 느리게 이동한다. 모세혈관 내피 접합보다 큰 단백질과 혈액 세포는 접합이 더 느슨해지는 질병상태에서를 제외하고 부세포성 확산이 불가능하다.

부세포성 수송은 수동 확산 과정이어서 분자가 접합 직경보다 작고 내피 막을 사이에 두고 농도 경사가 존재한다면 분자는 세포 접합을 통해 확산한다. 각 약물 분자의 모세혈관 내외로의 이동이 극성이나 친유성과 관계없이 자유롭게 진행된다. 이것이 수동 세포관통 수송과 수동 부세포성 수송의 중요한 차이이다.

내피 막을 가로지르는 부세포성 확산의 속도는 Fick의 법칙에 기초한 식으로 주어진다:

$$속도 = -\frac{D \cdot A (C_1 - C_2)}{h}$$ (식 5-6)

예상대로 분자의 수동 부세포성 확산의 속도는 농도 경사, 막의 면적(A)과 두께(h) 및 치밀 연접을 통한 분자의 확산 계수에 의존한다. 대전되지 않은 분자의 부세포성 확산의 속도는 식 5-6에 의해 예상되듯이 확산 계수에 비례한다고 알려져있다. 양성으로 대전된 분자의 확산이 아마도 내피 접합의 막 단백질의 양전하에 의한 척력 때문에 예상보다 더 느린 것으로 관찰되었다.

내피를 통과하는 세포관통 수송. 모세혈관 내피를 통과하는 대부분의 약물에서 부세포성 수송은 중요한 기전이다. 그러나 세포관통 수송 경로가 적절한 친유성(세포관통 수동 확산) 또는 운반체(운반체 매개 수송)를 가지고 있는 분자 또는 통과세포외 배출로 처리되는 분자에 대해서 또한 유용하다. 이들 기전의 근본이 되는 원칙은 이전에 설명한 것과 정확히 일치한다.

수동 세포관통 확산은 적절한 친유성을 가지며 적어도 부분적으로 비이온화 상태로 존재하는 약물의 수송의 중요한 기전으로 남아 있다. 운반체 매개 경로와 수용체 매개 통과세포외 배출이 덜 일반적이지만 상피 막에 비해 내피 막에서 더 쉽게 발생한다. 모세혈관 내피를 통한 물질의 수송의 통과세포외 배출 과정이 그림 5-20에 묘사되어 있다.

특화된 내피를 통한 수송. 모세혈관 내피에 대한 앞의 설명은 뇌와 심장을 제외하고 신체 대부분에서 순환의 말단에 있는 것들인 말초성 모세혈관에 초점을 맞추었다. 즉 말초성 모세혈관 중에서조차 부세포성 경로의 이온과 크기 선택성이 신체별로 약간 달라지며 여러 생리적 및 병리적 자극에 의해 조절된다. 일부 특수 장기에서의 모세혈관 내피는 말초성 모세혈관에서 발견되는 것과 아주 다르다. 예를 들어 간 모세혈관의 내피세포는 매우 느슨하게 들어차서 거대분자와 적혈구가 세포 접합을 통해 확산하게 한다. 대조적으로 뇌 모세혈관의 내피 접합은 대부분의 상피 막의 그것보다 더 치밀하여 이들 접합을 통한 소분자의 이동을 차단한다.

혈액-뇌 관문(Blood-brain barrier). 혈액-뇌 관문(BBB)은 뇌에 필수 영양분을 공급하는 동안 혈류의 유해한 물질로부터 뇌를 보호하는 모세혈관 내피세포의 특화된 체계이다. 혈액과 조직 사이에 소분자의 자유로운 교환을 허용하는 말초성 모세혈관과 다르게 BBB는 물리적(치밀 연접) 및 대사성(효소) 장벽 모두를 통해 뇌 안으로의 수송을 엄격히 제한한다. 혈액을 뇌로 가져오는 모세혈관은 상피 조직의 치밀 연접에 유사한 접합이 있는 빽빽이 들어찬 내피세포를 갖는다. 인접한 내피세포 사이의 세포-세포 접촉은 기본적으로 밀봉되어 계속 이어지는 혈관을 형성한다. 이들 치밀 부세포성 접합은 약물이나 기타 소분자가 혈액과 뇌 사이로 이동하도록 허용하지 않는다. 분자는 오직 세포관통 경로에 의해 뇌 모세혈관 안으로 들어가거나 떠날 수 있다.

BBB는 뇌 안으로 영양분과 기타 필수 분자를 수송하는 많은 매우 선택적 운반체 매개 기전을 갖는다. 예를 들어 transferrin, insulin 및 leptin과 같은 내인성 거대 분자에 대해 수용체-매개 세포 내 유입이 발생한다.

BBB는 약물의 뇌로의 투과를 결정하는 속도 조절 인자이다. 일반적인 원칙은 물질의 친유성이 높으면 뇌 안으로의 세포관통 수동 확산이 더 크다는 것이다. 약물 분자가 모세혈관 내피를 통해 세포관통성으로 확산하기에 충분히 친유성이더라도 뇌 안으로의 흡수에 반대하는 또다른 과정이 있다. 한 가지 중요한 반대 과정은 뇌 안에 작용 부위를 갖는 많은 약물들에 대해 중요한 장애물인 운반체 매개 배출이다. 또다른 하나는 약물이 뇌 안으로 들어가기 전에 분해시키는 모세혈관 내피의 대사 효소의 존재이다. 뇌 안으로 전달이 잘 안 되는 것은 많은 중추신경계 약물들이 극복해야 할 중요한 과제로 남아 있다.

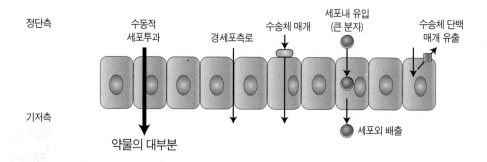

그림 5-21 세포 내외로의 그리고 상피 또는 내피 장벽을 통과하는 물질의 수송에 관여되는 가능성 있는 과정의 요약.

다양한 수송 경로

동시에 여러 수송 경로를 이용하여 용질이 막을 통과할 수 있다는 것을 이해하는 것이 중요하다. 용질이 친유성이 크고 내피세포의 부세포성 접합보다 작고 모세혈관 막의 특정 운반체와 결합한다고 고려하자. 이러한 용질은 수동 세포관통 확산, 운반체 매개 수송 및 부세포성 확산에 의해 모세혈관 벽을 통과하여 수송된다.

이러한 용질 수송의 지배적인 기전은 막에 따라 달라진다. 예를 들어 이러한 용질의 장 흡수에서 수동 세포관통 확산이 우세하고 말초성 모세혈관 내외로의 분포에서 부세포성 수송이 중요하고 뇌 안으로의 유입에 능동 수송이 중요하다. 세포 또는 조직 막을 통한 물질의 수송에 관여된 여러 경로가 그림 5-21에 묘사되어있다.

핵심개념

- 세포막은 막 단백질이 박힌 지질 이중층으로 구성된다.
- 막 단백질은 수송, 통신 및 세포 간 인식을 조절하는 책임이 있다.
- 친수성 세포막 단백질 통로를 통한 약물의 확산은 중요하지 않다.
- 대부분의 약물은 지질 이중층을 통한 수동 확산에 의해 세포막을 통과한다.
- 수동 확산의 속도는 Fick의 법칙에 의해 지배된다.
- 비이온화되고 친유성인 약물 분자만이 수동 확산으로 지질 이중층을 통과한다.
- 대부분의 단백질은 너무 크거나 극성이어서 세포막을 통해 수동적으로 확산될 수 없다.
- 공여자와 수용자 측의 pH가 다르면 공여자 또는 수용자 측에서의 이온 포획이 발생한다.

- 운반체 매개 과정과 배출 펌프는 일부 약물과 용질의 세포내 농도를 결정하는 데 중요한 역할을 수행한다.
- 상피 조직은 장 내강과 신체 외부 표면을 감싸고 있다.
- 치밀 연접은 상피 세포 사이의 세포 간 공간을 통한 대부분의 약물의 부세포성 수송을 억제한다.
- 수동 세포관통 확산은 상피를 통한 약물의 수송에 중요한 기전이다.
- 약물은 세포 접합을 통한 부세포성 확산이나 세포관통성 확산으로 내피 막(예로 모세혈관 내피)을 통과한다.
- 특화된 내피(혈액–뇌 관문)는 부세포성 수송을 제한하고 상피처럼 작용한다.

복습문제

1. 포유동물의 세포막의 전형적인 성분은 무엇인가?

2. 세포막의 중요한 기능은 무엇인가?

3. 지질 이중층의 조성과 특징을 설명하시오.

4. 막 단백질의 유형과 기능을 설명하시오.

5. 반투과성이라는 용어는 무엇을 의미하는가? 세포막을 통하여 소분자의 수송을 조절하는 세포막의 특성을 설명하시오.

6. 대부분의 이온과 매우 작은 용질이 어떻게 세포 안으로 들어가거나 떠날 수 있는가?

7. 대부분의 소분자 약물이 어떻게 세포 안으로 들어가거나 떠날 수 있는가? 어떤 영향인자가 이러한 수송의 속도를 조절하는가?

8. 세포 내외로의 용질의 수송에서 수송 단백질이 어떠한 역할을 수행하는가? 왜 오직 일부 용질만이 이러한 방식으로 수송되는가?

9. 세포내 유입과 세포외 배출의 과정을 설명하시오. 어떤 유형의 물질이 대개 이런 기전으로 수송되는가?

10. 어떤 수송 기전이 포화되는가? 그 이유는?

11. 기능성 막을 가로지르는 부세포성 및 세포관통성 수송 사이의 차이점을 설명하시오. 용질이 부세포성으로 또는 세포관통성으로 수송되기 위해 어떤 특징을 가져야 하는가?

12. 상피 조직의 유형과 기능은 무엇인가?

13. 세포 접합의 3가지 주요 유형을 설명하시오. 그것들의 기능은 무엇인가?

14. 상피를 통과하는 수송에서 치밀 연접이 수행하는 역할은 무엇인가? 대부분의 약물이 어떻게 상피 장벽을 통과하는가?

15. 모세혈관 내피가 대부분의 다른 상피와 어떻게 다른가? 약물이 모세혈관 내피를 통과하는 데 어떤 기전이 유용한가?

16. 혈액-뇌 관문이 무엇인가? 어떤 유형의 화합물이 혈액-뇌 관문을 통과하는가?

CASE STUDY 5-1

왜 내 치아가 여전히 아픈가?

　감염된 치아가 있는 환자가 치과에 가서 발치를 하게 되었다. 발치 전에 치과의사가 흔히 사용되는 국소 마취제인 lidocaine(Xylocaine®)용액을 치아 주변 공간에 주사하여 국소 신경을 무감각하게 하였다. 마취에 도달되는 통상적인 시간 후에 치과의사가 치아 주변 부위를 확인하였고 여전히 마취가 불완전하다는 것을 발견하였다. 그 부위가 발치를 위해 충분히 마취되기 전에 그녀는 더 많은 lido-caine을 투여해야 했다. 그녀는 나중에 약사친구에게 이 사건을 이야기하였고 정상적인 lidocaine이 이 환자에서 작용하지 않은 이유에 대해 의아해하였다.

배경

　신경 세포가 통증과 같은 자극을 전도하기 위해 우선 나트륨 이온이 신경 세포막의 Na^+ 이온 통로 단백질을 통해 신경 세포 안으로 들어가야 한다. 국소 마취제는 Na^+ 이온 통로 단백질의 수용체와 결합한다. 이것은 신경 세포 세포질 안으로의 Na^+의 수송을 감소시키고 신경 전도를 차단시킨다. 수용체가 Na⁺ 이온 통로 단백질의 세포질 쪽에 위치하므로 국소 마취제는 효과적이기 위해 세포막을 통과해야 한다. 신경 전도를 충분히 차단하기 위해 충분한 농도의 lidocaine이 신경 세포 안으로 들어갈 필요가 있다.

Lidocaine
$pK_a = 7.9$; $\log P = 2.4$

질문

1. 치아 주변 신경 근처에 lidocaine 용액이 주사된다. 신경 세포 외부의 세포외액의 pH를 7.4라고 가정하자. 이러한 세포외액에서 lidocaine이 얼마나 이온화되고 비이온화되는가?

2. Lidocaine은 수동 세포관통 확산에 의해서만 신경 세포막을 통과하고 lidocaine의 양이온형만이 이온 통로 수용체와 결합한다. 세포내액과 세포외액의 pH가 모두 7.4라면 lidocaine이 어떻게 세포 안으로 들어가고 수용체와 결합하는지 설명하시오.

3. 양이온형과 신경 세포내 수용체의 결합이 잠재적으로 일부를 신경 세포내에 묶어 놓는다. 이것

이 lidocaine의 세포내로의 추후 수송에 어떻게 영향을 주는가?

4. 국소 마취제에 의한 치아 주변의 무감각이 결국 어떻게 사라지는가? 다른 말로 무엇 때문에 lidocaine이 결국 세포를 떠나는가?

5. 그 환자에 감염된 치아가 있었다. 많은 치아 감염에서 세포외 조직액의 pH가 약 5 정도로 더 낮다. 이것이 세포 안으로의 lidocaine의 수송 속도에 얼마나 영향을 주는가? 잇몸의 무감각에 도달하는 데 걸리는 시간에 대한 결과는 무엇인가?

6. 당신이 치과의사의 약사친구라면 이 환자의 lidocaine의 낮은 효능을 어떻게 설명할 것인가?

7. 당신은 pK_a를 최적화시켜 새롭고 더 나은 lidocaine 유사 국소 마취제를 소개하고자 하는 제약회사에서 근무한다. 신경 세포 안으로의 더 빠른 수송 속도를 달성하기 위해(더 신속한 마취 효과를 얻기 위해) lidocaine의 pK_a를 어느 방향으로 변화시켜야 하는가? 세포내에서 약물-수용체 결합을 증가시키기 위해(더 길게 작용하기 위해) pK_a를 어느 방향으로 변화시켜야 하는가? 세포외액과 세포내액의 pH가 7.4이고 P 또는 분자 크기에 큰 변화가 없다고 가정하자. 당신의 결정의 근거를 설명하시오.

참고

Alberts B, Johnson A, Lewis J, Raff M, Roberts K, Walter P. Molecular Biology of the Cell, 5th ed. Garland Science, 2008.

Hillery A, Lloyd A, Swarbrick J(eds). Drug Delivery and Targeting: For Pharmacists and Pharmaceutical Scientists. CRC Press, 2001.

Shargel L, Wu-Pong S, Yu A. Applied Biopharmaceutics and Pharmacokinetics, 5th ed. McGraw-Hill/Appleton & Lange, 2004.

Washington N, Washington C, Wilson C. Physiological Pharmaceutics: Barriers to Drug Absorption, 2nd ed. CRC Press, 2000.

6 약물의 흡수
Drug Absorption

약물은 신체의 다양한 부위를 통해 투여되게 되는데 이를 투여 부위라 한다. 약물은 시간에 따라 투여 부위에서 작용 부위에 도달하게 되고, 약효를 나타낸다. 약물이 환자에게 투여되는 방법과 제형은 다양하다. 여러 요소 중 투여 방법과 제형의 선택은 약물의 이화학적인 특성, 투여 부위나 흡수 부위의 생리적인 특성 또는 임상적 상황에 의존적이다.

작용 부위가 국소적이거나 작용부위에 쉽게 접근할 수 있는 경우 약물은 작용 부위에 바로 또는 인접한 부위에 투여될 수 있다. 이를 국소적 투여(topical, nonsystemic, 또는 local administration)라 한다. 피부 발진 치료를 위한 피부 크림이나 치과 치료 과정중의 국소적인 마취제의 사용이 그 예이다.

많은 경우, 약물이 작용부위로 도달하는 것이 쉽지 않거나(예를 들면, 작용부위가 뇌인 우울증) 발톱의 진균감염에서처럼 약물이 국소적 투여후 완전하게 효과가 있도록 충분히 깊게 조직으로 투과하지 못한다. 따라서 약물은 다른 편리한 부위를 통해 투여되어야 하고, 이 경우 약물이 투여

부위에서 흡수되어 혈류를 통해 작용 부위에 도달한다. 또한 작용부위가 한 곳이 아니라 여러 곳인 경우가 있다. 예를 들어 알러지 반응은 눈, 코, 폐 및 피부를 포함한 다양한 부위에서 일어난다. 약물은 효과를 나타내기 위하여 이러한 모든 조직에 도달하여야 하고, 약물이 혈류를 타고 상기의 모든 부위에 도달하는 방법이 효과적인데 이를 위한 투여를 전신 투여(systemic administration)라 한다. 약물이 전신투여로 투여되는 경우 흡수를 통해 혈류에 합류된 약물만이 작용부위에 도달할 수 있다. 반면 국소적으로 투여된 약물은 투여부위에서 원하는 조직으로 일부만이 이동하므로 혈류로의 흡수는 불필요하다.

표 6-1은 약물 송달이 가능한 전신 및 국소적 투여에 대한 다양한 경로를 제시하고 있다. 일부 경로는 전신 및 국소적 투여에 모두 사용된다. 예를 들어 어떤 약물은 국소발적의 치료를 위해 피부에 적용되고(국소적 적용), 또 다른 약물은 전신적인 효과를 얻기 위해 피부에 적용될 수 있다(금연을 위한 니코틴 패치). 후자의 경우 약물이 혈류로 흡수되어 작용 부위로 이동된다.

표 6-1 약물의 투여 경로

Systemic(전신)	Nonsystemic(국소)
Oral(경구)	Oral(경구)
Parenteral(장관외)	Parenteral(장관외)
Intravenous(정맥)	Intrathecal(척추강내)
Intramuscular(근육)	Intralumbar(요추내)
Subcutaneous(피하)	
Intraarterial(동맥)	
Rectal(직장)	Rectal(직장)
Sublingual/buccal(설하/구강)	
Buccal(구강)	
Transdermal(경피)	Dermal(진피)
Pulmonary(폐)	Pulmonary(폐)
Nasal(비강)	Nasal(비강)
Vaginal(질강)	Vaginal(질강)
	Ophthalmic(눈)
	Otic(귀)
	Urethral(요도)

전신 투여

전신 투여된 약물은 투여부위에서 혈류로 직접 흡수된다. 예를 들어 경피 투여되는 패치는 피부(작용 부위)에 작용하고 피부에서 혈류로 약물의 흡수가 일어난다. 그러므로 경피 투여의 경우 피부는 투여 부위이자 흡수 부위가 된다. 다른 전신으로 투여된 약물은 투여 부위에서 흡수되는 다른 부위로 이동해야 한다. 예를 들어 경구 투여 시 약물은 입을 통해 투여되어 삼켜지고, 흡수는 소장에서 일어난다. 그러므로 경구 투여 시 흡수 부위는 소장이다. 약물이 흡수되기 위해서는 흡수 부위가 어디든 흡수 부위에서 체액에 용해되어야 한다. 이는 7장에서 다시 자세히 언급하도록 한다. 용해된 약물은 흡수 부위의 상피조직을 지나 혈관의 모세내피를 거쳐 혈류에 도달한다. 대부분의 약물은 이화학적 성질에 상관없이 모세혈관내피층을 통과하기에 충분히 작은 분자량을 가진다. 그러므로 흡수의 가장 느린 속도조절 단계

는 항상 약물의 흡수 부위에서의 상피조직 통과 능이며 이는 전체 흡수 속도를 결정한다.

흡수 속도

상피조직을 통과하는 대부분의 약물의 흡수는 수동적 세포 확산에 의해 일어난다. 흡수 속도는 약물의 이화학적인 특성, 흡수 부위 상피조직 투과도, 약물에 노출되는 흡수 부위의 표면적, 흡수부위와 혈류간 약물 농도차에 의존한다. 흡수 속도 식은 확산의 Fick법과 유사하다.

$$흡수\ 속도 = \frac{P \cdot A \cdot D \cdot (C_a - C_p)}{h} \quad (식\ 6\text{-}1)$$

분배계수 P와 확산 계수 D는 약물의 구조와 분자크기에 각각 의존적이다. A는 막 표면적이고 h는 흡수 부위 상피막의 두께이다. 막은 단층 또는 여러층의 상피세포로 구성되어 있다. 이 분석에서 모세혈관 내피를 통과하는 수송은 상피세포를 통과하는 수송보다 훨씬 빠르기 때문에 고려대상으로 하지 않는다. 즉, 약물은 상피조직을 투과하자마자 모세관으로 쉽게 들어간다고 생각한다. 식 6-1은 5장의 식 5-4와 동일하다. 유일한 다른 점은 C_a는 흡수 부위에서의 약물 농도(공여측), C_p는 혈액에서의 약물 농도(수여측)라는 점이다. 또한 약물의 대부분의 공통적 흡수기전에 관여하는 수동적 세포횡단 수송체는 비이온화된 약물 농도의 농도차에 의하여 수송력을 얻는다.

농도 구배인 C_a-C_p를 좀 더 자세히 살펴보면, 흡수 부위에서 용해된 약물의 농도가 높을수록 흡수 속도가 더 빠를 것이다. C_a는 투여된 약물 용량과 흡수 부위에서의 용액의 용적과 이용액에서의 약물의 용해속도에 의해 조절된다. 혈관쪽에서(수여측)볼 때 만약 흡수 부위가 잘 관류되어 있다면(혈액 공급이 잘 된다면), 흡수 부위를 지나는 혈류는 매우 빨라서 약물은 모세혈관에 도

달하자마자 신속하게 순환계에서 벗어나게 된다. 결과적으로 모세혈관에서의 약물농도는 흡수 부위의 약물 농도보다 매우 작게 된다. 이는 투여된 약물이 모두 흡수될 때까지 흡수의 지속을 위하여 농도 차를 유지하게 해준다.

만약 위의 이유로 C_p가 0이라고 가정한다면 식 6.1은 식 6.2로 단순화된다.

$$흡수 속도 = \frac{P \cdot A \cdot D}{h} C_a \quad (식 6\text{-}2)$$

여기서 D, A, P, 및 h를 새로운 상수 h로 나타내면 식 6.3이 된다.

$$흡수 속도 = k \cdot C_a \quad (식 6\text{-}3)$$

상수 k를 투과속도상수(permeation rate constant)라고 한다. 투과속도상수는 5장(식 5-5)에서 정의된 투과계수(permeability coefficient)와 관련이 있다. 투과속도상수는 특정 약물에 대한 특정 막의 투과계수를 약물에 노출된 막면적을 곱하여 산출한다.

식 6-3은 만약 흡수 부위에 혈류가 충분하다면, 흡수는 흡수 부위에 용해되어 있는 약물의 농도에 비례한다. 그러므로 제형으로부터 약물의 용해가 빠르고 흡수 부위의 혈류가 좋으면 약물의 흡수는 빠르다. 약물이 어느 정도 비이온된 흡수 가능한 형으로 존재하는가는 약물의 pK_a와 흡수 부위 체액의 pH에 달려있다. 이온화가 잘되는 pH는 약물의 용해는 증가시키나 투과는 저해한다. 이는 약물의 친수성과 친유성의 균형이 중요하다는 것을 의미한다.

실제 흡수 부위에서의 흡수 속도는 식 6-3에서 예상하는 것보다 느리다. 이는 약물이 흡수될 때 흡수부위에서 약물을 상피 세포 밖으로 되퍼내는 방출 펌프 기전 때문이다. 이러한 보호 기전은 많은 약물의 낮은 흡수의 원인이기도 하다.

분자량이 매우 작은 몇몇 약물은 세포 사이 틈을 통한 수동 확산에 의해 약간 흡수될 수 있다. 특히 상피막에 공간이 있는 경우(leaky한 경우) 그러하다. 이 경우는 약물의 친유성은 필요하지 않고 투과속도상수는 분배계수에 의존적이지 않을 것이다. 수송 단백질의 기질과 유사한 약물은 능동적 수송 과정에 의해 흡수될 것이다. 이러한 약물은 단위 표면적당 흡수 속도식은 5장에 소개된 Michaelis-Menten 식과 유사하다.

$$흡수 속도 = \frac{V_{max} C_a}{K_m + C_a} \quad (식 6\text{-}4)$$

여기서 C_a는 흡수 부위의 약물 농도이고, 능동 수송에 있어서 흡수속도를 조절하는 것은 농도 구배가 아니라 약물 농도이다. 투여 부위의 약물 농도가 작동할 수 있는 수송체 수에 비해 낮은 경우 $C_a \ll K_m$이므로 식 6-4는 다음과 같이 단순화된다.

$$흡수 속도 = \frac{V_{max}}{K_m} C_a \quad (식 6\text{-}5)$$

만약 흡수 부위의 약물 농도가 작동할 수 있는 수송체 수에 비해 높은 경우 $C_a \gg K_m$이므로 식 6-4는 다음과 같이 단순화된다.

$$흡수 속도 = V_{max} \quad (식 6\text{-}6)$$

이 경우 흡수 속도는 수송체가 약물을 수송하는 최대 속도와 같고 일정하다. 약물의 농도가 증가하더라도 흡수 속도에는 영향이 없고 수송체는 포화되었다고 말한다.

경구 투여

약물(예: 정제, 캡슐제, 현탁제)을 구강 투여하는 경구 투여는 전신 투여방법 중 가장 일반적이고 환자의 선호도가 높은 방법이다. 투여된 약물은 위장관을 따라 내려가면서 여러 부위에서 흡수된다. 경구 투여는 만약 약물이 위장관의 상피막을 효과적으로 통과할 수 있다면 매우 효과적인 약물 투여방법이다.

위장관의 구조

위장관은 위, 소장(십이지장, 공장, 회장) 및 결장(대장)으로 구성되어 있고 직장이 가장 끝에 위치하고 있다(그림 6-1). 각각의 구성 부위는 구조, 길이, 분비물, 산성도가 다르고 이는 약물의 흡수에 영향을 준다. 약물의 경구 투여가 구강에서 시작하여 식도를 거쳐 이동하지만 식도에서 약물의 머무르는 시간은 짧아 대부분의 경구 투여에서 약물흡수에는 큰 영향을 주지 않는다.

위장관은 위장관 내강에서 시작하여 점막(mucosa), 점막하조직(submucosa), 근육조직(muscular tissue), 및 장막(serosa) 층으로 이루어져 있다. 점막은 세 층으로 이루어져 있는데 장내 물질과 맞닿아 있는 단층 상피세포, 그 아래의 lamina propria는 혈관과 림프관을 포함하며 근육 섬유층(muscle fibers)이 있다. 약물 흡수는 상피세포를 통과하여 lamina propria의 모세혈관으로 들어가는 것으로 일어나며 혈류를 통해 생체내 다른 곳들로 이동된다. 위장관 점막의 상피세포는 강한 치밀 연접(tight junction)으로 서로 연결되어 있고, 세포 사이의 틈은 약 1.5 nm 정도이어서 대부분의 약물이 이 틈으로 통과하기에는 너무 작다. 따라서 위장관 상피층을 통과하는 약물의 주 수송기전은 수동적 세포횡단 확산이다.

위장관 내피의 내강쪽에는 다양한 수송체가 발현되어 있는데 이는 위장관 내강에서 혈류로의 영양분의 수송체 매개 흡수에 관여한다. 이러한 수송 기전은 수동 세포횡단 확산에 의해 수송될 수 없는 극성 분자에 있어서 특히 중요하다. 또한 이러한 수송체는 약물의 흡수에 있어서도 중요한 역할을 하여 이 이유는 식 6-3만으로 설명하기는 불충분하다.

위. 경구 투여된 약물은 투여 후 매우 신속하게 위에 도달한다 공복의 위는 1L의 최대 수용량을 가지며 100 mL의 위액이 존재한다. 위의 주 작용은 섭취된 음식을 유미즙(chyme)이라는 액체 혼합물로 만드는 것이며 소화의 시작이다. 또한 위의 상피층은 점액, 염산과 소화 효소로 된 pH 1-3정도의 위액을 분비하는 세포들을 가지고 있다.

경구로 투여된 약물에 있어 위는 약물의 용해 장소이다. 위에서 혈류로의 약물의 흡수는 약물이 약산 또는 약염기성에 관계없이 소소하거나 무시될 정도이다. 첫 번째는 위에서 용해된 약물의 머무름 시간이 짧기 때문이다. 일단 약물이 위액에 용해되면 소장으로 빨리 이동한다. 두 번째로는 위의 표면적은 상대적으로 작아 투과가 천천히 일어나기 때문이다.

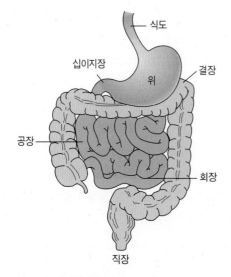

그림 6-1 식도와 위장관의 구조

따라서 충분한 시간을 위에 머무른다면 어느정도의 수동적 세포횡단적 흡수가 일어날 수 있겠지만 정상 상태에서 위는 약물의 흡수에의 기여도는 크지 않다. 오히려 위의 주 작용은 고체 형태의 약물을 분쇄하고 다음의 흡수부위인 소장에서의 흡수가 잘 일어나도록 방출하고 용해시키는 역할을 한다. 이는 다음 장의 약물전달시스템에서 다시 설명될 것이다.

소장. 소장은 길이 6~7 m의 길고 좁은 관형태의 관이다. 소장의 첫 구성부위인 십이지장은 위에 바로 연결된 짧은 부위로서 위의 내용물을 전달받고 이자나 간에서 소화 효소를 전달받는다. 그 다음 부위는 공장(소장의 약 40% 차지)과 회장(소장의 약 60% 차지)이다

장관 상피 또는 장관 벽은 장관 내강과 전신 순환 사이의 장벽 역할을 한다. 이 장벽은 섭취한 병소나 독소가 쉽게 내부 장기와 조직에 쉽게 접근하는 것을 막아준다. 동시에 장 내피는 영양소의 흡수에 효과적인 구조를 가지고 있어서 경구 투여된 약물의 흡수에 가장 중요한 부위이다.

소장에서의 흡수능력이 큰 주이유는 상피조직의 매우 큰 표면적이다. 소장은 긴 관처럼 보이지만 흡수 부위의 면적은 이의 독특한 내면구조 때문에 극도로 증가되어 있다(그림 6-2). 또 한 가지 이유는 이 부위(소장에서 회장 끝까지)를 통과하는 데 상대적으로 긴 시간(약 4시간)이 소요되기 때문이다.

소장의 내부는 평평하지 않고, Kerckring이라는 윤상주름이 형성되어 있다. 이는 표면적을 3배 가량 증가시키고 장내 물질의 혼합을 도와준다. 각 돌기는 융모라고 하는 손가락 같은 돌기 형태를 띠면서 표면적은 10배 가량 증가시킨다. 융모는 장세포(흡수부위)인 상피세포와 점액 및 소화 효과를 분비하는 다른 세포들을 싸고 있다. 장세포는 브러쉬 같은 모양을 이루어 미세융모

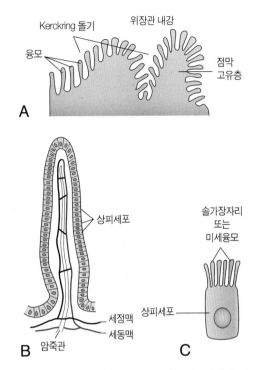

그림 6-2 A. 소장의 표면과 Kerckring 돌기, B. 융모의 단면그림, C. 장관 상피세포의 솔가장자리 구조

(microvilli)를 형성하여 장관내강을 구성하며 흡수 표면적을 증가시키는 역할을 한다. 미세융모가 브러쉬 같은 형태를 띠므로 장세포 표면을 솔가장자리(brush border)라 칭하기도 한다. 결과적으로 소장 상피의 실제 흡수 면적은 단순 원통의 표면적과 비교할 때 600배 이상 크다. 이 특별히 넓은 표면적과 상대적으로 긴 머무름 시간 (4시간)은 이 부위에서의 흡수 능력이 좋음을 뒷받침해준다.

융모는 혈관과 림프가 잘 관류되어 있고 소장으로부터의 흡수가 용이하다. 각각의 융모는 모세혈관과 네트워크를 형성하고 암죽관(lacteal)이라는 림프관을 형성한다. 소장의 모세혈관은 간문맥으로 연결된다. 대부분의 약물은 모세혈관의 혈액으로 흡수되어 간문맥으로 이동한다. 암죽관의 주 기능은 소화된 지방을 흡수하는 것이다. 지

용성 약물은 종종 소화된 지방과 함께 림프 순환을 하게 된다. 또한 소장에서의 활발한 혈액의 관류는 또한 흡수 능력에 기여한다. 흡수된 약물은 빨리 이동하며 지속적인 흡수를 위하여 양성 농도 구배를 유지한다.

장액은 복잡한 혼합물인데 장막 세포는 장관 내강으로 점액과 소화효소를 분비한다. 더불어 간(담즙) 및 이자(이자액)로부터의 소화액은 식사 후 필요에 따라 십이지장으로 분비된다. 십이지장 액은 다소 산성(pH 5.5~6.5)이며 위액의 영향 때문으로 추정한다. 공장과 회장에서 pH는 염기성의 이자액과 담즙에 의하여 조절되어 약 6.5~7.5가 된다.

대장. 위장관의 끝에 존재하는 대장은 맹장, 결장, 직장 및 항문관으로 구성되어 있다. 대장은 소장에 비해 굵고 길이는 짧다(1.5 m정도). 소장과 구조적인 측면에서는 유사하나 내표면에 융털이 없어서 흡수에 관여하는 표면적이 제한적이다. 직장의 주 기능은 소화된 음식으로부터 수분과 전해질의 흡수와 대변으로 불필요한 물질을 배설하는 것이다. 소화되지 않은 음식은 대장을 통과하는데 약 30~40시간이 소요된다. 이러한 긴 머무름 시간에도 불구하고 영양소나 약물은 일반적으로 대장에서는 충분히 흡수되지 못한다. 그러나 흡수되지 않고 남아있는 일부 약물의 경우는 작은 양이 직장에서 흡수되기도 한다. 일반적으로 많은 양의 흡수되지 않은 약물이 직장에 도달하게 되면 대부분은 대변으로 배설된다.

대장의 중요한 특징은 여러 종류의 세균(결장 미생물총)이 존재하여 다양한 기능을 한다는 것이다. 세균은 사용되지 않은 에너지원을 부식시켜 병인이 되는 세균의 증가를 방지하고 biotin 및 비타민 K 등을 만들어낸다. 또한 흡수되지 않은 채 결장에 도달한 일부 약물을 대사시키기도 한다.

경구 투여약물의 흡수

넓은 표면적과 긴 머무름 시간을 갖는 소장은 약물흡수의 주 장기이다. 약물은 소장 내피를 투과하기 위하여 반드시 장액에 용해되어야 한다. 따라서 흡수가 일어나기 전에 약물은 미리 용해되거나 (예: 경구시럽) 또는 고체형태로 경구 투여될 경우 장액에 용해되어야 한다.

위장관에서 약산이나 염기성 약물의 용해속도는 약물 고유의 용해도와 이온화도에 의존적이다. 이온화도는 약물의 pK_a, 위나 소장의 pH에 의존적이다. 위에서 이온화된 형태로 존재하는 약물은 비이온화 형태의 약물에 비해 훨씬 잘 용해된다(더 높은 용해도 때문에). 더불어 약염기 약물은 약산에 비해 위액에 더 잘 용해된다. 약산은 pH가 비교적 높은 장액으로 이동하여 잘 용해된다. 또한 고유 용해도는 전체 용해도에 영향을 준다. 다시 말해 낮은 고유 용해도를 갖는 약물은 이온화가 잘 된다 하더라도 천천히 용해된다. 약물은 장관에서 결장으로 이동될 때 장관 상피를 투과하는 데 충분한 시간을 갖도록 충분히 빠르게 용해되어야 한다.

흔히 약물을 설명할 때 높은 용해도와 낮은 용해도라는 용어를 사용한다. 이는 상대적인 개념이다. 약물 흡수에 있어서 약물의 용량이 고려되어야 한다. 예를 들어 0.05 mg/ml에서 용해도를 갖는 약물이 있다고 할 때, 약물의 용량이 10 mg이고 위에 250 ml의 체액이 있다고(물과 함께 알약으로 복용시)한다면 이는 용해되기에 충분하다. 그러나 만약 200 mg의 알약을 이와 같은 상태에서 복용한다면 약물의 용해가 충분히 일어나지 않아 문제가 될 수 있다.

대부분의 경구 투여된 약물은 수동적 세포횡단 확산을 거쳐 소장 내피를 통과하여 흡수되고, 일부는 수송체 매개 과정을 통해 흡수된다. 또한 일부 약물은 장 내피의 방출 수송체에 의해 흡수가 제한되기도 한다.

수동 세포 횡단 확산. 약물 수송체 부분에서 언급하였듯이 수동적 세포 횡단 확산은 약물이 장관 상피와 같은 관상피층을 통화하여 수송되는 주기전이다. 전하되지 않은 약물이나 비이온화 형태의 약산이나 약염기 약물은 수동 확산에 의하여 장관 상피를 통과한다. 이온화된 약물은 약물의 pK_a나 장액의 pH에 의존적이다. 장액의 구성성분, 부피 및 pH는 장관의 길이에 따라서 다양하고 이는 표 6-2에 나와있다.

소장에서 비이온화 형태로 주로 존재하는 용해된 약물은 이온화 형태로 존재하는 경우에 비해 쉽게 흡수된다. 또한 pK_a가 10 이상인 염기성 약물이나 3이하인 산성 약물의 경우는 장액pH에서 쉽게 이온화되므로 약물의 흡수가 용이하지 않다. 일반적으로 약산성 약물에 비해 약염기성 약물의 흡수가 용이하다. 약물의 이온화 평형은 빠르게 일어난다. 이는 다시 말해 비이온화 형태의 약물은 흡수되어 장관 내강을 떠나게 되면 또다시 더 많은 비이온화된 약물을 생성하도록 이온화 평형이 재설정됨을 의미한다.

비전해질 약물의 용해와 흡수는 위장관의 pH에 의해 영향을 받지 않는다. 이러한 약물은 수용성이 높다면 위와 소장에서 충분히 용해될 것이다. 또한 충분한 친유성을 띤다면 소장상피층을 수동적 세포횡단 확산에 의하여 투과할 것이다.

약물 분류 체계(Biopharmaceutical Classification System: BCS)에 의하여 경구 투여된 약물의 수용성 및 장관 투과도에 따라 분류된다. BCS는 경구로 투여된 고형 약물의 흡수 속도와 정도에 영향을 주는 두 가지 주 요인에 따라 분류되며 세부항목은 다음과 같다.

- Class I: 높은 용해도-높은 투과도(propranolol, verapamil, metoprolol)
- Class II: 낮은 용해도-높은 투과도(naproxen, ketoprofen, carbamazepine)
- Class III: 높은 용해도-낮은 투과도(cimetidine, ranitidine, atenolol)
- Class IV: 낮은 용해도-낮은 투과도 (furosemide, hydrochlorothiazide, taxol)

그림 6-3은 BCS를 도식화한 것이다. 약물의 장관 투과도는 실험에 의하여 측정되었고 약물의 용해도는 경구 투여 용량의 의존적이다. 약물의 최대 용량이 pH 1.0~7.5에서 250 ml의 물에 용해된다면 이는 높은 용해도의 약물로 분류된다. 이때의 pH와 부피는 위장관의 평균 pH와 부피를 고려한 것이다. 만약 약물이 250 ml에 용해되지 않는다면 약물은 낮은 용해도의 약물로 분류된다. 여기서 중요한 것은 동일한 수용성을 띠는 약물에 대해 더 낮은 투여 용량을 갖는 약물은 높은

표 6-2 사람 위장관 부위별 pH	
위장관 부위	**정상 pH**
구강	6.5~7.0
식도	6.0~6.0
위	1.0~3.5
십이지장	5.5~6.5
공장	6.5~7.0
회장	7.0~7.5
결장	6.0~7.0
직장	7.0~7.5

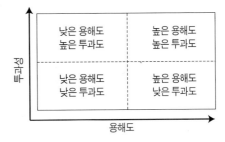

그림 6-3 약물분류 체계의 도식도. 약물이 전형적 위장관 pH인 1.0~7.5에서 위장관에 존재하는 평균 체액용적 250 ml에 최대용량이 용해되면 높은 용해도를 가지고 있는 것으로 분류된다. 위장관 투과도는 적절한 시험기술로 측정된다.

투여용량을 갖는 약물에 비해 흡수의 정도가 크다는 것이다.

BCS는 약물의 흡수에 있어서 용해도와 투과도를 별개로 분류한다. 만약 불충분한 수용성에 의하여 약물의 흡수가 좋지 않다면, 그 약물은 용해도 제한적 흡수 경향을 보인다. 반면에 낮은 지용성으로 흡수가 영향을 받는다면 이는 투과도 제한적 흡수의 경향을 보이는 것이다. 따라서 용해도와 투과도 중 흡수에 영향을 주는 요소를 기준으로 판단하는 것이 적절하다.

수송체 매개 흡수. 다양한 수송체가 장관 상피세포에 존재하고, 아미노산 펩타이드, 비타민, 미네랄, 포도당 등의 필수 영양소의 흡수에 관여한다. 각각의 수송체는 기질 특이적이나 몇몇은 그 특이성이 약하기도 하다. 이 경우는 약물과 구조가 유사한 천연물 등의 흡수에도 관여하게 된다. 예를 들어 소장에서의 아미노산 수송체는 많은 경구용 세팔로스포린의 흡수를 돕는다. 펩타이드성 약물 (베타락탐계 항생제나 ACE 저해제)은 유기질 이온 수송체에 의해 수송되는 것으로 알려져 있다. 많은 항바이러스성 약물이나 항암제 (예: zidovudine, caldribine, acyclovir, cytosine arabinoside, dideoxycytidine)는 뉴클리오사이드 유도체로 나트륨 의존적 뉴클리오사이드 수송체에 의해 매개되어 흡수가 일어난다. 그러나 수송체는 약물의 이온화 또는 비이온화 형태 중 한 가지에 훨씬 수월하게 결합하기 때문에 약물의 이온화가 중요한 요소이다.

수송체 매개 수송은 고농도의 기질 약물에서는 포화된다. 따라서 흡수에 수송체가 필요한 경우 수송체의 기질(예: 영양소)과 경쟁 관계에 있게 되어 흡수가 저해되기도 한다. 또한 수송체 발현의 유전적 차이는 개개인에 있어 흡수의 다양성을 야기시킨다.

장관 약물의 방출. 방출 펌프로서 다약제 내성 (MDR) 수송체의 역할이 수동적 세포횡단 확산에 의해 잘 흡수될 것이라 예상되는 다양한 약물의 낮은 경구 흡수율을 설명하는 실례가 되고 있다. 소수성 약물은 친수성 약물에 비해 이러한 방출 시스템에 더 민감하다. 소장 상피세포에는 장세포에서 장관 내강으로 약물을 한방향으로 방출하는 다약제 내성 수송체가 발현되어 있다. 다시 말해 약물은 수동 확산에 의하여 장 상피세포로 들어가서 혈류로 들어가지 않고 오히려 장관 내강으로 방출된다. 예를 들어 HIV-1 protease 억제제인 retinavir, saquinavir, indinavir는 P당 단백질 (P-gp) 매개 방출로 인하여 경구 투여 후 흡수가 잘 되지 않는다. Michaelis-Menten 식을 따르는 수송체 매개 수송은 기질의 농도가 높으면 포화될 수 있다. 심혈관계 약물인 celiprolol의 용량 의존적 흡수가 이를 보여준다. 투여 용량이 100 mg인 경우보다는 400 mg인 경우 흡수 비율이 더 높다. 방출 펌프는 고용량에서 포화되어 400 mg 이상의 용량은 방출 범위를 넘어서므로 전신 순환에 도달하게 된다.

또한 방출 펌프를 저해하는 물질은 약물의 흡수에 영향을 준다. 예를 들어 자몽쥬스는 P-gp 매개 수송체 저해효과를 갖는 다양한 플라보노이드를 함유하고 있어서, 한 컵의 자몽쥬스는 24시간까지 P-gp를 저해할 수 있다. 따라서 P-gp 기질인 cyclosporine과 자몽쥬스를 병용투여하는 경우 cyclosporine의 흡수가 상당히 증가함을 볼 수 있다. 이러한 상호작용은 cyclosporine과 같은 P-gp 매개 방출 대상 약물의 흡수 증가에 응용될 수 있다. 암세포에 있어서 세포내 항암제의 농도를 증가시키기 위한 P-gp 저해제의 사용 또한 다약제 내성 암세포를 갖는 환자에게 이용될 수 있다.

통과세포외 배출. 통과세포외 배출, 또는 수용체 매개 통과세포외 배출은 위장관에서 흡수되는 대부분의 저분자 약물에서는 흔하지 않다. 고분자 약물과 입자의 경우 이러한 과정은 비효율적이어서 장관 내강에서 적은 비율만이 이 방법으로 흡수된다. 몇몇 고분자성 약물은 이러한 적은 정도의 흡수로도 약리학적 효과를 충분히 얻을 수 있다. 많은 경구 투여된 백신은 통과세포외 배출로 흡수되고 작은 비율의 흡수로도 충분한 효과를 낼 수 있다.

전신투여 중 비경구 투여 경로

대부분의 환자는 다른 투여방법에 비해 경구 투여를 선호한다. 그러나 약물이나 환자의 특성상 항상 경구 투여가 가능한 것은 아니다. 이는 표 6-3에 나와있으며 몇몇 약물은 경구제제로 개발될 수 없고, 몇몇은 경구와 비경구 제제로 이용이 가능하다. 적합한 제형과 투여 경로는 특정 임상 상황에 따라 선택된다.

비경구 투여법

경구 투여가 불가능할 때 또 다른 방법은 비경구로 약물을 투여하는 것이다. 비경구란 장관 외의 경로를 의미하는데 약물(통상적으로 액체 형태)을 피부를 바늘로 뚫고 생체로 투입하는 방법이다. 비경구 투여는 몇몇 약물의 경우 통과하기 어려운 상피 조직 장벽을 피해갈 수 있다. 약물은 정맥 주사 또는 동맥 주사를 통해 혈류로 직접 주입된다. 또는 약물은 피하 주사, 근육 주사, 복강 주사와 같이 혈류에 도달할 수 있는 조직으로 주입되는 경우도 있다.

정맥 또는 동맥 주사의 경우 약물이 직접 혈류로 들어가기 때문에 흡수가 고려대상이 아니다. 이 투여법은 투여량 전부가 혈류로 들어가므로 약물을 작용지점으로 가장 빠르게 도달하게 할 수 있는 방법으로 여겨진다. 극성, 비극성 및 큰 분자량의 약물도 이러한 투여경로에 의해 효과적으로 투여될 수 있다. 정맥 주사는 정맥이 투여하기 쉽기 때문에 훨씬 더 보편적으로 사용된다.

반면에 피하, 근육 및 복강 주사는 약물이 가장 가까운 모세혈관을 통해 혈류로 들어가기 전에 투여부위의 조직을 통하여 이동되어야 한다. 다행이 이는 밀착 인접이 있는 상피조직 장벽보다는 오히려 침투가능한 내피 모세혈관 벽을 통과한다. 따라서 피하, 근육 및 복강 주사로 투여된 약물은 비록 혈류에 도달하는데 지연시간이 있기는 하지만, 경구 투여된 약물에 비해 더 쉽고 완전하게 흡수된다.

피하, 근육 또는 복강 투여는 친수성과 친유성 약물 모두에 이용될 수 있다. 친수성 약물은 모세혈관 내피의 큰 틈을 통해 세포 사이 틈을 통한 수송에 의하여 모세혈관으로 들어갈 것이고 지용성 약물은 세포 사이 틈을 통한 확산 및 세포횡단 확산에 의해서 가능할 것이다. 피하, 근육 또는 복강 주사 시 작은 단백질도 모세혈관의 내피를 통과하여 혈류로 들어갈 수 있다. 피하 및 근육 주사는 복강 주사에 비해 쉽고 간편하다.

표 6-3 경구 투여가 부적합한 약물 또는 환자의 특성

약물의 특성
- 위장관액에서 불안정하고 쉽게 분해되는 약물
- 위 또는 장관 내피에서 과민한 약물
- 수동 세포횡단 확산에 대해 지용성이 낮은 약물
- 분자크기가 커서 흡수 속도가 느린 약물

환자의 특성
- 약물은 삼키거나 복용할 수 없는 환자
- 즉각적인 반응을 요하는 경우: 상대적으로 느린 경구 흡수는 부적합함
- 위장관계 고통(메스꺼움, 구토, 설사)를 겪고 있는 경우
- 경구 투여에 의해 악화되거나 또는 약물의 흡수를 저해하는 질환을 앓고있는 경우
- 병용이 안되는 약물과 같이 투약하는 경우

직장 투여

경구로 투여된 대부분 약물은 직장으로 투여할 수 있다. 직장 투여는 항문을 통해 직장으로 투여된다. 약물은 좌약이나 정체관장에 의해 투여된다. 약물은 위장관의 다른 부위에서와 마찬가지로 직장의 상피 막을 지나 주로 수동적 세포횡단 수송에 의해 직장에서 흡수된다.

비록 직장은 혈액 공급이 원활하지만 융모가 없어서 소장에 비해 표면적이 훨씬 좁다. 따라서 경구 투여에 비해 흡수는 훨씬 천천히 일어나고 정도 또한 다양하다. 이러한 약물의 전신투여법은 소아나 노인처럼 경구 투여가 어려운 상황에 사용되기도 한다. 또한 구토나 경구로 약물을 복용할 수 없는 환자에게 이용되며, 다이아제팜을 간질이 있고 정맥 투여가 어려운 소아에게 직장 투여를 하는 것이 그 예이다.

구강 또는 설하 투여

삼키지 않고 구강으로 들어간 약물은 구강(뺨) 또는 설하(혀 밑)의 점막층을 통해 흡수를 가능하게 한다. 구강 점막은 수동적 세포횡단 확산에 의해 지용성 약물의 흡수를 신속하게 한다. 이 투여법은 일반적으로 위의 낮은 pH에 의해 분해되거나 위장관의 효소에 의해 분해되거나 초회통과 효과에 의해 대사가 많이 일어나는 약물의 경우에 주로 사용된다. 설하정은 협심증 치료를 위한 니트로글리세린 투여법으로 사용된다.

경피 투여

많은 약물이 국소부위 작용을 위해 피부로 투여되지만 피부를 통한 약물의 전신 흡수도 일어날 수 있다. 경피 투여는 피부를 통해 혈류로 약물을 전신적으로 전달하고자 하는 것이다. 피부는 불필요한 물질의 유입으로부터 생체를 보호하는 단단한 방어벽이다. 표피, 진피, 피하 지방의 세 층으로 이루어져있다. 표피의 가장 외부층은 각질층으로 여러 층의 죽은 세포로 이루어져 있다. 이는 약물 흡수의 주 장벽이다. 약물이 각질을 통과할 수 있다면 쉽게 나머지 표피 층과 진피층을 통과할 수 있다. 진피는 혈액이 잘 관류하고 있어 약물이 일단 진피에 도달하면 혈류로 쉽게 들어갈 수 있다. 따라서 약물의 물리화학적인 성질이 각질을 통과하기에 적합하다면 전신 순환에 도달할 수 있다.

각질층의 죽은 세포는 세포사이 틈을 통한 수송이 어려울 정도로 연접이 단단하게 되어 있다. 따라서 수동 세포횡단 수송이 유일한 약물 경피 흡수 수단이다. 저분자량의 지용성 약물만이 각질층을 통과하여 흡수될 수 있다. 흡수 표면적은 약물이 투여된 피부 면적을 말하는데 이는 경구 투여 시 큰 흡수 표면적에 비해 매우 작다. 따라서 피부를 통한 흡수는 통상 천천히 일어나며 경피 투여는 장기 투여 요법으로 사용된다.

효과적으로 서서히 유출되는 경피 투여 시스템을 고안함으로써 일일 일회 또는 주 일회 요법이 가능하게 되었다. 경피 패치로 에스트로겐을 주 일회 투여하는 것이 호르몬 요법으로 사용되고 있다.

폐로의 투여

흡입 또는 호흡기 투여인 이 방법은 약물을 구강을 통해 흡수 장소인 폐로 흡입하는 방법이다. 공기중에 부유된 약물은 구강에서 기관을 거쳐 폐를 형성하는 기관지 수상구조로 들어간다. 기관지 수상구조를 이루는 기관지는 더 작은 가지로 이어져서 세기관지, 종말세기관지, 마지막으로 폐포라 불리우는 허파꽈리 덩어리를 형성한다. 치조 상피 막은 아주 얇고 넓은 표면적을 가지며, 혈액 공급이 충분하다. 일단 약물이 폐포에 도달하면 수동 세포횡단 확산에 의하여 치조 상피를 통해 혈류로 신속하게 흡수된다. 또한 인슐린과 같은 고분자 약물이 소포성 수송체나 수용체 매개 세포내 섭취에 의해 치조상피에서 흡수된다는 증거가 있다.

폐흡수 표면은 대부분 종말 세기관지와 폐포에 있고, 따라서 물질은 효과적으로 흡수되기 위하여 이 부위에 도달해야 한다. 만약 약물이 기관지 수상구조를 통해 폐포에 도달하면, 흡수는 빠르게, 그리고 완벽하게 이루어진다. 흡입 가스나 증기 (일반적인 마취제)는 이러한 부위에 쉽게 도달하고, 흡입 후 모두 흡수된다. 그러나 고형 입자나 액체 방울로 흡입된 약물은 아래의 기관지 수상구조에 도달하기가 쉽지 않다. 약물 입자나 방울은 기관지 수상구조에 맞게 충분히 작아야 한다. 지름이 5 μm이하의 입자가 기관지 수상구조에 도달할 수 있다. 따라서 폐는 전신 흡수에 훌륭한 부위이지만, 흡수 부위에 충분한 용량의 약물이 도달하는 것이 문제다.

비강 투여

비강 투여는 약물을 코에 적용하는 것이며 방울이나 액체 스프레이의 형태로 사용된다. 비강 점막은 투과성이 좋고 혈액 공급이 원활한 곳이어서 약물이 신속하게 흡수될 수 있다. 비강 투여법이 전신 투여에 편리한 방법으로 보이지만, 몇가지 제약이 존재한다. 코의 해부학 및 생리학적 특성은 여러가지 이유로 약물투여에 이상적이지 않다. 코로 분무하기 위해 충분히 큰 용량의 약물을 적은 부피의 액체에 담는 것은 종종 어렵다. 흡수를 위한 비강 점막은 상대적으로 작은 표면적(150 cm²)을 가지며, 약물은 완벽한 흡수를 위해서는 약물이 남아 있지 않을 때까지 비강 점막에 부착되어 있어야 한다. 따라서 비강 투여는 경구 투여가 가능하다면 일반적으로 흔히 사용되지는 않는 방법이다.

고분자 약물의 전신 흡수

단백질 및 다른 고분자 약물은 고분자량, 높은 극성, 주위 환경에의 민감한 반응성으로 약물 송달 제제 개발에 어려움을 겪고 있다. 몇몇 약물은 상피 조직을 효과적으로 통과하지 못하여 약효를 나타내는 충분한 농도를 위하여 주사 투여법이 여전히 가장 흔히 사용되는 방법이다. 주사 투여법은 침습성이고 불편해서 여전히 주사하지 않은 전신투여법에 연구는 계속되고 있다.

다른 대체 방법은 제한적으로는 성공적이었다. 경구 투여 단백질과 큰 펩타이드는 연구되었지만 완전히 효과적인 것은 아직 개발되지 않았다. 위의 염산과 소화 효소는 쉽게 단백질과 펩타이드를 분해한다. 어느 정도 안정적이라 하더라도 약효를 충분히 낼 수 있도록 고분자가 장을 장관 상피를 통과하기는 어렵다. 경피흡수에 있어서는 경피의 물리화학적 특성이 침투 개선제라 하는 자극성 첨가제의 첨가 없이 분자량이 큰 극성물질이 각질층을 통과하는 것을 막기 때문에 적용할 만한 경피수송 시스템은 찾지 못하고 있다.

폐로의 투여는 거대분자 약물이 용액 또는 미세 파우더의 형태로 수송가능함을 보여 주었다. 폐의 체액의 특성과 조성은 혈액과 유사하여 폐로의 송달은 혈류로 약물이 주사되는 것과 매우 유사하다. 폐는 많은 거대분자 약물과 일부 작은 입자를 폐포에서 통과, 세포외 배출을 통해 흡수할 수 있다. 일단 깊은 폐에서 흡수되면 약물은 혈류로 쉽게 들어가게 된다. 그러나 생체의 방어 기전에 의하여 약물이 폐 깊숙이 들어가는 것은 쉽게 이루어지지 않는다. 고분자와 입자는 대사나 백혈구의 식세포 작용에 의해 제거된다. 그럼에도 불구하고 약물은 폐 기저 부위까지 효과적으로 송달되고 충분한 양이 혈류로 흡수되면 약효를 나타낸다. 예를 들어 인슐린의 폐로의 송달은 성공적이었고, 다른 약물의 임상 시험의 성공

사례가 보고되고 있다.

국소적 투여

전신 투여는 약물이 작용 부위에 도달하기 위하여 혈류를 사용할 필요가 있을 때 적합하다. 그러나 혈류는 약물을 원하지 않은 부작용을 유발시키는 다른 작용 부위에도 운반하게 된다. 때로는 혈류로의 약물 흡수가 불필요하도록 작용 부위나 작용 부위 가까이로 약물을 투여할 수 있다. 이러한 접근을 국소적 투여라 한다. 작용을 나타내기 위하여 약물은 작용 부위에 단지 머물러 있지 않고 조직을 통해 짧은 거리를 이동하게 된다. 높은 국소 농도가 의도된 부위에서 얻어지며 보통 전신경로에서 얻을 수 있는 것보다 훨씬 더 높게 얻어진다. 따라서 전신 투여에 비하여 국소 투여에서는 저용량의 약물이 사용될 수 있다.

혈류로의 흡수가 불필요하기 때문에 국소 송달은 많은 전신 부작용을 피할 수 있다. 그러나 이는 모든 약물이 작용 부위에 머물러 있음을 의미하지는 않는다. 투여된 약물의 일부는 혈류로 들어가고 신체의 다른 부위로 이동한다. 그 결과로 국소적으로 적용된 약물에 의해 전신적 부작용이 발생한다.

많은 전신투여경로가 국소적 상황을 치료하기 위하여 또한 사용될 수 있다. 경구 투여가 전신 투여에 가장 일반적으로 사용되지만, 경구 투여된 약물이 국소적으로 위장관질환을 치료하기도 한다. 위의 산성을 중성화시키는 제산제나 위장관 감염을 치료하는 항생제가 그 예이다. 이러한 상황에서 작용부위는 위장관이고 약물은 순환계로 흡수될 필요가 없다.

국소적인 주사는 심장 내 주사, 척수강 내 주사, 유추강 내 주사처럼 작용 부위 근처에 약물을 투약하는 방법이다. 이는 다른 투여 방법이 조직에서 약물의 적당한 농도를 얻지 못할 경우에 특수한 상황에서 사용하는 방법이다. 국소적 치료를

위한 구강 투여의 예는 국소감염 또는 통증을 치료하기 위해 잇몸, 구강, 목에 적용하는 분무제와 구강과 목의 통증을 경감시키기 위해 구강에서 용해시키는 캔디제제이다.

직장 좌제나 관장은 변비를 완화시키고 수술 전에 하부 장관을 청소하기 위해 사용된다. 연고나 크림을 치질이나 가려움을 경감하기 위해 직장에 적용하기도 한다.

진피 송달은 국소적인 치료를 위해 약을 피부에 적용하는 것이다. 피부 보호(선블럭), 감염 치료(항균제나 항생제), 피부의 상태 개선(여드름 치료제, 노화 방지제, 화학적 필링)을 위해 약물을 피부에 적용할 수 있다. 이 중 많은 피부 상태 개선제는 약물이라기 보다는 화장품으로 간주되기도 하나 그 구별은 종종 모호하다.

폐의 약물 송달은 전신 적용보다는 국소적 치료가 더 보편적이다. 천식, 폐기종, 폐 감염에 널리 사용된다. 약물의 비강 송달 또한 국소적 치료에 더 널리 쓰이고 비강 알러지나 막힘에 종종 스프레이나 물약으로 사용되고 있다.

안구를 통한 방법은 안구 관련 국소적 치료에만 사용된다. 눈은 매우 민감한 기관으로 외부물질에 의해 쉽게 자극을 받고 손상된다. 따라서 안구 관련 질환 치료 시 눈에만 사용하도록 한다. 안구 감염은 점안제나 연고가 사용될 수 있다. 안과용 약물은 녹내장에 사용될 수 있는데 약물이 각막을 통해 안방수로 이동한다.

질이나 요도로의 투약은 국소적 치료에 사용된다. 용액, 크림 또는 알약이 피임이나 감염 치료를 위해 질에 투약된다. 작은 알약이 요로 감염에 사용되기도 한다.

핵심개념

• 약물은 전신 또는 국소적으로 투여될 수 있다.

• 흡수 속도는 약물의 물리화학적인 성질과 흡수 부위의 물리적인 성질의 영향을 받는다.

• 흡수 속도는 약물이 도달한 흡수 부위에서의 용출 속도와 흡수 부위의 막을 통과하는 약물의 투과도에 의해 결정된다.

• 대부분의 약물은 수동적 세포횡단 확산에 의해 흡수된다. 비이온화된 약물만이 흡수 부위에서 상피 장벽을 확산을 통해 통과할 수 있다.

• 수송체 매개 흡수는 몇몇 약물의 흡수를 증가시키는 반면, 반대의 방출 펌프는 흡수를 저해한다.

• 국소적 투여는 혈류로의 약물의 흡수를 요구하지 않으나, 흡수는 일어날 수 있다.

복습문제

1. 약물의 국소 투여와 전신 투여의 차이 및 각각에 해당하는 투여 경로를 기술하시오.

2. 약물이 막을 통과하는 투과성에 대해 설명하시오. 다른 약물에 비해 막을 더 잘 투과하는 방법은 무엇일까요?

3. 상피 막의 통과하는 약물 흡수의 주기전은? 어떤 계수가 약물의 흡수 속도를 조절하는가?

4. 약물의 흡수를 증가 또는 감소시키는 수송제의 역할에 대해 논하시오.

5. 약물의 경구 투여에 있어 식도, 위, 소장, 결장의 역할에 대해 기술하시오. 소장에서 흡수가 잘 일어나는 이유는?

6. 장관액의 pH가 약산 및 약염기약의 흡수와 용해에 미치는 영향은 어떠한가?

7. 전신 순환에 적합한 경구 외의 투여방법은 무엇이 있는가? 각각의 투여법에 대한 간략히 기술하시오.

CASE STUDY 6-1

코카콜라로 좋아지는 것

약물의 흡수

KM은 30세 여성으로 최근에 지속적인 질의 이스트 감염을 치료하고자 200 mg 정제의 ketoconazole을 1일 1회 처방받았다. Ketoconazole은 항진균제이다.

의사는 KM에게 ketoconazole 복용 시 물보다는 코카콜라와 함께 복용할 것을 권하였는데, 이는 코카콜라가 약물의 작용을 더 활성화하기 때문이라고 했다. KM은 코카콜라를 좋아하지 않아서 약대학생인 그녀의 남동생에게 코카콜라 대신 다른 음료수와 같이 복용해도 되는지를 물어보았다.

배경

Ketoconazole은 약염기약물로 pKa가 2.9 및 6.50이다. 실제 ketoconazole은 두 약염기성 기가 이온화되지 않으면 용해도가 좋지 않다.

Ketoconazole

질문

1. pH6과 2에서 ketoconazole이 비전하, 단일전하, 이중 전하가 될 %를 계산하시오.

2. 어느 정도의 pH가 ketoconazole의 용해도에 영향을 미칠 수 있는지 설명하고, 위와 소장 중 어디에서 더 용해가 잘 될 수 있는지 기술하시오.

3. Ketoconazole이 pH 6에서 잘 용해되지 않는다면 보통 pH 6정도인 장액에서 어떻게 흡수될 수 있는지 설명하시오.

4. 고령자중 무염산증이나 위산 분비가 불충분한 경우가 있다. 이러한 환자의 경우 위산의 pH가 5-6으로 높아진다. 이러한 환자에서 keto-conazole이 낮은 흡수의 경향을 보이는 이유를 설명하시오.

5. 탄산이 든 음료수의 pH는 다음과 같다. 물을 마시는 경우 pH는 6.5~7이다. 의사가 KM에게 ketoconazole을 코카콜라와 같이 복용하라고 한 이유를 설명하시오. 그리고 다른 음료수로 적합한 것은 무엇인가? 어떻게 이러한 음료수가 ketoconazole의 작용을 활발하게 해주는가?

음료수	pH
Coca-cola	2,5
Pepsi	3,5
7-Up	3,3
Canada Dry Ginger Ale	2,7
Diet coke	3,2
Diet pepsi	3,2
Diet 7-Up	3,4

6. KM은 자신이 코카콜라를 비롯한 탄산이 든 음료를 좋아하지 않는다고 했다. 이러한 경우 어떠한 음료를 추천할 수 있는가?

7. 만약 KM이 무염산증이 아니라면 어떤 약물이 위의 pH를 높이는 데 사용될 수 있나? 그리고 ketoconazole을 복용하는 동안 금기되어야 하는 약물은 무엇인가?

참고

Banker GS, Rhodes CT (eds). Modern Pharma-ceutics, 4th ed. Marcel Dekker, 2002.

Dipiro JT, Talbert RL, Yee GC, Matzke GR, Wells BG, Posey LM (eds). Pharmacotherapy: a Pathophysiologic Approach, 5th ed. McGraw-Hill/Appleton & Lange, 2002.

Gennaro AR (ed). Remington-The Science and Practice of Pharmacy, 20th ed. Lippincott Williams & Wilkins, 2000.

Shargel L, Yu ABC. Applied Biopharmaceutics and Pharmacokinetics, 4th ed. McGrawHill/Appleton & Lange, 1999.

7 약물전달시스템
Drug Delivery Systems

새로운 약물을 개발하고 효과적인 치료 목적을 달성하기 위해서는 고유한 약리효과를 갖는 화합물을 발견하는 것 외에도, 그 약물을 어떻게 생체 내로 전달할 것인가를 고려해야 한다. 국소적이든 전신적이든 일단 적절한 투여경로를 확인해 왔다면, 약과학자들은 반드시 그 약물이 생체 내 작용부위에 적절한 시간에 도달할 수 있고, 원하는 시간 동안 유효농도를 유지할 수 있는 약물로 설계해야 한다. 적합한 약물전달시스템을 개발한다는 것은 약물분자를 발견하는 것만큼 복잡한 것으로 절대 사소한 사안이 아니다.

약물전달시스템을 설계하는 데 있어서 고려해야 할 중요한 3가지는 흡수를 위한 약물방출(release of drug), 안정성, 그리고 제형이 외형적으로 우아함(elegance)을 유지해야 한다는 것이다. 약물방출은 약물이 흡수되기 위해서 그리고 생체 표적분자와 결합하기 위해서 반드시 용해되어야 하기 때문에 필요한 것이다. 안정성은 약물이 충분한 시간 동안 약물고유의 성질을 유지해야 하고, 또한 유통기한 동안 약물의 작용이 재현성을 나타내야 하므로 중요하다. 제형의 외형적 우아함은 제형의 모양, 냄새, 맛, 그리고 투여방법 등이 환자들에게 받아들여져야 하므로 중요한 사항이다.

제형(Dosage Forms)

순수 화합물처럼 약물들은 일반적으로 고체[무정형(amorphous) 또는 결정형(crystalline)]이고 드물게 액체이다. 약물들은 비활성인 몇 가지 부형제(excipient)들과 혼합되어 있으며, 이러한 혼합물들은 제형이라 불리는 별개의 구성체로 가공된다. 각각의 부형제는 제형의 전반적인 성능에 있어서 중요한 역할을 한다. 어떤 부형제는 약물방출을 촉진할 수도 있고, 약물의 안정성을 개선시키거나, 제품이 미생물들로부터 오염되는 것을 방지하거나, 외형의 우아함을 제공하거나, 또는 제품의 대규모 생산을 용이하게 할 수도 있다.

제형의 예로서는 정제(tablet), 캡슐제(capsule), 현탁제(suspension), 용액제(solution), 그리고 연고제(ointment) 등이 있다. 제형들은 제 6장에서 기술한 바와 같이, 여러 가지 다른 경로(예를 들어 경구, 주사, 직장 내)를 통해 환자들에게 투여될 수 있다. 여러 제형들은 흡입제(inhaler), 비강분무제(nasal spray), 또는 경피 패치(transdermal patch) 등과 같은 특정 투여장치(administration device)를 사용해야 하는 것들도 있다. 제형과 투여장치가 완비된 시스템을 약물전달시스템(drug delivery system) 또는 완제(drug product)라고 부른다.

　어떤 약물의 물리화학적 특성들[용해도(solubility), pK$_a$, 친유성(lipophilicity), 입자크기(particle size), 화학적 안정성(chemical stability)]은 어떠한 투여경로, 제형, 부형제가 특정한 용도에 가장 적합하게 사용될 수 있는가를 결정하는 데 있어서 매우 중요하다. 또한 환자 개인의 요구사항들도 중요하다. 많은 약물들은 여러 경로로 투여하기 위하여 다양한 용량 및 제형들로 이용가능하다. 각 임상상황에서 어떤 제품이 그 환자에게 가장 적합한지를 분석할 필요가 있다. 약물전달시스템의 설계, 평가, 제조 등을 연구하는 학문을 약제학(pharmaceutics)이라고 칭한다.

제형의 조건

과거에는 흔히 약물성분만을 미리 양을 재서 환자들에게 직접 투여하였는데, 이러한 방법은 오늘날 거의 사용하지 않는다. 제형은 약물복용의 조절 및 정확성을 제공하고, 투여 방법을 편리하게 하며, 약물을 보호하고, 오염을 방지한다. 또한 제형은 약물이 가장 적합한 속도로 환자나 질병에서 요구되는 곳으로 전달되는 것을 가능하게 해준다.

　하나의 훌륭한 제품을 설계하기 위해서는 그 약물의 성질, 질병치료를 위한 요건들, 환자의 요구 또는 선호 등을 고려해야 한다. 최적화된 제품은 극대화된 효율로, 안전하고 신뢰할 수 있는 방식으로 그 약물을 전달한다. 가장 이상적인 약물전달시스템의 특성은 다음과 같다.

- 생체 내 가장 적절한 위치에서 약물을 용출할 것
- 각각의 환경에 대해 제어되고, 예측 가능한 속도로 약물을 용출할 것
- 위 내 pH, 음식물, 환자의 건강상태 등과 같은 생리적 가변성(variability)에 영향을 받지 않을 것

- 환자가 쉽고 용이하게 복용할 것
- 다양한 조건에서 보관할 때 유효기간이 길 것
- 대규모 제조가 쉬울 것
- 비용 효율이 좋을 것
- 외형이 우아할 것(맛, 냄새, 모양, 질감)

　비록 각각의 약물들에게 필요한 조건과 목적들을 달성하기는 어려울지라도, 이와 같은 고려는 제품을 설계하는 데 있어서 중요하다.

제형의 종류

제형은 광범위하게 전체적인 물리적 본질에 따라 다음과 같이 네 가지로 분류된다.

- 용액제(solutions)
- 분산제(dispersions)
- 반고형제(semisolids)
- 고형제(solids)

　제형에서의 약물은 보통 유효성분으로 표시되며, 여러 가지 부형제들과 함께 존재한다.

　용액제에서 약물은 용매(보통 물)에 완전 용해된다. 이 때 함께 첨가하는 부형제들로는 보조용매, 완충용액, 보존제, 안정화제, 향료, 염료 등이 있다. 용액제는 보통 경구 또는 주사 방식으로 투여하거나 코, 귀, 눈 등에도 적용할 수 있다. 비수성 용액제는 흔한 경우는 아니지만 역시 사용될 수 있는데, 예로서 주사투여를 위해 기름(oil)에 용해시키는 약물들 또는 피부적용을 위해 다른 지질(lipid)에 용해시키는 약물들이 있다.

　분산제(dispersions)는 두 개의 상(phase)으로 이루어진 것으로, 한 상이 또 다른 상에 분산된 것이다. 예로서는 현탁제(suspension, 고체 약물이 물에 분산된 것)와 유탁제(emulsion, 한 액체가 혼합되지 않는 다른 액체에 분산된 것)가 있다.

유효성분을 수용액에 균일하게 현탁시키기 위해 현탁화제(suspending agent) 또는 증점제(thickening agent)를 보통 첨가한다. 다른 부형제들은 용액제에서 사용되는 것과 유사하다. 분산제들은 보통 경구 또는 주사로 투여하거나 코, 귀, 눈, 피부 등에 적용할 수 있다. 비수성 용매에 특수 분산된 약물들도 존재하는데, 예로서는 약물을 액체 압축가스(propellant) 혼합물에 분산시켜 제조한 정량흡입제(metered-dose inhaler)가 있다.

반고형제에는 연고, 크림, 젤 등이 있으며 일반적으로 피부에 적용하기 위한 제형이지만, 안과용 연고 등과 같이 눈에 적용할 수도 있으며, 좌제(suppository) 형태로 직장 내 혹은 질 내로 투여할 수도 있다. 반고형제에는 유효성분외에 기름 또는 지질, 수분, 완충액, 점증용 고분자(polymer for thickening), 안정화 보존제 등이 포함될 수 있다.

고형제는 정제, 캡슐, 분말제와 같은 가장 흔한 제형으로, 형태(shape), 크기, 무게 및 다른 여러 가지 특성들이 매우 다양하다. 고형제는 보통 경구로 투여하지만, 분말은 피부적용 또는 흡입용으로 사용될 수 있다. 어떤 분말들은 투여 전에 액체를 첨가해서 수용액이나 현탁액으로 만들어 사용하기도 한다.

약물방출 및 용출

제형의 종류에 관계없이 약물들은 세포막을 통과해 세포 안으로 진입하기 전에 투여 부위 또는 흡수 부위에서 용액상태로 되어야 한다. 대부분의 약물들이 생체 내에서 가장 먼저 만나게 되는 매체가 수분이며 이러한 사실은 왜 약물들이 물에 대한 적절한 용해도를 갖는 것이 중요한 지를 설명해준다.

용액제 약물은 이미 용해되어진 상태로 제품화되어 있어서, 환자에게 투여된 후 즉시 흡수가 가능하다. 그러나 다른 제형들(정제, 캡슐, 현탁액

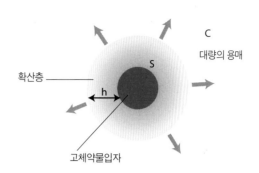

그림 7-1 용출과정의 모식도. 고체 표면에서 약물의 농도는 용출 매질에서 약물의 용해도인 S와 같고, C는 용매에서 약물의 농도이며, h는 확산층 두께를 의미한다.

등)의 경우에는 약물이 고체형태로 존재하므로, 약물은 흡수되거나 표적에 도달하기 전에 반드시 제형으로부터 방출되어야 한다. 다시 말해, 약물들은 흡수 부위에서 체액에 용해되어야 한다. 용해되지 않은 약물은 흡수될 수 없기 때문이다. 비록 약물이 전신적으로 흡수될 필요 없이 국소작용을 위한 것이라 해도, 약물분자가 작용부위에 도달하고 표적분자와 상호작용을 하기 위해서는 약물의 용출은 반드시 필요하다. 만약 약물이 완전하게 용해되지 않는다면, 흡수 또는 작용할 수 있는 약물의 양은 실제 투여한 양보다 적게 될 것이다.

용출속도

용출(dissolution)이란 어떤 화합물이 고체형태에서 용매와 고르게 섞여 액체형태로 변화되는 과정이다. 먼저 어떤 순수 약물의 용출을 생각해보자. 용출과정은 그림 7-1에서 묘사된 확산층 모델(diffusion layer model)을 사용하여 수학적으로 특정지을 수 있다. 이 모델에서는 약물 입자가 용해됨에 따라 두께 h의 얇은 액상층(확산층 또는 고정층)이 입자의 표면에 인접하여 형성된다고 가정한다. 이 층은 액상 상태의 전 액상이 완전히 혼합되는 동안 고정된 상태를 유지하고 혼합되지 않는다. 고체/액체 계면에서 약물은 급속히 용해

되어 포화용액을 형성한다. 용출 속도는 용해된 약물 분자가 고정상을 통해 고체표면에서 액상으로 확산되는 속도에 의해 영향을 받는다.

약물 입자가 특정 pH의 물에 용해될 때, 어떤 일이 고정상에서 일어나는지 다음에서 알아보자.

- 초기에(시간 = 0) 입자 주위에 급속하게 용해된 약물의 농도를 S라 하고, 이는 그 매질에서의 포화용해도이다. 아직 대량의 용매에 용해된 약물은 없기 때문에, 고정층의 나머지 한쪽 끝의 약물농도는 0(zero)이다. 따라서 고정층에서의 농도구배는, 입자 표면에 존재하는 약물의 고농도(S)와 대량용매에서의 저농도(zero)의 농도차에 의해 형성된다. 약물 분자는 고정층을 통해 대량용매로 확산되고, 입자 표면에서 포화 용액을 유지하기 위해 더 많은 약물이 입자에서 용해된다.
- 용출이 일어나는 동안(시간 = t), 이제 대량용매에서 약물 농도는 증가하여 어떤 농도 C가 되지만 입자 표면의 농도는 여전히 S이다. C < S가 지속되는 동안 고정층에서 농도구배가 일어나고, 용출이 지속될 것이다. 그러나 고정층에서의 농도구배가 더 작기 때문에 용출속도는 더욱 느려질 것이다.
- 다음 두 조건에 도달하게 되면 마침내 용출이 멈추게 된다(이 때 시간 = ∞). 입자를 완전히 용해시키기에 충분한 용매가 존재한다면, 입자 표면에서 포화용액을 유지하기 위한 고체 약물이 더 이상 남아있지 않게 될 것이며 농도구배도 사라지게 되며, 전체 고정층에서의 약물농도는 대량용매에서 농도(C)와 같아질 것이다. 만약 반대로 약물을 용해시키기에 충분한 용매가 존재하지 않는다면, 벌크에서의 농도(C)가 S와 같아지게 될 때 용출이 멈추게 될 것이며, 심지어 입자가 완전히 용해되지 않은 경우에도, 농도구배가 사라지기 때문에 더 이상 용출이

일어나지 않을 것이다.

수학적으로, 약물의 용출은 약물 농도의 증가 속도에 대한 시간의 함수이다. 이는 Fick의 제 1 확산법칙으로부터 유도되었으며, 변형된 Noyes-Whitney 식으로 기술된다.

$$용출속도 = \frac{dC}{dt} = \frac{D \cdot A(S-C)}{h} \quad (식\ 7\text{-}1)$$

이 식에서, A는 용출매질에 노출된 고체 약물의 표면적, S는 용출매질에서 약물의 용해도, C는 벌크 용출매질에서 약물의 농도, D는 약물의 확산계수, h는 확산층의 두께이다. 따라서 (S−C)는 용출과정을 유도하는 농도구배이며, 여러 시간대에서 농도구배를 그림 7-2에 도시하였다. 농도구배가 가장 클 때 용출은 초기(시간 = 0)에 빠르게 나타날 것이고, (S−C)가 점차 감소함에 따라(시간 = t) 용출은 더 느려질 것이며, 결국 용출이 중지될 것이다(시간 = ∞일 때 S−C=0). 포화용액이 대량용매에서 형성되거나(C = S) 전체 고체가 용해되었을 때 이 조건에 도달하게 된다. 시간을 무한대(∞)로 나타내었으나, 용출에 필요한 시간은 조건에 따라서 수 시간에서 수일까지 매우 다양하다.

식 7-1에서 용해도, 확산계수, 표면적이 크고, 확산층 두께가 작은 약물의 용출이 빠름을 알 수 있다.

식 7-1은 종종 다음과 같이 쓸 수 있다.

$$용출속도 = k \cdot A(S-C) \quad (식\ 7\text{-}2)$$

상수 k는 매질에서 약물의 고유용출속도상수이다. 이는 약물의 확산계수(D)에 정비례하고, 확산층의 두께(h)에는 반비례한다. 매질을 교반하거나 점도를 감소시킴으로써 확산층 두께가 감소될 수 있다.

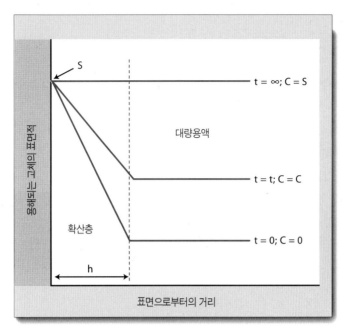

그림 7-2 시간 0, t, ∞에서 용출되는 입자의 확산층에서 나타나는 농도구배의 변화. 고체의 용해도는 S, 확산층의 두께는 h이다. 용매에서의 농도(C)는 용출이 진행됨에 따라 증가하고, 농도구배와 용출 속도를 감소시킨다. C < S인 동안 용출이 진행되며 C가 S와 같아지게 되면 용출이 멈추게 된다.

제형으로부터 약물의 용출

식 7-1로부터 약물의 용출속도를 제어할 수 있는 모든 인자들에 대해 알 수 있다. 고체 약물을 비커 속의 용매에 용해시키는 경우, 용출 속도를 증가시키거나 감소시키기 위해 각 변수(S, A, D 또는 h)를 어떻게 변화시킬지를 쉽게 결정할 수 있다. 그러나 제형 중의 약물이 생체 내에서 용출되는 경우에는 어떤 변수가 변경되고 얼마나 변화되는지에 대한 여러 가지 제약이 있다.

약물의 용해도

약물의 용해도 S는 용출속도를 결정짓는 중요한 변수이다. 매질에 대한 용해도가 큰 약물은 낮은 용해도를 갖는 약물보다 더 빨리 용출될 것이다. 4장에서, 고유 수용해도는 약물의 고체 상태 구조에 따라 다르며 더 나아가 약산 또는 약염기의 총 용해도는 매질의 pH에 의존한다는 것을 알 수 있

었으므로, 용출 속도는 이러한 인자들에 의해 영향을 받게 된다.

고체 상태 구조. 약물이 결정다형을 나타낼 경우, 준안정형 또는 높은 에너지(낮은 녹는점)의 결정형은 안정한 결정형(높은 녹는점을 갖는)에 비해 더 높은 고유 용해도와 더 빠른 용출속도를 나타낸다. 준안정형 다형의 결정 격자는 더 쉽게 부숴져서 약물이 쉽게 용해되도록 한다.

그러나 준안정형 다형은 시간이 지남에 따라 안정하고 용해도가 낮은 다형으로 점차 변하게 된다. 이 과정은 대개 제어하기 어렵고 재현성이 떨어진다. 따라서 빠른 용출 특성 때문에 준안정형 다형이 매력적이기는 하지만, 제품에서는 거의 사용되지 않는다. 제약회사들은 대개 제품 개발을 위해 가장 안정한 다형을 찾고 선택하게 된다. 일반적으로 안정한 다형은 녹는점이 가장 높고, 용해도는 제일 낮으며, 안정성이 매우 우수하다.

용출매질의 pH. 약물의 이온형은 비이온형보다 물에 대한 용해도가 더 높기 때문에, 용출 매질에서 약물이 이온화될 수 있는 경우 약물이 더 빨리 용출된다. 용출을 위해 약물의 농도구배를 증가시키게 되면 입자 표면에 더 높은 농도의 약물이 용출된다. 다양한 흡수 및 투여 부위에서 약물이 용출되는 경우, 국소적인 생리적 pH는 용출속도에 엄청난 영향을 미치게 되고, 그 결과 흡수 속도에도 큰 영향을 주게 된다.

예를 들어 위액의 pH는 1~3.5인 반면 소장액의 pH는 5.5~7.5이다. 약산성 약물은 위에서는 용해도와 용출속도가 낮으나 소장에서는 용해도와 용출속도가 높은 반면, 약염기성 약물에 대해서는 반대이다.

4장에서 기술한 바와 같이 약산 및 약염기의 염은 그 어미 산 또는 염기보다 용출속도가 빠르다. 용출속도가 빠르다는 것은 국소적인 pH의 영향 때문에 염의 수용해도가 더 높다는 것을 반영한다. 즉 염은 그 자신이 효과적으로 완충작용을 하게 되고 이온화와 용출을 촉진하게 된다. 다른 염의 종류, 예를 들어 역이온(counter-ion)도 용출에 영향을 주는데 특정 산 또는 염기성 약물은 염의 종류에 따라 다른 용해도를 갖게 되고, 따라서 다른 용출 속도를 나타내게 된다. 빠른 용출속도를 얻기 위해 적절한 염을 선정하는 것은 신약개발에서 중요한 단계이다.

흡수 속도에서 용해도의 역할. 용해도나 투과도가 흡수에 얼마나 중요한지를 예측하기 위해, 경구 약물을 BCS에 따라 분류한다는 것을 6장에서 살펴보았다. 용해도는 약물이 위장관액에서 용출될 수 있는가를 예측하는 데 이용된다.

용출과정은 BCS Class II(낮은 용해도-높은 투과도) 약물과 Class IV(낮은 용해도-낮은 투과도) 약물에 있어 중요하다. 이들처럼 용해도가 낮은 약물은 용출속도가 느리기 때문에 흡수가 불완전할 수 있다. 여러 제형들 간의 흡수 속도 차이는 흡수 및 약리 효과에서 유의적인 차이를 나타낼 수 있다. 이러한 약물을 제품으로 개발하기 위해 용출 속도를 빠르게 하기 위한 많은 노력이 이뤄진다.

반면, BCS Class III(높은 용해도-낮은 투과도) 약물의 경우 흡수를 개선하기 위해 더 빠른 용출이 필수적이지 않은데, 이러한 약물들은 용출 속도보다 막 투과도가 흡수를 더 제한하기 때문이다. 이런 약물들의 고형제는 용액제품과 같은 흡수속도를 갖도록 할 수 있다. 이러한 약물의 개발 과정에서는 용출 속도의 개선이 가장 우선적이지 않을 수 있다.

농도 구배

약물의 용해도가 높으면 용출 속도가 빨라지지만, 실제로는 농도구배(S−C)가 용출에 대한 추진력이 된다. 용해도(S)가 높고 농도(C)가 낮으면, 농도구배가 더 커질 것이다. 이는 용출이 시작될 때 용출속도가 가장 빠르고, 평형에 도달할 때(S=C) 용출속도가 느려지는 것을 설명해 준다. 만약 농도(C)를 낮게 유지시킨다면 용출 속도를 높게 유지할 수 있으며, 체내에서 용출과 흡수과정에서 이러한 현상이 나타나게 된다. 약물이 용출될 때 일부 또는 전부가 혈류로 흡수되고 흡수부위에서는 제거되기 때문에 농도구배가 유지되고 계속해서 용출이 일어나게 된다.

입자 크기

용해도 외에 약물 입자의 크기도 용출 속도에 중요한 역할을 한다. 크기가 큰 약물입자가 수많은 작은 입자로 분쇄되면, 용매에 노출되는 총 표면적(식 7-1에서 A)이 증가하고 용출속도는 비례적으로 증가하게 된다. 따라서 용출 속도를 증가시키는 일반적인 방법은 고체 입자의 평균 크기를 수 마이크론 정도로 감소시키는 것이며, 이러한 과정을 미세화(micronization)라 한다.

확산 계수

매질에서 약물의 확산계수(diffusion coefficient)는 약물의 분자량과 매질의 특성에 따라 결정된다. 높은 분자량의 약물은 낮은 분자량의 약물보다 낮은 확산계수(D)를 갖게 되고 더 천천히 용출되며 이는 모든 약물에 대해 마찬가지이지만 약물의 분자량은 구조를 변화시키지 않으면 바꿀 수 없고 다른 특성을 바꿀 수도 없다. 따라서 확산계수는 용출속도를 변화시키기 위해 쉽게 조절 가능한 변수는 아니다.

확산계수는 또한 용매의 점도에 의존하는데, 높은 점도의 용매에서 낮은 확산계수를 나타내게 된다. 따라서 약물이 용출되고 있는 생리액의 점도가 용출 속도에 영향을 줄 것이고, 이는 일반적으로 쉽게 변화되는 변수가 아니다.

확산층 두께

확산층이 두껍다(즉, h값이 크다)는 것은 용출되는 약물 분자가 고체입자에서 대량용매로 가기 위해 긴 경로를 통해 확산해야 함을 의미한다. 이는 전반적인 용출 속도를 느리게 한다. 앞서 논의되었던 다른 변수들은 약물의 특성인 반면, 확산층 두께는 매질의 특성이다. 확산층 두께는 온도를 상승시키거나, 매질의 점도를 감소시키거나 매질을 교반함으로써 감소시킬 수 있다. 일반적으로 체내의 용출 매질은 투여부위의 생리액이므로 쉽게 조절할 수 없다.

약물전달을 위한 접근법

속방출성 제품

대부분 약물전달시스템의 목표는 투여 후에 약물이 신속히 용출되는 것이며, 이러한 제품을 속방출형 시스템(immediate release system)이라고 한다. 이 시스템의 목적은 가능한 한 빨리 약물을 작용부위나 혈류로 이동시키는 것이다. 빠른 흡수와 효과를 나타낼 것이라는 가정하에 가능한 가장 빠른 용출 속도를 나타내도록 제품을 설계한다. 논의된 바와 같이 약물 입자의 표면적 A를 증가시키고(입자크기를 감소시키고) 확산층에서 약물의 용해도를 향상시킬 수 있는 적절한 부형제를 사용함으로써 신속히 약물을 용출시킬 수 있다.

그림 7-3은 경구용 정제의 약물 방출과 용출과정을 보여주고 있다. 속방출성 정제는 더 작은 과립으로 신속히 붕해(disintegration)되어 미세 입자로 분산(deaggreagation)되도록 설계된다. 더 큰 표면적이 용출 매질에 노출되면 정제 자체가 용출되는 경우보다 더 빠른 용출속도를 유도하게 된다. 속방출형 고형제에는 대개 붕해를 촉진시키는 부형제(붕해제)와 분산을 촉진시키는 부형제(계면활성제)가 사용된다.

속방출형 제품을 투여하면 혈중 약물농도는 급속히 상승하여 투여 후 바로 최고혈중농도에 도달한 후 감소하게 된다. 최고혈중농도가 너무 높으면 약물은 바람직하지 않은 유해작용을 나타낼 수 있다. 또한 혈중농도 감소가 급격한 경우 혈중 유효치료 농도를 유지하기 위해 자주 약물을 투여해야 할 것이다. 혈중 농도의 큰 변동은 일부 약물에 대해서는 적절하지 않을 수 있거나 너무 자주 약물을 투여해야 할 것이다.

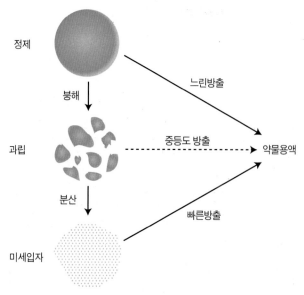

정제

붕해

과립

분산

미세입자

느린방출

중등도 방출

약물용액

빠른방출

그림 7-3 액체가 존재할 때 정제로부터 약물의 용출과 관련된 과정. 약물은 정제, 과립, 미세입자로부터 용출될 수 있으나, 과립과 미세입자의 표면적이 크기 때문에 용출속도를 더 빠르게 증가시킨다.

제어방출성 제품

가능한 한 빨리 약물을 방출하도록 고안된 속방출성 제품과는 반대로, 제어방출성 제품은 임상 상황에 적합하도록 정교하게 제어된 방식으로 체내에서 약물을 방출시킨다. 제어방출성 제품의 목표는 투여부위에서 필요한 기간 동안 일정하게 유효 약물 농도를 달성하는 것이다. 제어 방출은 제형으로부터 약물방출을 예측할 수 있어야 하며 재현성이 있어야 한다.

제어 방출이라는 용어는 제형으로부터 약물의 방출을 조절하는 다양한 방법과 관련이 있다. 이 용어는 "연장 방출(extended release)", "지연 방출(delayed release)", "조절 방출(modified release)", 또는 "지속 방출(sustained release)"로 표시되는 제제들에 사용된다. 약물의 전체 용량이 투여 직후 바로 방출되는 속방출성 제품과 달리, 제어방출성 제품은 더 오랜 시간에 걸쳐 특정 용량의 약물을 점진적으로 방출시킨다. 주요 장점

에는 투여 빈도 감소, 혈중농도의 변동 감소, 유해작용 감소, 환자의 순응도 개선이 있다.

제어 방출의 가장 일반적인 적용은 지속 방출(sustained release)로, 오랜 시간에 걸쳐 약물의 지속적인 방출과 흡수를 위하여 약물방출 속도가 의도적으로 감소시킨 것이다. 경구용 지속방출제의 경우 약물이 위에서 급속히 방출되기보다는 위장관을 따라 내려가면서 서서히 방출되고 흡수된다. 명확하게, 이는 약물의 특성과 생리적 조건이 소장의 전체에 걸쳐 약물이 흡수되도록 한다는 것을 의미한다. 지속방출시스템의 흡수속도는 혈류로부터 약물의 소실속도에 부합하도록 프로그램화되어 있어서 비교적 일정한 혈중농도가 유지된다.

느린 용출을 나타내기 위해 다양한 변수들을 어떻게 조절할 수 있는지를 이해하기 위해 식 7-1을 다시 살펴볼 필요가 있다.

• 용해도는 약물의 용해도가 낮은 형태(예, 염 대신

약산/약염기)를 선정함으로써 감소될 수 있다.

- 확산층의 pH는 산성 또는 염기성 부형제를 가해 주어 S를 감소시키기 위해 조절될 수 있다.
- 제품이 붕해되거나 분산되지 않도록 하면 표면적이 감소될 수 있다.
- 확산층 두께는 증점제를 가해줌으로써 증가될 수 있으며, 이는 약물의 확산계수 D를 감소시킬 수 있다.
- 용출속도를 지연시키는 부형제로 약물 입자를 코팅하여 매질이 약물에 빨리 도달하지 않도록 할 수 있다.

이러한 접근법은 모두 현재 시판되는 지속성 제품에 사용되고 있다.

지속성 제품은 지연된 기간 동안 치료 농도를 유지해야 하기 때문에 속방성 제품의 용량보다 더 많은 양의 약물을 포함하고 있다. 이는 이러한 제품을 사용함에 있어 가장 큰 어려움 중 하나로서, 부적절한 제조나 사용에 의해 더 많은 양의 약물이 급속히 용출되거나 흡수되어 독성을 일으킬 위험이 있기 때문이다.

모든 약물들이 지속 방출형 시스템으로 제조될 수 있거나 제조되어야 하는 것은 아니다. 약물의 물리화학적 또는 흡수, 분포, 대사, 배설 등 ADME 특성 때문에 지속 방출형 전달이 불가능할 수 있다. 더욱이, 일부 약물이나 질병 상태에 있어 일정한 혈중농도는 약력학적으로 또는 치료학적으로 바람직하지 않을 수 있다.

표적지향형 약물전달

많은 항암치료제와 같이 오늘날 대다수의 매우 강력한 약물의 치료 효과는 심각한 유해작용 때문에 제한적이다. 지금까지 논의된 전통적인 전신성 약물전달시스템에서 약물은 혈류를 거쳐 전신으로 분포된다. 단지 적은 양의 약물만 작용부위에 도달하고 나머지는 의도하지 않았던 장기와

조직으로 이행되어 유해작용을 일으킨다. 표적지향형(targeted) 또는 부위특이적(site-specific) 약물 전달은 원하는 조직에서의 약물 농도를 높이고 기타 조직에서의 약물 농도는 최소화하는 접근법이다. 체내에서 약물의 정확한 농도 그리고/또는 약물의 위치를 제어함으로써 더 낮은 용량을 사용할 수 있고 새로운 치료도 가능하다.

부작용을 최소화하는 한 가지 방법은 원하는 수용체 아형(subtype)에만 결합하는 매우 선택적인 약물을 고안하는 것이다. 목적은 최종적으로 약리작용을 유발하는 특이적 수용체에 잘 들어맞고, 친화력을 높이며 결합을 개선하는 것이다. 아쉽게도, 표적 수용체는 체내 여러 기관에 분포될 수 있고, 또한 모든 유해작용을 회피하는 데 필요한 원하는 특이성의 수준을 달성하는 것은 어렵다. 따라서 약물 표적지향의 보다 일반적인 접근법은 작용 부위에 약물이 우선적으로 존재하도록 전달 시스템을 고안하는 것이다. 시판 중인 제품 중 이러한 예는 드물지만 약물 표적화는 매우 활발한 연구분야이다.

그러나 성공적인 약물표적화는 매우 복잡하며 이는 약물의 흡수와 분포의 다양한 측면, 때로는 약물대사와 배설의 측면을 변경해야 할 필요가 있다. 작용부위에서 생물학적막 및 세포막, 약물 수용체의 종류와 분포, 약물을 대사시키는 효소의 종류와 분포, 국소 혈류 등과 같이 고려해야할 많은 중요한 변수들이 존재한다.

약물 표적화를 위한 세 가지 주요 접근법은 물리적, 생물학적, 화학적 방법으로 분류할 수 있다.

표적화를 위한 물리적 접근법은 약물의 지속적이며 비교적 일정한 혈중 및 조직 농도를 얻기 위해 제어방출접근법을 사용한다. 표적화는 표적 기관에 또는 그 주위에 전달 시스템을 위치하도록 하여 약간의 차별적 약물분포가 일어나게 하여 얻어진다. 물리적 표적화의 예는 고분자 장치로부터 눈으로 pilocarpine을 전달하거나 질내 고

분자 삽입물로부터 progesterone의 피임용 서방 출에 사용되고 있다. 이러한 접근법은 국소적 또는 비전신성 전달과 같이 부위에 쉽게 접근 가능한 경우에 성공적이다. 다른 예로 수술에 의해 원하는 부위에 또는 부근에 약물이 탑재된 이식물(implant)을 삽입하는 방법이 있으나, 침습적 과정이 필요하기 때문에 사용이 제한적이다. 생물학적 표적화 시스템은 표적 세포의 세포막에 존재하는 특정 단백질에 특이적인 항체에 약물을 부착하는 것이다. 항체-약물 중합체(conjugate)는 이러한 세포에 결합한 후, 분리되어 세포내 또는 세포 부근에서 우선적으로 약물을 방출하게 된다. 암은 이러한 방식으로 표적화할 수 있지만, 체내에는 항체-약물 중합체의 실제 분포에 관련된 수많은 문제들이 존재한다. 항체 특이성은 흔히 약물과의 결합에 의해 바뀌게 되며, 항체에 의해 운반될 수 있는 약물의 양은 적고, 항체-약물 중합체는 너무 빨리 또는 너무 느리게 분리될 수 있다. 대부분의 경우 약리효과를 나타내기에는 낮은 약물농도를 나타낼 수 있는 이러한 과정이 주된 문제가 된다.

화학적 표적화 시스템은 약물의 화학구조에 표적지향기(targeted group)를 부착하는 것이다. 2장에서 논의된 바와 같이 약물 분자의 구조를 약효기(phamacophore)와 운반체 및 취약기(vulnerable group)로 구분할 수 있음을 상기하자. 약물 표적화가 가능하려면 표적기(targetor)라는 운반기(carrier group)가 부가적인 특성을 갖도록 향상되어야 한다. 요즈음 표적기는 부위 표적화, 부위특이성, 부위체류성을 결정지을 뿐만 아니라 일반적인 약물의 분포와 제거를 조절하는 분자특성을 최적화할 수 있게 된다. 종종, 표적기는 모약물 형태에서는 화합물을 불활성인 상태로 만들지만 작용부위에서 효소에 의해 분해된 후 약물이 방출되도록 한다.

표적전달의 더 자세한 논의는 본 장의 범위를 벗어나므로 생략하기로 한다.

약물의 안정성

우수한 제품은 환자가 사용하기 전에 충분한 시간동안 성능(유효성, 안전성, 신뢰성)을 유지해야 한다. 아쉽게도, 대부분 제품은 시간에 따라 성능이 변하게 된다. 유통기한(shelf life)은 제품을 제조한 후 요구되는 조건에서 보관하였을 때 특정 범위 내에서 의도된 대로 제품이 작용할 것으로 예상되는 기간(수일, 수개월 또는 수년)을 말한다. 유효기간(expiration date)은 그 날짜 이후에는 특정 배치(batch)의 제품이 안전하고 유효하다는 것을 보장할 수 없는 정확한 일자를 의미한다. 각 배치는 동일한 유통기한을 가질 것이지만, 제조일자에 따라 서로 다른 유효기간을 갖게 된다. 이상적으로, 의약품은 긴 유통기간을 갖기를 바라는데, 즉 제품이 매우 안정하거나 우수한 안정성을 갖기를 원한다.

제형의 관점에서 "안정성"이라는 용어는 투여 단위의 화학적, 물리적 완전상태(integrity), 그리고 미생물 오염에 대해 보호할 수 있는 제형의 단위와 관련이 있다. 제품의 유통기한과 유효기간을 결정할 수 있는 불안정성은 다음과 같다.

- 약물 또는 부형제의 화학적 분해
- 미생물 오염
- 물리적 변화

특정 의약품의 유통기한은 화학적, 미생물학적 또는 물리적 불안정성 때문에 제한될 수 있다.

화학적 안정성

화학적 안정성은 시간에 따른 제품 내 활성 약물의 농도 또는 양의 변화를 의미한다. 약물은 시간이 지남에 따라 가수분해, 산화 또는 광분해와 같은 화학작용의 결과로 분해될 수 있다. 화학적 불안정성은 제형 내 약물의 양을 감소시키며, 환자에게 제공되는 용량을 감소시키게 된다. 더욱이, 제조된 제품의 분해는 바람직하지 않거나 독성을 나타낼 수 있기 때문에, 화학적 불안정성은 의약품의 유효성 및 안전성에서 점진적인 감소를 일으키게 된다. 주로 약물 자체의 화학적 안정성에 초점을 맞추고 있으나, 제품에서 어떤 부형제의 분해가 제품의 성능에 문제를 일으킬 수 있다. 대개 제조자들은 유의적인 안정성 문제를 일으키지 않는 부형제를 선택하게 된다.

일반적인 분해반응

화합물이 물과 반응하여 분해되는 가수분해는 약물의 화학적 불안정성에 대해 가장 유의해야 할 반응이다. 이는 많은 약물들이 가수분해 공격을 받기 쉬운 관능기(ester, amide, lactone, lactam)를 갖고 있고, 물은 대부분의 의약품과 주변환경에 어느 정도 존재하기 때문이다. 가수분해 속도는 제품의 pH, 제품이 보관되는 장소의 온도와 습도, 제품에 사용된 부형제에 의해 영향을 받는다. 산화, 특히 빛에 의해 촉매 되는 산화(광산화, photooxidation)는 약물의 일반적 분해반응 중 두 번째에 해당되며, 주위 도처에 산소가 존재하기 때문이다. 산화는 종종 중금속 이온에 의해 촉매되기도 한다.

분해반응은 일반적으로 용액 상태에서 가장 빠르고 고체 상태에서 가장 느리기 때문에, 약물의 고형제제는 액상제제보다 대개 더 안정하다. 부형제는 흔히 화학적 안정성을 개선하기 위해 제품에 첨가된다. 적절한 완충액과 보조용매는 가수분해 속도를 감소시키고, 킬레이트화제와 항산화제는 산화속도를 감소시킨다. 많은 고형제제는 제품에 수분과 산소가 접근하는 것을 지연시키기 위해 보호필름으로 코팅하기도 한다.

제품에 제공되는 포장도 의약품 안정성에 중요한 역할을 한다. 밀폐, 밀봉 용기를 사용함으로써 가수분해 속도와 산화속도를 감소시킬 수 있다. (실리카와 같은)건조제를 용기에 사용하게 되면 수분 함량을 감소시켜 가수분해 속도를 늦추게 된다. 불투명 용기는 제품을 빛으로부터 보호하여 광산화를 감소시키게 된다.

화학적 유통기한

대개 모든 약물들이 시간이 지남에 따라 화학적으로 어느 정도 분해되어 제품 내 활성 성분의 농도가 감소하게 된다. 농도의 작은 변화는 임상적으로 유의적이지 않으므로 대부분 의약품에 대해 화학적 분해의 허용 한계는 ±10%로 의약품은 라벨에 요구된 활성 성분의 90% 내지 110%를 포함하고 있어야 한다. 화학적 유통기한은 제조 후 이러한 범위 내에서 약물 농도가 남아 있는 기간을 의미한다. 활성 성분의 농도가 이 범위를 벗어나게 되면 제품을 폐기해야 한다.

미생물학적 안정성

제품의 미생물학적 안정성은 보관 및 사용 중에 미생물(세균 및 진균) 오염에 대한 저항의 척도이다. 주위 환경(예: 대기)에 제품이 노출되었을 때 또는 사용 중 유기체가 우연히 가해졌을 때 오염이 발생할 수 있다. 단지 적은 미생물이 제품에 유입된 경우라 할지라도 미생물이 자라서 증식되면 제품의 안전성을 심각하게 해칠 우려가 있다.

미생물의 번식은 특히 수용액제, 분산제제 및 물을 기반으로 하는 반고형제와 같이 높은 수분 함량을 갖는 제품에서 쉽게 일어난다. 대부분 이러한 제품은 미생물 번식을 최소화하기 위해 항미생물 보존제를 포함하게 된다. 대부분의 고형제제들은 비교적 적은 양의 수분을 함유하기 때문에 항미생물 보존제를 필요로 하지 않는다.

주사제 및 안과용 제품과 같은 특정 의약품들

은 유통기한 동안 멸균할 필요가 있다. 즉 감염시킬 수 있는 미생물이 존재하지 않아야 한다. 이러한 제품들을 단회 사용을 위해 고안한 경우(pre-filled syringe와 같은) 항미생물 보존제가 필요하지 않을 수 있다. 그러나 다회투여용 멸균 제품은 사용기간 동안 멸균상태를 유지하도록 보존할 필요가 있다.

물리적 안정성

제형의 다양한 물리적 특성 역시 시간이 지남에 따라 변화될 수 있다. 물리적 특성의 예는 용출 속도, 균일성, 외관 및 색상, 막, 향, 질감 등을 들 수 있다. 이러한 변화는 또한 제품의 유효성, 안전성, 신뢰성에 영향을 주게 된다. 용출 속도가 변하게 되면 약물의 흡수와 효과에 영향을 주게 된다. 그러나 시간에 따라 제품의 색, 맛, 향 또는 기타 다른 외관이 변하게 되면, 의약품의 유효성과 안정성에 대한 환자들의 인식 또한 영향을 받게 된다. 따라서 제품이 우수한 화학적 및 미생물학적 안정성을 갖고 있더라도 물리적인 변화가 유통기한을 단축시킬 수 있다.

거대분자 약물의 전달

생명공학이 진보함에 따라, 단백질, 펩티드, 핵산과 같은 매우 큰 분자의 생물의약품을 개발할 수 있게 되었다. 이들 생물의약품은 치료에 대한 새로운 접근법을 제시해주었으나, 거대분자는 투여하기 편리하면서 안전하고, 안정하며, 유효한 제품을 설계함에 있어 많은 도전을 불러일으키고 있다. 앞서 2장에서 거대분자의 흡수에 대한 어려움을 이미 논의한 것처럼 대부분의 거대분자 약물은 주사제 형태로 투여된다. 아쉽게도 주사제는 불편하고 주사부위에서 감염의 우려가 있기 때문에 환자들이 쉽게 받아들이기 어렵다. 예를 들어 당뇨병 환자는 인슐린 주사를 맞아야 하는데 환자들의 순응도와 장기적인 합병증이 심각한 문제이다. 인터페론 및 성장인자와 같이 만성적으로 투여되는 새로운 거대분자들이 도입됨으로써 대체가능하고, 비침습적이며 보다 편리한 투여방법을 개발할 필요가 있다.

유통기한이 지남에 따라 화학적 및 물리적 불안정성 문제는 종종 거대분자에서 더 심각하다. 단백질 구조에서 입체형태가 변화되면 분자가 화학적으로 분해되지 않았을지라도 제품이 불활성화되거나 면역성을 나타낼 수 있다. 생물의약품에 대해서는 18장에서 좀 더 자세히 논의하기로 한다. 거대분자 약물의 안정성을 최적화하기 위해서 특별한 부형제와 포장법이 필요한데 자세한 논의는 이 책의 범위를 벗어나므로 생략하기로 한다.

핵심개념

- 최적의 약물치료를 위해 우수한 약물전달시스템의 설계가 중요하다.
- 방출, 안정성, 우아함, 제조를 위해 의약품에 부형제를 첨가한다.
- 약물의 용출은 흡수되거나 효과를 나타내기 위해 필요한 첫 번째 단계이다.
- 용출 속도는 Noyes–Whitney Eq.으로 표현하며, 주요 인자들을 바꾸어 제어할 수 있다.
- 속방출성 제품은 신속한 흡수를 위해 빨리 용해되도록 설계된다.
- 서방성 제품은 안정된 혈중농도(steady blood levels)를 유지하기 위해 천천히 용해된다.
- 표적지향형 약물 전달은 효과를 향상시키고 부작용을 감소시키기 위한 연구분야이다.
- 의약품의 화학적, 미생물학적, 물리적 안정성이 함께 유통기한을 결정짓는다.

복습문제

1. 약물을 투여하기 위해 약물전달시스템을 사용할 때의 장점은 무엇인가? 이상적인 전달시스템의 특성은 무엇인가?
2. 고체 약물 입자의 용출을 서술하는 수학적 표현에 관하여 논하시오. 용출 속도를 증가시키거나 늦추기 위해 변경될 수 있는 인자는 무엇인가? 그리고 그 방법은?
3. 속방성 제품과 서방성 제품 간의 차이점은 무엇인가? 어떤 조건에서 같은 약물의 속방출성 제품보다 서방성 제품이 더 좋은 치료효과를 나타내는가?
4. 표적지향형 또는 부위특이적 전달의 의미를 서술하시오. 부위특이적 전달을 위한 접근법에는 무엇이 있는가?
5. 의약품의 유통기한(shelf life)과 유효기간(expiration date)의 의미는 무엇인가? 의약품의 다양한 안정성에 관하여 논하시오.
6. 거대분자 약물 전달에만 해당되는 어려움은 무엇인가?

CASE STUDY 7-1

이 환자는 중독자가 되고 있는가?

약물 전달

DT는 2년전에 체중감량을 목적으로 Roux-en-Y 위우회수술을 받은 32세 여성이다. 그녀는 115 파운드를 감량하여 건강을 되찾게 되었으며, 매일 비타민 외에 다른 약물은 복용하지 않고 있다. 최근 그녀는 스키를 타다가 사고를 당하여 발이 부러져서 수술을 받게 되었다. 의사는 코데인(codein)과 함께 타이레놀을 처방하였으나, DT의 통증은 경감되지 않았다. 의사는 다시 아편계 진통제인 Oxycontin® 10 mg 정제를 처방하였다. DT는 Oxycontin® 복용 후 조금 통증이 경감되기는 하였으나, 12시간이 아닌 6시간 마다 약을 복용해야 했다. DT는 의사에게 연락하여 더 높은 용량으로 다시 처방해 줄 것을 요구했다. 의사는 DT가 이 제품을 유용하거나 중독된 것으로 생각하고 다시 처방을 해주지 않았다.

배경

Oxycontin® 정제는 옥시코돈 염산염(oxycodone hydrochloride)을 함유하는 서방성 제제

로서, 모르핀과 유사한 남용성을 갖는 스케줄 II 제
어 물질이다. 모르핀 및 기타 진통제로 사용되는 아
편류와 마찬가지로 옥시코돈은 중독성이 있고, 남
용될 수 있으며, 때로는 환자에 의해 불법적으로 유
용될 수 있다. 옥시코돈의 pKₐ 값은 8.5이고, pH
1.0과 6.5 사이에서 물에 대한 용해도는 100
mg/mL이다. 정상 성인의 경우 옥시코돈은 경구투
여시 매우 잘 흡수되어 투여용량의 80% 정도가 전
신순환에 도달하게 된다.

Oxycodone

Roux-en-Y 시술(RYGB)은 일반적인 위우회수
술법이다. 위의 크기를 작은 주머니만큼 감소시켜
음식물의 섭취를 제한하게 된다. 주머니는 소장의
아랫부분(회장, ileum)에 연결되어 있어서, 음식물
은 소장의 대부분을 건너뛰게 된다. 주머니와 소장
의 연결부위가 매우 좁기 때문에 주머니에서 빠져
나가는 속도를 늦춰주게 되고, 소량의 음식을 섭취
한 후에도 더 오랫동안 포만감을 느끼게 된다. 소화
되지 않은 음식물들이 위의 아랫부분과 소장의 대
부분(십이지장 duodenum과 공장 jejunum)을 건
너뛰게 되므로, 음식물은 불완전하게 소화된 상태
에서 흡수되어 체중 감량을 돕게 된다.

질문

1. 옥시코돈은 약산인가, 또는 약염기인가? 제조자
   는 왜 옥시코돈 대신에 옥시코돈 염산염을 사용
   하여 정제를 제조하였다고 생각하는가?
   문2에서 문 6은 RYGB 시술이 약물 흡수에 미
   치는 영향에 대한 일반적인 질문이다.

문 7에서 문 9는 옥시코돈과 DT의 경우를 중심
으로 다루었다.

2. 경구약물전달에서 정상적인 위의 역할(용출, 흡
   수, 또는 둘 다)은 무엇인지 설명하시오. 위가 작
   은 주머니 크기로 작아진 경우 어떤 결과가 발
   생할 수 있는가?

3. 주머니는 정상적인 위보다 더 적은 벽세포
   (parietal cell)를 갖게 되며 훨씬 적은 양의 염
   산을 분비하게 된다. RYGB환자의 위 pH는 대
   개 pH 4~5이며 정상적인 위액의 pH 1~3보다
   높다. 약산과 약염기성 약물의 용출에 어떻게 영
   향을 미치는지 설명하시오.

4. 경구 약물 치료에서 소장의 역할은 무엇인가?
   Roux-en-Y 시술을 받은 환자의 경우 경구투여
   약물의 흡수가 어떻게 다른지 설명하시오.

5. 어떤 BCS 계열의 약물이 RYGB 시술에 의해
   가장 많은 영향을 받을 것인가?

6. RYBG 환자는 비타민 보충제를 복용하도록 권
   고 받는데, 이유는 무엇인가?

7. DT가 옥시코돈을 복용하였으나 충분히 통증이
   경감되지 않은 이유를 설명하시오. 옥시코돈의
   물리화학적 특성과 제형의 종류를 근거로 용출,
   흡수 또는 둘 다에서 문제가 발생할 것으로 예상
   되는가?

8. DT의 통증을 감소시키기 위해 제안할 수 있는
   옥시코돈 투여방법은 무엇인가? 고용량(20, 40,
   100 mg의 옥시콘틴 서방정 사용가능), 속방형
   옥시코돈 정제(Roxicodone), 다른 전달 경로를
   고려해 보시오.

9. RYGN 환자에 일반적으로 요구되는 사항은 경
   구 투여 시 속방성 제품을 사용하고, 더 나아가
   사용 전에 고형제제를 모두 분쇄하도록 하는 것
   이다. 왜 분쇄하여 투여해야한다고 생각하는가?
   DT에게 옥시콘틴 정제를 분쇄하여 복용하도록
   추천할 것인가?

참고

Allen LV, Ansel HC, Popovich NG, Allen LV. Pharmaceutical Dosage Forms and Drug Delivery Systems, 9th ed. Williams & Wilkins, 2010.

Aulton ME (ed). Pharmaceutics: The Science of Dosage Form Design, 2nd ed. Churchill Livingstone, 2001.

Banker GS, Rhodes CT (eds). Modern Pharmaceutics (Drugs and the Pharmaceutical Sciences vol 12), 4th ed. Marcel Dekker, 2002.

Hillery AM, Llyod AW, Swarbrick, J. Drug Delivery and Targeting. CRC Press, 2001.

약물 동력학

전체는 부분의 합보다 단순하다.
— Willard Gibbs

8 약물의 분포
Drug Distribution

전신 투여된 약물은 순환계에 의하여 약물의 특정한 작용부위 또는 체내 특정 조직에 도달하는 과정을 거치며 이 경우 약물은 혈액으로 흡수된 후 대부분의 약물은 혈류를 빠져나와 특정 작용부위로 이동하여 약효를 나타낸다. 반면 국소로 투여된 약물의 경우 혈액으로 흡수되거나 또는 혈액으로부터 빠져나오는 과정을 거치지 않는다. 국소적용 약물은 투여부위로부터 작용부위까지 매우 짧은 거리를 이동한다. 예를 들어 피부에 투여된 약물은 피부표면으로부터 진피로 이동하는 과정을 거친다. 그러나 국소로 적용된 약물 또한 순환계에 도달하여 전신으로 이동하는 것이 가능하며 이러한 경우 예상치 못한 부작용을 유발할 수 있다. 약물은 사용 목적 또는 필요에 따라 혈액 중으로 이동하는 양의 증가 또는 감소를 유도할 필요가 있으며 이를 위하여 약물 투여 후 혈액내로 수송되는 기전 및 혈액으로부터 조직으로 이동하는 기전에 대한 이해가 요구된다. 일반적으로 약물의 분포는 약물이 체내 특정 위치에서 다른 부위로 가역적으로 이동하는 단계이다.

약물의 분포 과정을 보다 쉽게 설명하기 위하여 인체는 혈관 내 체액(vascular fluid) 및 혈관 외 체액(extravascular fluid), 두 가지 체액으로 구성되는 것으로 가정할 수 있다. 혈관내 용적, 즉 혈액은 심장 및 체내 혈관계에 존재하는 체액을 포함한다. 혈관외 용적은 혈관 바깥쪽에 존재하는 모든 체액을 의미하며 세포 내액, 간질액 및 림프액 등을 포함한다. 본 장에서 약물의 분포는 약물이 혈관 내 공간과 혈관 외 공간에서 가역적으로 이동하는 과정을 의미한다. 약물의 흡수는 정맥주사 투여의 경우 직접 혈관 내로 흡수될 수 있으며 다른 경로에 의하여 투여된 약물의 경우 다른 부위(조직)에 흡수된 후 혈관 내로 이동하는 과정을 거칠 수 있다.

약물의 분포 경로는 약물 특유의 물리화학적 성상, 혈액순환 효율 및 혈관 외 조직의 특성 등에 의하여 결정되며 또한 약물 분포는 pH, 혈액 관류, 조직 결합 및 세포막 투과성 등이 조직마다 상이하게 나타나므로 인체 모든 부위에서 균등하게 발생하지는 않는다. 약물 분포의 이러한 역동적인 특성은 약물의 혈중 농도가 약물이 흡수, 분포, 대사, 배설의 과정을 거침에 따라 지속적으로 변화하는 것을 의미한다.

순환계

순환계는 영양분, 가스, 노폐물, 호르몬 및 약물 등이 체내에서 이동할 수 있는 도관과 같은 역할을 담당하며 혈액 이동에 관여하는 심혈관계와 림프액 이동에 관여하는 림프계로 구성된다.

심혈관계

심혈관계는 혈액, 심장 및 혈관으로 구성된다. 심혈관계는 혈액에 산소공급을 담당하는 폐순환, 심장에 영양 공급을 담당하는 관상동맥 순환과 다른 조직의 영양공급을 담당하는 체순환 등으로 구분되며 이 중 약물 분포와 관련하여 체순환이 가장 중요한 역할을 담당한다.

혈액

그림 8-1에 설명된 바와 같이 혈액은 혈장, 적혈구, 백혈구 및 혈소판으로 구성된다. 70 kg 성인의 경우 평균 5 L의 혈액을 체내에 보유하며 (0.07 L/kg을 의미함) 이 중 55%는 혈장으로 통칭되는 체액, 그리고 45%는 각종 세포와 혈소판으로 구성된다. 혈장은 투명한 노란색의 체액으로 0.04 L/kg 또는 70 kg 성인의 경우 약 3 L가 체내에 존재한다. 혈장에는 수분, 혈장단백질 (albumin, globulin, immunoglobulin, prothrombin, fibrinogen 등), 아미노산, 지방산 및 다양한 이온 등이 존재한다. 이들 중 약물의 분포와 관련하여 혈장 단백질이 가장 중요한 역할을 담당한다.

심장과 심박출량

심장의 가장 주된 기능은 혈액을 체내 모든 기관에 공급하며 이를 위하여 필요한 동맥압을 생성하고 유지하는 작용이다. 동맥압 생성 및 유지와 관련하여 심장은 좌심실의 근육 수축을 유도하여 대동맥 판막과 대동맥을 통하여 혈액을 좌심실로부터 내보내기에 충분한 압력을 생성한다.

심장은 혈관계를 이용하여 혈액을 인체 각 부위로 공급한다. 분당 심장이 내보내는 혈액의 양을 심박출량(cardiac output)으로 정의하며 심박출량은 심박동수(heart rate) 및 1회 심박출량(stroke volume)에 의하여 결정된다.

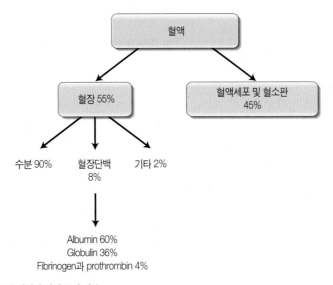

그림 8-1 건강한 보통 성인의 혈액 구성 성분

동맥　　　　　세동맥　　　　　　　　　　세정맥　　　　　정맥

모세혈관

그림 8-2 순환계에서 혈관을 구성하는 동맥, 모세혈관, 정맥의 배열

$$심박출량 = 심박동수(HR) \times 1회 심박출량(SV)$$

(식 8-1)

　건강한 성인이 서 있는 자세로 휴식을 취하고 있는 경우 1회 심실 수축에 의하여 평균 60~80 mL가 좌심실로부터 방출된다. 따라서 휴식을 취하고 있는 상태에서 분당 80회 박동의 경우 심박출량은 4.8~6.4 L/min이며 이는 인체에 존재하는 총 혈액량이 약 5 L임을 감안하면 체내 거의 대부분의 혈액은 분당 1회 꼴로 심장으로부터 방출됨을 의미한다.

혈관

사람의 심혈관계는 혈액이 혈관계 밖으로 빠져 나갈 수 없는, 즉 일정 혈액량이 계속해서 유지되는 폐쇄 구조로 존재한다. 혈관계의 구성 요소 중 동맥과 정맥은 혈액을 인체 각 부분에 공급하며 심장으로 다시 되돌려 보내는 작용을 담당한다 (그림 8-2). 즉, 동맥은 심장으로부터 혈액을 인체 각 부위로 공급하는 역할을 담당하며 대동맥에서 시작하여 혈관의 두께가 얇아지는 세동맥(arterioles)으로 분류된다. 혈액은 세동맥으로부터 가장 작은 혈관 단위인 모세혈관으로 이동하며 모세혈관에서는 혈관내 및 혈관외 체액 사이에서 대부분 물질교환이 발생한다. 혈관은 이외에도 세정맥(venules) 및 정맥 등으로 구성되며 정맥은 혈액을 심장으로 되돌려 보내는 작용을 담당한다. 이와 같이 동맥과 정맥의 특성은, 혈관 내에 존재하는 산소량보다는, 혈액 이동 방향에 의하여 결정된다.

　동맥과 세동맥 혈관은 신축성 섬유와 평활근 세포를 함유하여 높은 압력에서 견딜 수 있으며 말초저항에 따라 혈관직경이 변화되며 이에 따라서 혈류량 변화가 발생할 수 있다. 반면 정맥은 동맥에 비하여 신축성이 떨어지며 혈액 역순환을 방지하기 위하여 한쪽 방향으로 혈액이동을 가능하게 하는 판막을 함유한다. 모세혈관은 직경 약 7~9 μm의 작은 튜브형태이며 혈관벽은 내피세포의 단일 편평층으로 구성된다. 5장에서 논의한 바와 같이 내피세포는 상피세포보다 보다 느슨한 구조로 존재하며 내피세포 사이의 공간은 여과작용을 담당하는 단백질들이 느슨한 그물망으로 존재하여 거대분자들은 혈관내에 가둬두고 상대적으로 저분자는 혈관 밖으로 빠져 나갈 수 있도록 한다. 따라서 혈액세포, 혈소판, 혈장단백질은 모세혈관내에 존재하는 반면 수분과 저분자 및 대부분의 약물은 혈관내·외 공간을 자유롭게 이동할 수 있다.

모세혈관에서의 물질교환

미세순환은 일반적으로 세동맥, 모세혈관과 세정맥을 필요로 한다. 혈액과 조직사이에서 가스, 영양분, 대사체 및 약물의 교환은 대부분 미세순환 상에서만 발생한다. 혈액은 영양분을 제공하는 세포와 직접 접촉하지 않는 반면 체액은 모세혈관벽을 통하여 혈관내·외의 공간 사이로 쉽게 교환된다. 혈액이 세동맥 말단 부분과 모세혈관을 통과할 때 혈액은 심장 수축에 의하여 발생하는 압력에 의하여 영향을 받는다. 이와 같이 동맥 내에 존재하는 혈액과 조직액 사이의 미세한 압

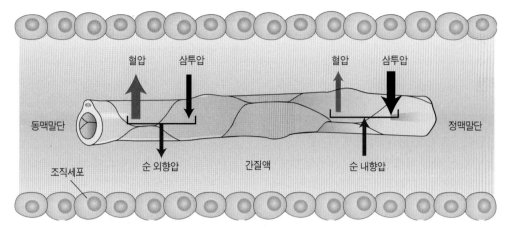

그림 8-3 모세혈관 내 순환중인 혈액과 간질액사이에서 체액의 교환. 동맥말단에서 체액은 모세혈관 밖으로 빠져나오는 반면 정맥말단의 경우 체액은 모세혈관 안으로 이동한다.

력차는 수분과 용해된 용질 등이 내피세포의 사이의 틈을 통하여 조직 주위의 간질 부위로 빠져나올 수 있도록 한다. 여과로 알려진 이러한 과정은 용질이 체액과 같이 혈관내 공간으로부터 빠져 나올 수 있는 또 다른 기전으로 알려져 있다. 대부분의 조직에서 이러한 여과는 약물분포와 관련하여 중요한 기전으로 간주되지는 않지만 뒷부분에 논의되는 바와 같이 신장에서는 약물분포와 관련하여 중요한 기전으로 작용한다.

혈액세포와 대부분의 혈장 단백질은 분자량이 크기 때문에 내피세포 사이의 틈을 통하여 모세혈관을 통과할 수 없지만 소량의 혈장 단백질의 경우 동맥 말단의 정수압에 의하여 수분과 함께 모세혈관으로부터 빠져 나올 수 있다. 간질액은 체내에서 세포를 머금은 형태로 존재하며 건강한 성인의 경우 0.13 L/kg 또는 70 kg 성인의 경우 약 9 L의 간질액을 함유한다. 혈장과 간질액은 인체에서 세포외액을 구성하는 두 가지 주요한 부분이며 간질액의 조성은 혈장의 조성과 유사하지만 혈장과 비교하여 단백질 농도가 떨어진다.

이러한 조성의 차이로 인하여 간질액은 혈장과 비교하여 삼투압이 떨어진다. 삼투압 구배는 모세혈관 벽을 따라서 형성되며 간질액에 존재하는 다량의 수분이 모세혈관으로 재진입할 수 있도록 한다. 이와 같은 혈액과 간질 사이의 체액의 교환은 그림 8-3에 설명되고 있다. 전체적으로 모세혈관과 간질액 사이의 평균압력은 유사하며 특정조직이나 질병 상태를 제외하고는 매우 소량의 수분이 혈관 밖으로 빠져 나온다.

모세혈관의 정맥말단 주변에서 혈압은 감소되며 여과압도 줄어들게 된다. 세포로부터 방출되는 노폐물과 기타의 물질들은 간질액으로부터 모세혈관으로 스며들게 되며 정맥혈류로 이동하게 된다. 간질액과 혈장은 세포외액으로 통칭되며 건강한 성인의 총 세포외 용적은 대략 0.17 L/kg 또는 70 kg 성인의 경우 12 L로 알려져 있다.

림프계

대부분의 모세혈관 주위에서 소량의 체액은 혈관으로부터 혈관 외 부분으로 이동한다. 다시 말하면, 모세혈관 바깥으로 빠져 나가는 체액의 양은 모세혈관으로 재진입하는 체액의 양보다 많다. 따라서 간질부위의 잉여 체액을 제거하여 혈관내로 이동시키는 작용을 담당하는 림프계의 작용이 없다면 간질조직에서 체액의 축적이 발생할 것이다.

림프관

림프계는 림프관과 림프절로 구성된다. 림프관은 분할되어 모세혈관과 평행하게 대부분의 조직에 퍼져 있는 극히 미세한 말단을 가진 림프모세관을 형성하게 된다. 림프 모세관은 혈액 모세혈관과는 다른 몇 가지 특징이 있다. 혈액 모세혈관은 동맥과 정맥 말단부분이 존재하지만 림프 모세혈관은 동맥말단 부분이 존재하지 않는다. 반면 각각의 림프 모세혈관은 폐쇄된 관으로부터 만들어진다. 따라서 림프관은 체액을 조직으로부터 운반하는 작용만 수행한다. 한편, 림프 모세관의 내피세포층은 혈액 모세혈관보다 투과성이 높으며 세포사이의 큰 틈은 단백질과 같은 고분자 물질이 림프 모세관을 넘나들 수 있는 장소를 제공한다.

림프

림프(액)는 림프 모혈관을 통과하는 간질액을 의미한다. 림프는 바이러스, 병원체, 세포파편 등을 함유하며 조성면에서 혈장과 유사하다. 긴쇄의 지방산, 중성지방, 콜레스테롤 에스터, 지용성 비타민 및 지용성 약물 등과 같은 지용성 화합물들은 주로 림프계를 통하여 수송된다. 림프액은 심장에서 볼 수 있는 펌프기관의 부재로 대체로 혈액보다 이동속도가 느리다.

림프액이 신체에서 순환될 때 림프액은 림프절을 통과한다. 목의 기저부(base of neck)에서 림프액은 쇄골하 정맥(subclavian veins)으로 이동하여 혈류내 혈장의 일부가 되며 하루 약 2~4 리터의 림프액이 혈관순환 중으로 되돌아온다.

림프계의 기능

림프계의 대표적인 기능은 다음과 같다.

- 혈장단백질을 포함하여 간질액을 모은 후 혈관 내 공간으로 이동시키는 기능을 수행하여 체액 균형을 유지하도록 한다.
- 림프구를 생산하여 질병으로부터 인체를 보호하는 기능을 수행한다.
- 소장으로부터 지질을 흡수하여 혈액으로 수송한다.

세 번째 기능은 지용성 약물이 식이성 지방과 함께 림프순환계로 흡수된 후 최종적으로 혈액으로 흡수되도록 한다. 이러한 이유로 다수의 경구용 지용성 약물은 음식물, 특히 지방을 함유하는 음식과 함께 복용 시 더 잘 흡수된다.

약물 분포 과정

기본적으로 혈액과 림프액은 그들을 운반하는 관 내에 존재하지만 관내와 관 밖 사이에서 체액과 용해된 물질의 끊임없는 교환이 발생한다. 혈액과 혈관 밖 공간 사이에서 전체적인 약물의 분포 과정은 그림 8-4에서 설명되는 일련의 과정을 통하여 발생한다.

- 혈류로부터 간질액으로 약물의 이동
- 간질액으로부터 조직 내 세포로 약물의 이동
- 세포로부터 간질액으로 약물의 이동
- 간질액으로부터 다시 혈액 중으로 약물의 이동

약물은 복용 후 흡수되어 혈액순환 중으로 이동되는 과정을 거치는 것으로 가정하여 약물 분포의 각 단계를 자세히 살펴보기로 한다.

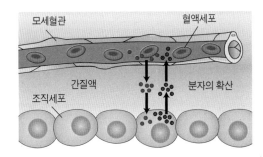

그림 8-4 약물분포과정. 약물은 모세혈관을 빠져나와 간질액(ISF) 중으로 이동하며 간질액에서 조직 내 세포의 세포내 체액(intracel-lular fluid)로 이동한 후 다시 세포내 체액으로부터 모세혈관으로 되돌아가는 과정을 거친다. 각각의 단계는 약물의 물리화학적 특성에 의하여 결정된다.

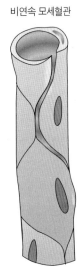

연속 모세혈관　　유창 모세혈관　　비연속 모세혈관

대표적인 분포

지방	장융모	간
근육	내분비 샘	골수
신경계	신장사구체	비장

그림 8-5 연속, 유창, 비연속 모세혈관의 비교. 연속 모세혈관은 연속적인 막을 형성하는 내피세포의 flat layer에 의하여 구분된다. 유창 모세혈관은 구멍 또는 통로에 의하여 관통된 내피세포를 함유한다. 비연속 모세혈관은 세포 사이에 커다란 틈을 가지고 있고 이로 인하여 혈장과 간질액의 혼합을 유도한다.

모세혈관 밖으로 약물의 분포

약물 또는 다른 종류 용질이 모세혈관 내·외로 이동하는 과정은 주로 확산에 의하여 이루어진다. 따라서 5장에서 논의된 바와 같이 약물의 확산계수(D), 모세혈관 내피세포 내·외에서 약물 농도의 차이(혈장에서의 농도-조직에서의 농도), 내피세포의 굵기 등은 약물의 분포속도를 결정하는 중요 요소이다. 덧붙여, 여과는 특정 조직에서 약물 분포 결정에 중요한 역할을 담당한다. 모세혈관 밖으로 이동하는 약물의 분포속도를 결정하는 그 밖의 요소들은 다음과 같다.

- 조직내 모세혈관 타입
- 약물의 물리화학적 특성
- 조직으로 이동하는 혈류속도
- 혈장 단백질 또는 조직내 단백질과 약물의 결합

모세혈관 형태

모세혈관 내피세포층은 혈액과 간질액 사이에서 거대분자, 체액 및 약물을 포함하는 용질들의 교환을 조절하는 데 가장 중요한 역할을 담당한다. 그림 8-5에서 보는 바와 같이 모세혈관은 내피세포의 구조에 따라서 연속모세혈관, 유창모세혈관, 비연속모세혈관 세 가지 형태로 구분되며(그림 8-5), 약물 또는 용질이 모세혈관 밖으로 분포되는 특성은 내피세포층의 형태에 의하여 결정된다.

연속적 모세혈관. 연속적 모세혈관은 인체에서 가장 흔한 모세혈관의 형태로 피부, 신경계, 근육 등 다양한 조직으로 혈액을 공급한다. 연속모세혈관에서 내피세포는 모세혈관 벽을 따라 연속적인 층을 형성한다. 5장에서 논의한 바와 같이 이러한 내피세포는 5~30 nm 정도의 세포사이 틈을 함유하는 일반적으로 느슨하게 결합되는 형태로 존재한다. 따라서 지용성 여부, 이온화 상태 등과 관계없이 저분자 물질은 연속모세혈관의 내피세포층을 가로질러 세포 간 틈을 통하여 쉽게 이동할 수 있다.

　한 가지 중요한 예외는 중추신경계로 혈액을 공급하는 연속모세혈관계이다. 이 부위에서 모세혈관은 매우 치밀한 연결부위로 구성되어 혈액-뇌 관문(blood-brain-barrier, BBB)을 형성한다. 따라서 5장에서 언급된 바와 같이 뇌에 존재하는 모세혈관은 세포 간 틈을 통한 투과정도가 매우 낮으며 이로 인하여 약물이 뇌 안으로 이동하는 것이 매우 어렵게 된다.

　약물을 포함하여 용질들이 혈관으로부터 뇌척수액으로 이동하는 것을 어렵게 만드는 BBB에는 몇 가지 특징들이 더 존재한다. 모세혈관벽에 매우 밀접하게 연결되어 있는 아교세포막(glial membrane)은 성상세포로 구성되어 있으며 성상세포로부터 시작된 돌기는 모세혈관의 내피세포층을 완전히 덮는다(그림 8-6). 따라서 혈액내에 존재하는 용질이 뇌에 도달하기 위해서는 모세혈관의 내피세층과 주위를 둘러싸고 있는 성상세포를 모두 통과해야 한다.

　BBB에서는 매우 작은 물질의 경우에도 세포 간 틈을 통과하는 방식의 투과는 거의 불가능하며 수동확산 또는 수송체 매개과정 등을 통한 세포통과 수송방법이 약물이 뇌 안으로 이동하기 위한 유일한 방법이다. 세포통과 방식의 경우에도 성상세포 수초의 존재에 의하여 확산 속도는 상당히 감소한다. 지용성 화합물은 수동확산에 의하여 뇌 안으로 이동할 수 있으나 극성을 띠고 있는 약물은 특정 수송체를 매개한 방식에 의하여 운반되지 않으면 뇌 조직으로 이동하는 것이 거의 불가능하다. 덧붙여 지용성 약물의 뇌 조직 내 이동은 뇌 조직 내피세포층의 내강 쪽 세포막에 존재하는 약물 유출펌프에 의하여 억제된다. 유출펌프는 항암제를 비롯한 약물을 뇌로부터 유출시켜 혈액 중으로 이동하게 하며 이로 인하여 항암제가 뇌 조직으로 이동하는 것을 억제한다. 모세혈관 내피세포층에 존재하는 약물 대사 유도

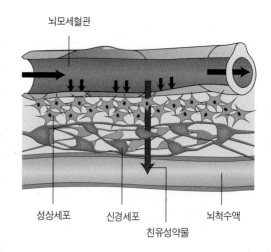

그림 8-6 약물의 뇌 이동을 어렵게 만드는 혈액-뇌-관문의 특성. 저분자 지용성 약물은 수동확산에 의하여 뇌척수액으로 이동할 수 있다.

효소 또한 약물이 뇌 조직에 도달하기 이전에 대사를 유도하여 뇌 조직내 분포 억제를 유도한다.

　따라서 약물의 작용부위가 뇌 안에 존재하는 경우 적절한 약물의 분포를 유도하는 것은 쉽지 않은 과정이며 이러한 이유로 인하여 대부분의 고전적인 항암제는 뇌종양을 치료하는 데 효율이 높지 않은 편이다.

유창 모세혈관. 유창 모세혈관의 내피세포는 직경 80~100 nm의 전체 세포 두께에 해당하는 구멍에 의하여 관통되는 상태이며 구멍은 모세혈관벽을 가로질러 통로를 공급한다. 유창모세혈관은 주로 신장에 존재하여 혈관 내 · 외의 체액이 고효율로 교환이 이루어 지도록 한다. 만약 유창모세혈관이 신장에 존재하지 않는다고 가정할 경우 신장은 혈액순환 중 저분자 노폐물을 제거하는 주 기능을 수행할 수 없다. 또한 유창모세혈관내에 존재하는 혈액은 체내 다른 부위보다 높은 정수압 상태에서 존재하며 이러한 이유로 인하여 여과는 약물이 혈액으로부터 신장으로 이동하는 주요한 기전으로 작용한다. 또한 이로 인하여 유

창모세혈관은 연속모세혈관보다 100~400배 빠른 속도로 수분과 용해된 약물의 여과작용을 유도한다. 반면, 혈액세포와 혈소판은 구멍보다 더 크기 때문에 혈액세포와 혈소판은 혈류중에서 사구체 모세혈관으로 여과되지 않는다.

혈액 중에 존재하는 많은 단백질이 모세혈관에 존재하는 구멍보다 크기가 작음에도 불구하고 소량의 혈액 내 단백질만 신장 모세혈관으로 여과된다. 이러한 현상은 대부분 단백질 표면에 존재하는 음전하가 모세혈관의 기저막의 음전하를 띠고 있는 단백질 구멍을 통하여 단백질이 이동하는 것을 억제하는 것으로 알려져 있다. 혈장 단백질에 결합한 약물은 혈액 내에 존재하며 신장으로 여과되지 않는다. 이러한 이유로 혈장 단백질과 결합한 약물의 배출속도는 크게 감소된다. 신장과 약물의 배출과 관련된 부분은 제 9장에서 좀 더 자세히 논의하기로 한다.

비연속모세혈관. 비연속모세혈관(동굴모세혈관)은 간, 비장, 골수에 주로 존재하며 매우 큰 내피세포 간 틈(직경 약 30~40 μm)을 포함하여 단백질과 같이 분자량이 큰 분자, 지질입자 및 세포 부스러기 등이 모세혈관 벽을 통과하는 것이 가능하게 한다. 간에 존재하는 동굴혈관내피의 또 다른 특징은 세포내 섭취 능력이며 이를 통하여 매우 다양한 물질들이 통과세포외 배출(transcytosis)을 통하여 수송될 수 있다. 간은 외부이물(xenobiotics)의 대사가 이루어지는 주된 장소이며 이를 위하여 혈액과 간에 존재하는 효소간의 직접적인 접촉이 요구된다. 간의 대사작용에 관한 내용은 10장에서 좀 더 자세히 논의하기로 한다.

물리화학적인 특성

대부분의 저분자 물질은 압력 구배 및 농도 구배의 결과로 쉽게 모세혈관 내피세포의 세포 간 틈을 투과한다. 일반적으로, 분자량 10,000이하의 물질은 뇌를 제외한 다른 조직에서 연속모세혈관의 세포와 세포 사이의 틈을 통과하여 이동할 수 있다. 지용성 물질과 이온화되지 않는 물질은 세포통과 방식으로 모세혈관 내피세포를 통과하여 동시에 확산될 수 있다. 분자량 10,000 이상의 거대분자 약물은 분자량이 너무 큰 관계로 많은 양들이 간질액으로 이동할 수 없으며 대부분 혈액내에 존재한다. 이러한 이유로 혈장단백질과 결합한 약물은 혈액내에 존재하며 유리형 또는 비결합형 약물만이 모세혈관 밖으로 이동할 수 있다.

지용성 용질들은 수동 세포통과 확산에 의하여 빠른 속도로 모세혈관 내피세포층을 투과할 수 있으며 이는 대부분의 조직에서 모세혈관계의 표면적이 매우 넓으며 또한 내피세포 세포막의 두께가 매우 얇기 때문에 가능하다. 대부분의 지용성 용질은 또한 모세혈관 내피세포층을 세포 간 틈을 통한 이동 방식으로 확산되지만 세포통과 방식의 수동 확산은 반응의 속도면에서 세포간 틈을 통한 이동 방식과 비슷하거나 아니면 더 빠른 것으로 인식되고 있다. 다양한 지용성 용질들의 분포속도의 차이는 분배계수와 직접 관계가 있다. 특정 조직에서 혈액과 간질액의 pH가 동일하지 않은 경우 5장에서 논의된 바와 같이 이온포획은 산성 또는 염기성 약물의 분포 촉진 또는 억제를 유도한다.

지용성이 떨어지는 수용성 약물의 경우 모세혈관 내피세포를 통하여 효율적으로 확산될 수 없으며 따라서 약물의 크기가 내피세포의 연접부위 틈보다 작을 경우 세포 간 틈 경로를 이용할 수 있다. 수용성 약물의 분포속도는 확산계수(diffusion coefficient)와 직접 관련이 있으며 지용성 약물보다 분포속도가 대체로 떨어진다.

단백질과 같은 거대분자는 세포통과 확산을 하기에는 극성이 너무 높으며 또한 내피세포 연접부위 틈을 통하여 세포 간 틈을 통한 확산을 하기에는 분자량이 너무 크다. 그러나 이러한 거대분

자 물질들 또한 소량은 동맥 정수압 및 통과세포
외 배출(소포운반) 결과에 의하여 발생하는 여과
작용에 의하여 모세혈관을 통하여 분포작용이 이
루어진다. 간의 경우 모세혈관 내피세포층이 불
연속성으로 이루어진 관계로 거대분자 또한 혈관
공간 밖으로 분포작용이 이루어진다.

혈류

특정조직에서 관류량은 일정시간에 조직에 공급
되는 혈액의 양을 의미하며 관류는 조직내 모세
혈관 망의 범위와 모세혈관으로 공급되는 혈액량
에 의하여 결정된다. 뇌, 신장, 간, 심장 등과 같이
관류되는 혈액의 양이 많은 조직에서는 미세순환
이 광범위하게 존재한다. 반면 그 밖의 조직에서
는 다량의 혈류량이 요구되지 않으며 모세혈관
망도 비교적 소량으로 존재하여 실제 피부, (휴식
상태의) 근육, 지방조직에서는 관류되는 혈액의
양이 매우 적다. 또한 관류되는 혈액량은 질병상
태에 의하여 조절되어 고혈압, 울혈성심부전 등
에서는 감소하며 특정 인체 상태에 의하여도 조
절되어 왕성하게 활동중인 피부 및 근육에서는
관류되는 양이 증가된다.

모세혈관 내피세포층을 빠르게 확산하는 약물
의 경우 분포속도는 약물이 조직에 도달하는 속
도 (즉, 관류 속도)에 의하여 결정된다. 이러한 방
식의 분포조절은 관류 조절 분포(perfusion-con-
trolled distribution)로 통칭되며 저분자 지용성 약
물에서 흔히 발견된다. 관류에 의하여 분포가 조
절되는 약물의 경우 조직에 공급되는 혈류량이
변하는 경우 분포정도가 급격히 영향을 받게 된
다.

반면 약물이 모세혈관 내피세포층을 느린 속도
로 확산하는 경우 혈류량의 변화는 약물의 특정
조직 분포에 커다란 영향을 끼치지 않는다. 이러
한 방식의 분포조절은 투과성 조절 분포(perme-
ability-controlled distrubution)라 통칭된다. 혈류

량을 변화시키는 특정 조건에서 이러한 약물의
분포는 유의적인 영향을 받지 않는다(대개의 경
우 혈류량에 관계없이 약물의 분포는 매우 느린
양상을 나타낸다). 이 경우에 해당하는 예로는 극
성을 띄는 약물이 BBB 또는 다른 종류의 밀착한
내피세포 연접을 투과하는 경우를 들 수 있다. 그
러나 모세혈관의 투과성을 변화시키는 특정 조건
에서는(예를 들어 염증) 투과성에 의하여 조절되
는 약물의 분포속도의 변화가 유도된다. 이러한
약물 분포 조절의 경우에도 약물 분포의 속도가
변화될 뿐 특정 조직에 도달하는 약물의 총량은
동일함을 유의할 필요가 있다. 조직에 도달하는
약물의 총량은 뒷 부분에 논의되는 바와 같이 약
물의 물리화학적 특성에 의하여 결정된다.

약물의 혈장단백 결합

많은 약물은 혈장 단백질과 가역적으로 결합하
여 약물-단백질 결합체를 형성한다. 혈장단백질
은 대체로 비특이적으로 약물과 결합한다. 전체
혈장단백질의 절반 이상을 차지하는 알부민은 약
물 결합에 관여하는 가장 중요한 혈장단백질이
다. 이외에 지질단백과 글로불린 또한 많은 약물
과 결합하는 혈장단백질이지만 알부민과 비교하
여 상대적으로 작은 역할을 담당한다. α 1-acid
glycoprotein(AAG)의 경우 매우 저농도로 존재하
지만 약염기 약물과 강한 결합력을 형성한다.

약물의 혈장단백질 결합은 상대적으로 비특이
적이며 결합은 단백질의 특정 활성 부위에서 일
어나지 않는다. 약물과 단백질의 물리화학적 특
성은 약물과 결합하는 단백질의 종류 및 강도를
결정하는데 중요한 요소로 작용한다. 일반적으로
지용성이 높은 약물은 혈장 단백질과 친화력이
높다. 결합강도는 결합에 관여할 수 있는 결합부
위의 수(즉, 단백질의 농도), 약물과 단백질의 결
합상수 및 약물의 농도에 의하여 결정된다. 혈장
단백질 결합은 약물의 종류에 따라 거의 결합을

하지 않는 것에서부터 99% 이상까지 매우 다양하다. 대체적으로 약물의 혈장단백질 결합은 예외적인 것이 아니라 일반적인 것이다.

따라서 혈장 중의 약물 일부는 유리된 비결합형의 상태로 존재하며 일부는 단백질과 결합된 형태로 존재한다. 단백질-약물 결합체는 분자량이 매우 큰 관계로 간을 제외하고 세포 간 틈을 통한 방식으로 모세혈관으로부터 빠져나올 수 없으며 또한 극성이 매우 큰 이유로 세포통과 방식으로 모세혈관을 빠져 나올 수 없다. 따라서 약물의 단백질 결합은 약물이 혈액안에 머물러 간질액으로 이동하는 것을 방지한다. 단백질과 결합한 약물이 혈관과 간질액에서 분포하는 양상은 그림 8-7에서 설명되고 있다.

유리 약물이 모세혈관을 빠져 나오므로 약물-단백질 결합체의 일부는 분리되어 약물은 단백질로부터 유리되어 혈중 농도의 평형상태를 유지한다.

약물과 혈장단백질 사이의 결합평형은 식 8-2와 같이 표시된다.

$$D + P \rightleftharpoons D - P \quad \text{(식 8-2)}$$

D는 유리 약물, P는 단백질 그리고 D-P는 약물-단백질 결합체 또는 결합약물을 의미한다.

약물의 총 혈중 농도($C_{p(total)}$)는 유리 약물농도와 결합된 약물 농도의 합으로 표시된다.

$$C_{p(total)} = C_{p(free)} + C_{p(bound)} \quad \text{(식 8-3)}$$

혈장에서 총 약물의 농도에 대한 유리약물의 비율은 유리비율 또는 비결합 비율로 나타내며 식 8.4와 같이 표시된다.

$$f_u = \frac{C_{p(free)}}{C_{p(total)}} = \frac{C_{p(free)}}{C_{p(free)} + C_{p(bound)}} \quad \text{(식 8-4)}$$

유리비율은 단위없이 표시되는 양적개념이며 단백질과 결합되는 약물의 정도 또한 퍼센트로 표시된다. 표 8-1은 단백질과 결합되는 약물의 결합정도를 나타낸다.

세포 내 체액으로 약물의 분포

오직 유리형으로 존재하는 약물만이 혈관을 빠져나와 간질액으로 이동할 수 있다. 약물이 혈장

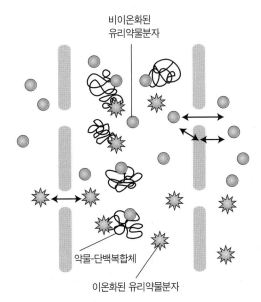

그림 8-7 모세혈관 내피세포층을 통과하는 단백질-약물 결합체의 분포. 비결합형 약물(free drug)만이 모세혈관 내피세포층을 통과할 수 있다. 이온화된 분자는 세포 간 틈을 통한 방식으로 모세혈관을 통과할 수 있으며 반면 비이온화된 지용성 약물은 세포 간 틈을 통한 또는 세포통과 방식으로 모세혈관을 통과할 수 있다.

표 8-1 약물이 혈장단백질과 결합하는 비율	
약물	**결합률 %**
Gentamicin	3
Digoxin	25
Lidocaine	51
Phenytoin	89
Propranolol	93
Furosemide	96
Diazepam	99
Warfarin	99

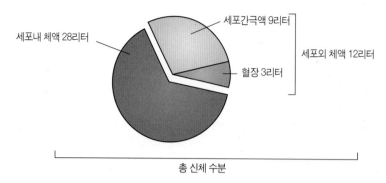

그림 8-8 약물이 분포되는 체액의 상대적인 부피. 건강한 70 kg 성인의 경우 전체 혈액 부피는 5 L이며 이 중 혈장은 3 L를 차지한다. 혈액세포의 부피는 약 2 L이며 이는 세포내 체액 부피에 포함된다. 혈장과 간질액은 세포외 체액을 구성한다. 세포내 체액 및 세포외 체액은 체내에 존재하는 전체 수분량을 의미한다.

으로부터 간질액으로 이동하는 과정을 거친 후 혈장과 간질액의 약물의 농도는 평형상태를 이루게 되면 모세혈관 내·외로 더 이상 약물의 수송은 발생하지 않으며 간질액의 약물 농도는 혈장에 존재하는 유리 약물의 농도와 동등하게 된다.

유리 약물은 간질액으로부터 조직에 존재하는 세포로 계속해서 이동한다. 지용성 용질과 비이온형 형태의 약산 및 약염기는 조직내 세포의 세포막을 통하여 세포내 체액으로 확산될 수 있다. 이러한 약물은 5장에서 살펴본 것처럼 평형상태에서 세포내 약물의 농도는 세포 밖 약물의 농도와 동등하게 된다. 덧붙여, 세포막에 수송체 단백이 존재하는 용질의 경우 수송체 매개과정을 통하여 세포내로 이동할 수 있으며 이러한 경우 세포내 체액에서 약물의 농도는 증가하며 약물이 세포내에 축적되는 결과를 가져온다.

조직내 세포로 이동할 수 있는 약물은 혈장내에 머무르는 약물 또는 혈장으로부터 오직 간질액으로만 분포되는 약물보다 더 큰 용적으로 분포된다. 간질액과 세포내 체액은 체내에 존재하는 전체 체액을 나타내며 총 신체수분으로 통칭되며 건강한 성인의 경우에 약 40 L 정도가 존재한다. 그림 8-8은 약물이 분포될 수 있는 인체 내 체액의 상대적인 용적을 나타낸다.

약물이 혈장단백질과 결합하는 것과 마찬가지로 약물은 조직 내 단백질, 또는 다른 종류의 조직 구성 성분 등과도 또한 결합한다. 이러한 결합은 조직 내 세포 안의 비결합형 약물의 농도에 영향을 미친다. 단백질과 결합한 약물이 혈장, 간질액, 세포내 체액으로 분포하는 전체적인 양상은 그림 8-9에 나타난다.

조직으로부터 혈장으로 약물의 분포

약물의 분포는 혈액 내로부터 바깥쪽으로 또는 바깥쪽에서 혈액 내로 이동하는 양방향에서 발생한다. 약물은 혈장으로부터 바깥쪽으로 분포되며 또한 동시에 대사, 배설에 의하여 혈장으로부터 제거되는 과정을 거치므로 혈장 내 약물의 농도는 조직 내 농도보다 낮아지게 된다. 또한, 약물은 반대 방향, 즉 조직으로부터 혈장으로 이동하는 과정을 거치게 된다. 조직을 빠져나와 혈액으로 이동하는 약물의 수송은 약물 및 그 대사체를 체내에서 제거하는 데 중요한 역할을 담당한다. 가장 흔하게 이용되는 수송기전은 세포 간 틈을 통한 방식과 세포통과 방식에 의한 확산이며 수송체 매개 수송은 해당되는 몇 가지 약물에서 중요한 기능을 수행한다. 조직으로 다시 수송되는 약물의 경우 조직 내 약물(또는 대사체)의 농도는

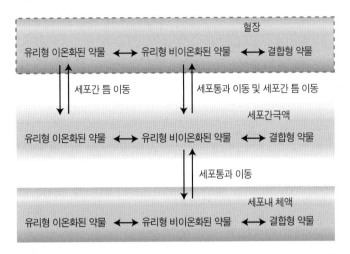

그림 8-9 단백질과 결합된 약물의 분포 양상. 비결합형 약물만이 모세혈관 내피세포층 또는 세포막을 투과할 수 있다. 이온화된 분자는 세포 간 틈을 통한 이동 방식으로만 모세혈관 내피세포층을 통과할 수 있는 반면 비이온화된 지용성의 분자는 세포 간 틈을 통한 이동 및 세포통과 방식으로 통과할 수 있다. 또한 오직 비이온화된 지용성 물질만이 세포통과 방식의 수동 확산에 의하여 세포막을 통과하며 세포내 체액으로 이동할 수 있다. 이러한 현상에 대한 예외로 수송체 매개 수송 방식을 이용하는 분자들이 있다.

혈액 내 약물의 농도보다 높다. 조직 내 여러 성분들과 높은 비율로 결합하는 약물은 조직내 유리 약물의 농도가 낮으며 농도구배가 발생하지 않기 때문에 조직 내에 머무르는 경향이 있다. 지용성 약물은 약물의 분배계수가 매우 높기 때문에 기관에 축적될 수 있다.

분포용적

약물 분포의 양적인 분석을 위해서는 약물의 약동학을 이해하는 것이 필요하다. 이전 장에서 약물은 물리화학적 특성에 따라서 조직에 다른 형태로 분포됨을 살펴보았다. 따라서 약물은 약물이 분포되는 체액 용적에 의하여 특징지어질 수 있다. 체액량을 정확히 측정하는 것은 매우 어렵기 때문에 본 장에서는 인체를 약물이 분포하는 체액을 포함하는 탱크로 가정하는 단순화된 분석법을 이용하였다. 탱크(신체)에 투여되는 약물의 총량이 알려져 있는 경우 탱크안의 약물의 농도는 측정될 수 있으며 탱크안의 체액량 또한 계산될 수 있다. 약물이 혈장 안으로만 투여되는 약물의 경우 체액

용적이 작은 반면, 약물이 혈장, 간질액 및 세포내 체액으로 투여되는 경우 체액용적은 매우 크다. 이 경우에 해당하는 용적을 겉보기 분포 용적(apparent volume of distribution)이라 통칭한다. 이 때 인체는 균일하게 구성된 탱크가 아니므로 겉보기의 의미는 실제 용적은 아니지만 분포과정을 모델링할 수 있으며 다른 약물들을 비교할 수 있는 계산된 숫자의 개념으로 이용된다.

분포용적 측정

약물의 겉보기 분포용적은 정맥주사로 약물을 투여 후 약물의 혈중농도를 즉시 측정함으로써 결정된다. 정맥주사 투여 후 약물은 혈액과 섞이며 빠른 속도로 혈장에서 평형상태를 이룬 후 전신으로 수송되는 과정을 거친다. 평균 심박출량이 4.8~6.4 L/min인 경우 관류가 잘 일어나는 조직에서 정맥 주사 후 수분 이내에 약물의 분포가 이루어진다. 대부분의 약물에서 이러한 조직은 약물분포가 주로 일어나는 조직이 된다. 만약 채혈 후 즉시 약물의 혈중농도를 분석할 경우 혈장 중

약물의 농도는 투여된 약물의 농도와 혈관 밖으로 이동되는 약물의 분포정도에 의하여 결정된다 (약물 투여 후 일정 시간 경과 후 채혈하는 경우 제거 과정에 의하여 약물의 혈장 농도는 감소된다).

분포용적(V_d)은 다음 공식에 의하여 결정된다.

$$V_d = \frac{X}{C_p} \quad \text{(식 8-5)}$$

X는 정맥주사로 투여 된 약물의 농도 (mg), C_p는 혈장에서 초기 약물의 농도를 나타내며 일반적으로 C_p는 비결합형 및 결합형 약물을 포함하는 총 약물농도를 의미한다.

약물의 분포용적은 혈관외 체액과 조직으로 이동을 조절하는 약물의 물리화학적 특성에 의하여 결정되며 약물의 분포용적을 더 잘 이해하기 위하여 아래 해당하는 세 가지 서로 다른 약물의 형태에서 분포양상을 살펴본다.

거대분자 약물의 분포용적

Heparin과 같은 단백질 약물이 정맥주사로 투여된 후 혈장농도가 측정된 것으로 가정할 경우, heparin과 같은 거대분자는 모세혈관 밖으로 이동할 수 없으므로 혈관 내에 머무르게 되어 약물의 혈중 농도는 높은 상태로 존재한다. 분포용적은 대체로 개인의 혈장 용적과 동등하며, 보통 0.04 L/kg 또는 70 kg 성인의 경우 3 L에 해당된다. Heparin과 같은 약물은 작용부위가 혈관 내에 존재하므로 혈액 내에 존재하는 것이 약효발현에 유리하다.

약물의 작용부위가 혈관 밖에 존재하는 거대분자 약물의 경우 약물은 모세혈관 내피세포층에 존재하는 수송체 또는 통과 세포외 배출을 통하여 혈장 밖으로 이동하는 것이 필요하며 따라서 이러한 약물의 경우 분포용적은 3 L 이상이다.

극성저분자 약물의 분포용적

Mannitol과 같이 극성을 띠는 저분자 약물이 정맥주사로 투여된 것으로 가정할 경우 mannitol은 저분자 약물이기 때문에 간질액으로 쉽게 이동하며 이로 인하여 혈장농도는 감소하게 된다. Mannitol은 지용성이 떨어지는 관계로 세포내 체액으로 이동할 수 없으며 세포외 체액에 머무른다. 따라서 mannitol이 분포되는 체액의 총량은 heparin이 존재하는 체액의 총량보다 크다.

Mannitol은 혈장 또는 조직에서 단백질과 결합하지 않으므로 세포외 체액에 균일하게 분포되는 것으로 가정할 수 있다. Mannitol의 초기 혈장 농도는 세포외 체액의 농도와 동일하다. 따라서 모든 조직액에서 mannitol의 농도를 측정할 필요는 없으며 초기 혈장농도를 이용할 경우 분포용적을 쉽게 구할 수 있다. Mannitol의 분포용적은 이전에 언급된 바와 같이 아래 공식에 의하여 구할 수 있다.

$$V_d = \frac{X}{C_{ECF}} \approx \frac{X}{C_p} \quad \text{(식 8-6)}$$

Mannitol은 세포외 체액에 분포되지만 세포내 체액에 분포되지 않으므로 분포용적은 약 0.17 L/kg 또는 70 kg 성인의 경우 약 12 L이다.

지용성 저분자 약물의 분포용적

다양한 조직에서 세포내로 확산될 수 있는 지용성 약물 중 많은 약물이 이 경우에 해당된다. 해당되는 많은 약물들이 혈장 단백질과 결합하지 않음을 감안할 때 약물은 혈장으로부터 새포내 체액 및 세포외 체액으로 분포된다. 즉 전체 체내 수분으로 분포될 수 있다. 약물이 분포되는 체액의 총량은 heparin 또는 mannitol이 분포되는 체액의 총량보다 크다.

이 그룹에 해당하는 약물 일정량이 정맥주사로 투여된 경우 혈장, 간질액 및 세포내 체액에서 약물의 초기농도는 동일한 것으로 간주된다. 모든 경우에서 이러한 현상이 일어나지는 않지만 대부분의 경우에서 이러한 현상이 발생하므로 본 그룹에 해당하는 약물의 분포용적은 다음과 같이 표시될 수 있다.

표 8-2 70kg 환자에서 각 약물의 겉보기 분포용적

약물	분포용적(L)
Furosemide	8
Gentamicin	18
Phenytoin	45
Lidocaine	77
Propranolol	270
Digoxin	440
Nortriptyline	1,300

$$V_d = \frac{X}{C_{TBW}} \approx \frac{X}{C_p} \quad \text{(식 8-7)}$$

이 경우에 측정된 분포용적은 체내 총 수분량(약 0.57 L/kg 또는 70 kg 성인의 경우 약 40 L)과 거의 동일하다. 체내 전체 수분으로 분포되는 이러한 약물의 예로는 phenytoin, methotrexate, diazepam 및 lidocaine 등이 있다.

분포용적의 의의

위 세 가지 약물의 분포용적 양상을 살펴보면 약물이 대용량의 체액으로 분포될 수 있는 경우 초기 혈장 농도는 낮으며 분포용적 값은 매우 큼을 알 수 있다. 반대로 말하면 약물의 분포용적 값은 약물이 다양한 조직 및 체액으로 투과되는 정도를 의미한다. 한 가지 주의할 점은 비록 일반적인 약물의 분포양상은 분포용적 값에 의하여 유추될 수 있지만 주어진 분포용적 값을 인체 내 특정 지역들에서 항상 동일시하는 것은 옳지 않다. 많은 요소들, 예를 들어 약물의 단백결합 및 여러 가지 생리학적인 요소가 분포용적 값에 영향을 미친다. 표 8-2는 몇 가지 약물의 겉보기 분포용적 값을 나타낸다.

단백결합과 분포용적

분포용적은 대체로 혈장 내 약물의 농도에 의하여 결정된다. 그러나 오직 혈장 단백질과 결합하지 않은 비결합형 약물(free drug)만이 혈장 밖으로 분포될 수 있으므로 혈장 단백질과 광범위하게 결합된 약물은 낮은 f_u를 나타내며 조직으로 덜 광범위하게 분포되어 대체로 낮은 수치의 겉보기 분포 용적 값을 나타낸다. 이러한 예에 해당하는 약물은 warfarin, valproic acid 및 penicillin 등이 있다. 혈장 단백질과 덜 광범위하게 결합하는 약물은 높은 f_u를 나타내며 혈관 밖으로 다량 확산될 수 있으며 일반적으로 높은 수치의 겉보기 분포 용적 값을 나타낸다. 분포용적은 혈장 단백질 결합, 지용성, 약물의 이온화 정도 등 다양한 요소에 의하여 영향을 받기 때문에 분포용적은 복잡하게 조절된다.

비록 혈장단백질과 결합한 약물은 모세혈관 내피세포층을 통과할 수 없지만 약물의 단백질 결합은 단백질과 비결합형 약물간의 동적인 평형상태에 의하여 결정됨을 유의하여야 한다. 비결합형 약물은 혈관을 빠져나올 수 있기 때문에 단백질 결합 평형상태는 혈관을 빠져 나온 비결합형 약물을 보충하기 위하여 재조정된다. 단백결합으로부터 방출된 약물 또한 혈관을 빠져나올 수 있다. 이러한 방식에 의하여 매우 낮은 f_u 수치를 갖는 약물은 예상보다 높은 분포용적 값을 나타낸다. Amiodarone, digoxin 및 삼환계 항우울제들은 혈장 단백질과 높은 비율로 결합하지만 조직 내 단백질과 더 높은 친화력으로 결합하여 분포

용적값이 매우 크다.

비결합형 약물만이 신장을 통하여 배설될 수 있으므로 혈류는 단백질과 결합한 약물의 저장소로 작용하며 체내 약물의 반감기를 연장시키는 작용을 나타낸다. 많은 약물의 경우에서 비결합형 약물만이 대사되므로 단백결합은 또한 약물의 반감기 연장을 유도한다. 비결합형 약물은 대사 및 배설에 의하여 체내에서 제거되므로 공식 8-2에 나타난 바와 같이 평형상태를 유지하기 위하여 단백질과 결합한 약물은 다시 방출된다.

단백결합은 약물의 투여 농도 및 투여횟수를 결정하는 데 고려되어야 하는 중요요소이다. 건강한 성인의 경우 혈장 단백질의 농도는 대개 비슷하므로 약물의 농도 및 투여회수는 표준화되어 조절될 수 있다. 그러나 특정 질환 상태에서 혈장 단백질의 농도는 유의적으로 변화될 수 있다. 이러한 상황에서 약물이 계획보다 고농도 또는 저농도의 혈중 농도를 나타내는 것을 방지하기 위하여 약물의 투여농도는 재조정되어야 한다.

환자가 여러 종류의 약물을 복용할 때 동일한 혈장 단백질에 결합하는 경우 복잡한 현상이 발생할 수 있다. 특정 약물은 다른 약물의 단백결합에 유의적인 영향을 미칠 수 있으며 이 경우 약물의 투여농도는 재조정되어야 한다. 이러한 경우에 해당되는 약물들은 병용투여를 피하여야 한다. 이러한 경우 문제의 심각성은 단백질 결합 정도에 의하여 결정된다. 예를 들어 약물 X의 98%가 albumin에 결합하며 결합된 약물 중 2%가 다른 약물의 결합에 의하여 유리되는 경우 약물 X의 유리된 상태의 농도는 두 배로 증가하게 된다. 반면, 약물 Y가 70% albumin에 결합하며 결합 약물 중 2 %가 다른 약물에 의하여 유리되는 경우 약물 Y의 유리된 상태의 농도는 유의한 영향을 받지 않을 것이다.

결합 및 이로 인한 조직 내 축적

많은 약물은 혈장 단백질뿐 아니라 조직 내 단백질 또는 다른 요소들과 결합하며 약물의 조직 내 결합이 높을 경우 분포용적 값은 크게 된다. 실제로 약물의 분포양상을 결정할 때 약물의 조직 결합은 혈장 단백질 결합보다 더 중요한 역할을 담당한다. amphetamine과 meperidine과 같은 지용성 약물들은 조직 내에 광범위하게 결합하며 이로 인하여 겉보기 분포 용적 값이 전체 체내 수분보다 높게 된다. 반대로 말하면 약물의 분포용적 값이 전체 체내 수분보다 높을 경우 이는 약물이 조직과 광범위하게 결합함을 의미한다. 즉, 이 경우 대부분의 약물은 조직에 존재하며 혈장에는 매우 저농도로 존재한다.

약물의 조직결합은 매우 느린 속도로 진행되며 따라서 분포 양상 변화는 일회 투여 후 측정하는 경우보다 수회 투여 후에 더욱 확실히 나타난다. 이러한 약물의 경우 분포용적은 수회 투여하여 약물의 혈중농도가 평형상태에 도달하는 상태에서 측정하며 단회 투여 대신 평형상태에서 분포용적을 측정하는 것은 생리적으로 인체환경과 더 유사한 상태에서 분포용적을 측정할 수 있는 이점이 있다.

조직과 매우 강한 친화력을 가지고 있는 약물은 조직내 함량(농도)이 매우 높으며 반면 혈장내 농도는 감소한다. 이러한 약물은 오랜 시간동안 인체 내에서 축적, 저장되는데 이와 관련된 주된 이유는 혈장 내에 존재하는 비결합형 약물만이 대사되며 배출될 수 있기 때문이다. 이러한 현상에 해당되는 예는 지방조직에 지용성 약물이 축적되는 경우이며 이러한 약물들은 전체 체내 수분보다 높은 겉보기 분포 용적 값을 갖는다. 또 다른 예는 tetracycline계 항생제들이 뼈 또는 치아에 침착되는 경우이며 이러한 현상은 약물과 조직 내 칼슘 사이에 chelation이 형성되기 때문이다.

핵심개념

- 약물의 분포는 순환계를 통하여 약물이 인체로 수송되는 과정을 통하여 이루어진다.
- 약물의 분포는 동적인 과정으로 혈장 또는 조직에서 약물의 농도는 약물이 흡수되며 인체에서 제거됨에 따라 끊임없이 변화한다.
- 약물의 분포양상은 약물의 물리화학적 특성, 조직 내 모세혈관 내피세포층의 특성, 조직으로 관류되는 혈액량 및 혈류, 또는 약물-단백질 결합 등에 의하여 결정된다.

- 비결합형 약물만이 세포막을 투과하여 분포된다.
- 겉보기 분포 용적은 약물이 혈관을 빠져나와 조직으로 분포되는 정도를 결정한다.
- 분포용적값이 높을 경우 약물이 인체 내에 머무는 시간은 길어진다.

복습문제

1. 약물에 대한 투과성이 상피세포보다 모세혈관 내피층에서 높은 이유는?

2. 약물이 혈관을 쉽게 빠져 나올 수 있도록 만드는 물리화학적 특성은? 또한 쉽게 혈관을 빠져 나올 수 없는 약물의 형태는?

3. 인체 내 다른 형태의 체액구획이란? 다른 종류의 체액구획에 들어갈 수 있도록 결정하는 약물의 물리화학적 특성은?

4. 모세혈관 내.외로 약물이 분포되는 데 관여하는 일차 수송기전은?

5. 혈액-뇌 관문이 약물이 뇌로 투과되는 것을 방지하는 이유는? 약물이 뇌 안으로 분포되는 데 필요한 물리화학적 특성은?

6. 신장과 간에 존재하는 모세혈관 내피세포가 각각의 기능을 수행하는 기전은?

7. 약물의 겉보기 분포용적을 측정하는 방법은? 이러한 측정방법에 필요한 가정은?

8. 겉보기 분포 용적값은 어떻게 해석될 수 있는가? 또한 겉보기 분포 용적 값이 해당 약물에 대하여 의미하는 바는?

9. 약물의 혈장 또는 조직 내 단백질 결합이 약물의 분포에 영향을 미치는 이유는?

10. 겉보기 분포 용적을 측정할 때 약물이 단회 투여된 경우보다 다수 투여된 후 측정하는 것이 좋은 경우는?

연습문제

1. Theophylline, amphetamine, tolbutamide 50 mg이 건강한 성인에게 정맥주사로 투여된 후 즉시 약물의 혈장농도를 측정하여 표와 같은 혈장 내 농도를 얻었다.

약물	혈장농도(mg/L)
Theophylline	1.2
Amphetamine	0.15
Tolbutamide	6.0

혈장 단백질 결합이 없는 것으로 가정하고 다음 문제에 답하시오.

a. 각 약물의 분포용적은? 모든 약물이 동량(50 mg) 투여됨에도 불구하고 초기 혈장농도가 다른 이유는?

b. 측정된 분포용적 값에 근거하여 각각의 약물이 분포되는 체액의 종류 (혈장, ICF, ECF)를 설명하시오.

c. 초기 혈장농도가 3.6 mg/L에 도달하는 데 필요한 theophylline의 정맥주사 투여 용량은?

d. Theophylline의 분포용적 값은 심혈관 질환 환자에서 매우 낮다. 이러한 환자에서 1.2 mg/L의 초기 혈장 농도에 도달하기 위하여 필요한 theophylline의 정맥주사 투여량은 50 mg 이상 또는 이하인지 결정하고 그 이유를 설명하시오

2. Tetracycline (TET, V_d=1.3 L/kg; 55% 혈장 단백질과 결합)과 doxycyline(DOX, V_d=0.6 L/kg; 90% 혈장 단백질과 결합)은 광범위 항생제로 널리 이용되고 있다.

a. 70 kg 성인에서 각 약물의 분포용적 값을 구하라. 위 약물들이 분포되는 체액구획에 관하여 이들 분포용적이 의미하는 바는? 분포용적 값은 광범위한 조직결합을 의미하는가?

b. 혈장에서 위 약물들의 free fraction (f_u) 값은?

c. TET와 DOX는 동일한 체액과 조직으로 분포되지만 DOX의 분포용적값이 TET보다 낮은 이유는?

d. 심한 오심 및 구토를 겪는 환자는 정맥주사로 TET를 투여 받는다. 110 pounds 환자의 경우 초기 혈장 농도 5 μg/mL을 유도하기 위하여 요구되는 TET의 정맥주사 투여 용량은?

e. 초기 TET의 혈장 농도가 5 μg/mL인 환자의 경우 비결합형의 TET의 농도는?

그 베타차단제는 어디에 있는가?

　베타차단제는 고혈압, 부정맥, 허혈성 심질환과 같은 심혈관질환의 치료에 이용된다. 건강한 성인 의 경우 다음 세 가지 베타차단제의 분포양상은 다음과 같다.

약물명	단백결합률 %	V_d(L/kg)	pK_a	P_{app}(pH 7.4)
Propranolol(Inderal®)	90	4	9.5	12
Metoprolol(Lopressor®, Toprol®)	12	10	9.7	1.0
Atenolol(Tenormin®)	6	5	9.5	0.02

Propranolol

Propranolol

Atenolol

Atenolol

Metoprolol

Metoprolol

질문

1. 이들 약물은 약산성인가? 약염기성인가?

2. pH 7.4에서 P_{app}값과 pK_a에 근거하여 각 약물의 분배계수 값을 구하며 이들 약물의 지용성을 높은 순서대로 나열하라.

3. 위 약물 중 혈액-뇌 관문을 통과하기 가장 쉬운 약물은? 또한 그 이유는?

4. 약물의 지용성이 약물의 분포양상 및 분포용적 값에 영향을 미치는 이유를 설명하시오. 혈장 단백질 결합이 약물의 분포양상 및 분포용적 값에 영향을 미치는 이유를 설명하시오.

5. Atenolol과 propranolol은 매우 상이한 지용성과 혈장 단백질 결합비율을 나타냄에도 불구하고 유사한 분포용적 값을 갖는다. 이러한 현상을 나타내는 이유는?

6. 5 mg의 propranolol이 70 kg 성인에게 정맥 주사로 투여된 경우 초기 혈장 농도는? 결합형 및 비결합형 propranolol의 농도는?

7. Propranolol을 투여받는 환자의 일부는 수면 장애, 정신이상, 우울증, 환각 등 중추신경 이상 증세를 나타낸다. Metoprolol과 atenolol 중 이러한 부작용 방지 및 치료에 더욱 효과적인 약물은?

8. 위 세 약물은 모두 혈장에서 albumin보다 AAG에 주로 결합한다. AAG가 albumin보다 이들 약물에 대하여 단백질 결합에 중요한 역할을 나타내는 이유는?

9. AAG의 농도는 노년 환자에서 높은 비율을 나타낸다. 이러한 현상이 노인 환자에게서 propranolol과 atenolol의 혈장농도 및 분포용적값을 변화시키는 이유를 설명하시오. 이들 약물 중 이러한 차이가 더 많이 나타나는 약물은?

참고

Dipiro JT, Spruill WJ, Wade WE, Blouin RA, Pruemer JM. Concepts in Clinical Pharmacokinetics, 5th ed. American Society of Health Systems Pharmacists, 2010.

Ritschel WA, Kearns GL. Handbook of Basic Pharmacokinetics, 7th ed. American Pharmaceutical Association, 2009.

Rowland M, Tozer TN. Clinical Pharmacokinetics and Pharmacodynamics: Concepts and Applications, 4th ed. Lippincott Williams & Wilkins, 2010.

Shargel L, Yu A. Applied Biopharmaceutics and Pharmacokinetics, 5th ed. McGraw-Hill/Appleton & Lange, 2004.

9 약물의 배설
Drug Excretion

약물이 체내에 투여되고 분포된 이후, 생체는 즉시 여러 경로를 통하여 약물을 제거하기 시작한다. 약물의 소실(elimination)은 이러한 경로를 통하여 체내에서 약물이 제거되는 과정이다. 더 구체적으로 소실은 혈장으로부터의 약물의 제거로 정의될 수 있으며, 그 결과, 시간에 따라 혈장 약물 농도는 감소한다. 약물은 혈장으로부터 물리적으로 제거되어 요와 같은 수용성 체액으로 배출되거나(excretion), 화학적으로 대사체로 변형된다(biotransformation 혹은 metabolism). 약물이 혈장으로부터 소실됨에 따라 분포평형에 의해 조직 내의 약물은 혈장으로 다시 유리된다. 소실이 계속되면 체내에 약물이 존재하지 않을 때까지 약물은 혈류와 조직(약물작용 부위 포함)으로부터 서서히 제거된다. 약물 소실로 인해 점진적인 약효 감소 후 결국 약효의 소실을 가져온다.

배설은 약물이 어떠한 화학적 변화도 없이 체내에서 제거되는 과정이다. 약물은 미변화체로 온전하게 혹은 모약물의 형태로 배설된다고 표현한다. 이는 화학적으로 다른 물질인 대사체로 변하는 대사와 배설을 구별하기 위이다. 생체는 약물이나 그 외 물질들을 혈장으로부터 끌어내어 요와 같은 폐액 속으로 배출시킨다. 배설된 약물은 또한 타액, 담즙, 땀, 유즙, 또는 호기와 같은 다른 체액에서도 존재할 수 있다. 일반적으로, 이러한 부차적인 체액으로의 배설은 휘발성 마취제의 호기 중으로의 배설을 제외하고는 요 배설에 비하여 비중이 낮다.

약물이 요로 배설될지, 대사될지는 그 약물의 물리화학적 성질(지질 친화도, 이온화도, 단백 결합)에 좌우된다. 많은 약물들이 이 두 가지 경로로 함께 소실된다. 일반적으로 지용성 물질은 대사되어야 하는 반면, 극성 물질은 배설로 더 잘 제거되는 경향이 있다. 약물의 대사는 10장에서 다룰 것이다. 표 9-1에 주로 배설로 소실되는 약물과 대사로 소실되는 약물의 예를 나타내었다.

신장배설

신장은 체내 노폐물, 약물, 및 약물의 대사체 등을 배설하는 주요 장기이다. 신장은 많은 중요한 기능을 하지만 약물 배설과 관련한 가장 중요한 기능은 다음과 같다.

- 혈액 정화
- 체액의 양과 화학평형 조절 및 유지

표 9-1 주로 미변화체로 배설되는 약물과 대사체로 배설되는 약물의 예	
주로 미변화체로 배설되는 약물	**주로 대사체로 배설되는 약물**
Digoxin	Phenacetin
Streptomycin	Morphine
Amphetamine	Chloramphenicol
Ampicillin	Isoniazid
Guanethidine	
Penicillin	
Tetracycline	

• 요의 생성 및 노폐물 제거

요는 생체로부터 약물과 대사체뿐 아니라 노폐물(다양한 세포활동 결과물)의 배설을 위한 가장 중요한 체액이다.

신장은 생체의 요구를 충족시키기 위하여 수분이나 물질들을 혈액으로부터 제거하거나 혈액에 추가함으로써 지속적으로 요의 조성을 조절한다. 신장은 혈액에서 노폐물을 제거하고 또한 정상농도 범위 이상의 혈액 성분을 제거한다. 예를 들면, 과량의 수분, 나트륨 이온, 칼슘 이온 등이 혈액에 존재하면 이는 신속히 요로 빠져나간다. 반면, 이러한 성분들이 혈액에 정상 범위 미만으로 존재하면 신장은 이들의 재사용을 증대시킨다. 이렇게 신장은 지속적으로 혈액의 조성을 좁은 범위에서 일정하게 유지하도록 조절한다.

신장의 구조

신장의 구조에 관하여 자세한 설명은 하지 않지만 대신에 약물 배설에 중요한 역할을 하는 주요 구조에 관하여 간략히 다룰 것이다. 신장의 기본 구조적, 기능적 단위는 네프론이다. 각 신장은 약 백만 개의 네프론으로 구성되어 있으며 이 네프론들은 몇 개의 신추체를 이룬다. 신장의 독특한 배설 및 조절 기능은 이 네프론에서 일어나는 사구체 여과, 세뇨관 재흡수와 세뇨관 분비 과정을 통하여 이루어진다.

혈액은 신동맥을 통하여 신장으로 유입된다. 신동맥은 작은 혈관으로 분지하여, 유입된 혈액은 결국 수입세동맥을 거쳐 각 네프론으로 들어간다. 각 네프론은 신소체와 세뇨관 두 부분으로 나뉠 수 있다(그림 9-1). 신소체(그림 9-2)는 최초 여과 단위로 모세혈관들의 망상조직인 사구체(glomerulus)로 구성되어 있다. 사구체는 수입세동맥으로부터 혈액을 받는다. 이 신소체는 혈액이 네프론에 의하여 정화되기 위하여 처음 통과하는 최초의 관문이다. 사구체는 사구체를 통과하여 여과된 혈액을 받는 컵 모양의 보우만 낭

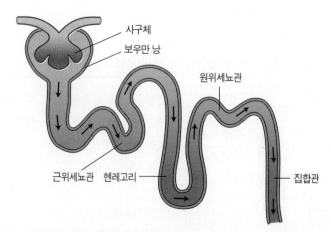

그림 9-1 신소체(사구체와 보우만 낭), 세뇨관(근위세뇨관, 헨레고리, 원위세뇨관), 집합관으로 구성된 네프론

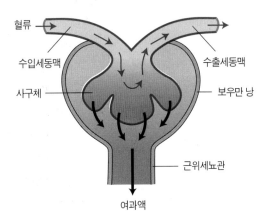

그림 9-2 사구체와 이를 둘러싸고 있는 보우만 낭으로 구성된 신소체. 혈액은 신소체로 들어가 사구체 모세혈관을 통과하면서 여과된다. 여과액은 보우만 낭으로 모인다.

(Bowman' s capsule)에 싸여 있다. 사구체 여과는 혈장이 사구체를 통과하여 보우만 낭으로 여과되는 과정을 일컫는 말이다.

여과된 체액은 근위 세뇨관, 헨레고리, 원위 세뇨관, 집합관 등 기능적으로 네 부분으로 나뉘는 신세뇨관으로 흘러 들어간다. 세뇨관은 사구체에서 나온 수출세동맥으로부터 형성된 세뇨관 주위 모세혈관(peritubular capillaries) 그물망으로 둘러싸여 있다. 신소체는 여과에 중요한 반면 세뇨관과 세뇨관 주위 모세혈관은 나중에 다루게 될 이온의 분비와 수분 및 물질의 재흡수에 관여한다. 분비와 재흡수 과정은 여과물이 세뇨관을 따라 집합관에 모이기까지 여과물의 조성을 변화시킨다. 모든 네프론의 집합관들은 만나서 수뇨관으로 연결되며 수뇨관은 이제 뇨라 할 수 있는 여과 체액을 저장하기 위하여 방광까지 운반하는 통로가 된다.

사구체 모세혈관에서부터 여과되고 남은 혈액은 수출세동맥을 통하여 네프론을 빠져나간다. 이 수출세동맥의 내경은 수입세동맥보다 좁아서 사구체 내 여과 압력을 유지시켜 준다. 이 압력으로 인하여 혈장이 보우만 낭으로 여과된다. 모든 네프론에서 나온 수출세동맥들은 결국 합쳐져 깨끗한 혈액으로 신정맥을 통하여 신장을 빠져나간

다. 그림 9-3은 네프론의 각 부분과 그 혈액 공급을 나타낸 모식도이다.

요의 생성

요는 체내 노폐물이나 과량 존재하는 수용성의 물질을 배출하기 위하여 신장에서 생성된다. 요의 조성은 전적으로 생체의 요구에 맞추어 다양하게 변한다. 보통, 요에는 95%의 수분과 그 외 수용성 물질과 이온들이 녹아있다. 요는 네프론에서 다음의 세 가지 과정이 철저히 조절되어 생성된다: 사구체 여과, 세뇨관 재흡수, 세뇨관 분비.

사구체 여과

이 과정은 사구체 여과 장벽이 고분자들은 통과시키지 않고 저분자들만 통과시키는 매우 미세한 체와 같이 작용하므로 한외여과로 불리기도 한다.

사구체 여과 장벽. 사구체 모세혈관은 다음의 세 층으로 구성되어 있다: 유창 내피, 기저막, 족세포(podocytes; 모세혈관을 감싸는 특화된 내피세포). 이 세 층이 함께 혈액으로부터 보우만 낭으로의 물질의 이동을 조절하면서 신장의 여과 장벽을 구성한다. 여과 장벽의 첫째 층은 큰 구멍이

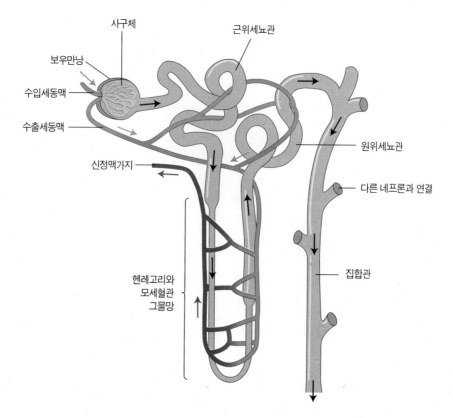

그림 9-3 네프론의 혈액공급. 검정 화살표는 여과액의 흐름을 나타내고, 보라색 화살표는 혈액의 흐름을 나타낸다.

있어 혈구 세포, 혈소판과 큰 혈액 단백을 제외한 내경이 100 nm 이하의 분자들이 대부분 자유롭게 통과할 수 있는 모세혈관 내피이다.

두 번째 층은 고분자들의 여과에 주요 장벽이 되는 사구체 기저막이다. 기저막은 섬유성 단백질들이 꼬여져서 형성된 것으로 선택적으로 투과가 일어날 수 있는 작은 세공의 그물망으로 구성되어 있다. 교차된 섬유질들은 크기 장벽으로 작용하여 거대 분자의 여과를 제한한다. 이 층은 또한 음전하의 단백질을 함유하여 음전하로 하전된 이온들의 여과를 저해한다.

세 번째 층인 족세포는 음전하로 하전된 25~60 nm 넓이의 좁고 긴 틈을 형성하고 있다. 이 좁은 틈들은 음전하로 하전되어 있어 혈장 단백(음전하로 하전된)이 사구체 막을 통과하는 데에 마지막 장벽을 이룬다.

여과는 인체 내 다른 모세혈관에 비하여 높은

사구체 내의 압력에 의하여 크게 도움을 받는다. 높은 압력은 우선 수입세동맥에 비하여 좁은 수출세동맥의 내경에 의하여 생성된다. 그 결과, 다량의 체액이(용해된 저분자 물질들도 함께) 여과 중에 사구체에서 보우만 낭으로 밀려 나오게 된다. 혈구, 혈소판 및 혈장 단백은 여과되기에 너무 크기 때문에 혈류에 그대로 남아있게 된다. 이때, 보우만 낭에 있는 여과된 액을 사구체 여과액이라고 한다. 간단히, 이는 혈장에서 혈장 단백을 뺀 것이다.

사구체 여과에 있어서 "효과적인 구멍 크기"는 사구체 자체의 특징일 뿐 아니라 여과된 물질의 크기, 모양 그리고 전하와 같은 요인에 좌우되는 복잡한 개념이다. 분자량 약 5,000 이내의 분자는 여과에 장벽이 없으나 그 이상에서는 분자의 전하와 모양이 여과를 결정하는 데에 점점 더 중요한 요건이 된다. 분자량 약 5,000까지의 모든 용질의 사구체 여과액 내 농도는 혈장 내 농도와 같다. 심지어 분자량 25,000까지의 저분자 단백질까지 일정량 여과된다. 그러나 이 중 상당량이 세뇨관으로 흘러 가는 도중에 재흡수되거나 아미노산으로 분해되어, 뇨 중에는 미량의 단백질만이 남게 된다. 알부민(분자량 69,000)이나 글로불린(분자량 160,000))과 같은 고분자 혈장 단백은 여과되지 않는다. 사구체 여과 장벽이 손상을 받았다면 이러한 단백질과 혈구가 뇨 중에 나타날 수 있다.

사구체 여과 속도. 혈액은 신동맥을 통하여 신장으로 들어간 후, 수입세동맥을 통하여 각 네프론에 도달한다. 신장은 지속적으로 총 혈류량의 상당한 부분인 심박출량의 20%의 혈액을 받는다. 심박출량이 5.5 L/min인 일반 성인남자의 총 신혈류량(renal blood flow)은 1.1 L/min에 이른다. 혈액은 55%의 혈장으로 이루어져 있으므로 총 신혈장 유량(renal plasma flow)은 600 mL/min 정도이다.

분명히, 네프론으로 유입된 모든 혈장이 사구체 여과액이 되는 것은 아니다. 두 개의 신장을 흐르는 혈장의 약 20%만이 여과액으로 바뀐다. 신혈장 유량이 600 mL/min이므로 정상 신장 기능을 가진 성인의 혈장 사구체 여과 속도(glomerular filtration rate; GFR)는 약 120 mL/min임을 알 수 있다. 따라서, GFR은 신장에서 분당 여과되는 혈장의 부피로 정의된다. 이는 신장을 통하여 분당 얼마의 혈액이 통과하는 것이 아니라 분당 얼마의 여과물이 혈액으로부터 제거되는 지를 가리키는 것임에 주의해야 한다. 분당 120 mL는 여전히 많은 양이어서 만약 이 체액이 모두 요로 배설된다면 몸은 탈수 상태가 될 것이다. 다행히, 인체에는 사구체 여과액으로부터 다량의 물을 다시 회수할 수 있는 기전이 있어 수분은 다시 혈류로 돌아오게 된다.

세뇨관 재흡수

사구체 여과액은 보우만 낭으로부터 세뇨관을 따라 이동한다. 지금부터 사구체 여과액을 간단히 여과액이라고 하자. 세뇨관은 세뇨관 주위 모세혈관 그물망과 긴밀히 연결된 상피세포들의 단층으로 되어 있는 관이다. 재흡수는 여과액 중의 성분이 세뇨관 주위 모세혈관 혈액으로 되돌아가는 이동이다. 많은 필수 영양소(아미노산, 포도당 등)와 이온들(Na^+, K^+, Cl^-, HCO_3^-)이 세뇨관 상피 조직의 특정 수송체에 의하여 능동적으로 여과액으로부터 세뇨관 주위 모세혈관 속으로 수송된다. 이러한 기전을 통하여 인체가 배설을 원치 않는 물질들을 회수하게 된다. 항상성을 유지하기 위하여 재흡수를 조절하는 데에 필요한 다양한 호르몬들이 분비된다. 건강한 사람에서 포도당은 근위세뇨관에서 전부 재흡수되어 혈액으로 되돌아가는 반면, 나트륨 이온과 그 외 이온은 단지 일부만 필요한 만큼 재흡수된다.

여과액으로부터 혈액으로의 선택적 용질들과 이온들의 재흡수는 삼투압 차를 일으켜 동시에 여과액으로부터 혈액으로 물의 재흡수가 일어난다. 막대한 길이의 세뇨관은 다량의 물이 재흡수될 수 있도록 해준다. 이렇게 하여, 보우만 낭으로부터 집합관까지 여과액이 이동하는 동안 다량의 물이 재흡수되고, 선택적 용질들이 능동적으로 재흡수됨에 따라 여과액에 남아있는 용질의 농도는 점차적으로 농축되어 마침내 우리가 요라 부르는 농축된 액체로 변한다.

요는 이와 같이 고농도의 요소와 원치 않는 과량의 염과 그 외 물질로 이루어진 수용액이다. 요의 생성 속도는 15~1,500 mL/hr까지 다양하지만 보통 약 60~120 mL/hr 즉, 1~2 mL/min이다. 이 양은 저장을 위하여 방광으로 이동한다. 120 mL/min의 사구체 여과액으로부터 시작하였으므로 여과액 중 98% 이상의 수분이 신장에서 재흡수되어 혈액으로 돌아가는 것을 알 수 있다.

세뇨관 분비

요의 생성은 주로 앞에서 언급한 여과와 재흡수 과정의 산물이지만, 세뇨관 분비라 불리는 보조 기전 또한 요의 생성에 관여하고 있다. 특정 용질이 세뇨관 여과액으로부터 혈액으로 재흡수되듯이 반대의 과정도 일어난다. 세뇨관 상피세포는 특정 분자들이나 이온들(H^+과 K^+과 같은)을 세뇨관 주위 모세혈관으로부터 제거하여 이들을 세뇨관 내 여과액 쪽으로 분비한다. 여과액 중의 이 용질들의 농도는 혈장보다 더 농축되므로(다량의 수분 재흡수의 결과), 혈장으로부터 여과액으로 농도 구배를 거슬러 물질들을 이동시키기 위해서 능동수송 과정이 필요하게 된다. 이와 같이, 분비는 세뇨관 상피에서 수송체 단백질을 사용하여

물질을 여과액 쪽으로 이동시키는 에너지가 필요한 능동 수송 과정이다.

H^+의 세뇨관 분비는 혈액의 pH를 유지, 조절하는 데에 중요하다. 혈액의 pH가 떨어지기 시작하면, 더 많은 H^+ 이온이 요 중으로 분비된다. 만약 혈액이 너무 알칼리성으로 변하면, H^+의 분비는 줄어든다. 이와 같이 혈액의 정상 pH 범위인 7.3~7.4를 유지하기 위하여, 요의 pH는 낮게는 4.5부터 높게는 8.5까지 광범위할 수 있다. 보통 요는 혈액보다 더 산성을 띤다.

사구체 여과, 세뇨관 재흡수, 그리고 세뇨관 분비 과정을 그림 9-4에 도식화시켜 나타내었다. 재흡수와 분비는 사구체 여과액이 네프론에서 집합관으로 이동하는 동안 그 조성과 양이 변하도록 한다. 한 번 이 과정들이 완결되어 변하고 농축된 여과액은 이제 요라 할 수 있으며 체외로 빠져나갈 때까지 보관을 위해 방광으로 이동한다.

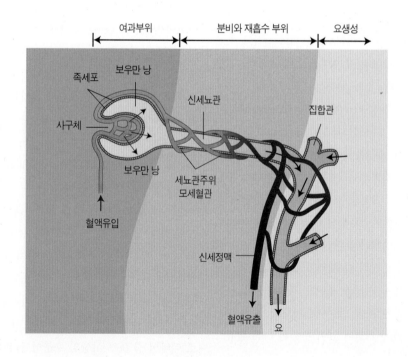

그림 9-4 네프론에서의 사구체 여과, 재흡수, 그리고 분비 과정 모식도

약물의 신장 배설

신장은 생체에서 거의 모든 약물 혹은 그 대사체의 배설에 일정 부분 역할을 한다. 앞에서 언급한 여과, 재흡수, 그리고 분비의 과정이 어떤 그리고 얼마만큼의 약물과 대사체가 뇨로 배설되는지를 결정한다.

약물의 사구체 여과

큰 단백질과 고분자들을 제외하고 혈장 중의 모든 용질이 사구체에서 여과되어 여과액으로 들어간다는 것을 앞에서 배웠다. 그러므로, 대부분의 혈장 단백-약물 복합체들은 여과되지 않으며 혈류에 남게 될 것이다. 즉, 단백 결합하지 않은 유리 약물만이 혈류를 떠나 보우만 낭에 도달할 수 있다. 여과는 주로 사구체 내 압력에 의해 생성되므로 여과액 중의 약물(혹은 대사체) 농도는 혈장 중의 결합하지 않은, 즉 유리 약물 농도와 같다. 주로 유리 약물 농도가 아닌 혈장 총 약물 농도를 측정하기 때문에 다음의 수식이 유용하다.

$$C_{\text{filtrate}} = C_{\text{(free)plasma}} = f_u \times C_{\text{(total)plasma}}$$

(식 9-1)

정상 신장을 통하여 흐르는 체액의 GFR은 약 120 mL/min이다. 각 약물에 대하여 특정 약물이 여과되는 속도를 일컫는 GFR을 구할 수 있다. 한 약물의 GFR은 단백 결합률에 좌우되며 다음 식과 같이 나타낼 수 있다.

$$\text{GFR}_{\text{drug}} = f_u \cdot \text{GFR}_{\text{plasma}} \quad \text{(식 9-2)}$$

여기서 f_u는 혈장에서 단백 결합하지 않은 약물의 분율이다. 단백 결합률이 높은 약물들(f_u 값이 낮은 약물)은 GFR이 낮고, 혈장에 머무르게 된다. 역으로, 단백 결합을 하지 않는 약물의 GFR은 혈장 GFR과 같은 값인 120 mL/min이 된다.

약물의 세뇨관 재흡수

세뇨관 상피에는 필수 이온과 분자들을 위한 특정 수송체가 있지만, 약물의 재흡수를 위한 특수 수송체는 존재하지 않는다. 따라서, 여과액으로부터 혈액으로의 약물 재흡수의 가능 기전은 세뇨관의 상피세포막을 통한 경세포성 수동 수송뿐이다. 약물을 포함한 여과액은 세뇨관을 통하여 이동하면서 수분이 재흡수되어 점점 여과액 중 약물의 농도는 세뇨관 주위 혈액에 비하여 높게 농축된다. 만약 약물의 물리 화학적 성질이 적당하다면(유수 분배 계수, pK$_a$와 같은), 여과액과 세뇨관 주위 혈장 사이에 형성된 농도 구배로 인하여 약물 분자가 여과액으로부터 혈장으로 확산되어 되돌아간다. 약물 수동 재흡수는 전체 신 세뇨관 부위에서 일어날 수 있다.

여과액 pH의 영향. 전하를 띄지 않은, 지질 친화성의 분자들만이 수동적으로 세뇨관 상피세포를 포함한 상피 세포막을 투과하여 확산될 수 있다는 것은 알려져 있다. 그러므로, 약물의 재흡수는 여과액 중에서의 약물의 이온화도-즉, 여과액의 pH-와 약물의 유수 분배계수(비이온화형)에 좌우된다. 약물이 이온화가 잘 되는 여과액의 pH에서는 약물 재흡수의 속도와 양이 감소할 것이며, 반대의 경우에는 증가할 것이다. 세뇨관 상피세포막을 사이에 둔 두 액체(혈장과 세뇨관 여과액)의 pH는 서로 다를 수 있으며, 이온포집(ion trapping) 현상이 생길 수 있다. 알칼리성의 요에서 산성 약물은 좀 더 이온화되고 적게 재흡수되며 쉽게 배설되는 반면, 염기성 약물은 좀 더 비이온화되고 더 잘 재흡수되며 덜 배설된다. 산성 요에서는 반대의 상황이 된다.

이온포집은 적절히 요의 pH를 변화시킴으로써 약물의 배설을 느리게 하거나 촉진시키기 위하여 활용될 수 있다. 약물 과다 복용 상황에서, 적절하게 요의 pH를 조절함으로써 약물의 배설을 증가시킬 수 있다. 염화암모늄과 같은 산성화제와 aspirin은 요의 pH를 낮추는 반면, 탄산칼슘, 중탄산나트륨, 글루타민산나트륨과 같은 알칼리화제는 요의 pH를 증가시킨다. 산성 식품(감귤류, 크렌베리 주스)과 염기성 식품(유제품)들 또한 요의 pH를 어느 정도 변화시킬 수 있다. 임상에서 요의 pH를 변화시키는 예는 pentobarbital 과다 복용의 경우이다. 중탄산나트륨 주입을 통하여 요를 알칼리화 시킴으로써 pentobarbital(약산성)의 신배설을 증가시킬 수 있다.

약물의 세뇨관 분비

분비는 세뇨관 주위 혈액으로부터 여과액으로 농도구배를 거슬러(혈장으로부터 고농도의 여과액으로) 약물이 이동하는 과정이 수반되므로 능동수송이 요구된다. 과학자들은 지금까지 유기 양이온과 유기음이온 그리고, 프로스타글란딘과 같은 특정 물질의 수송과 관련한 다양한 세뇨관 막 단백질들(주로 근위 세뇨관의 상피세포에 존재하는)을 발견하였다. 유기 음이온 수송체(organic anion transporters; OATs)와 유기 양이온 수송체(organic cationic transporters; OCTs)가 많은 약물의 세뇨관 분비에 주요 역할을 한다. 이들 수송체는 낮은 기질 특이성을 가지고 있다. OATs는 많은 이온화된 유기산들과 결합하여 수송시키고, OCTs는 이온화된 유기 염기들에게 이같은 일을 한다.

수송체는 유리 약물과만 결합하지만 혈액 중의 대부분 단백-약물 복합체들은 혈장 중의 일부 약물이 분비에 의하여 제거되면 신속히 분리되어 새로운 유리 약물을 내놓는다. 세뇨관 수송체들은 일부 약물들에 대해 활성적이어서 혈액이 신장을 한 번 거치는 동안 혈장 단백과 결합된 약물들을 완전히 제거할 수 있다. 따라서, 약물의 혈장 단백 결합은 상대적으로 세뇨관 분비 속도에 미치는 영향이 미미하다고 할 수 있다.

수송체는 이온화된 약물에만 결합하여 분비시키기 때문에 혈장의 pH와 약물의 pK_a와의 관계가 중요하다. pH 7.4에서 이온화도가 높은 약물은 이 pH에서 이온화도가 낮은 약물에 비하여 다소 많은 양이 세뇨관 분비될 것이다.

이러한 능동 분비 기전에 의하여 그 결과 중요한 두 가지 현상이 생겨난다.

- 경쟁적 약물상호작용: 많은 약물들이 동일한 분비 수송체를 공유함으로써 의도하거나 원치 않는 약물상호작용을 일으킨다. 예를 들어, penicillin과 probenecid는 모두 유기 음이온 수송체의 기질이므로 probenecid는 임상적으로 penicillin과 경쟁적으로 작용해서 penicillin 신배설을 감소시키기 위하여 사용된다. Cimetidine과 procainamide는 염기성 약물로 유기 양이온 수송체에서 서로 경쟁적으로 작용하여 서로의 신 배설을 감소시킨다.
- 포화성 반응 속도: 능동 분비 과정은 포화가 가능하여 신 배설은 약물의 농도가 고농도일 때 plateau에 도달하게 된다. 이는 예상보다 낮은 배설률의 원인이 되며 동시에 예측보다 높은 혈중 농도를 유발한다.

약물의 신장 배설 속도

요로 배설되는 약물의 속도는 사구체 여과, 재흡수, 그리고 분비에 의한 최종 결과이다. 이러한 과정들은 약물의 물리화학적 성질뿐만 아니라 네프론, 사구체, 그리고 세뇨관 모세혈관에서의 혈류 속도에도 좌우된다. 네프론으로 가는 혈류가 빠를수록 이 모든 과정은 빨라지고 보통 전반적으로 그 결과 약물 배설 속도는 빨라진다. 혈장 GFR은 신장 관류법으로 직접 측정한다. 신장으로 가는 혈류가 많을수록 GFR은 빨라진다.

약물의 분비와 재흡수는 세뇨관에서 지속적으

로 일어난다. 분비는 여과액 중 약물 농도를 증가시키는 반면, 재흡수는 이를 감소시킨다. pH 7.4인 혈장에서 약물이 이온화되어 있을 수록 분비는 잘 된다. 재흡수는(통상적으로) 좀 더 산성인 여과액에서 이온화가 낮은 약물일수록 잘 일어난다.

따라서, 전반적인 약물의 요 배설 속도는 약물의 물리화학적 성질(pK$_a$, 분배계수, 단백 결합), 혈장과 요의 pH, 혈장 GFR 사이의 복잡한 관계에 의하여 좌우된다. 일반적으로, 수용성이고 여과액에서 이온화되어 있는 약물은 신장으로 잘 배설되지만, 지질 친화적이고, 여과액에서 대부분 비이온화 형태로 존재하는 약물은 효과적으로 배설될 수 없다.

신장 청소율

청소율(Clearance; CL)은 약물이 혈장으로부터 소실되는 속도를 나타내는 용어이다. 약물은 혈장에서 두 가지 주된 소실 과정으로 제거된다. 미변화체 약물의 배설과 대사체로의 대사이다. 생체가 더 빠르게 약물을 소실시킬 수 있으면 약물의 청소율은 더 커진다. 전신 청소율은 모든 소실 경로에서 청소율의 합이다.

주어진 시간 동안 얼마의 약물이 제거되는지 알 수 있고, 투여한 양과 비교할 수 있도록 청소율의 단위는 양/시간(mg/hr 등)일 것으로 예상할 수 있다. 그러나, 그 수치는 일정하지 않고, 혈중 농도(시간과 투여 용량에 따라 변함)에 의하여 계속 변한다. 이해하기 어렵겠지만 청소율을 정의할 수 있는 더 용이한 단위는 시간당 용량(mL/min 등)이다. 그러므로 청소율을 완전하게, 비가역적으로 단위 시간당 약물이 제거되는 가상적인 혈장의 부피로 정의된다. 청소율의 개념을 그림 9-5에 나타내었다.

신장 청소율은 전신 청소율의 한 부분이며 신배설을 통하여 미변화 약물이 제거되는 효율을 나타낸다. 단위 시간당 요로 나오는 약물의 양을 포함한 혈장의 부피이다. 신장에 의하여 혈장에서 약물이 제거되는 속도는 직접 측정할 수 없으므로 간접적인 방법이 사용된다. 약물이 신장 청소율은 다음과 같이 표현될 수 있다.

$$CL_r = \frac{\text{excretion rate in urine}}{\text{plasma concentration}} \quad \text{(식 9-3)}$$

요중 및 혈중 약물 농도(각각 C_u and C_p)와 단위시간당 생성되는 요의 부피(V_u)는 측정할 수 있다. 이로부터, CL$_r$은 다음의 수식으로부터 계산할 수 있다.

$$CL_r = \frac{C_u \times V_u}{C_p} \quad \text{(식 9-4)}$$

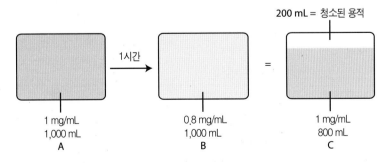

그림 9-5 청소율의 개념 설명. 상자 (A)는 1 mg/mL의 약물 농도의 혈장 1,000 mL. 1시간 후, 약물 소실로 1,000 mL 혈장의 약물 농도는 0.8 mg/mL로 떨어진다 (B). 즉, 1시간 후, 초기 약물 농도 (1 mg/mL)의 혈장은 800 mL 밖에 되지 않는 반면, (C)에서 보는 바와 같이 200 mL의 혈장은 완전히 약물이 없는 상태이다. 그러므로, 이 예시의 약물 청소율은 200 mL/hr이다.

여기서, $(C_u \times V_u)$는 요로 배설되는 약물의 속도를 의미한다.

물리화학적 성질과 신장 청소율

한 화합물 또는 약물이 신장으로 소실되기에 적합한지는 그 물질의 물리화학적 성질에 달려있다. 특히, 신장 배설은 혈장 단백 결합(사구체 여과에 영향), 혈장 중 이온화(분비에 영향), 여과액 중 이온화(재흡수에 영향), 그리고 지질 친화도(재흡수에 영향)에 좌우된다. 이러한 관계는 특정 물질의 신장 청소율을 구해보면 잘 이해될 수 있다.

Inulin의 신장 청소율. 식물 유래 탄수화물의 하나인 inulin(단백질인 insulin hormone과 혼동하지 말 것)과 같은 물질을 살펴보자. Inulin은 혈장 단백과 결합하지 않아 사구체에서 완전하게 여과된다. 즉, 다음 식과 같다

$$C_{insulin(filtrate)} = f_u \times C_{insulin(plasma)} \quad (식\ 9\text{-}5)$$
$$= C_{insulin(plasma)}$$

즉, 사구체 여과액 중의 inulin의 농도는 혈중 총 농도와 같다. Inulin은 세뇨관에서 재흡수되지 않으며(분배계수가 충분히 크지 않음) 분비되지도 않는다(혈장에서 이온화되지 않음). 따라서, 사구체 여과만이 inulin의 신 배설에 관여하는 기전이다. 즉, 사구체에서 혈장이 여과되는 속도와 동일한 속도로 혈장에서 inulin이 제거된다. Inulin 청소율을 증가시키는 분비나 청소율을 감소시키는 재흡수는 존재하지 않는다. 그러므로,

$$CL_{r(insulin)} = GFR_{insulin} = f_u \times GFR_{plasma}$$
$$= 120\ mL/min \quad (식\ 9\text{-}6)$$

Inulin의 신장 청소율은 혈장 GFR과 같다. 즉,

정상 신장 기능을 가진 성인에서 약 120 mL/min 이다. 여과액은 세뇨관을 따라 흘러감에 따라 물은 재흡수되어 그 결과 농축되어 농도는 높아진다. 따라서 요에서 최종 inulin의 농도는 혈장 중 농도보다 상당히 높게 된다.

요 생성 속도 V_u가 약 1~2 mL/min(성인의 정상 범위)이고, inulin의 CL_r이 120 mL/min 이라면 요 중 inulin 농도와 혈장 중 농도를 식 9-4를 재배열하는 방법으로 다음과 같이 계산해 낼 수 있다:

$$\frac{C_u}{C_p} = \frac{CL_r}{V_u} = \frac{120\ mL/min}{2\ mL/min} = 60 \quad (식\ 9\text{-}7)$$

즉, inulin의 요중 농도는 혈중 농도보다 약 60 배 가량 높다.

역으로, inulin의 CL_r 는 요와 혈중 농도를 측정함으로써 구할 수 있다. 사실, inulin과 유사한 특성을 지닌 내인성 물질인 creatinine의 신장 청소율이 개체의 혈장 GFR을 얻어 신장 기능의 척도로 제시하기 위하여 종종 측정된다.

Creatinine 청소율. Creatinine은 육체적 활동 시에 근육이 정상적으로 분해되어 생성되는 혈액에 존재하는 노폐물이다. Creatinine은 단백 결합을 하지 않고, 재흡수되지 않으며, 세뇨관에서 미량 분비된다. 따라서 inulin과 같이 오직 사구체 여과에 의해서만 소실된다. 건강한 신장은 혈중 creatinine의 적정 농도 유지를 위하여 충분한 양의 creatinine을 요로 배설시킨다. 정상상태에서 혈중 creatinine 농도를 일정하게 유지하기 위하여 creatinine 배설은 creatinine 생성과 거의 동일하다. 신장 손상상태에서 혈장 GFR이 감소하면, 혈중 creatinine 농도는 상승한다. Creatinine의 축적은 사구체 여과 기능 상실 정도에 좌우된다.

Creatinine 청소율(CL_{cr})은 혈중 creatinine에 대한 creatinine의 요 배설 비율로 정의된다. 병의원

에서 creatinine 청소율은 24시간 동안 모은 요와 요 수집 시간의 중간 시점에 채취한 혈액 시료로부터 얻는다. 이 두 시료에서 creatinine 농도를 측정한 후, 식 9-4를 이용하여 환자의 CL_{cr}을 계산한다:

$$CL_r = \frac{C_u \times V_u}{C_p} \quad \text{(식 9-8)}$$

Creatinine의 일부는 소량 분비되고, 신장 외 소실 경로 또한 존재한다. 그 결과, CL_{cr}는 실제 혈장 GFR보다 다소 높게 계산된다. 그럼에도 불구하고, CL_{cr}는 임상에서 신장 기능 측정에 유용하다. CL_{cr}가 100 mL/min보다 현저히 낮다면 환자의 여과 과정과 신장기능에 문제가 있음을 의미한다.

p-aminohippuric acid의 신장 청소율. 조금 더 복잡한 경우로 단백결합은 크지 않고, 세뇨관에서 매우 효율적으로 분비되지만, 여과액 중에서 완전히 이온화되어 재흡수는 되지 않는 물질의 청소율을 살펴보자. 그 예는 여과액 중에서 완전히 이온화되는 약산인 para-aminohippuric acid (PAH)이다. PAH는 사구체에서 creatinine이나 inulin과 같이 여과된다. 하지만, 여과액이 세뇨관을 따라 이동하면서 PAH의 농도는 증가한다. 그 이유는 단지 물의 재흡수뿐 아니라 세뇨관 주위 혈관으로부터 PAH가 분비되기 때문이기도 하다. 사실, PAH는 세뇨관 상피 수송계에서 매우 효과적으로 분비되어 세뇨관 주위 모세혈관을 흐르는 동안 혈장에서 완전히 제거된다.

따라서, 혈액이 신장을 한 번 통과하는 동안 혈장에서부터 모든 PAH가 제거된다. 신장에서 나오는 신정맥 중의 혈액에는 PAH가 사실 거의 없다. 그러므로, PAH의 CL_{cr}는 신장을 흐르는 혈장의 속도와 동일하다. 왜냐하면 약물을 포함한 모든 혈장이 제거되기 때문이다. 정상 성인의 신 혈장 유속은 약 600 mL/min으로, 그 어떤 물질의 신장 청소율보다도 높다. 환자에서 PAH의 신장 청소율은 신장 기능에 관하여 유용한 정보를 제공해 줄 수 있다. PAH 청소율이 600 mL/min보다 현저히 낮다면 이는 신장으로 가는 혈류에 문제가 있음을 시사한다. PAH는 매우 특수한 물질이며, 그 빠른 CL_{cr} 또한 특이한 경우임을 주목해야 한다. 이렇게 신속하게 소실되는 약물은 어떠한 것이든 체내에서 용납할 수 없을 만큼 짧은 시간 체류할 것이며, 임상적으로 쓸모가 없을 것이다.

포도당의 신장 청소율. 이제 신장에서 전혀 제거되지 않는 또 다른 극단적인 물질에 대하여 살펴보자. 그 예는 신장에서 완전히 재흡수되는 물질인 포도당이다(포도당은 필수 영양소로 수송체 수송 과정으로 재흡수된다). 포도당은 단백결합을 하지 않아 효과적으로 여과된다. 그러나 사구체 여과 이후 포도당은 여과액이 세뇨관을 통과하는 동안 완전히 혈장으로 재흡수 된다. 따라서 건강한 개체의 요 중에는 포도당이 없으며, 포도당의 CL_r는 0이다.

약물의 신장 청소율

앞에서 세 가지 특수한 경우의 신장 배설을 알아보고 신장 청소율의 최소값과 최대값이 될 수 있는 경우를 살펴보았다. CL_r의 범위는 극단적인 경우인 0부터 최대 CL_r로 약 600 mL/min까지 가능하다. 대부분의 약물의 CL_r는 이 범위의 어딘가에 존재하게 된다. 오직 여과에 의해서 소실되고, 분비나 재흡수되지 않는 약물의 CL_r은 다음 식에 의하여 주어진다.

$$CL_r = f_u \times GFR_{plasma} \quad \text{(식 9-9)}$$

즉, 신장 청소율은 GFR과 동일하다.

분비가 재흡수보다 훨씬 큰 약물인 경우, CL_r

수치는 GFR보다 높을 것이다.

$$CL_r > f_u \times GFR_{plasma} \quad \text{(식 9-10)}$$

재흡수가 분비보다 훨씬 큰 약물인 경우, CL_r 수치는 GFR보다 낮을 것이다.

$$CL_r < f_u \times GFR_{plasma} \quad \text{(식 9-11)}$$

신장 청소율의 속도와 양

우리가 살펴본 바와 같이, 약물의 신장 청소율은 신장이 약물을 요로 배설시키는 속도이다. CL_r 값이 높으면 약물은 요로 빨리 소실되고, 낮은 CL_r 약물은 요로 천천히 소실된다. 약물이 요로 제거될 때, 약물은 또한 동시에 대사(간 청소율)되거나, 다른 경로로 소실될 수 있다. 예를 들면, 60%의 약물은 신장으로, 40%는 간으로 소실될 수 있다. 이것은 청소율의 양, 즉 투여한 약물이 각 이 두 가지의 경로로 소실되는 백분율을 가리킨다. 일반적으로, 빠른 경로에 의하여 많은 약물이 제거된다.

낮은 CL_r값의 약물도 신장에 의하여 100% 제거될 수 있다. 이것은 신장 청소율이 느림에도, 이 약물이 체내에서 제거되는 유일한 경로가 신장 배설이거나, 대사나 다른 경로가 중요하지 않다는 것을 의미한다. 다음 장에서는 다양한 소실 경로 중 약물의 총 청소율에 대한 각 경로의 상대적 기여도를 결정하는 요인에 관하여 논의할 것이다.

간에 의한 배설

약물 소실에 있어서 간의 주 역할은 대사임에도 불구하고 간 또한 약물 배설의 한 역할을 하는 담즙이라 불리는 체액으로 분비를 한다. 담즙은 담즙산, 담즙산염, 콜레스테롤, 그리고 무기염 들의 수용액이다. 담즙은 음식물의 소화를 돕기 위하여 소장으로 분비되기 전까지 보관을 위하여 담낭으로 보내진다. 담즙 생성의 양은 존재하는 음식물의 종류에 좌우되는데 고단백 식이가 가장 많은 담즙 분비를 가져온다. 대체적으로 간은 0.25~1.0 L의 담즙을 하루에 분비하고, 이후 담즙은 장에 도달하기 전까지 담낭에서 10배까지 농축된다.

약물의 담즙 배설

간으로 가는 혈액은 전신혈로부터는 간동맥을 통하여, 장관으로부터는 간문맥을 통하여 공급된다. 간은 대사를 위하여 약물과 다른 물질들을 간문맥혈과 동맥혈로부터 제거한다. 반면 간에서 이 약물들은 또한 신장에서 요로 분비되는 것과 마찬가지로 담즙으로 분비된다. 이는 간세포의 음이온 및 양이온 수송체가 관여하는 능동수송 과정으로 생각된다. 담즙으로 분비된 약물은 담즙과 함께 십이지장으로 이동한 후, 대변으로 체내에서 제거된다. 이 소실 과정이 담즙 배설(biliary excretion)로 불리는 경로이다.

담즙은 수용액이므로 친수성의 약물들이 녹기에 적당하다. 게다가 미셀(micelle) 형성 담즙산들은 지질용해성 약물들을 담즙에 다소 용해시킬 수 있다. 따라서 모든 종류의 입자(음이온, 양이온, 비이온화 분자들)는 극성이든 지질 친화적이든 담즙으로 분비될 수 있다. 담즙으로 분비가 잘 되기 위한 주된 기준은 분자량 500 이상으로 생각된다. 분자량이 작은 물질들은 소장으로 이동하기 전에 다시 재흡수되어 일반적으로 미미한 양만이 담즙으로 배설된다. 모약물보다 분자량이 큰 많은 대사체들 또한 담즙으로 분비될 수 있다.

약물의 담즙 농도가 혈중 농도와 같다면 담즙 배설 청소율은 담즙 유속과 같을 것이다. 즉, 매우 느릴 것이다. 약물의 담즙 농도가 혈중 농도보다 현저히 높은 약물은 담즙 배설 청소율 값이 높을 것이다. 농도구배를 거슬러 능동 수송으로 담관 상피를 가로지를 수 있는 약물이나 대사체가 이에 해당된다.

담즙 분비는 혈중 약물 농도가 고농도일 때 포화될 수 있다. 또한, 물리 화학적으로 유사한 물질들끼리 분비 수송계에서 경쟁할 수 있다.

장간재순환

담즙과 그 구성성분들이 한 번 장관에 도달하면, 담즙산염, 콜레스테롤, 인지질을 포함한 많은 유기 담즙 성분들이 고효율로 장관에서 재흡수되어 혈액으로 되돌아간다. 그러면 이 성분들은 간문맥을 통하여 간으로 다시 되돌아간다. 사실 인간의 총 담즙산염은 하루 동안 6~10회 순환한다.

담즙으로 배설된 약물은 같은 방식으로 재순환한다. 만약 약물이 적절한 물리 화학적 성질을 가지고 있다면(분배계수, pKa), 소장으로부터 재흡수되어 경구 투여된 약물처럼 혈류로 들어간다. 이 과정이 장간재순환(enterohepatic recirculation)이다. 이러한 약물들은 다른 경로로 체내에서 완전히 제거될 때까지 계속 담즙으로 분비되고 어느 정도는 재흡수되어 혈액으로 들어간다. 장간재순환은 그래서 약물을 체내에 지속시키고, 담즙으로의 총 청소율을 감소시킨다.

담즙으로의 배설은 morphine, warfarin, indomethacin, 강심배당체, 그리고 몇몇 항생제(clindamycin, rifampicin, erythromycin, metronidazole, ampicillin, ceftriaxone, doxycycline)에 있어서 중요한 소실 기전이 된다. 그림 9-6은 담즙으로의 배설과 약물과 대사체의 장간재순환을 나타낸 것이다.

전반적으로, 약물의 장간재순환의 양은 위장관 흡수, 간 섭취, 간 대사와 담즙으로의 배설과 관련한 요인들의 복잡한 관계에 좌우된다. 이들의 각 과정은 나이, 질병, 약물의 특성, 유전, 생리, 병용 투여한 약물에 좌우된다. 이들 중 어떠한

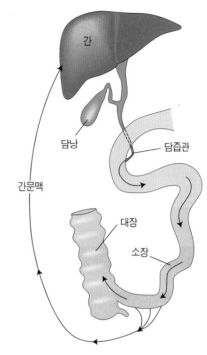

그림 9-6   약물과 대사체의 담즙 배설 과정과 장간순환

것의 변화든 장간재순환을 방해하거나 촉진시킬 수 있다.

따라서, 담즙으로 배설된 약물과 대사체들은 비가역적으로 대변으로 배설될 수도 있고, 장간재순환으로 재흡수될 수도 있다. 어떤 약물에 있어서는 담즙으로의 배설이 중요한 경로인 것을 알고 있음에도, 정량적으로 측정하거나 예측하는 것은 매우 복잡한 문제라 어려움이 있다.

다른 장기로의 배설

신장의 요나 간의 담즙과 같은 체액으로의 약물의 배설과 같이 약물은 또한 다른 체액으로 배설될 수도 있다,

타액으로의 배설

몇 가지 약물들은 구강의 타액선에서 만들어지는 타액으로 분비된다. 약물이 혈액에서 타액으로

수송되는 기전은 유리(단백 결합하지 않은) 약물의 세포통과 수동 확산이다. 타액은 주로 삼켜져서 위장관으로 들어가기 때문에 타액 분비는 약물배설의 중요한 경로는 아니다. 그래서, 약물은 소장으로부터 재흡수되어 타액 재생으로 순환한다. 타액에 존재하는 약물은 phenytoin, lithium, digoxin, salicylates 등이다. 타액으로의 약물 배설의 한 가지 응용은 환자에서 타액에서의 약물 농도 측정으로 비침습적인 약물 농도 모니터링을 하는 것이다.

유즙으로의 배설

많은 약물들이 수유하는 모체의 유즙으로 이동한다. 이 수송의 주 기전은 모유의 pH(약 6.8)가 혈액에 비하여 낮기 때문에 이온포집 현상이 있는 수동 확산이다. 따라서 약염기성의 약물들은 혈장에서보다 유즙에 더 농도가 높은 경향이 있다. 그 예가 되는 약물이 erythromycin으로 혈액보다 유즙에서 농도가 약 8배 높다. 다른 예가 heroin, methadone, tetracycline과 diazepam이다. 유즙으로 능동 수송되는 몇 가지 경우 또한 있다. 유즙에 고농도로 약물이 존재하면 신생아에게 심각한 결과를 초래할 수 있기 때문에 수유부는 이러한 약물의 사용에 유의할 필요가 있다.

땀으로의 배설

땀은 인체의 피부 표면에 걸쳐 넓게 분포하는 땀샘에서 주로 생성되는 대부분이 물로 된 체액이다. 땀 분비의 1차적 목적은 체온의 조절이다. 따라서 땀 생성량은 전적으로 주위 환경에 달려 있다. Amphetamine, cocaine, morphine, ethanol과 같은 몇몇 약물이 땀에서 검출된다. 땀이 생성되는 부피는 작기 때문에 땀으로의 약물 배설이 가능은 하지만 중요한 약물 배설 경로는 아니다. 그러나 불법적인 약물의 사용 검출이 용이한 체액으로 땀이 이용될 수 있다.

호기 중 배설

폐는 기체와 휘발성 물질 배출의 주 기관으로, 마취제나 에탄올과 같은 휘발성 약물의 주 배설 경로이다. 사실, 음주 측정기 검사는 호기로의 에탄올 폐 배설 측정에 바탕을 둔 것이다. 대부분의 장기는 극성 화합물들을 지질 친화적인 화합물보다 빨리 배출시킨다. 이 전제에 대한 예외가 폐로 약물이나 대사체의 휘발성이 극성보다 더 중요하다. 호기 중으로 배설되는 약물의 또 다른 예는 sulfanilamide와 sulfapyridine이다.

핵 심 개 념

- 약물의 배설은 미변화의(대사되지 않은) 약물이 혈장으로부터 제거되는 것이다.
- 신장은 약물배설의 주요 기관이며, 약물을 소실시키기 위하여 혈장으로부터 요로 약물을 이동시킨다.
- 약물과 그 대사체의 신장 배설은 신장의 기능, 화합물의 물리 화학적 성질, 혈장 단백 결합률, 그리고 요 pH에 좌우된다.
- 사구체 여과는 신장 배설의 첫 번째 단계이다. 약물의 GFR은 그 약물의 혈장 단백 결합률에 좌우된다.
- 지질친화적이고 비이온화된 화합물들은 세뇨관으로부터 수동적으로 재흡수될 수 있어 신장 배설이 줄어든다.
- 혈장에서 이온화되는 약물들은 요로 능동적으로 분비되어 신장 배설이 증가한다. 이 과정은 포화와 경쟁적 저해가 일어날 수 있다.
- 신장 청소율(CL$_r$)은 신장이 미변화 약물을 제거하는 효율을 의미한다.
- CL$_r$ 값의 범위는 최소 0부터 최대 650 mL/min 사이이다. 대부분의 약물의 CL$_r$는 이 범위에 존재한다.
- 약물과 그 대사체는 또한 간에서 담즙으로 배설되어 비가역적으로 대변으로 소실되기도 한다. 담즙 배설은 장간재순환에 의해 감소할 수 있다.
- 어떠한 약물들은 소량 땀, 호기, 타액, 또는 유즙으로 배설될 수 있다.

복 습 문 제

1. 어떠한 물리화학적 특성이 신장에서 약물의 (1) 사구체 여과, (2) 분비, 그리고 (3) 재흡수되기에 좋은가?
2. 왜 분비만이 포화되거나 경쟁적으로 저해될 수 있는 과정인가? 저해나 포화의 결과는 무엇인가?
3. 왜 어떠한 약물들은 대사의 과정이 없이도 요로 배설될 수 있는가? 어떠한 종류의 약물들이 소실되기 전에 대사가 필요한가?
4. 왜 혈장 단백 결합이 약물의 신장 청소율을 감소시키는가?
5. (1) 약산과 (2) 약염기의 배설을 증가시키기 위하여 요의 pH를 어떻게 변화시킬 수 있는가?
6. 왜 creatinine 청소율이 신장 기능의 편리한 지표가 되는가?
7. 신장 외 약물 배설 경로들은 무엇인가?
8. 어떠한 종류의 약물들이 담즙 분비 이후에 대변으로 효과적으로 소실될 수 있는가?
9. 어떠한 종류의 약물들이 장간재순환되는가?

연 습 문 제

다음과 같은 성질을 가진 세 가지 다른 약물을 생각해 보자.

약물A	약산, pK$_a$ = 4.4	50% 단백 결합
약물B	약산, pK$_a$ = 6.4	20% 단백 결합
약물C	비전해질	30% 단백 결합

1. 세뇨관 여과액의 pH는 5.4이고 혈액의 pH는 7.4라고 가정하자.
2. 각 약물의 총 혈장 농도는 25 μg/mL이라면, 세뇨관 여과액 중의 각 약물의 농도는 얼마인가?

3. 각 약물들은 얼마의 비율이 세뇨관 여과액에서 이온화될 것인가? 이에 따르면, 이 중 어떤 약물이 재흡수될 확률이 가장 높은가(모든 약물이 유사한 분배계수를 갖는다고 가정하자)?

4. 만약 이 약물들을 체내에 오래 머무르게 하기 위하여 재흡수를 증가시키기를 원한다면, 각각의 경우에 요를 산성화시킬 필요가 있는가, 또는 알칼리화시킬 필요가 있는가?

5. 각 약물들은 얼마의 비율이 혈장에서 이온화될 것인가? 이에 따르면, 이 중 어떤 약물이 분비될 확률이 가장 높은가?

6. 요를 산성화시키거나 알칼리화시키는 것이 이 약물들이 분비되는 양을 변화시키는가?

7. 정상 신 기능을 가진 성인에서 각 약물의 GFR은 얼마일 것으로 예상하는가?

8. 각 약물의 재흡수와 분비에 관하여 예상한 바에 따라, 각 약물의 신장 청소율은 문제 6번에서 계산한 GFR과 같은지, 큰지, 작은지 판단하라.

소량의 베이킹 소다와 함께 복용

Methotrexate의 신장 배설

Methotrexate(MTX; 분자량 454)는 특정 종양, 심한 건선, 그리고 성인 류마티스 관절염의 치료에 사용된다. MTX는 pK$_a$ 값이 4.8과 5.5인 두 개의 카르복시기를 가진 dicarboxylic acid이다. MTX에 관한 다른 중요한 약물동태학적 지표는 다음과 같다:

약동학 지표	Value
분포용적	0.6 L/kg
혈장단백결합률%	50%
신장청소율, CL$_r$	2 mL/min/kg

MTX는 일반적으로 적은 용량을 경구 투여했을 때 잘 흡수된다. 고용량에서 흡수는 포화된다.

신장 배설은 MTX의 주 소실 경로이다. 이 약물은 사구체 여과, 세뇨관 분비와 재흡수가 모두 일어난다. 신장 배설이 체내로부터 MTX를 제거하는 주 경로이기 때문에, 여과액 중의 MTX 농도는 높다. 신장 기능 장애는 MTX 독성을 일으킬 수 있다.

정맥 투여 후, 투여량의 80%가 미변화체로 요로 배설되고, 추측컨대, 10%가 담즙으로 배설되며, 그 나머지가 대사된다. 일부는 장간재순환을 한다고 생각된다.

질문

1. 체중이 70 kg인 환자에서 MTX의 분포용적은 얼마인가? 이 수치로부터 MTX가 분포하는 체액이 어디라고 예상할 수 있는가?

2. a. 생리학적 pH(7.4)에서 MTX 분자의 이온화 상태는(주로 이온화형 또는 비이온화형)? 첫째, pK$_a$가 4.8인 WA 그룹의 몇 %가 이온화되는지 계산하고, pK$_a$가 5.5인 그룹의 이온화 %도 계산하라. 그리고, 이 두 수치로부터 몇 %의 분자가 비이온화형이며 몇 %가 1가 또는 2가로 하전되어 있는지 알아보라.

   b. 얻어진 pH7.4에서의 MTX의 이온화 상태에 의하면, MTX는 조직세포로 어떻게 수송되거나 통과할 수 있는가?

   c. MTX의 경구 흡수는 고용량에서 포화된다. 이 것이 의미하는 바는? 이를 통하여 경구 흡수의 주 기전은 무엇이라고 말할 수 있는가?

3. a. 표에 주어진 수치를 이용하여 정상 신장 기능을 가진 개체에서 MTX의 GFR을 계산하라.

   b. 표에 주어진 수치를 이용하여, 정상 신장 기능을 가진 70 kg의 개체에서 MTX의 CL$_r$를 계산하라.

   c. 3a와 3b에서 계산된 MTX의 GFR과 CL$_r$을 비교하라. 이에 따르면, MTX의 요 배설에서

주된 경로는 분비인가, 재흡수인가?

4. MTX는 용해도가 좋지 않아 특히 고용량 사용 시 요에서 침전을 일으킬 수 있다. 침전은 신부전을 일으킬 수 있고, 또한 추후 MTX의 소실을 지연시킬 수 있으며 생명을 위협하는 합병증이 될 수 있다. MTX의 요 중 침전을 예방하기 위하여, 임상의들은 종종 환자들에게 과량의 수분 공급을 시키고, 중탄산나트륨을 복용하게 한다.

   a. 과량의 수분 공급이 어떻게 요에서 MTX의 침전 가능성을 줄일 수 있는지 설명하라.

   b. 중탄산나트륨의 복용이 어떻게 요에서 MTX의 침전 가능성을 줄일 수 있는지 설명하라.

   c. 중탄산나트륨을 이용하여 요의 pH를 변화시키는 것이 MTX의 사구체 여과, 세뇨관 분비, 또는 세뇨관 재흡수의 양에 영향을 주는가? 이것이 MTX의 CL_r를 어떻게 변화시키는가?

5. MTX를 복용하는 림프종 환자인 KR은 예상치 못한 급성 신부전이 발병하였다. 과량의 중탄산나트륨을 복용하였음에도 그의 요 pH 측정치는 매우 낮았다. 환자의 가족에 의하면 KR은 수분 섭취를 위하여 최근 다량의 무카페인 콜라를 마시기 시작하였다고 한다. 어떻게 콜라의 섭취가 MTX의 CL_r에 영향을 주며 신부전을 일으킬 수 있는가?

6. MTX의 신장 청소율은 종종 고용량에서 줄어든다. 이 이유를 설명하라.

7. 다른 유기 약산성 약물(NSAID와 같은)과 MTX의 병용 투여는 MTX를 체내에 저류시킬 수 있다. 설명하라.

8. MTX는 일정량 담즙으로 배설된다. 어떠한 MTX의 성질이 담즙으로 배설되기에 용이한 특징인가? 담즙으로 배설된 MTX는 결국 어떻게 되는가?

참고

Dipiro JT, Spruill WJ, Wade WE, Blouin RA, Pruemer JM. Concepts in Clinical Pharmacokinetics, 5th ed. American Society of Health Systems Pharmacists, 2010.

Ritschel WA, Kearns GL. Handbook of Basic Pharmacokinetics, 7th ed. American Pharmaceutical Association, 2009.

Rowland M, Tozer TN. Clinical Pharmacokinetics and Pharmacodynamics: Concepts and Applications, 4th ed. Lippincott Williams & Wilkins, 2010.

Shargel L, Yu A. Applied Biopharmaceutics and Pharmacokinetics, 5th ed. McGraw-Hill/Appleton & Lange, 2004.

10 약물대사
Drug Metabolism

9장에서는 약물이 소변이나 담즙을 통하여 배설되거나, 또는 한 가지 이상의 대사체로 대사되어 혈장에서 빠져나가는 과정을 살펴보았다. 일반적으로 대사(metabolism, 혹은 biotransformation) 과정은 효소가 매개된 생화학적 반응으로 하나의 분자가 깨지기도 하고, 새로운 분자가 생성되기도 한다. 수많은 대사 과정은 생체의 항상성을 유지하고 체내의 정상 기능을 수행하기 위해 꾸준하게 진행된다. 약물 역시도 이러한 반응을 거쳐 대사된다. 이번 장에서는 약물 대사에 관여하는 기관과 대사 반응, 그리고 효소 체계에 관해서 살펴보고자 한다.

배설 혹은 대사

약물의 물리화학적 성질(지질용해성, 이온화 정도, 단백 결합, 분자량 등)은 그 약물이 배설될 것인지 또는 대사 과정을 거칠 것인지를 결정한다. 많은 약물들은 대사와 배설의 두 가지 과정을 모두 거쳐 체내에서 제거된다.

인체는 소변을 통하여 약물을 배설시키는 체계를 갖추고 있다. 약물이 소변으로 배설되기 위해 요구되는 요소들은 아래와 같다.

- 낮은 단백 결합
- 혈장에서의 이온화
- 세뇨관 여과체에서의 이온화

극성을 띠는 약물, 특히 pH 5에서 7사이의 범위에서 이온화가 이루어지는 약물은 체내에서 변형되지 않고(예를 들면 대사과정 없이) 소변으로 배설될 수 있다. 그러나 지질용해성이 높고, 혈장 단백질과 강한 결합을 하며, 세뇨관 여과시에 재흡수 되는 약물들은 소변을 통해 배설되기 어려워 매우 느린 속도로 배설된다. 이러한 약물이 소변으로 배설되기 위해서는 반드시 수용성 대사체로 변환되어야 한다. 지질용해성이 큰 약물이 배설되기 위한 대사과정의 중요성을 그림 10-1에 나타내었다.

담즙으로 배설되는 약물은 분자량이 500 이상되어야 한다. 분자량이 300에서 500 사이에 해당하는 약물도 어느 정도는 담즙으로 배설된다. 분자량이 500 이하인 많은 약물 중에서도 분자량이 큰 대사체를 갖는 약물은 대사체를 통하여 담즙으로 배설된다.

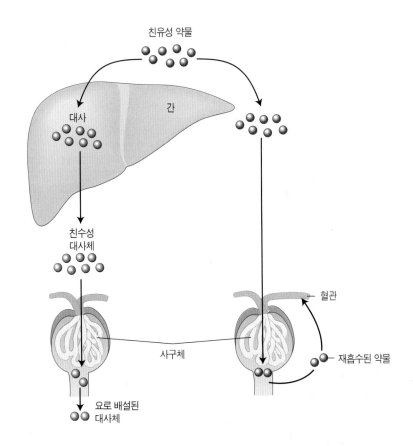

그림 10-1 지질용해성이 큰 약물의 배설. 지질용해성이 큰 약물은 소변으로 쉽게 배설되기 위해서 극성이 큰 대사체로 대사된다.

약물, 대사체, 그리고 효소

약물 대사 반응의 주요한 세 가지 구성 요소는 반응 물질(약물, 혹은 생체이물), 반응 촉매(효소) 그리고 결과물(대사체) 이다.

생체이물(Xenobiotics)

대사 과정은 독성 물질이나 외부 물질(생체이물(xenobiotics)이라 함), 혹은 체내에서 불필요한 물질들을 화학적으로 제거하는 기능을 담당한다. 외부 생물체나 고분자 물질이 체내에 침투하게 되면 면역시스템이 이를 제거한다. 그러나 저분자의 생체이물은 이러한 면역반응을 자극시키지 못한다. 이를 대신하여 생체의 여러 효소들은 이들을 보다 덜 유해한 대사체로 대사시켜 소변이나 다른 체액을 통해 쉽게 배설될 수 있도록 한다.

생체이물의 해독화는 살충제, 공해물질, 식품첨가제 등과 같이 우리 인체가 끊임없이 노출될 수 있는 여러 가지 다양한 외부물질을 처리하는 중요한 과정이다. 약물도 체내에서 생체이물로 인식되므로 생체이물과 같은 반응과 효소들을 통하여 대사될 수 있다.

효소

효소는 음식물의 소화, 신경자극의 전달 및 세포의 성장을 조절하는 다양한 반응을 매개하는 생체분자(보통은 단백질)이다. 대부분의 대사과정은 효소 존재하에 진행되며 효소가 없는 경우 반응 속도는 현저하게 떨어지거나, 혹은 일어나지 않게 된다. 효소는 효소 자체를 소모하지 않으며 반응속도를 변화시킬 수 있고 1,000배 이상 반응 속도를 증가시킬 수 있다. 효소는 매개하는 반응의 종류에 따라 표 10-1과 같이 분류할 수 있다.

많은 효소들은 단백질이 아닌 분자(조효소, coenzyme), 또는 이온(보조인자, cofactor)를 추가로 필요로 한다. 조효소는 단백질에 공유결합하거나 혹은 효소에 일시적으로 결합함으로써 효소의 반응을 돕는다.

2장에서 세포 안의 효소가 리간드나 약물의 효능을 담당하는 표적으로 역할을 하는 사례를 살펴보았다. 그 외에도 생체이물의 대사를 담당하는 효소가 존재하는데, 이러한 효소들은 간에 가장 많이 분포하고, 소장벽, 폐, 신장, 혈장과 피부에도 소량 존재한다. 간은 약물대사에 있어 가장 중요한 기관이 된다.

효소의 선택성

효소의 중요한 특징은 기질에 대한 선택성이 있다는 것이다. 효소와 기질은 서로 상보적인 모양, 전하, 친수/친유성, 입체화학의 특성을 갖고 있어 반응이 일어나게 한다. 인체에는 다양한 기질을 인식하는 수천 가지의 효소가 존재하며, 이들은 생명유지에 필요한 수많은 대사과정의 촉매반응에 관여한다. 체내의 내인적 기질들은 입체적인 비대칭성을 갖기 때문에 효소반응에 있어 입체화학은 중요하다. 즉, 특정 효소들은 약물의 한 가지 입체이성질체에 대하여 우세적으로 작용하는 입체화학의 선택성을 갖는다.

우리 인체가 자주 접하지 않는 생체이물에 대하여 각각의 대사 과정과 효소를 갖는다는 것은 비효율적일 것이다. 즉, 다양한 생체이물을 제거할 수 있는 일반적인 대사 과정을 갖는 것이 보다 더 효율적이다. 따라서, 생체이물을 대사하는 많은 효소들은 다양한 구조의 화합물을 대사시킬 수 있는 폭넓은 기질 특이성을 보인다. 또는 특정

표 10-1 주요 효소의 분류

분류	매개 반응	명칭
Hydrolases	기질의 가수 분해	Esterase
		Peptidase
		Glycosidase
Ligases	결합형성	Carboxylase
		Synthetase
Transferases	분자사이 반응기 이동	Aminotransferase
		Phosphorylase
Lyases	제거와 부가 반응	Decarboxylase
		Aldolase
Isomerases	재배열 반응	Racemase
		cis-trans isomerase
Oxidoreductases	산화 또는 환원	Oxidase
		Reductase
		Dehydrogenase

효소의 경우 특정 구조에 대한 선택성을 나타내기도 한다. 즉, 기질의 특정 구조(예, 일차 아민 구조)를 포함하는 화합물에 대하여 모두 기질로 인식을 하는 것이다. 약물 혹은 생체이물의 대사 과정은 여러 단계를 거치며, 각 단계별로 다른 효소가 반응에 관여하여 여러 가지 종류의 대사체를 생성하게 된다.

대사체

약물 대사체, 즉 약물 대사 과정의 산물은 보통 모약물보다 극성을 띠거나 쉽게 이온화된다. 결과적으로 대사체는 세포 내에 분포하기 어렵고, 혈장 단백질과 결합되는 비율이 낮으며, 신장에서 재흡수되기보다는 배설되기 쉬운 성격을 갖게 된다. 이러한 차이가 모약물에 비하여 대사체가 소변으로 쉽게 배출될 수 있도록 하는 것이다. 또한 많은 대사체는 모약물에 비하여 분자량이 증가되어 담즙으로의 분비가 쉬워진다.

대사체들은 변화된 화학구조로 인하여 본래 약물의 타겟에 결합하기 어려워지고, 따라서 모약물에 비해서 생물학적인 활성이 감소한다. 즉 대사과정은 약물의 생물학적 활성을 종결시키는 역할을 한다. 비록 많은 경우 대사체가 모약물에 비하여 약물학적인 활성이 감소하지만, 여기에는 몇 가지 예외가 있다. 몇몇 약물 대사체는 모약물과 비교하여 현격하게 다른 약물학적 혹은 독성학적인 활성을 나타내기도 한다.

전구약물

모약물이 약물학적인 활성은 없으나 대사과정을 거친 후 활성을 갖는 약물이 있다. 예를 들어, 대사체가 수용체와 결합할 수 있는 실질적인 약물인 경우이다. 이러한 전구약물(prodrug)은 보통 약물의 작용기를 변형하여 합성되는 유도체이다. 체내에서는 이러한 전구약물이 분해되어 실제 효능을 나타내는 약물로 생성되게 된다.

전구약물을 만드는 가장 널리 쓰이는 방법은 가수분해과정을 거쳐 활성 약물이 생성되도록 합성하는 것이다. 특히 수산화기나 카르복실기를 갖는 에스터(ester)는 가장 흔한 전구약물의 구조이다. 에스터 가수분해 효소는 거의 모든 조직에 분포하여 쉽게 전구약물을 분해하여 활성약물로 만든다.

활성약물 대신 전구약물을 투여하는 데에는 많은 이유가 있다. 약물 자체가 극성을 띠어 경구 투여 후 충분히 흡수되지 않거나, 뇌와 같이 특정 조직에 분포하기 어려운 경우이다. 이럴 경우 약물에 작용기를 붙여 세포막 이동을 원활하게 할 수 있다. 약물이 흡수되거나 혹은 특정 장기로 분포한 후 이 작용기가 대사되어 떨어져 나가게 되면 활성약물이 생성된다.

한 예로 L-DOPA는 혈액-뇌 장벽을 통과할 수 있는 아미노산 전구약물로 뇌로 이행된 후 도파민으로 대사되어 효능을 갖는다. 또 다른 예로 enalaprilat가 있다. 이 약물은 소화관에서 이온화되기 때문에 경구 투여 후 흡수가 용이하지 않다(그림 10-3). 그러나 카르복실기 중 하나를 에스터로 전환하여 이온화 정도를 억제함으로써 경구 흡수율을 증가시킬 수 있다. 더불어 소장에 존재하는 능동수송체계가 에스터화된 전구약물의 수송을 도와 흡수율을 증가시키는 데에 기여하게 된다(그림 10-3).

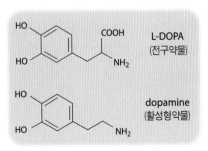

그림 10-2 L-DOPA (전구약물)과 도파민(활성형약물)의 구조

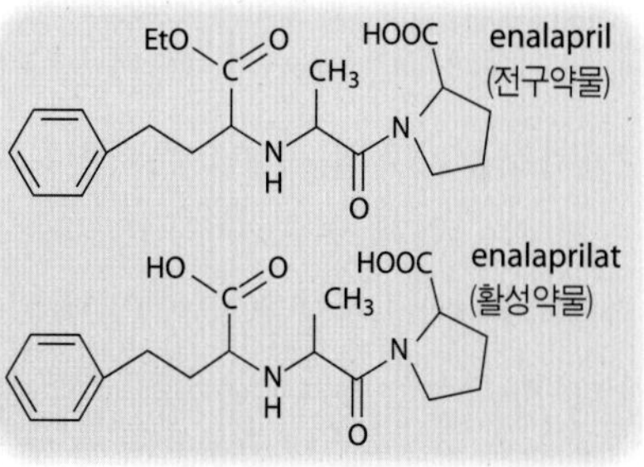

그림 10-3 enalapril (전구약물)과 enalaprilat (활성약물)의 구조

전구약물을 만드는 다른 이유는 약물 안정성을 증가시키고, 복약 순응도를 높이거나(약물의 맛, 향, 위장 자극, 투여 시 통증 유발 등으로 복약 순응도가 낮은 경우), 약물의 반감기를 증가시키기 위한 점도 포함된다.

약물대사의 동력학

효소 촉매반응은 Michaelis-Menten 식으로 설명될 수 있다.

$$V = \frac{V_{max}[S]}{[S]+K_m} \quad (식\ 10\text{-}1)$$

[S]는 기질(약물)의 농도, V_{max}는 대사과정의 최고 속도, K_m은 Michaelis 상수이다. V_{max}는 효소의 농도에 의존적이며 $1/K_m$은 기질(약물)과 효소의 친화력으로 측정되는 값이다.

대사되는 약물의 정확한 농도는 알기는 어렵다. 그러나 혈액이 순환하면서 약물을 작용 부위에 분포시키기 때문에 [S]는 혈중 약물농도 $[C_p]$와 동일하게 간주할 수 있으며, 혈중 약물농도는 혈액시료를 취하여 분석함으로써 측정할 수 있다. 이 때, Michaelis-Menten 식은 아래와 같이 표현될 수 있다.

$$V = \frac{V_{max}[C_p]}{[C_p]+K_m} \quad (식\ 10\text{-}2)$$

혈중의 약물 농도가 낮을 경우, $[C_p] \ll K_m$ 이며 식 10-2는 아래와 같이 단순화될 수 있다.

$$V = \frac{V_{max}}{K_m}[C_p] = k_m[C_p] \quad (식\ 10\text{-}3)$$

이 때 K_m은 겉보기 대사속도 상수로, V_{max}/K_m으로 표현된다. 따라서 약물의 혈중농도가 낮은 경우, 대사속도는 혈중 약물농도에 비례하게 되는 일차 속도 반응(first-order process)으로 표현된다.

만약 혈중 약물농도가 높을 경우 $[C_p] \rangle K_m$ 이며 대사 속도는 아래와 같이 표현된다.

$$V = \frac{V_{max}[C_p]}{[C_p]} \quad V_{max} \quad (식\ 10\text{-}4)$$

달리 말하면 효소가 포화될 만큼 대사 속도가 최고 속도에 도달하게 되는 것이다. 이 때에는 대사 속도가 약물의 농도에 관계없이 일정하게 (zero-order process) 된다. 따라서 더 높은 용량의 약물이 투여되더라도 대사과정에 이용될 수 있는 효소가 생성될 때까지 약물은 대사될 수 없다. 이러한 현상은 약물의 축적을 야기하고 예상되는 수치보다 더 높은 혈중 약물농도를 초래한다.

대부분 약물의 치료학적인 용량에서는 약물 대사 효소가 포화되는 수준에 도달하지 않는다. 그러나 특정한 상황이나 특정 약물의 경우 효소의 포화는 일어날 수 있다.

약물 대사 반응의 종류

약물 대사는 반응의 종류를 기준으로 다음 두 가지로 나누어 볼 수 있다.

1상 반응: 2상 반응이 가능하도록 반응성 있는 작

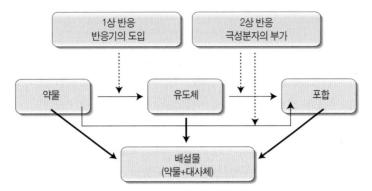

그림 10-4 약물 대사 반응의 종류

용기가 도입되거나 노출된다.

2상 반응(포합 반응): 체내에서 생성되는 물질이 약물 혹은 1상 반응을 거친 약물에 포합된다.

1상 반응에는 산화, 환원, 가수분해가 있으며 다음과 같은 반응성 있는 작용기가 도입된다.

- Hydroxyl (-OH)
- Amino (-NH$_2$)
- Carboxyl (-COOH)
- Sulfhydryl (-SH)

1상 반응의 결과물을 유도체(derivatives)라고 표현한다.

2상 반응은 체내에서 만들어진 극성이 큰 분자가 유도체에 결합하거나 포합되어 대사체를 생성

하기 때문에 포합반응으로 불린다. 두 가지 기질 (하나는 약물이고 다른 하나는 포합물질) 사이에 나타나는 효소 촉매반응에 대한 과정은 그림 10-5 에 표현되었다.

포합반응은 극성을 갖고 음전하를 띄는 대사체를 생성하게 하여 소변으로 쉽게 배설될 수 있게 한다. 포합반응 결과 모체약물 및 유도체보다 분자량이 커진 경우 담즙으로의 배설도 선호될 수 있다.

약물 구조에 이미 반응성이 큰 그룹을 포함하고 있는 경우, 1상 반응 없이 바로 2상 반응이 진행될 수 있다. 반응성이 큰 작용기를 포함하지 않는 약물은 1상 반응이 필수적으로 요구되며, 2상 반응까지 거치면 배설하기에 적합한 구조를 갖게 된다. 1상 반응을 거친 유도체가 2상 반응 없이도

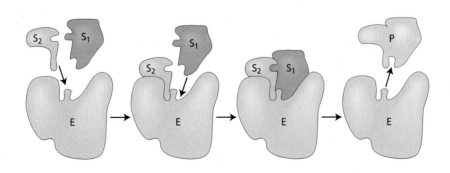

그림 10-5 효소(E)가 두 가지 기질(S$_1$과 S$_2$)사이에서 촉매작용을 하여 반응산물(P)를 형성한다.

배설되기에 충분한 극성을 갖게 될 수도 있다. 많은 약물은 위에서 언급한 반응들을 모두 거치게 되며, 이 때 소변에는 1상 반응과 2상 반응의 결과물, 대사를 받지 않은 약물 모두 포함된다. 배설되는 대사 반응의 산물들은 반응의 종류에 관계없이 대사체로 불리운다.

1상 반응

주요 1상 반응은 아래와 같다.

- 산화
- 환원
- 가수분해

한 가지 약물은 하나 이상의 1상 반응을 거칠 수 있으며, 이에 여러 가지 1상 반응 유도체를 생성한다. 많은 경우, 1상 반응은 작은 범위의 구조적 변화를 가져온다. 이러한 구조적 변화는 대부분의 경우 약물의 생물학적인 활성은 감소시키지만, 특정 약물의 경우 오히려 활성화되거나 활성의 변화가 나타나기도 한다. 특히, 전구약물은 1상 반응을 거친 후 활성화되게 된다.

1상 반응의 유도체들은 모약물과 비교 시 비슷한 정도 혹은 약간 증가된 극성을 나타내므로, 추가적인 포합반응이 요구된다.

1상 산화 반응

산화반응은 매우 다양한 과정이 존재하고, 이 때 관여되는 효소가 인체에 풍부하게 존재하여 가장 흔하게 일어나는 대사 반응이다. 대부분의 산화 과정은 주 대사기관인 간이나 장에 존재하는 세포의 활면소포체에서 이루어진다.

마이크로좀 산화. 실험을 통해 세포 분획을 분리하면 활면소포체는 마이크로좀의 형태로 분리가 된다. 마이크로좀은 실제 세포에 존재하는 소기관은 아니지만, 활면소포체에 존재하는 효소들은 흔히 마이크로좀 효소로 불린다. 이러한 효소들은 다양한 종류의 생체이물의 대사를 포함하여 많은 대사 반응에 관여한다.

Cytochrome P450 체계. 우리 몸에서 대부분의 산화 반응을 담당하는 마이크로좀 효소들은 mixed-function oxidases(MFOs)로 불린다. 그림 10-6에 MFO가 매개된 반응들이 나타나 있다. 이러한 반응은 반응성이 큰 작용기를 도입하고 있으며, 이후 2차적인 1상 반응이 필요하지 않게 된다. 가장 중요한 MFO 체계는 Cytochrome P450(간단히 CYP, CYP450, P450으로 명명됨)이다. 이는 heme을 포함하는 mono-oxygenase이며 다양한 구조의 약물과 화합물의 산화반응을 통한 대사과정을 담당한다. CYP는 간 또는 다른 조직에 존재하는 세포의 활면소포체의 지용성 막에 존재한다.

CYP 명명법. CYP 효소들은 기능보다는 아미노산 서열에 따라 분류된다. 같은 Family에 존재하는 CYP효소는 적어도 아미노산 서열이 40%의 공통성을 나타내며, CYP1, CYP2, CYP3와 같이 아라비아 숫자로 차례로 명명된다. Family 안에서 60% 이상의 공통성을 갖는 효소들끼리는 다시 subfamily로 분류되어 CYP1A, CYP2B, CYP3A와 같이 아라비아 숫자 다음에 알파벳 순서로 명명된다. 예를 들어 CYP3A는 family 3과 subfamily A에 속하는 Cytochrome P450 효소인 것이다.

다음으로 subfamily 안에 새로운 isozyme이 발견되면 아라비아 숫자가 추가된다. 예를 들어 CYP3A는 CYP3A1, CYP3A2, CYP3A4 등과 같이 몇 가지 isozyme으로 나뉜다. 같은 효소의 isozyme은 아미노산 서열은 다소 다르지만 같은 종류의 반응에 관여한다. 이들은 K_m 값, 기질 선택성, 세

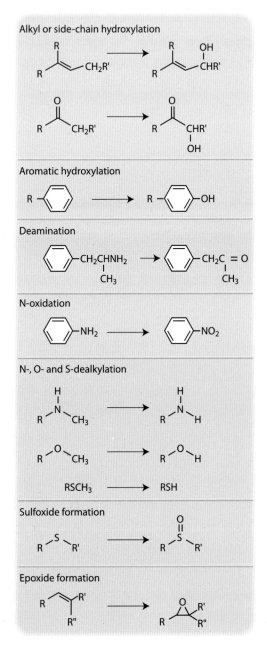

Alkyl or side-chain hydroxylation

Aromatic hydroxylation

Deamination

N-oxidation

N-, O- and S-dealkylation

Sulfoxide formation

Epoxide formation

그림 10-6 마이크로좀 효소, 특히 CYP450에 의해 매개되는 1상 산화 대사과정의 예.

포 안에 분포하는 위치 등에서도 차이를 보인다.

CYP 명명법을 그림 10-7에 표현했다. CYP 효소의 유전자는 비슷하게 명명되나 *CYP1A2*, *CYP3A4*와 같이 이탤릭체로 표현된다.

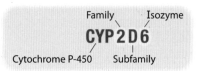

그림 10-7 Cytochrome P450 (CYP) 효소의 명명법

CYP 효소의 중요성. CYP family 1부터 4(특히 1,2,3)은 생체이물에 대한 대사과정에 매우 중요하다. 반면 다른 CYP family는 일차적으로 스테로이드나 지질류와 같이 내인성 물질들의 대사에 중요하다. CYP family 1부터 3에는 최소 50개의 다른 isozyme이 발견되었다. 사람에게 존재하는 CYP 중 특히 다섯 가지의 효소(1A2, 2C9, 2C19, 2D6, 3A4)는 전체 CYP가 매개된 반응의 약 95%, 전체 약물 대사반응의 약 75%를 담당한다. 표 10-2에 CYP에 의해 대사되는 약물의 예를 나타나 있다.

사람에서는 CYP3A의 isozyme이 가장 풍부하게 존재한다. 성인에서는 두 가지 유전자 *CYP3A4*와 *CYP3A5*로부터 발현되며, 태아기에는 *CYP3A7*로부터 발현된다. 약물 대사에 있어서 CYP3A5는 큰 영향을 미치지 않으나, CYP3A4는 현존하는 약물 중 65%에 이르는 약물의 대사에 관여할 정도로 매우 중요한 효소이다. CYP3A4는 간에서 가장 풍부하게 존재하며(약 60%), 장에서도 발현된다.

CYP3A4의 활성은 개인마다 다르게 나타나, poor metabolizer 혹은 fast metabolizer가 나타난다. CYP3A4가 많은 약물의 대사를 담당하기 때문에 약물상호작용에 영향을 미칠 수 있다. CYP3A4의 활성은 특정약물(rifampicin, phenobarbital, macrolide 항생제, 스테로이드)에 의해서 증가되어 병용사용 시 CYP3A4에 의해 대사되는 약물의 대사를 증가시킬 수 있다.

Non-CYP 산화. 1상 산화 반응은 주로 CYP 효소들에 의해 일어나지만, CYP 효소 이외의 효소들

표 10-2 가장 중요한 CYP 효소의 약물 기질 예.	
효소	**기질**
CYP1A2	Amitriptyline (Elavil®)
	Chlorpromazine
	Clozapine (Clozaril®)
	Propafenone (Rythmol®)
	Theophylline
	CYP2C9 Carvedilol(Coreg®)
	Celecoxib(Celebrex®)
	Glipizide(Glucotrol®)
	Ibuprofen(Motrin®)
	Irbesartan(Avapro®)
	Losartan(Cozaar®)
CYP2C19	Clopidogrel(Plavix®)
	Diazepam(Valium®)
	Imipramine(Tofranil®)
	Omeprazole(Prilosec®)
	Phenytoin(Dilantin®)
	Sertraline(Zoloft®)
CYP2D6	Amitriptyline
	Carvedilol(Coreg®)
	Codeine
	Donepezil(Aricept®)
	Haloperidol(Haldol®)
	Metoprolol(Lopressor®)
	Paroxetine(Paxil®)
	Risperidone(Risperdal®)
	Tramadol(Ultram®)
CYP3A4	Alprazolam(Xanax®)
	Amlodipine(Norvasc®)
	Atorvastatin(Lipitor®)
	Cyclosporine(Sandimmune®)
	Diazepam(Valium®)
	Estradiol(Estrace®)
	Indinavir(Crixivan®)
	Ritonavir(Norvir®)
	Simvastatin(Zocor®)
	Sildenafil(Viagra®)
	Verapamil(Calan®, Isoptin®)
	Zolpidem (Ambien®)

Brand names, if any, are in parenthesis.

역시 직접적으로 산화과정에 관여한다. 이러한 산화 효소들은 활면소포체 보다는 미토콘드리아나 세포질(cytosol)에 존재한다. 이러한 효소들은 내인성 기질의 산화를 촉매하나, 일부는 약물의 1상 산화반응에 관여하기도 한다. 특히 아민류나 알코올을 알데히드와 케톤으로 전환하는 반응을 매개한다(그림 10-8 참고).

환원

환원반응은 약물 대사과정 시 흔하게 일어나는 반응은 아니지만, 특정 약물의 대사에 있어서 중요한 역할을 한다. 특정 환원반응 결과, 반응성이 크거나 혹은 독성이 있는 대사체를 생산하기 때문에 비록 대사체의 농도가 낮다고 하더라도 간과할 수 없다. 일반적으로 환원반응은 수소가 도입되거나(예: -CO 이중결합 사이에), 산소가 제거되고 수소가 도입되는 반응(-NO$_2$를 -NH$_2$로 변환)을 매개한다(그림 10-9). 이러한 반응은 2상 반응의 포합반응이 일어날 수 있도록 수산기와 아미노기를 도입한다.

환원반응은 마이크로좀 효소 혹은 그 외 효소에 의해 매개된다. 산화반응에 관여되는 많은 효소들은 환원반응에도 관여하나 환원조효소(예: NADPH)를 필요로 한다(예: CYP450, CYP450 환원효소, alcohol dehydrogenase, aldehyde dehydrogenase). 사실 산화반응의 대사체가 환원반응의 기질이 되기도 한다. 이러한 현상은 산화환원

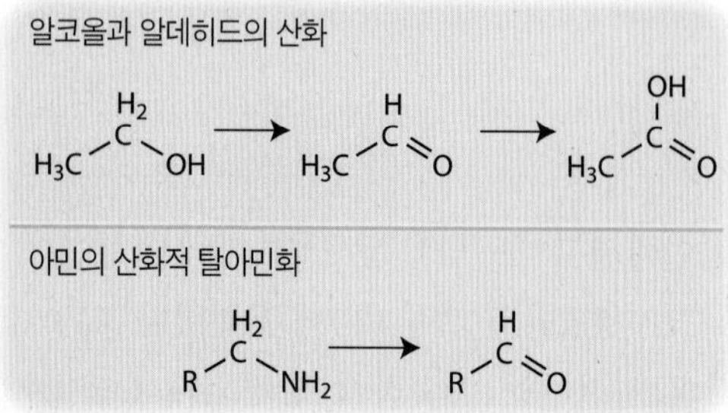

그림 10-8 비 마이크로좀 효소에 의해 매개되는 1상 산화반응

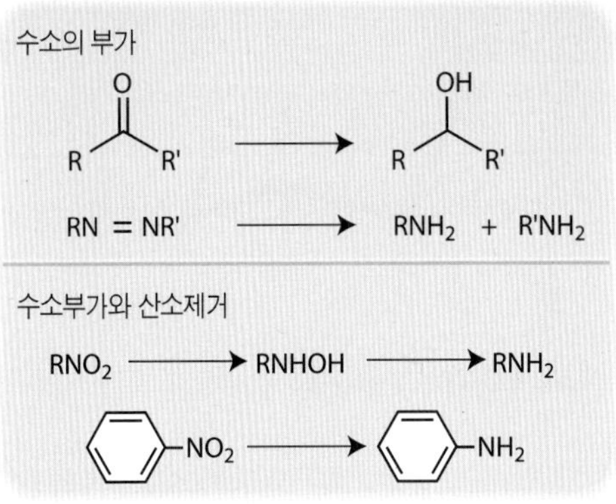

그림 10-9 1상 환원 반응의 예

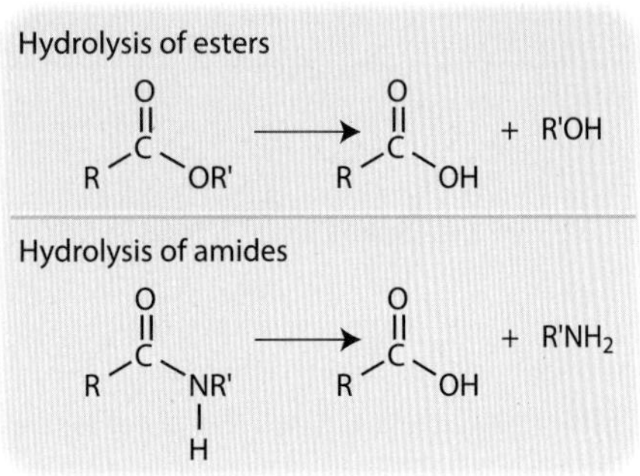

그림 10-10 1상 가수분해 반응의 예시

순환을 일으킨다. 이러한 순환의 궁극적인 생성물은 반응에 이용될 수 있는 조효소와 산소의 균형에 따라 달라진다.

환원반응은 간과 장에서 일어난다. 장에 존재하는 혐기성 세균은 대장에서 많은 환원반응을 수행하기 때문에 약물이 흡수되기 전에 대사가 진행될 수도 있다.

가수분해

가수분해는 다양한 종류의 약물, 특히 에스터, 펩타이드, 락톤, 일부 아미드 구조를 갖는 약물의 대사에서 흔하게 나타나는 반응이다. 1상 가수분해 반응의 예시가 그림 10-10에 나타나 있다. 에스터와 아미드 구조를 갖는 생체이물의 가수분해는 카르복실산, 알코올, 아민을 생성하며, 이들 그룹은 2상 포합반응을 하기에 적합한 반응성이 있는 구조를 갖는다. 가수분해에 관여하는 효소는 hydrolase로 명명되며, 기질에 따라 특징적인 이름을 갖는다(esterase, lactonase, peptidase, amidase). 가수분해효소는 일차적으로 마이크로좀 효소가 아니며, 전신에 걸쳐 다양한 조직(소화관, 혈장, 간)에서 발견된다. 이들 효소는 특히 에스터 구조를 갖는 전구약물을 활성약물로 전환시켜 중요한 의미를 갖는다.

2상 반응

2상 반응 혹은 포합반응은 약물(혹은 1상 반응 산물)에 포합물질들이 결합되는 반응이다. 이 반응에는 에너지가 요구된다. 포합물질들은 보통 탄수화물, 아미노산, 혹은 이들로부터 생성된 분자 등이 속한다. 약물 구조 상 포합물질이 결합하기에 충분한 반응성이 있는 작용기가 있는 경우, 또는 1상 반응을 거쳐 작용기가 도입된 약물인 경우 포합물질은 직접 결합한다.

하나의 약물이 여러 가지 1상 반응을 거칠 수 있는 것과 마찬가지로 한 가지 이상의 2상 반응을 거칠 수 있다. 모든 반응은 평행하게 진행되며, K_m과 V_{max} 값에 따라 각기 다른 속도로 진행된다. 이러한 약물의 대사체는 소변, 다른 체액, 대변 등으로 배설될 수 있게 된다.

2상 반응은 보통 1상 산화반응보다 빠르게 진행되기 때문에, 초기(1상) 산화반응이 속도 결정 단계가 된다.

생체이물의 대사에 관여하는 포합반응은 아래 여섯 가지 종류가 있다.

- Glucuronidation
- Sulfation
- Glutathione 포합
- Amino acid 포합
- Acetylation

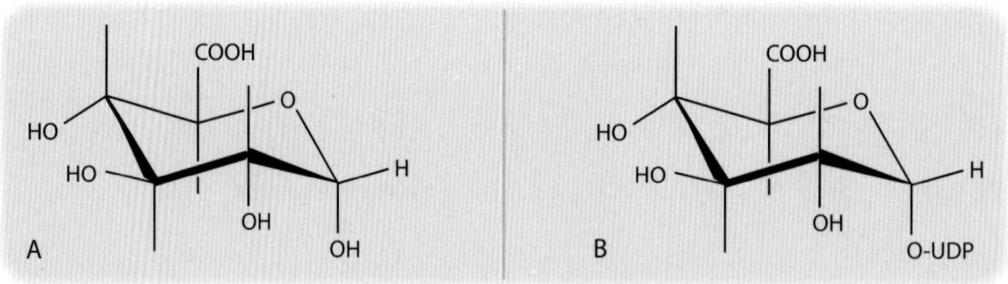

그림 10-11 A. glucuronic acid (GA)의 구조. B. uridine disphosphate glucuronic acid (UDPGA)의 구조.

• Methylation

Glucuronidation, sulfation, glutathione 포합은 가장 빈번하게 일어나는 2상 반응이다. 2상 반응은 보통 세포기질에서 일어나나, 예외적으로 Glucuronidation은 마이크로좀에서 일어난다.

포합물질들은 생물학적으로 활성이 없으며, 예외가 있으나 대체적으로 모체 화합물에 비해 지질용해성이 낮다. 많은 포합물질들은 극성을 띠는 약산으로 생리학적인 pH에서 이온화가 우세하게 일어난다. 따라서 많은 2상 반응 포합물질들은 수동수송을 통하여 막을 통과하기가 어려워, 대사가 이루어지는 세포에서 밖으로 이동하기 위해서는 수송체(carrier)가 매개된 과정이 필요하다.

포합반응은 세뇨관 분비를 증가시키고 재흡수는 감소시켜 소변으로의 배설을 촉진시킨다. 또한 포합반응을 통하여 약물은 담즙으로 분비되기에 충분한 분자량을 갖게 된다.

Glucuronidation

Glucuronidation, 혹은 glucuronide 포합반응은 가장 흔한 2상 반응으로 소변으로 배설되는 포합체의 대부분을 생성한다. 포합되는 물질은 glucuronic acid (GA)이며 이 물질의 활성형은 uridine disphosphate glucuronic acid (UDPGA)로 그림 10-11에 나타나있다. 대부분의 glucuronidation 반응은 UDP-glucuronosyltransferase (UGTs)로 불리는 마이크로좀 효소에 의해 일어난다.

GA는 당으로부터 만들어지므로 체내에서 충분한 양이 공급될 수 있다. 이러한 이유로 glucuronidation은 모든 포합반응을 통틀어 가장 우세하게 일어나는 반응이다. 약물 혹은 1상 반응을 거친 화합물들은 UDPGA와 반응하여 UDP를 해리시키고 그 자리에 결합하게 된다.

UDPGA는 선택적이지 않아 몇 가지 반응기, 예를 들면, 알코올기, 페놀성 수산화기, 아민류, 카르복실기, sulfhydryl, carbonyl 등을 포함하는 분자에 결합할 수 있다. 이러한 점은 Glucuronidation이 흔히 일어날 수 있는 또 다른 이유가 된다. 그림 10-12에 반응 예시가 나타나있다.

이러한 반응의 대사체(glucuronides)는 큰 분자량을 갖게 되고 극성을 갖는 약산(GA가 결합하여)을 띠기 때문에 생리학적인 pH에서 쉽게 이온화가 된다. 보통 분자량이 500을 넘지 않는 대사체들은 소변으로 배설되고, 500을 넘는 대사체는 담즙으로 배설된다. 담즙으로 배설된 대사체들은 극성을 띠고 이온화되기 때문에 위장관에서 재흡수 되지 않는다. 그러나 소화관에서 glucuronides가 해리되는 경우 장간순환을 거칠 수 있다.

Sulfation

Sulfate기와 포합되는 반응은 방향족 수산화 화합물(페놀과 카테콜류)과 일부 아민류에서 흔하게 일어나는 2상 반응이다. 지방족 알코올류에서는 흔히 일어나지 않는다. Sulfate기(시스테인과 같은 황을 포함하는 아미노산으로부터의)가 효소

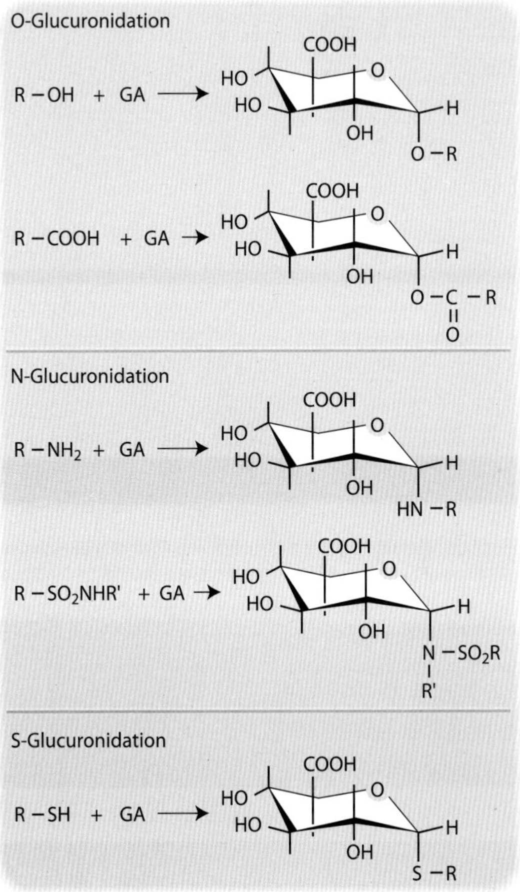

그림 10-12 2상 glucuronidation 반응의 예.

반응 아래 ATP와 결합하게 되면 활성화된 sulfate 화합물, 3'-phosphoadenosine-5'-phosphosulfate (PAPS)가 생성된다. 그 다음 PAPS는 sulfate 기를 약물에 전달해주어 sulfate 포합체를 생성한다(그림 10-13 참고).

이 반응은 sulfotransferase (SULTs)에 의해 매개되는데, 이 효소는 수많은 생체이물, 약물, 내인성 화합물들의 sulfation을 담당하는 세포질 효소이다. SULTs는 간, 소장, 뇌, 신장에 존재한다. 이온화가 매우 잘 일어나는 sulfate기는 sulfate 포합체가 쉽게 수용성을 갖도록 하여 소변으로의 배설이 쉽게 일어나게 한다. 무기물인 sulfate의 공급이 제한되어 있고, sulfation을 거칠 수 있는 작용기가 적게 존재하기 때문에 일반적으로 sulfa-

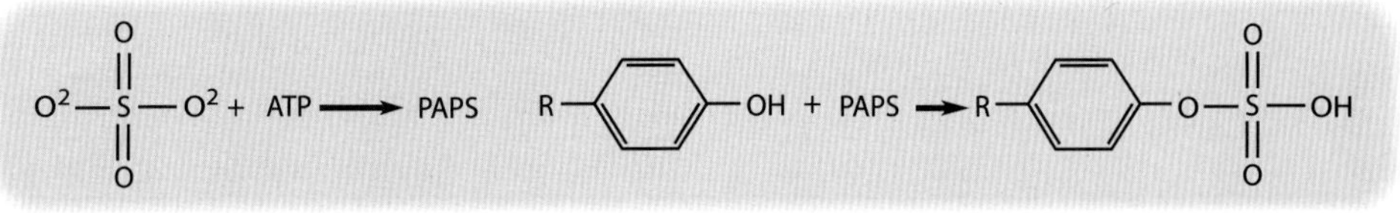

그림 10-13 Sulfation 포합 과정. 황을 포함하는 아미노산과 ATP로부터 생성된 3'-phosphoadenosine-5'-phosphosulfate (PAPS)가 약물 혹은 1상 반응 유도체와 반응하여 sulfate 포합체를 생성한다.

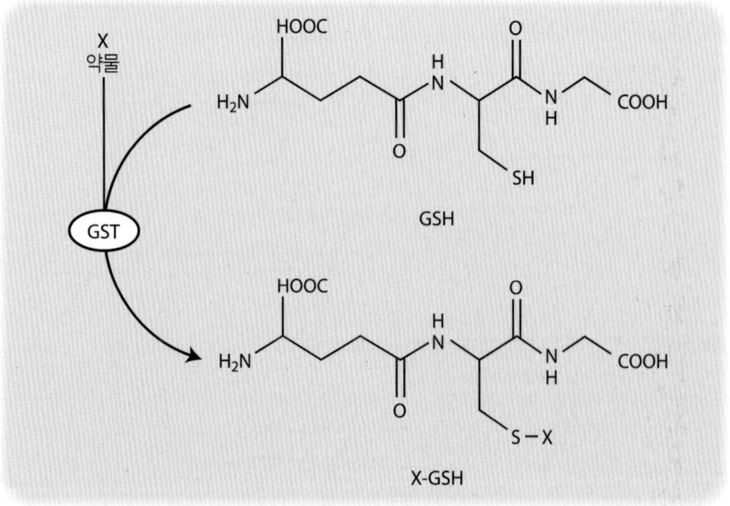

그림 10-14 약물(X)에 글루타치온이 결합하여 글루타치온 포합체를 형성한다.

tion은 glucuronidation 보다 빈번하게 일어나지 않는다. 제한된 sulfate의 공급으로 대사과정 중에 모두 소진될 수도 있다. Sulfate가 고갈되게 되면 glucuronidation과 같은 다른 포합반응이 대신하게 된다.

Glutathione 포합반응

Glutathione (GSH) 포합반응은 친전자성(electrophilic)을 갖는 화합물이 glutamic acid, cysteine, glycine의 세 가지 펩타이드로 이루어진 GSH와 포합되는 비선택적인 반응이다. GSH의 -SH기는 공격성 있는 친전자성 부분과 결합하여 thioether 포합체를 형성한다(그림 10-14 참고). 이 반응은 glutathione S-transferase (GSTs) 효소에 의해서 이루어진다. 이 효소는 대부분의 세포에 존재하지만 특히 간과 신장처럼 GSH 농도가 높은 곳에 분포한다. GSH는 마이크로좀에도 존재하고 그 외 영역에도 존재한다. 세포질에 존재하는 GSTs가 약물의 대사에 중요한 반면 마이크로좀에 존재하는 GSTs는 내인성 기질의 대사에 중요하다.

GSH와 포합되는 반응은 공격성을 갖는 친전자

성 물질로부터 세포를 보호한다. 다양한 친전자성 원소(-O, -N, -S)는 GSH와 thioether를 형성한다. 이러한 원자를 포함하는 약물 또는 1상 반응 생성물은 GSH와 포합될 수 있다.

일단 형성된 GSH 포합체는 소변으로 바로 배설되기 힘들다. 이 물질들은 보통 몇 가지 대사반응을 더 거친 후 N-acetylcysteine 포합체의 형태로 배설된다. 일부 GSH 포합체들은 분자량이 커 담즙에서 관찰되기도 한다. 세포 안에 저장된 GSH는 빠르게 소진되어 약물이 배설되지 못하고 체내에 누적되도록 한다.

아미노산 포합반응

많은 내인성 아미노산들(보통 글라이신과 글루타민)은 카르복실산기를 갖는 화합물과 반응하여 아미드 결합을 생성함으로써 포합물질로 작용할 수 있다 (그림 10-15 참고).

카르복실산 약물 또는 1상 반응 산물들은 우선 ATP와 결합하여 활성화되고, coenzyme A (CoA) thioester를 형성하도록 전환된다. 이 과정에 acyl CoA synthetase가 매개된다. 형성된 CoA thioester는 글라이신, 글루타민과 포합되어 아미노산과 약물 사이에 아미드 결합 혹은 펩타이드 결합을 형성한다. 이 때 이 반응은 N-acetyltransferase (그림 10-16 참고)에 의해 매개된다. 아미노산 포합체는 본래의 카르복실산에 비해 수용성이 증가되고, 소변으로 쉽게 배출되게 된다. 분자량이 충분이 큰 경우 담즙으로 분비될 수도 있다.

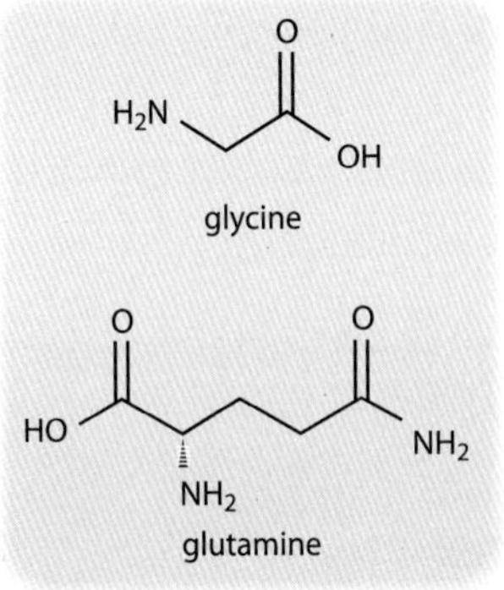

아세틸화

일차 알킬 아민과 방향족 아민들은 아세트산과 결합하여 아세틸 포합체를 생성한다. 이 반응을 통해 아세틸기(활성화된 형태인 acetyl coenzyme A로)가 약물에 전이되며, N-acetylatransferase (NATs)(그림 10-17)에 의해 매개된다. 이 반응은 주로 간에서 일어난다.

대부분의 포합반응은 수용성이 증가된 대사체를 생성하지만, 아세틸화는 아민류의 이온화를 어렵게 하기 때문에 모체 화합물보다 수용성이 감소한다. 그렇지만, 아세틸화는 약물을 이온화가 어려운 형태의 화합물로 전환함으로써 불활성화한다는 의미가 있다. 많은 아민 약물들은 수용체에 결합하기 위해서 양전하를 띠고 있어야 하지만, 생리학적인 pH에서 양성자를 잃게 됨으로써 약물 타겟에 대한 친화력을 소실하게 되어 생물학적인 활성을 잃게 된다.

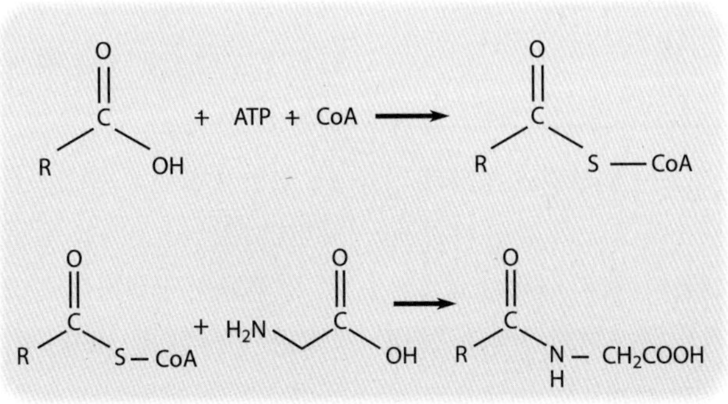

그림 10-15 많은 보통의 아미노산(글라이신과 글루타민)은 아미노산 포합반응에 관여한다.

그림 10-16 아미노산 포합 과정. 약물 또는 1상 반응 유도체에 존재하는 카르복실산이 활성화되어 CoA thioester를 형성하고 글라이신 혹은 글루타민과 결합하여 아미노산 포합체를 형성한다.

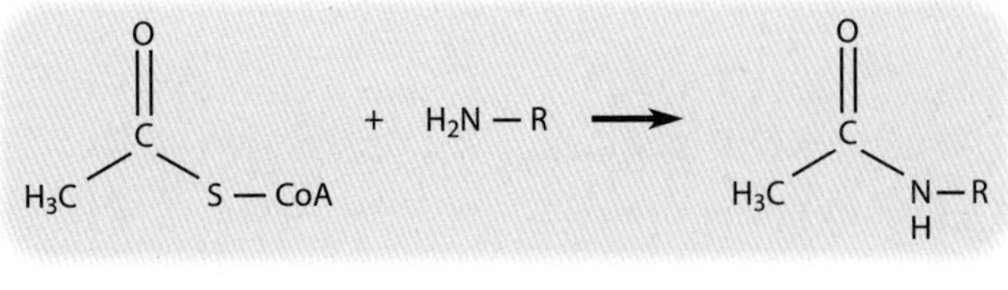

그림 10-17 아세틸화의 과정. Acetyl CoA가 아민 약물 또는 1상 반응 유도체와 반응하여 약물의 아세틸 포합체를 형성한다.

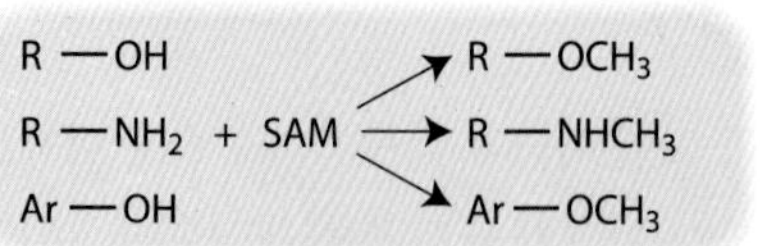

그림 10-18 메틸화 과정. 활성된 메티오닌(SAM)으로부터 메틸 그룹이 약물 또는 1상 반응 유도체(알코올, 페놀, 아민)와 반응하여 메틸 포합체를 생성한다.

메틸화

O- 그리고 N-methylation (메틸기의 추가)은 약물 대사보다는 내인적인 화합물의 합성 및 대사에 중요한 생화학적 회로를 제공한다. 그렇지만 epinephrine과 isoproterenol과 같은 일부 약물들은 쉽게 메틸화가 되어 짧은 약물 작용시간을 나타내기도 한다(그림 10-18). 메틸기는 아미노산 methione에서 비롯되는데, 우선 S-adenosylmethionine (SAM)의 형태로 활성화된다. 대사되는 화합물(알코올, 페놀, 아민)은 SAM과 결합을 한 후 메틸기를 전달받게 된다. 이 반응은 methyltransferase에 의해 매개된다. 메틸화는 아세틸화와 마찬가지로 극성이 더 감소된 형태의 결과물을 생성한다.

대사 장소

약물대사에 관여하는 효소는 대부분의 조직과 기관의 세포에 존재한다. 소화 효소와 같은 특정 효소들은 세포 외에 존재하며 세포 밖에서 반응을 진행한다. 약물의 대사는 효소가 고농도로 존재하고 투여된 약물이 높은 분획으로 존재하는 기관에서 우세하게 진행된다. 대사를 담당하는 기관은 이러한 반응들이 극대화될 수 있도록 구조화되어 있다.

간은 그 구조와 위치상 약물 대사에 가장 중요한 역할을 하는 기관이다. 간에는 CYP 효소를 포함하여 마이크로좀 효소뿐만 아니라 비-마이크로좀 효소도 풍부하게 존재한다. 이후 간에 대해서 좀 더 자세히 살펴보고 다른 약물 대사기관과 조직에 대해 알아보고자 한다.

간에서의 약물 대사

간은 우리 인체에서 가장 큰 분비기관이며 다양한 일을 담당하고 있다. 기본적인 간의 역할은 다음 세 가지로 정리해볼 수 있다.

• 혈관: 림프계와 간의 식세포계를 형성
• 대사: 탄수화물, 지방, 단백질 대사
• 분비: 담즙의 합성과 분비

대사 및 분비 기능은 간이 약물의 배설에서 중요한 기관이라는 점을 나타낸다. 간질환을 갖는 경우 인체의 기능뿐만 아니라 약물치료에 큰 영향을 미치게 된다.

간의 구조와 기능

간은 심장 순환의 약 30%에 해당하는 혈액을 공급받는 기관으로 혈관이 잘 발달된 기관이다. 혈액은 두 가지 혈관을 통해서 간으로 들어간다. 하나는 간동맥으로 동맥 혈액을 운반하고, 다른 하나는 간문맥으로 위장관을 거쳐온 혈액이 들어간다. 간동맥은 간으로 산소를 공급하고 간으로 공급되는 혈액의 25%를 담당한다. 간문맥은 간으로 영양분을 공급하며 간으로 주입되는 혈류의 75%를 담당한다. 소장, 위, 이자, 비장으로부터 돌아오는 혈액들은 모두 간문맥으로 들어간다. 따라서 위장관을 통해서 흡수된 약물과 영양분은 전신순환을 거치기 전에 필히 간을 통과하게 된다. 간을 통한 혈액순환은 그림 10-19에 나타나있다.

기능적인 간의 단위는 간소엽으로 그림 10-20에 있다. 사람은 수백만 소엽을 갖는다. 각각의 소엽은 간세포를 포함하는데 간세포는 간에서 혈액이 빠져나가는 혈관인 중심정맥으로부터 방사 형태로 판을 이루며 배열되어 있다. 간에 존재하는 모세혈관인 유동(sinusoids)은 간문맥과 간동맥으로 공급된 혈액을 포함하고 있으며 하나의 판을 다른 판으로부터 분리시키고 있다. 유동과 간세포 사이의 공간은 디세강(space of Disse)으로 불린다. 간세포는 미세융모를 갖고 있기 때문에 혈액과 간세포 사이의 표면적을 극대화한다.

비연속적인 유동은 단백질 혹은 단백질에 결합되어 있는 기질과 같은 물질들이 디세강으로 자유롭게 이동하게 한다.

이러한 방식으로 간문맥과 전신순환하는 혈액 속에 포함된 약물 및 다른 분자들은 간세포에 근접하게 된다. 지질용해성이 큰 약물들은 확산을 통해 쉽게 간세포로 이동한다. 극성 물질 혹은 이온화되어 있는 물질들은 간세포로 이동하기 힘들기 때문에 운반체 매개 과정과 특정 수송체가 필요하다. 간세포에는 몇 가지 수송체가 존재하기 때문에 이러한 물질의 이동을 돕는다. 간세포에 존재하는 효소들은 주로 단백질과의 결합이 해리된 약물을 대사시키고, 때로는 단백질 결합이 유지된 약물도 대사한다.

9장에서 살펴보았듯이 간은 담즙을 생산하는 분비기능을 한다. 담즙은 식이성 지질을 소화하는데 중요한 역할을 하며 극성을 띠고 분자량이 큰 물질들의 배설에도 중요하다.

따라서 간으로 유입된 약물은 간세포에서 다양한 약물대사효소에 노출된다. 이러한 약물은 반응의 K_m과 V_{max} 의존적으로 대사된다. 간은 분자량이 큰 대사체들은 제거하고 담즙을 통하여 대변으로 배설시킬 수 있다. 대사가 되지 않고 남은 약물과 대사체들은 간정맥을 통해서 간을 빠져나간다. 이 혈액은 대정맥을 통하여 전신순환을 돌게 된다.

간 청소율

청소율이라는 개념은 간에서 제거되는 약물에 적용할 수 있다. 간 청소율, CL_h는 단위 시간당 간에서 제거되는 혈장의 부피로 정의할 수 있다. 간 청소율에 영향을 미칠 수 있는 요소들은 다음과 같다.

- 약물이 간으로 분포하는 정도
- 간의 혈류속도
- 약물의 단백결합력

간 추출율(hepatic extraction ratio). 약물을 정맥으로 주입했다고 간주하면 약물은 분포용적에 따라서 전신순환과 각 조직에 분포하게 된다. 약물은 간동맥을 통하여 간으로 들어가게 되며, 담즙분비 혹은 대사를 통하여 일정 부분이 제거되게 된다. 결과적으로 간을 빠져나오는 간정맥에 존재하는 약물의 농도는 간동맥으로 들어가는 농도보다 낮아지게 된다. 간 추출율(hepatic extraction ratio, ER_h)는 간을 일회 통과 시에 제거되는 약물의 비율로 정의 된다.

$$ER_h = \frac{C_a - C_v}{C_a} \quad \text{(식 10-5)}$$

여기에서 C_a와 C_v는 간동맥의 약물농도, 간정맥의 약물농도를 의미한다. ER_h 값은 0에서 1.0 사이에 분포하며 ER_h가 0.2라는 것은 20%의 약물이 간을 한 번 통과할 때 제거된다는 의미이다.

간 추출율은 약물 대사효소의 효율 및 담즙으로 배설되는 정도에 비례한다.

대사 효율(Metabolic efficiency). 간에서 대사되는 약물의 효율은 약물의 물리화학적 성질, 반응식의 K_m과 V_{max}와 같이 여러 가지 인자에 좌우된다.

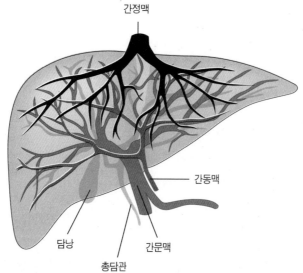

그림 10-19 간에서의 혈액 순환. 혈액은 간동맥과 간문맥을 통해서 간으로 들어가며 간정맥을 통해서 빠져나온다. 간은 담즙을 생성하여 담낭에 보관한 후 필요 시 십이지장으로 분비한다.

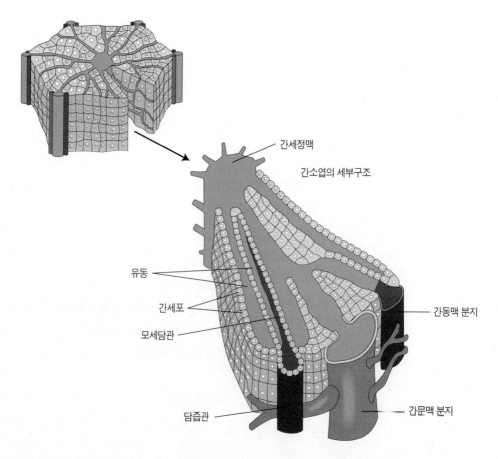

그림 10-20 간의 기능적 단위인 간소엽의 모식도. 간동맥과 간문맥으로 유입된 혈액은 유동에 들어가고 간세포를 접촉하게 된다.

대사가 되기 위해서는 수동확산 또는 수송체를 통하여 간세포로 들어가야만 한다. 하나의 약물이 거치는 반응의 수, 효소에 대한 약물의 친화력, 효소의 농도는 대사 속도를 결정하게 된다.

담즙분비. 극히 일부의 약물은 모약물 그대로 담즙으로 배설되나, 대부분의 약물은 일차적으로 대사를 받고 커진 분자량으로 인하여 담즙으로 배설된다. 따라서 간에서의 약물 제거는 배설보다는 대사에 의한 것이며 간에서의 약물 추출은 담즙분비보다는 간대사에 의한 것이다. 물론, 콜레스테롤 수치를 낮추기 위해 사용되는 'statin' 약물들처럼 중요한 예외는 있다.

간 혈류 속도. 간으로 도달하는 혈류 속도가 빠를수록 간에서 약물이 제거되는 속도는 빠르다. 만약 간으로의 혈류속도를 Q(mL/min 또는 L/hr)로 표현한다면 간청소율은 다음과 같이 정의할 수 있다.

$$CL_h = Q \cdot ER_h \quad \text{(식 10-6)}$$

ER_h가 높은 약물(0.7 보다 큰 경우)은 간으로 유입되는 혈류 속도만큼 빠른 속도로 약물을 제거할 수 있다. 따라서 간의 혈류속도가 변하면 이러한 약물의 간청소율은 크게 변화한다. 만약 혈류속도가 증가하면 간청소율도 증가한다.

한편, ER_h가 낮은 약물(0.2 보다 낮은 경우)은 높은 ER_h를 갖는 약물보다는 Q의 영향을 덜 받게 된다. 이러한 약물은 일차적으로 약물 대사효소의 효율에 영향을 받기 때문에 혈류속도의 증감이 이 약물의 간청소율에 큰 영향을 주지는 않는다.

혈장 단백질 결합. 혈장 단백질의 결합이 간청소율에 미치는 영향은 복잡하다. 일부 약물의 경우 혈장에서 단백질과 해리되어 있는 형태의 약물만 대사시킬 수 있으며, 이러한 약물들은 제한적인 대사를 보이고 있다고 표현된다. 따라서 이러한 약물의 대사는 혈장 단백질의 결합이 어느 정도인지에 따라 영향을 받는다. 일반적으로 이러한 약물들은 낮은 ER_h (<0.3)를 나타낸다. 다른 약물들 (특히 ER_h >0.7)은 간에서 빠르게 대사되기 때문에 혈장 단백질의 결합이 대사에 큰 영향을 미치지 않는다. 이러한 약물들은 비제한적인 대사로 표현된다. 이 때의 효소 반응은 약물이 혈장 단백질에 위해 좌우되지 않을 만큼 충분히 효율적이다. 중등도의 추출율을 보이는 약물은 복합적인 성향을 보이며, 혈장 단백질의 결합이 대사에 미치는 영향은 크지 않다.

혈장 단백질의 결합이 담즙분비에 미치는 영향은 약물 대사와 마찬가지로 매우 다양하게 나타난다. 담도의 트랜스포터와 강한 친화력이 있는 약물은 혈장 단백질 결합이 미치는 영향이 크지 않다. 그러나 중등도로 담즙분비가 이루어지는 약물은 오직 단백질과 해리되어 있는 형태로만 담즙으로 분비될 수 있다.

다른 기관에서의 대사

약물은 간 이외의 기관에서도 대사될 수 있다. 이를 간외대사(extra-hepatic metabolism)라 칭한다. 장관, 폐, 신장, 뇌, 피부, 코의 상피세포에는 약물대사 효소가 상당량 존재한다. 이러한 기관에서의 약물대사는 경구, 비강, 흡입, 경피 투여와 같이 특정 기관을 통해 약물흡수가 이루어지는 경우 더욱 중요하다. 청소율과 추출율은 각 기관에서의 대사를 설명할 수 있다.

전신순환전 대사

약물을 정맥으로 투여하면 전량이 전신순환으로 들어가게 된다. 그러나 다른 경로를 통하여 약물을 투여하면 투여한 양의 일부분만 전신순환으로 들어가게 된다. 그 이유는 흡수가 불완전하게 일어나고, 흡수되는 부분에 존재하는 상피세포에서 대사가 일어날 수 있기 때문이다. 경구로 투여하는 경우 전신순환으로 들어가기 전에 간을 통과하면서 약물의 양이 소실될 수 있다. 일반적으로 전신순환으로 들어가기 전의 약물대사를 전신순환전 대사(presystemic metabolism)라 칭한다.

이 현상은 특히 경구투여 시 중요하며 소장과 간이 주요 기관이 된다.

장에서의 대사. 소장과 대장은 모두 특정 약물의 대사에 중요한 역할을 한다. 소장은 약물을 대사할 수 있는 다양한 소화효소를 포함하고 있다. 펩타이드와 폴리펩타이드는 특히 더 영향을 받는다. 장에 존재하는 미생물은 약물대사에 영향을 미치는 효소들을 분비한다. 따라서 투여된 용량의 일부가 흡수되기 전에 소실된다. 장에 존재하는 glucuronidase는 담즙에 포함된 glucuronide 포합체를 가수분해하여 glucuronide와 해리된 약물이 장간순환을 하게 한다.

대사는 흡수과정에서도 일어날 수 있다. 장의 상피(또는 위장벽)에는 1상 마이크로좀 산화와 2상 glucuronidation 또는 sulfation을 매개하는 효소들이 존재한다. 가수분해효소 역시 장벽에 풍부하게 존재하여 많은 전구약물의 가수분해를 유도한다. 효소가 가장 높게 존재하는 곳은 십이지장 상피이며 장관을 따라 내려가면서 효소의 양은 점점 감소한다. 위장관에서 약물이 녹고 상피세포를 통해 흡수가 되기 시작하기 때문에 대사효소들은 장에서 약물이 점막의 융모 모세혈관으로 이동하는 동안에 약물을 대사시킨다. 따라서 모세혈관에는 대사받지 않은 약물과 대사체 모두가 전달된다.

위장벽의 추출 비율은 ER_{gut}로 표현할 수 있다. 이것은 장의 내피세포를 통해 흡수되는 동안 대사되어 제거된 약물의 비율을 의미한다. 일부 약물에서는 위벽 대사가 강하게 일어나기 때문에 모체 약물의 흡수되는 양을 심각하게 제한하기도 한다. 이러한 약물의 경우 경구투여가 적절한 투여경로가 될 수 없기 때문에 다른 경로로의 투여가 필요하다.

초회 통과 대사. 경구로 투여되는 약물은 전신순환으로 들어가기 전에 간문맥을 거쳐 간으로 통과하게 된다. 이 초회 통과 시 간에서 많은 양의 약물이 추출되게 되면 전신순환으로 들어가는 약물의 양은 감소하게 된다.

간 추출율이 높은 약물(E_h) 0.7)은 투여용량의 많은 부분을 대사(드물게 담즙분비로)로 인하여 소실되게 된다. 간을 통과하면서 대사로 인하여 약물의 소실되는 것을 초회 통과 대사(first-pass metabolism)라고 칭한다. 높은 E_h를 나타내는 약물을 다른 경로로 투여하더라도 체내 다른 부분에 분포되고 난 후 결국 간을 통과하게 된다. 따라서 낮아진 용량의 약물이 간동맥을 통해 간으로 유입되게 되고 마찬가지로 일부는(같은 E_h의 비율로) 간에서 추출된다. 초회 통과효과로 유실된 양은 대사체가 독성이 없는 경우라면 투여용량을 증가시켜 보상할 수 있다. 만약 용량을 증가시키는 것이 가능하지 않다면 약물은 비경구투여를 고려해야 한다.

모든 약물은 경구 투여 후 초회통과효과로 인하여 약물의 손실이 나타난다. 낮은 ER_h의 경우 소실된 양이 미미하고 큰 영향을 미치지는 않는다. 따라서 주로 큰 ER_h를 나타내는 약물에 대해서만 '초회 통과 대사'를 고려한다.

많은 전구약물은 초회 통과 대사를 통해 활성화된다. 활성이 없는 전구약물은 흡수된 후 간을 통과하면서 활성형 대사체로 변환된다.

전신 청소율

전신 청소율(total body clearance, C_{Lto})은 단위

시간당 제거되는 혈장의 부피로 정의된다. 약물은 대사되지 않은 형태로 소변이나 담즙으로 빠져나가거, 혹은 간이나 다른 기관에서 대사되어 제거된다. 이러한 모든 경로는 혈장에서 약물이 제거되는 총 청소율에 영향을 준다. 총 청소율은 각 기관에서의 청소율의 합으로 표현될 수 있다.

$$CL_{tot} = CL_r + CL_m + CL_b + CL_{other} \quad \text{(식 10-7)}$$

여기서 CL_r은 신장 청소율, CL_m은 간 대사 청소율, CL_b는 담즙 청소율(대사되지 않은 약물의), CL_{other}은 다른 경로의 청소율을 의미한다. 분자량이 500 아래인 약물은 신배설과 간대사 경로가 우세하기 때문에 아래와 같이 수식을 단순화할 수 있다.

$$CL_{tot} = CL_r + CL_m \quad \text{(식 10-8)}$$

총 청소율은 특정 시간 동안 혈장 농도를 모니터링하여 약물 농도의 감소를 측정함으로써 파악할 수 있다. 신 청소율은 특정 시간 동안 소변에서의 약물 농도를 모니터링함으로써 쉽게 측정할 수 있다. 일반적으로 대부분의 약물은 전신 청소율과 신청소율의 차이를 간대사 청소율로 본다.

$$CL_m = CL_{tot} + CL_r \quad \text{(식 10-9)}$$

당연히 담즙으로 제거되거나 다른 조직에서 대사되는 약물은 이에 관한 개념을 수식에 포함시켜야 한다.

청소율의 속도와 정도

간 청소율(CL_h)은 혈장으로부터 공급된 약물이 간을 통해 어떤 속도로 제거되는지를 측정한 값이다. 높은 CL_h를 갖는 약물은 낮은 CL_h를 갖는 약물보다 빠르게 제거된다. 약물이 간에서 제거

되는 것처럼 신장이나 다른 경로를 통해 약물은 동시에 배설될 수 있다. 각 경로의 상대적인 기여도는 약물의 물리화학적인 성질과 환자의 간기능 및 신장기능, 그리고 다른 약물 혹은 내인성 물질들이 대사경로와 경쟁관계에 있는지의 여부에 의존적이다.

약물의 성질이 신장배설에 적합하지 않다면 낮은 CL_m을 갖는 약물이라도 100% 간대사를 통해서 제거될 수 있다. 낮은 CL_m 갖는다는 것은 대사가 천천히 이루어지며 장기간에 걸쳐 체내에 남아있을 수 있다는 것을 의미한다.

약물 대사에 영향을 미치는 인자

대사효소는 끊임없이 생성되고 분해된다. 이 과정의 속도는 정상적인 조건에서 일정하며 체내 기능을 정상으로 유지하기 위해 적절하고 일정한 효소의 양을 유지하게 한다. 그러나 효소의 양이 변화하는 것은 대사의 속도를 변화시키고 궁극적으로 약물의 혈중 농도를 예상보다 높이거나 낮출 수 있다. 이러한 상황이 바로 잡아지지 않으면 약물의 부작용을 증가시키거나 또는 약물치료를 실패하게 된다. 따라서 약물 대사의 속도를 변화시킬 수 있는 일반적인 상황에 대해서 알아보자.

효소 억제

기질이 효소와의 결합을 저해 받게 되면 효소와 기질의 친화력은 감소하게 되고, K_m은 증가하게 되어 대사 속도는 감소하게 된다. 기질을 방해하는 물질을 효소 저해제(enzyme inhibitor)라고 한다. 효소억제는 일부 약물이 그들의 약리효과를 나타내는 기전이기도 하다(13장 참조). 다른 약물, 약물의 대사체, 음식물 등이 대사효소 억제제가 될 수 있다. 효소를 억제하는 분류에는 상경적 또는 비상경적 억제 두 가지가 존재한다.

상경적 억제

아래의 경우에 해당하는 효소 억제제를 상경적 억제제라고 한다.

- 또한 효소의 기질이다.
- 효소의 기질이 아니더라도, 효소와 가역적으로 결합을 한다.

많은 상경적 저해제는 그것이 대사를 억제하는 약물의 구조와 비슷한 구조를 갖기 때문에 효소의 활성부위에 약물과 마찬가지로 결합이 가능하다. 따라서 저해제와 기질은 결합 부위를 놓고 경쟁관계에 놓이게 된다. 결과적으로 기질과 결합할 수 있는 효소의 친화력은 감소하게 되고 대사속도 역시 감소하게 된다.

저해제 자체가 효소의 기질이면 효소에 의해 대사된다. 만약 저해제가 기질이 아닌 경우, 그것은 단지 가역적인 형식으로 효소 활성 부위에 결합한다. 두 가지 반응은 모두 저해제가 효소와 해리될 수 있기 때문에 가역적으로 일어난다.

상경적 저해의 정도는 기질과 저해제가 효소의 활성 부위에 결합할 수 있는 상대적인 친화력과, 상대적인 기질과 저해제의 농도에 의존적이다. 만약 저해제의 농도가 기질의 농도에 비해 높은 경우 저해제가 효소의 활성 부위를 대부분 점유하게 되어 약물 대사가 일어나기 어려워진다. 반대로 기질의 농도가 충분히 높다면, 기질은 저해제와 경쟁하여 활성부위를 치환시킬 수 있게 된다. 따라서 상경적 억제는 기질의 농도가 높은 상태에서는 큰 영향을 미치지 않는다. 수학적으로 상경적 저해제가 존재할 때 기질의 반응 속도에 대한 Michaelis-Menten 식은 아래와 같다.

$$V = \frac{V_{max}[C_p]}{[C_p] + K_m(1 + [C_i]/K_{m(i)})} \quad \text{(식 10-10)}$$

이 식에는 저해제의 혈중 농도와 Michaelis 상수 ($K_{m(i)}$)가 포함되어 있다.

같은 대사효소에 의해 대사되는 약물들은 서로가 서로의 저해제로 작용할 수 있다. 특히 CYP 효소처럼 다양한 종류의 서로 다른 약물 대사를 담당하는 경우 문제가 될 수 있다. 음식물과 내인적 물질들 역시 같은 효소에 의해 대사될 경우 약물 대사의 저해제로 작용할 수 있다.

비상경적인 억제

기질과 구조적으로 차이가 있는 화합물도 역시 저해제로 작용할 수 있다. 이런 경우 저해제는 효소에 결합하기는 하나 활성 부위가 아닌 다른 allosteric site에 결합한다. 이러한 저해제-효소의 결합은 활성 부위의 구조적인 변화를 유도하여 기질이 더 이상 결합하지 못하게 한다. 이러한 경우 기질과 결합부위를 놓고 경쟁하는 것이 아니기 때문에 비상경적인 억제라고 한다. 비상경적인 억제는 억제제가 효소와 해리되는 경우 가역적으로 진행될 수 있고, 효소에 계속해서 결합되어 있는 경우 비가역적으로 억제할 수도 있다. 수학적으로 비상경적 억제제가 존재할 때 기질의 반응 속도에 대한 Michaelis-Menten 식은 아래와 같다.

$$V = \frac{V_{max}[C_p]}{([C_p] + K_m)(1 + [C_i]/K_{m(i)})} \quad \text{(식 10-11)}$$

효소 억제의 결과. 억제효과는 억제제를 투여한 후 곧 일어난다. 약물과 대사효소의 억제는 약물의 청소율을 감소시키고, 약물의 농도를 증가시키며, 체내에 오래 분포하게 하기 때문에 바람직하지 않을 수 있으며, 때로는 위험할 수 있다. 효소 억제가 실제 임상적인 결과에 영향을 미칠 수 있는 것은 약물의 배설에 있어 특정 효소 반응에 영향을 줄 수 있기 때문이다. 만약 억제된 효소

반응이 주된 배설 경로일 경우 임상적인 결과는 상당한 영향을 받는다. 그러나 약물의 주 배설기전이 신장이나 다른 대사과정을 통한다면 임상적인 결과는 미미한 차이를 보일 것이다.

특정 대사 반응의 억제제는 약물의 혈중 농도를 증가시키는 정도와, 전체 청소율에 미치는 영향을 기준으로 강한, 중등도의, 약한 억제제로 나누어볼 수 있다.

- 강한 억제제: AUC가 5배 이상 증가 또는 청소율이 80% 이상 감소
- 중등도 억제제: AUC가 2배 이상 증가 또는 청소율이 50%~80% 감소
- 약한 억제제: AUC가 1.25배 이상 증가 또는 청소율이 20%~50% 감소

AUC는 곡선하면적(area under the curve)으로 지칭되며 전신 순환에 얼마나 많은 약물이 있는지 측정한 값이다. 11장에서 AUC에 대해 다룰 예정이다.

강한 CYP 억제제에 대한 예시가 표 10-3에 나타나있다. 저해제가 약물의 대사를 억제하는 정도는 저해제의 농도와 저해제가 효소에 결합할 수 있는 친화력에 의존적이다. 예로, sertraline (Zoloft)은 50 mg의 용량에서 CYP2D6의 중등도 억제제이지만, 약물 용량을 200 mg으로 증가시키면 강한 억제제가 된다.

비록 약물대사의 억제는 보편적으로 문제를 야기하지만, 간혹 치료를 개선하는 경우도 있다. 만약 약물이 빠르게 대사되어 소실된다면 억제제를 동시에 투여하여 약물 대사를 의도적으로 늦출 수가 있다. 예로 ritonavir (Norvir)는 강력한 CYP3A4의 억제제로 HIV 환자에 lopinavir (Kaletra)와 병용투여한다.

전구약물(tramadol 혹은 losartan)에 미치는 효소억제의 효과는 정확하게 반대로 나타난다. 만약 효소 억제제가 전구약물과 함께 투여되면 활성 약물으로의 전환이 억제되어 치료가 어렵게 된다.

효소 유도

특정 효소들은 효소 유도제(enzyme inducer)로 불리는 물질에 의해서 증가되거나 활성화되어 약물을 대사시킬 수 있는 특징을 갖는다. 유도제들은 효소의 생성속도를 증가시켜 많은 수의 효소들이 대사반응에 참여할 수 있게 한다.

효소 유도의 한 가지 형태는 자가유도(self-induction)로 약물 자체가 대사를 촉진시키는 경우이다. 이것은 인체가 환경에 적응하는 하나의 형태로 볼 수 있다. 자가유도하는 약물을 계속해서 투여할 경우 점차적으로 혈중 약물 농도와 치료 활성은 감소하게 된다. 하나의 예로 강력한 유도제인 cabamazepine (Tegretol)을 들 수 있다. 이 약물은 낮은 농도로 치료를 시작하여 청소율이 증가됨에 따라 주기적으로 용량을 증가시켜야 한다.

효소의 유도는 효소의 합성이 증가됨과 관련이 있어, 7-14일 정도가 소요된다. 추가적으로 효소 유도제의 효과는 유도제를 끊은 후에도 수일 동안 지속될 수 있다. 투여가 중단된 뒤에도 유도제가 체내에 남아있거나 정상 상태로 돌아가기 위해 많은 효소들이 분해되어야 하기 때문이다.

억제제와 마찬가지로 유도 효과는 유도제의 농도에 의존적이다.

많은 약물, 살충제, 제초제, 음식 성분들은 자가 유도제이거나 또는 다른 약물의 대사를 유도한다. 몇 가지 예가 표 10-3에 나타나있다.

효소반응의 유도는 활성을 갖는 전구약물로부터 대사체를 생성하여 치료효과를 극대화하거나 부작용을 야기할 수 있다.

표 10-3 CYP 효소의 저해제와 유도제의 예시

효소	억제제	유도제
CYP1A2	Ciprofloxacin (Cipro®)	Carbamazepine (Tegretol®)
	Fluvoxamine (Luvox®)	Rifampin (Rifadin®)
	Propafenone (Rythmol®)	Tobacco
CYP2C9	Amiodarone (Cordarone®)	Carbamazepine (Tegretol®)
	Fluoxetine (Prozac®)	Phenytoin (Dilantin®)
	Metronidazole (Flagyl®)	Rifampin (Rifadin®)
CYP2C19	Fluvoxamine (Luvox®)	Carbamazepine (Tegretol®)
	Omeprazole (Prilosec®)	Phenytoin (Dilantin®)
	Ritonavir (Norvir®)	Rifampin (Rifadin®)
CYP2D6	Fluoxetine (Prozac®)	No significant inducers
	Paroxetine (Paxil®)	
	Quinidine	
CYP3A4	Clarithromycin (Biaxin®)	Carbamazepine (Tegretol®)
	Itraconazole (Sporanox®)	Phenytoin (Dilantin®)
	Ketoconazole (Nizoral®)	Rifampin (Rifadin®)
	Ritonavir (Norvir®)	St. John's Wort
	Telithromycin (Ketek®)	
	Grapefruit juice	

Brand names, if any, are in parenthesis.

유전적 다양성

유전적 인자는 약물대사에 있어 개인차가 나타나게 한다. 유전자와 유전산물은 약물대사에 관여하는 효소를 조절한다. 진화적 그리고 환경적 인자들은 이러한 유전자의 다양성을 가져온다. 특정 유전자의 돌연변이는 효소의 활성과 발현 정도가 정상보다 높거나, 낮거나, 전혀 나타나지 않게 한다. 온전히 유전적인 차이로 인하여 같은 약물을 복용하는 사람마다 약물 대사속도가 10배 차이가 나는 것은 흔한 경우이다. CYP1A2, 2C9, 2C19와 2D6 유전자에서는 50% 환자에서 유전적 다양성이 나타나며 이는 약물을 대사시키는 능력의 차이를 가져온다. 약물유전체에 관한 17장에서는 유전적 다양성이 약물 반응에 미치는 영향에 대하여 살펴볼 예정이다.

핵심개념

- 대사는 지용성이 큰 약물의 배설을 위해 선행되는 1차적인 과정이다.
- 약물 대사는 주로 간에서 일어나며, 그 외 다른 조직에서도 일어난다.
- 1상 반응은 2상 포합 반응이 가능하도록 약물에 적합한 유도체를 부여한다.
- 대부분의 약물은 CYP450의 특정 isozyme에 의하여 1상 산화반응을 거쳐 대사된다.
- 대사 속도는 Michaelis–Menten 수식에 의해 정해지며 대사효소는 포화, 억제, 유도될 수 있다.

- 대사체는 모약물에 비하여 보다 극성을 띠게 되며 소변으로 배설되기에 적합한 형태를 갖는다.
- 분자량이 큰 약물 대사체는 담즙으로 배설된다.
- 간 청소율은 약물의 전신 청소율의 일부를 차지한다.
- 간 청소율은 약물의 간 추출율과 간으로의 혈류 속도에 의존적이다.
- 경구로 투여되는 약물은 초회 통과 효과로 인하여 용량이 감소되어 전신 순환으로 들어간다.
- 효소의 억제와 유도는 약물의 혈장 농도와 청소율에 큰 변화를 야기한다.

복습문제

1. 대사받지 않은 약물이 소변으로 배설되기 위해 적합하지 못한 것은 약물의 어떠한 물리화학적 성질 때문인가? 대사는 어떻게 이러한 문제를 해결하는가?

2. 모약물에 비하여 대사체는 왜 담즙으로 배설되기 용이한가?

3. 포합 반응이 일어나기 전에 1상 반응이 필요한 이유는? 2상 반응 전에 1상 반응이 필요하지 않은 약물의 종류는?

4. 가장 빈번하게 일어나는 1상 반응은? 그 이유는?

5. 약물 대사에서 가장 중요한 효소 체계는 무엇인가? 그 이유는?

6. Michaelis–Menten 수식이 0차 함수 또는 1차 함수를 따르기 위한 조건은? 약물 대사 효소가 포화되는 경우 대사 속도는 어떻게 되는가?

7. 간 추출율과 간 청소율의 의미는?

8. 초회 통과 대사가 일어나는 상황은? 또한 그 결과는 어떻게 되는가?

9. 전신순환전 대사의 다른 경로가 되는 것은?

10. 약물 대사 효소가 억제된 것의 의미는? 약물의 혈중 농도와 청소율에 어떤 영향을 초래하는가?

11. 약물 대사 효소가 유도된 것의 의미는? 약물의 혈중 농도와 청소율에 어떤 영향을 초래하는가?

12. 전구약물이란? 효소의 억제 및 유도는 전구약물의 치료 효과에 어떠한 영향을 미치는가?

연습문제

1. 새로 개발된 한 약물이 일차적으로 간대사를 통해 제거되는 것으로 알려져 있다. 이 약물은 소변으로 배설되거나 담즙으로 분비되지 않는다. 이 대사 반응의 K_m은 2 mg/L이고 V_{max}는 125 mg/d이다. Michaelis-Menten 수식을 이용하여 혈장 약물농도 $[C_p]$가 아래와 같을 때 약물 대사속도를 계산하시오.

$[C_p]$mg/L	Rate of metabolism(mg/d)
0.025	
0.050	
0.10	
0.20	
0.5	
1.0	
2.0	
4.0	
10	
20	
40	
60	

X 축을 약물 농도, Y 축을 대사 속도로 하여 그래프를 그리시오. 어떻게 반응식의 속도가 저농도에서는 혈장 농도에 비례하여 증가(1차 함수식)하고, 고농도에서는 포화되는지 주목하시오.

2. 신약(분자량 215)을 경구로 150 mg 정으로 투여하였다. 흡수 시 약물 농도의 75%가 녹아 장 상피세포로 들어간다. 약물이 ER_{gut}=0.22의 비율로 위벽에서 대사된다. 또한 ER_h=0.75의 비율로 간에 추출된다. 이 약물의 V_d는 0.6 L/kg 이고 85%의 혈장 단백질 결합력을 나타낸다.

   a. 이 약물은 뚜렷한 담즙분비가 일어난다고 예상할 수 있는가? 간에서의 추출 비율은 대사로 인한 것인가, 또는 담즙분비로 인한 것인가? 또는 둘 다 해당하는가? 이 약물은 뚜렷한 초회통과효과를 갖는다고 말할 수 있는가?

   b. 150 mg의 약물을 경구로 투여했을 때 다음에 해당하는 약물의 양을 계산하시오.
   • 위벽으로 들어간 양
   • 간순환으로 들어간 양
   • 전신순환으로 들어간 양

   c. 경구투여의 25%가 대변에서 관찰되었다. 그 이유를 설명하시오.

   d. 150 mg의 약을 정맥투여한다면 전신순환에 도달하는 약물의 양이 증가하겠는가, 혹은 감소하겠는가, 아니면 b에서 계산한 양과 같겠는가? 그 이유를 설명하시오.

3. Mitoflomacin (분자량 331)은 경구투여와 정맥투여 모두가 가능한 새로운 항생제이다. IV 투여후 88%의 약물이 소변으로 배설(50%는 그대로, 38%는 대사체의 형태로)되고, 12%는 대변에서 관찰된다(4%는 그대로, 8%는 대사체로).

   a. 대변에서 관찰되는 약물의 근원을 설명하시오.

   b. IV 투여용량의 몇 %가 신장배설, 대사, 담즙분비의 형태로 배설됐는지 추정하시오.

   c. 경구투여 후, 70%의 약물이 흡수된다. 100 mg 의 경구 용량 중 얼마나 많은 양의 약물이 대변과 소변에서 관찰되겠는가? 이 때 대사받지 않은 약물과 대사체의 양은 어떻게 나뉘겠는가?

어떠한 스타틴 약물이 나에게 가장 적합할까?

'스타틴' 약물은 혈중의 콜레스테롤을 낮추는 데 사용되는 약물로 심혈관질환의 위험성을 감소시킨다. 이 약물의 일차적인 작용은 콜레스테롤 합성에 요구되는 HMG-CoA reductase를 억제하는 것으로, 스타틴은 이 약물의 활성부위에 결합하여 기질이 결합하는 것을 억제한다. 인체 콜레스테롤의 상당량은 간세포에서 합성이 되는데, 스타틴의 작용부위도 바로 이 곳이 된다.

이번 사례에 두 가지 스타틴(pravastatin과 simvastatin)을 비교하고자 한다. 구조는 아래와 같다.

이 구조상의 오른쪽 상부에 있는 수산화그룹이 약물의 작용기이다. Pravastatin (Pravachol)은 활성을 갖는 hydroxyl acid의 형태로 투여가 되며, 반면 simvastatin (Zocor)는 효소에 의해 가수분해가 된 후 활성형의 hydroxyl acid를 나타내는 락톤 계열의 전구약물이다. 이 약물들의 다른 성격은 다음 표에 제시되어 있다.

	Simvastatin	Pravastatin
분자량	419	447
pK_a	Nonelectrolyte	4.7
P_{app} (pH 7)	+++++ (High)	+ (Low)
경구흡수율	80%	34%
생체이용률	4%	14%
혈장단백결합	〉95%	50%
간추출율	0.95	0.60

문제

1. 주어진 두 약물의 이온화 정도를 바탕으로 pH 7에서 왜 simvastatin의 겉보기 분배 계수(partition coefficient(P_{app})가 pravastatin보다 큰지 설명하시오.

2. 생리적인 pH 조건에서 더 큰 값을 갖는 simvastatin의 겉보기 분배계수가 약물의 흡수, 혈장 단백질 결합, 간 추출 정도에 있어 pravastatin과 어떻게 다른지 설명하시오.

3. 표에 주어진 정보를 토대로 이 두 약물의 생체이용률(bioavailability)이 투여용량에 비해 크게 감소하는 이유를 설명하시오. 두 약물이 흡수된 양과 ER_h를 바탕으로 예상되는 생체이용률을 계산하시오. 계산된 값이 관찰되는 생체이용률과 일치하는가?

4. 이 약물들의 전신 생체이용률이 낮고, 간의 추출 비율이 높을 때 이 약물들은 여전히 유효한 효과를 나타낼 수 있는지 설명하시오.

5. Simvastatin은 활성형의 hydroxyl acid (simvastatin acid)의 전구약물이다. simvastatin acid의 전구약물을 개발한 이유를 제시하시오.

6. 어떤 종류의 대사반응이 전구약물 simvastatin을 simvastatin acid로 전환하는데 관여하겠는가? 구조에서 변환되는 부위를 표시하시오. 이러한 변환 과정이 우리 인체 중 어느 장소에서 일어나며 어떤 효소가 관여하겠는가?

7. 흡수된 pravastatin과 simvastatin의 배설 정보가 아래 제시되어 있다.

   a. 간 대사와 답즙분비는 약물의 간 추출 정도를 설명할 수 있다. 어떤 과정이 simvastatin 혹은 pravastatin에 중요하겠는가? 그 이유를 설명하시오.

   b. 약물의 물리화학적 성질을 바탕으로 왜 pravastatin은 소변에 모약물 그대로 배설되고, simvastatin은 그렇지 않은지 설명하시오.

8. Simvastatin과 simvastatin acid는 모두 CYP3A4에 의해서 대사되어 활성이 없는 대사체로 전환된다. simvastatin acid는 CYP2C8에 의해서도 대사가 된다.

   a. 어떤 종류의 반응이 CYP에 의해서 매개되는가? 이 반응이 simvastatin에서 simvastatin acid로전환되는 반응과 어떤 차이를 갖는가?

   b. Ritonavir (HIV 치료제)와 itraconazole (항진균제)는 강력한 CYP3A4 저해제이다. '강력한 저해제'의 의미는? 이런 약물을 동시에 사용할 경우 pravastatin과 simvastatin의 대사와 배설에 어떠한 영향을 미치겠는가?

   c. 스타틴 약물의 주된 독성은 근육통(심각한 근육 무력화)으로, 스타틴의 약물 농도가 예상치보다 높게 될 경우 나타난다. HIV를 보유한 환자가 ritonavir를 만성적으로 복용해왔다. 최근 이 환자의 콜레스테롤 수치가 높아져, 담당 의사는 스타틴을 사용하고자 한다. 위의 두 가지 스타틴 약물 중 어떤 약물이 근육통의 부작용을 최소화할 수 있겠는가? 그 이유는?

	Simvastatin	Pravastatin
간추출율	0.95	0.6
대사되지 않은 약물로 제거	~0%(요로)	25%(요로)
	~0%(변)	75%(변)
대사 산물로 제거	16%(요로)	~0%(요로)
	84%(변)	~0%(변)

참고

Coleman M. Human Drug Metabolism: An Introduction. John Wiley and Sons, 2005.

Curry SH, Whelpton R. Drug Disposition and Pharmacokinetics: From Principles to Applications. Wiley Blackwell, 2011.

Gordon Gibson G, Skett P. Introduction to Drug Metabolism, 3rd ed. Stanley Thornes Pub Ltd, 2001.

Rowland M, Tozer TN. Clinical Pharmacokinetics and Pharmacodynamics: Concepts and Applications, 4th ed. Lippincott Williams & Wilkins, 2010.

약물 치료의 목적은 약물이 작용부위에 적정한 농도로 도달하여 그 농도를 유지하게 하는 데 있다. 수용체에서 약물의 농도는 투여된 용량과 그 약물의 흡수, 분포, 대사, 배설(Absorption, Distribution, Metabolism, Excretion; ADME) 특성에 따라 다르다. 약물은 유효 농도에 도달했을 때만 작용을 나타낸다. 만약 약물 농도가 너무 낮다면 효능이 없을 것이고, 그 농도가 너무 높다면 다른 원치 않는 부작용이 있을 것이다. 약물의 작용 지속 시간은 수용체에서 적절한 약물의 농도가 얼마나 오랫동안 지속되느냐에 따라 다를 것이다.

실제로 환자에서 수용체의 약물 농도를 측정하거나 알기란 거의 불가능하다. 대신에 혈액 샘플에서 상대적으로 측정하기 쉬운 혈장의 약물 농도를 관찰한다. 혈장 약물 농도는 약물 작용 범위와 지속시간에 대한 정보를 제공할 것이다. 이 단원에서는 이전 단원에서 약물 투여 후 시간에 따른 약물의 혈장 농도가 어떻게 변하는지 이해함으로써 ADME 개념을 완성하고, 약물학적 효과에서 혈장 농도의 관계에 대해 언급할 것이다.

약동학과 약력학

약력학 (Pharmacodynamics; PD)은 수용체에서 약물 농도와 약물학적 반응의 관계로 설명된다. 이는 약물이 인체에 어떠한 영향을 미치는가와 어떠한 기전으로 그것을 일으키는가를 설명하는 것이다.

약동학(Pharmacokinetics; PK)은 인체가 약물을 어떻게 하는지에 대해 설명한다. 다시 말해 시간에 따라 약물의 용량 및 여러 체액에서의 약물 농도의 변화를 정량적으로 나타내는 것이다. 약동학은 체내에서 약물의 시간적 공간적 분포 패턴을 이해하도록 한다.

약물의 약동학과 약력학은 때때로 상호관계가 있고(그림 11-1) 이 정보는 최소한의 부작용으로 적절한 치료 효과를 얻을 수 있는 약물 투여 용량과 투여 횟수를 결정하는 데 도움을 준다.

체내에서의 약물 농도

약물 투여 후 약물의 작용부위를 포함한 여러 조직에서의 약물 농도는 그 약물의 ADME 과정의

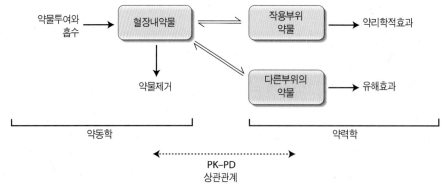

그림 11-1 약동학과 약력학 정의 및 약동학-약력학 상관관계를 나타내는 도식.

상대적 속도에 따라 다르다. 우리가 흡수와 분포, 배설, 대사 경로를 따로따로 논의했다 하더라도 약물 투여 후 모든 과정이 동시에 일어나는 것을 인지하여야 한다. 흡수는 약물이 혈류로 들어가는 과정이며 반면 혈류에서 분포의 과정은 수용체와 다른 조직에 약물이 도달하는 것을 말한다. 동시에 대사와 배설은 혈류에서 약물이 제거되는 과정이다. 이런 다이나믹한 과정들의 결과는 혈류와 수용체에서 얼마나 오랫동안 최적의 약물 농도를 도달하고 유지할지를 결정한다.

혈장에서 약물 농도

약동학 정보를 얻는 가장 쉽고 직접적인 방법은 약물 투여 후 시간에 따라 혈액에서 약물 농도를 측정하는 것이다. 약물 농도는 전혈보다 혈청이나 혈장에서 주로 분석한다. 혈장은 혈액세포들이 녹아있는 혈액의 일부로 맑고 노란 체액이다. 혈장은 혈청에는 없는 피브린과 다른 수용성의 응고물질들을 포함한다. 혈청은 전혈을 응고하게 놔두었을 때 원심분리 후 상층액을 말한다. 만약 원심분리 전에 항응고제를 혈액에 첨가하였을 경우 그 상층액은 혈장이다. 대부분의 경우 약물의 혈장 농도와 혈청 농도는 동일하다. 어떤 약물은 혈액 세포로 들어가기 때문에 혈액 농도가 높을 수도 있다.

조직에서 약물 농도

혈장은 모든 조직에 확산하고 몸의 다양한 부위로 약물을 운반한다. 혈장에서 약물은 유리된 형태나 혈장 단백에 결합하여 존재한다. 어떤 약물의 경우 혈액세포로 들어가거나 혈액세포에 결합하기도 한다. 유리(unbound) 약물은 대부분의 조직의 모세혈관으로 쉽게 이동하여 세포 간 액에서 평형을 이룬다. 만약 물리화학적 성질이 허락한다면 그 약물은 세포 내액으로 더 분포할 것이다.

신약개발 초기에 동물 연구에서 각 조직에서의 약물농도 측정은 가능하다. 그러나 사람의 각 조직에서의 약물농도 측정은 그 과정이 매우 어렵고 또한 시료를 채취하기 불가능하기도 하다. 그래서 일반적으로 조직 중 약물 농도는 혈장 약물 농도와 약물의 물리 화학적 성질을 바탕으로 추정한다.

약물 분포의 속도는 8단원에서 배웠듯이 조직의 관류에 따라 다르다. 잘 관류되는 조직(심장, 간, 신장, 뇌)에서의 약물의 분포는 빠르며 혈장에서 약물은 항상 이러한 조직의 세포 외액의 약물농도와 동적으로 평형을 이룬다고 가정한다. 이것은 혈장에서 유리형 약물의 농도와 조직 세포 외액에서 유리형 약물의 농도가 같다는 것을 의미한다. 약물의 제거 과정으로 혈장의 약물 농도가 감소하면 조직에서의 약물 농도 또한 감소한다.

잘 관류되지 않는 조직(근육이나 지방 같은)에서 약물 분포는 느리고 평형 분포는 약물 투약 후 가끔 도달하지 않을 수도 있다. 잘 관류되지 않는 부분의 조직 농도는 혈장의 약물 농도가 감소함에도 불구하고 계속해서 증가할 수도 있다. 한번 평형 분포에 도달하면 유리형 약물의 혈장과 조직 농도는 같다고 생각되며 그 후 농도가 평행하게 감소할 것이다.

그러므로 평형 분포 후에 혈장의 약물 농도 변화는 조직의 약물 농도변화를 나타낼 수 있다. 따라서, 혈장의 약물 농도를 측정함으로써 조직의 약물 분포 정도와 작용부위 수용체에서 약물 농도를 쉽게 예측할 수 있다.

약동학적 구획

약물이 혈류로 흡수된 후 그 약물의 소실은 약물과 환자의 질병상태를 바탕으로 한 다양한 과정의 복합적인 결과이다. 약동학의 한 목적은 약물 투여 후 혈장 약물 농도를 사용하여 약물 소실(분포와 제거)과정을 설명할 수 있는 간단한 수학적 모델을 개발하는 것이다. 이를 위해 인체를 몇 개의(일반적으로 하나에서 세 개) 가상의 구획으로 나누어 잘 섞이는 연결된 수조라고 가정한다. 약물은 정해진 속도로 이러한 구획 사이를 움직인다고 가정한다. 같은 속도로 약물이 분포되는 조직들은 같은 구획으로 가정한다.

One-compartment 모델은 예를 들어 인체를 혈장과 잘 확산된 조직으로 구성된 구획으로서 간주한다.

즉, 인체가 약물이 빠르고 균등하게 분포되는 동일한 구획(중심 구획, central compartment) 하나로 구성된다고 가정한다. Two-compartment 모델은 인체를 위에서 언급한 중심구획과 잘 관류되지 않는 구획(말초 구획, peripheral compartment) 으로 나눈다. 흡수된 모든 약물은 먼저 중심구획으로 재빠르게 분포 후 말초구획으로 천천히 분포된다. 그림 11-2는 One-compartment 와 Two-compartment 모델의 도식표를 보여준다. 만약 약물이 먼저 잘 확산되는 조직으로 재빠르게 분포하고 평형을 이룬다면 간단한 one-compartment모델도 충분히 그 약물의 약동학 특성을 설명할 수 있다. 더 자세한 약동학 구획 모델들은 이 책에서 다루지 않기로 한다.

혈장 농도 곡선

혈장 농도 곡선(혈장 농도 vs 시간 곡선 또는 혈액 농도 곡선)은 약물 투약 후 시간의 함수로 혈장의 약물 농도를 나타내는 그래프이다. 이런 종류의 그래프는 알려진 약물의 양을 개개인에게 투약하고 투약 후에 다양한 시간에서 혈액 시료

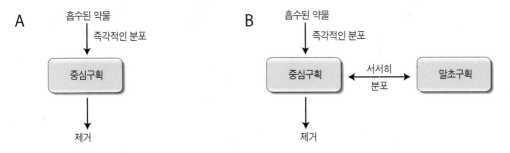

그림 11-2 Compartment 모델링 도식 A. One-compartment 모델 B. Two-compartment 모델. 약물의 소실은 중심구획인 central compartment에서만 일어난다.

채취함으로써 얻을 수 있다. 혈장 샘플에서 약물의 농도(때때로 그 약물의 대사체)를 재고 그 결과 값을 X축에는 채혈 시간과 Y 축에는 그 시간의 혈장 농도를 표시한다. 대부분의 경우 측정된 농도는 혈장에서 약물의 전체 농도(유리형 약물과 결합형 약물)이다.

혈장 농도 곡선의 약동학적 특징

간단히 혈장 농도는 다음의 두 가지 과정으로 결정된다. 혈장에서 약물이 나타나는 속도와 약물이 혈장으로부터 제거되는 속도의 변화에 의한 것이다. 혈장 농도 곡선의 모양은 투약 경로와 약물에 대한 ADME과정의 속도에 따라 다르다. 그림 11-3과 11-4는 각각 약물의 단회 정맥주사 후와 단회 경구 투여 후 전형적인 혈장 농도 곡선을 보여준다. 우리는 one-compartment모델, 즉 하나의 중심구획으로 빠르게 분포하는 모델을 따르는 약물에 국한하여 설명할 것이다. 많은 약물들이 대부분 이런 간단한 모델로도 충분히 PK 특성을 설명할 수 있기 때문이다.

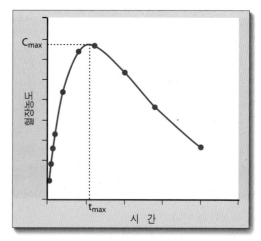

그림 11-4 약물을 경구로 투여하였을 때 나타나는 일반적인 혈장 농도 곡선. 경구 투여 후 t_{max} 시간에서 최고 혈장 농도(C_{max})에 도달한다.

흡수의 속도와 정도

전신에 작용하는 약물의 경우 투여 후 첫 번째 단계는 혈류로의 흡수이다. 약물을 경구로 단회 투여하였다고 가정하면 그 약물은 투여 후 경구 제제 형태에서 방출되기 시작하고 위장관 액에서 용출된다. 용출된 약물은 주로 소장에서 세포막 수동 확산에 의해 흡수된다. 흡수 속도는 얼마나 빨리 약물이 혈류로 들어가는지의 척도이며 반면 흡수 정도는 투약한 양이 혈류로 얼마나 많이 들어가는지에 대해 알려준다. 어떤 약물은 빠르게 흡수되나 다 흡수되지 않기도 한다. 또 어떤 약물은 흡수 속도는 느리나 완전히 흡수되기도 한다. 흡수의 속도와 정도는 모두 약물의 성질과 제제 형태, 투약 경로에 따라 다르다.

약물을 정맥으로 투여했을 때(혹은 드물게 동맥 투여) 모든 약물은 혈류에 위치하므로 흡수 과정은 없다. 그래서 혈장의 약물 농도는 투여 속도에 달려있다. 약물을 한번에 정맥 주사하였을 때 즉 투약은 순식간에 일어나므로 모든 약물 용량은 한번에 혈류에 위치하고 따라서 혈장 농도는 순식간에 최대치에 도달한다. 다른 정맥 투여의 경우 약물을 정맥으로 천천히 점적할 수 있고 (IV

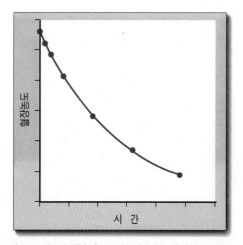

그림 11-3 약물을 정맥 내로 주사투여하였을 때 나타나는 일반적인 혈장 농도 곡선. 약물 투여 직후에 최고 혈장 농도가 나타난다.

infusion), 이 경우에 약물 투여 속도는 주입 속도이다. 이 경우 혈장의 약물 농도는 약물이 주입되면서 점진적으로 증가한다.

전신에 작용하는 약물의 경우 모든 다른 투약 경로에서도 약물은 혈류로 반드시 흡수되어야 한다. 그러나 이 과정은 느리거나 불완전할 수도 있다. 혈장에서 약물의 농도는 얼마나 빨리 흡수되었느냐에 의해 정해진다.

약물이 외용목적으로 적용될 때 흡수는 약효에 필수적인 과정이 아니다. 그러나 어떤 약물은 여전히 혈류에 흡수되고 인체에 분포한다. 사실 흡수는 종종 원하지 않는 부작용을 만들기도 한다. 외용적으로 적용 시 흡수를 결정하는 원리는 전신으로 투약하였을 때의 것과 같다.

약물이 이미 다 녹은(예를 들어 용액제) 제제의 경우 흡수 속도와 정도는 약물의 물리 화학적 성질(분배 계수, pK$_a$, 분자 크기)과 상피 세포 막에 대한 투과성에 의해 좌우된다. 우리는 6장에서 이러한 원리에 대해 배웠다.

고체(정제, 현탁액 등)로 존재하는 제제들은 약물이 흡수 되기 전에 흡수 부위에서 먼저 용출되어야 한다. 그래서 흡수 속도와 정도는 7장에서 보았듯이 용출 속도에 따라 다양하다. 약물의 용출 속도는 입자 크기, 결정성, 부형제와 같은 여러 요인에 따라 달라진다. 그래서 같은 함량을 갖는 같은 약물의 경우에도 제제가 다를 경우 흡수의 속도와 정도가 다를 수 있다. 다시 말하면 흡수는 약물 특성이라기 보다 약물 제제의 특성이다. 이것은 매우 중요한 차이점이다.

흡수 속도 상수

흡수는 일반적으로 6장에서 배운 개념으로 1차 반응 과정이다. 대부분의 약물은 세포막 수동 확산에 의해 흡수된다. 흡수 속도는 농도 구배와 흡수 부위에서 상피세포막의 투과성과 같은 약물의 물리 화학적 성질에 따라 다르다. 특정 세포막에 서 흡수 속도는 용출되어 이온화되지 않은 약물의 농도와 약물의 분배 계수에 비례한다. 흡수 속도는 농도에 따라 달라지지만 흡수 과정은 다음과 같은 1차 반응 흡수 속도 상수 (k$_a$) 에 따라 설명할 수 있다.

$$흡수\ 속도 = k_a \cdot C_a \quad (식\ 11\text{-}1)$$

C$_a$ 는 흡수 부위에서 용출되어 이온화되지 않은 약물의 농도이고 k$_a$ 는 흡수 속도 상수 이다. k$_a$ 의 값은 특정 상피세포막과 약물의 물리 화학적 성질에 연관된 많은 요인에 따라 다르다. 흡수 부위에서 상피세포의 세포막에 적절한 수송체가 존재할 때 어떤 약물들은 이 수송체에 연계된 과정으로 흡수될 것이다. 우리가 6장에서 배웠듯이 흡수는 Michaelis-Menten 반응 속도식을 따른다. 이러한 경우 흡수 속도는 녹아있는 약물 농도가 낮을 때 1차 반응을 따르고

$$흡수\ 속도 = \frac{V_{max}}{K_m}C_a = k_a \times C_a \quad (식\ 11\text{-}2)$$

약물 농도가 높아 그 약물의 수송체가 포화되면 0차 반응에 도달하게 된다.

$$흡수\ 속도 = V_{max} = 상수 \quad (식\ 11\text{-}3)$$

생체이용률

제제로부터 약물 흡수의 정도는 전신 순환혈에 도달하는 투여 용량의 분율(혹은 비율)로 정의 되는 생체이용률(bioavailability)이라 불리는 변수에 의해 정해진다.

정맥 투여일 경우 생체이용률은 전체 약물 용량이 바로 전신 순환혈에 존재하기 때문에 100% 이다. 다른 경로에 의해 투여되는 약물 제제일 경우 생체이용률은 100% 보다는 낮을 것인데 이는

투여한 용량의 일부만이 전신 순환혈에 도달하는 것을 의미한다. 이것은 다음과 같은 흡수 과정에 문제들 때문일 것이다.

- 제형으로부터 약물의 불완전한 용출
- 약물의 흡수를 위한 충분하지 않은 시간
- 투약이나 흡수 부위에서 약물의 분해
- 흡수 부위에서 상피조직을 통과하는 약물의 낮은 투과성
- 흡수 부위에서 상피 세포로부터 유출

빠르게 용출되고 상피세포에 높은 투과성을 가지는 약물은 거의 완전히 흡수된다. 낮은 생체이용률을 나타내는 약물은 대개 난용성과 낮은 투과성을 보인다. 낮은 투과성은 낮은 분배 계수, 부적절한 pK_a, 혹은 큰 분자 크기와 관련이 있다.

잘못 디자인된 제형으로부터 약물이 서서히 또는 불완전하게 방출되어 흡수될 수 있는 약물의 형태를 감소시킬 수 있다. 그런경우 방출속도를 증가시켜 흡수속도와 생체이용률을 증가시키기 위하여 제형을 변경할 수 있다.

흡수되기에 충분하지 않은 시간은 약물의 낮은 생체이용률을 나타내게 한다. 예를 들어 경구 투여 약물은 대략 24시간에서 48시간 동안 위장관에 머무르지만, 소장에서 머무르는 시간은 4시간이다. 만약 그 약물이 천천히 용해되거나 소장 상피세포를 통과하는 데 낮은 투과성을 가진다면 흡수 부위에서 이 시간들은 충분하지 않을 것이다. 이와 같은 경우 생체이용률은 낮으며 흡수율의 변화정도도 심하게 나타난다.

만약 흡수가 낮은 약물이 투과성이 아주 낮거나 약물의 유출 때문이라면 제형 변경으로는 흡수를 증가시킬 수 없다. 이 경우 약물은 투약 경로를 바꾸거나 전구약물로 변환시켜야만 할 것이다.

약물이 흡수 부위에서 불안정하고 분해되는 경우 흡수 가능한 약물의 양은 줄어들 것이다. 예를 들어 약물은 위의 산성 pH에서 가수분해 되거나 소화효소나 장내세균에 의해 대사될 수도 있다. 위장관에서 용해된 약물은 위장관에서 음식물이나 다른 물질에 결합하거나 복합체를 형성하기 때문에 흡수에 용이하지 않을 것이다. 이런 경우의 일부는 이러한 문제를 최소화하기 위해 제형을 변경할 수 있다(예를 들어 산성에서 불안정한 약물의 장용 코팅).

경구투약 후에 약물이 완전히 흡수될지라도 아래의 다른 요소들이 생체이용률을 감소시킬 수 있다.

- 전신 순환혈에 도달하기 전의 약물 대사
- 환자가 가지고 있는 생리적 문제
- 음식이나 다른 약물들 과의 약물상호작용

전신 순환혈에 도달하기 전의 약물 대사는 10장에서 자세하게 논의되었다. 흡수 부위의 많은 상피조직은 약물이 전신 순환혈에 들어가기 전에 대사시킬 수 있는 효소를 가지고 있다. 각각의 투여 경로는 약물이 전신 순환혈에 들어가기 이전에 그 자체의 소실 정도를 가진다. 특히 위장관 내 대사와 간 초회 통과 효과는 경구 약물 제제의 생체이용률을 줄인다고 잘 알려져 있다. 약물이 부분적으로 대사되는 다른 흡수 부위는 폐와 코이다.

환자의 건강은 많은 조직의 흡수 능력에 영향을 미칠 수도 있다. 또한 음식과 약물 상호작용은 흡수된 약물의 양을 감소시킬 수 있다. 따라서, 어떤 제제의 생체이용률은 약물의 특성과 투여 경로, 제형 및 환자의 신체기능을 반영한 복합적인 결과에 따른 것이다.

경구 투여 후 낮은 생체이용률의 원인은 그림 11-5에 요약되어 있다.

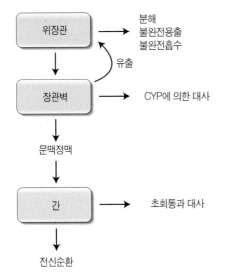

그림 11-5 약물을 경구 투여 후 낮은 생체이용률(100% 이하인 약물)의 요인을 보여주는 도식.

C_{max} 와 t_{max}

약물이 흡수과정중 전신 순환혈에 들어가기 시작할 때 혈장 약물 농도는 증가한다. 흡수는 계속되기 때문에 혈장 농도는 C_{max} 라고 표기하는 최고치에 도달하게 될 때까지 계속해서 증가한다. C_{max} 에 도달하는 시간을 t_{max} 라고 부른다. 이 두 가지 파라미터는 약물 제제로부터 약물 흡수 속도를 대략적으로 알려준다. 약물이 빠르게 흡수되었을 때 C_{max} 는 높고 t_{max} 는 짧다.

약물은 혈류로 빠르게 들어가고 빠르게 중심구획으로 분배되며 대사와 배설에 의해 혈장으로부터 제거되기 시작한다. 하나 또는 그 이상의 말초구획이 있다면 조직으로의 분배는 더 느리게 일어날 것이다. 흡수는 약물의 혈장 농도를 증가시키는 반면 제거는 혈장 농도를 감소시킨다. 약물 제거는 또한 1차 반응이고 제거 속도는 혈장 농도가 증가함에 따라 증가한다.

최고 혈장 농도인 C_{max} 는 약물의 제거 속도가 흡수 속도와 같아질 때 도달한다. t_{max} 도달하지 전까지 흡수 과정이 우세하다. 흡수 부위에서 약물 농도가 감소함에 따라 흡수 속도는 줄어들고 모든 이용 가능한 약물이 흡수 되었을 때 결국 흡수 속도는 0이 된다. 이후에는 제거 과정만이 약물의 혈장 농도를 조절한다.

약물이 정맥주사로 투약된다면(약물 용량을 한 번에 즉시 주는 것), 전체 약물 용량은 즉시 혈장으로 들어가고 여기에는 흡수 과정이 없다. 최고 혈장 농도는 투약 후에 거의 즉시 도달하고(시간 0일 때), 이후 혈장 농도는 제거 과정이 시작됨에 따라 감소한다.

분포 속도

한번 약물이 혈류로 들어가면 그것의 작용은 제형이 아닌 약물의 물리 화학적 성질에 의해 단독으로 조절된다. One-compartment 모델 약물의 경우 분포 평형은 약물이 혈류로 들어간 후 즉시 도달한다. 큰 심박출량은 혈액을 우리 몸 전체에 빠르게 이동시키므로 잘 관류된 조직으로 약물의 분포가 된다. 예를 들어 정맥주사 후의 초기 혈장 농도는 분포 평형에 도달한 후의 약물 농도를 반영한다. 8장에서 언급 했듯이 약물의 분포 용적 (V_d)은 아래 식과 같이 주어지며

$$V_d = \frac{X}{C_{p(0)}} \quad \text{(식 11-4)}$$

여기서 X 는 milligram 단위로 약물의 정맥주사 양이고 $C_{p(0)}$ 는 초기 혈장 농도(또한 최대 혈장 농도) 이다. 식 11-4 는 초기 혈장 농도를 표현하기 위해 식을 다시 정리할 수 있다.

$$C_{p(0)} = \frac{X}{V_d} \quad \text{(식 11-5)}$$

식 11-5는 One-compartment 모델 약물의 경우 정맥주사 투여 후 약물의 초기 혈장 농도는 투여된 용량과 약물의 분포용적에 좌우된다. 즉 분포용적이 높을수록 초기 혈장 농도가 낮아진다. 혈장 농도의 감소는 오직 제거 과정만이 연관되어

있다.

분포 평형은 말초구획의 잘 관류되지 않는 조직으로 다시 분포되는 약물에서는 좀 더 천천히 도달한다. 이와같은 다중 구획 약물인 경우 단회 Ⅳ 투여 후에 혈장 농도가 감소하는 것은 분포와 제거 두 가지 모두를 반영한 것이다.

제거 속도

약물이 체내에서 얼마나 빠르게 제거되느냐는 체내에서 얼마나 효과적으로 혈장에서 약물이 제거되는지(청소율에 의해 측정됨)와 얼마나 많은 약물의 양이 혈장과 제거가 가능한 조직에 존재하는지(분포용적에 의해 측정됨)에 따라 다르다. 큰 V_d값은 많은 양의 약물이 혈관 밖 공간에 존재하고 혈장 내에는 적게 존재한다는 것을 의미한다. 조직 내의 약물은 간과 신장에서의 제거로부터 보호받는다. 이는 V_d도 약물 제거 속도에 영향을 미칠 수 있음을 의미한다. 제거 속도 상수는 또한 배설과 대사의 능률 즉, 이러한 과정에 의한 약물의 총 청소율(CL_{tot})에 따라 다르다.

약물제거의 동력학

약물의 제거는 약물이 혈액에 들어가고, 분포되고, 크게 관류하는 제거 장기(간과 신장)에 빠르게 도달 후 시작된다. 약물은 원래 그대로의 형태로 소변이나 다른 체액으로 배설되기도 하고 혹은 효소 반응에 의해 대사되기도 한다. 두 과정 모두 약물의 혈장 농도를 낮추며, 제거 속도는 시간에 따른 혈장 약물 농도의 감소로 정의된다. 약물이 혈장에서 제거되는 만큼 약물은 농도 평형을 유지하기 위해 조직으로부터 혈장으로 재분배된다. 이러한 과정은 약물이 혈장뿐 아니라 조직에서 완전히 제거될 때까지 계속적으로 일어난다.

배설은 일반적으로 1차 반응(몇 가지 예외가 있음)으로 속도는 각 약물의 혈장 농도에 비례한다. 예를 들어 신장 배설은 혈장의 약물 농도 증가하면 사구체 여과와 분비가 증가하며 반면 재흡수는 감소한다. 그래서 배설의 전체적인 속도는 혈장 농도가 올라감에 따라 증가한다. 그러나 광범위하게 분비되는 약물, 분비에 필요한 세뇨관 수송체들이 포화된 경우는 예외적이다.

대사는 전형적인 대부분 약물의 치료 농도(일반적으로 K_m 값보다 훨씬 낮음)에서 1차 반응을 따르는 Michaelis-Menten 반응속도식에 의해 조절된다. 그러나 높은 약물 용량에서 대사 효소가 포화 되는 몇몇 약물들에서는 0차 반응을 볼 수 있다.

대부분의 약물에서 제거 속도는 또한 1차 반응을 따른다. 혈장 약물 농도가 높을 때 약물은 혈장에서 많이 제거되고 혈장 농도가 감소할 때 제거 속도도 감소한다. 그러나 시간당 제거되는 비율은 혈장 약물 농도와 상관없이 일정하다.

제거속도 상수

제거(배설과 대사)과정이 시작되면 혈장 약물 농도는 1차 반응으로 감소하기 시작하고 투여 후 어떤 시간에서 농도는 다음 식을 따르는데

$$C_t = C_0 e^{-k_e t} \quad \text{(식 11-6)}$$

식에서 C는 투여 후 시간 t에서 혈장 농도이고 k_e는 약물에서 1차 제거 속도 상수(first-order elimination rate constant)이고 단위는 시간의 역수다. 제거 속도 상수 k_e는 투여한 시간 간격에서 혈장 농도의 감소 비율로 표현된다. 예를 들어 k_e 값이 0.05 hr^{-1} 라면 이것은 시간당 혈장 농도값의 5%가 감소함을 의미한다.

제거 속도 상수 k_e는 약물 제거를 설명하기 위한 수학적인 파라미터로 유용하다. k_e의 값을 결정짓는 요소과 분포용적과 약물의 클리어런스 관

계를 결정하는 요소들을 조사해보자.

약물의 총 청소율(CL_{tot})는 다음과 같이 나타낼 수 있다.

$$CL_{tot} = CL_r + CL_m + CL_b + CL_{other}$$

(식 11-7)

높은 총 청소율은 약물이 빠르게 제거될 수 있다는 것을 의미한다. 하지만 제거 속도는 혈장 약물 농도에 비례하며 이것은 약물의 분포용적에 연관되어 있다. 약물의 분포용적이 크면 적은 양의 약물이 혈장 내에 있고 그 양이 간과 신장을 통과하기 때문에 약물 제거가 늦어지게 될 것이다.

그래서 제거 속도 상수는 다음 식처럼 분포용적과 총청소율 관계되어 있다.

$$k_e = \frac{CL_{tot}}{V_d}$$

(식 11-8)

약물의 CL와 V_d는 용량, 투여 경로나 제형에 따라 변하지 않는다. 이것은 약물의 기본적인 두 가지 PK 파라미터이다. 이 파라미터들은 생리 반응에서 개체 간 다양성 때문에 환자들마다 어느 정도 다를 수도 있다. 이들은 간이나 신장 질병 또는 심장혈관 질환이 있는 환자에게서나 체중과 체액 정도에 따라 크게 변화할 수도 있다.

반감기

혈관으로부터 약물의 제거는 종종 반감기($t_{1/2}$ or $t_{0.5}$)라고 불리는 2차 파라미터에 의해 특성을 나타내고 이는 혈장 약물 농도 값의 반이 감소되는데 걸리는 시간으로 정의된다. 반감기는 다음의 식으로 표현된다.

$$t_{1/2} = \frac{0.693}{k_e}$$

(식 11-9)

그래서 k_e와 $t_{1/2}$는 우리에게 같은 정보를 제공하고 하나의 값을 안다면 다른 값을 즉시 계산할 수 있다. 빠르게 제거되는 약물은 짧은 반감기를 가지는 반면 느리게 제거되는 약물은 긴 반감기를 가질 것이다. 제거속도 상수처럼 약물의 혈장 반감기는 약물의 기본적인 특징이고 일반적으로 용량과 제형, 투여 경로에 따라 변하지 않는다.

반감기는 파악이 쉬운 개념이므로 약물 제거 특성을 밝히는데 k_e 대신 사용하기도 한다. 표 11-1은 첫번째부터 다섯 번째 반감기 후에 남아있는 약물의 혈장 농도를 보여준다. 일단 투여 후 다섯 번의 반감기가 지나면 체내에 남아있는 모 약물은 흡수 용량의 약 3%만 존재한다. 이것은 약물의 97%가 배설되었거나 대사됨을 의미한다. 실제로 임상의들은 약물 투여 후 다섯 번의 반감기 시간이 경과하면 사실상 모든 약물은 몸에서 제거된다고 간주한다. 이것은 약물 제거 속도 상수 및 용량에 관계없이 사실이다. 만약 약물의 반감기가 길다면(예를 들어 반감기가 2일) 투여 용량이 완전히 제거되는 데는 긴 시간(~10일)이 걸릴 것이다. 만약 약물의 반감기가 짧다면(예를 들어 반감기가 5시간) 투여 용량이 완전히 제거되는 데는 짧은 시간(~1일)이 걸릴 것이다.

표 11-1 약물을 정맥 내로 주사투여 후, 경과시간별 혈장에 남아있는 약물의 농도 비율

반감기 경과횟수	혈장에 남아있는 약물의 양(%)
0	100.00
1	50.00
2	25.00
3	12.50
4	6.25
5	3.13
6	1.56

초기 혈장농도를 100%로 하여 표기됨.

혈장농도-시간 곡선하 면적(AUC)

ADME과정서 상대적인 속도는 주로 분포 〉흡수 〉제거 순서이다. 분포는 one-compartment 약물에서 거의 즉시 일어난다. 흡수는 좀 더 느리지만 주로 제거보다는 훨씬 빠르다. 만약 반대의 경우라면 치료 유효 농도에 도달하기도 전에 약물이 제거될 것이다.

혈장농도-시간 곡선하 면적(area under the curve, AUC)은 투약 후 체내로 들어온 약물 전체 양을 측정한 것이다. 이것은 그림 11-6에서 보이는 것처럼 혈장농도-시간 곡선에서 측정된 실제 면적이다. AUC의 단위는 농도 x 시간이다(e.g., mg hr L^{-1}).

AUC는 전신 순환혈에 도달하는 투여 용량의 양 (X)과 체내에서 제거되는 약물의 속도 (CL_{tot})에 의해 영향을 받으며 다음에 보여지는 식과 같다.

$$AUC = \frac{X}{CL_{tot}} \quad \text{(식 11-10)}$$

만약 높은 용량의 약물, X, 가 투여된다면 혈장 농도가 증가하고 동시에 AUC값도 올라갈 것이다. AUC 또한 총청소율에 따라 다른데 빠르게 제거되는 약물은 낮은 혈장 농도를 나타낼 것이고 이는 작은 AUC 값을 나타낼 것이다.

만약 약물이 정맥으로 투여된다면 전신 순환혈로 들어간 전체 용량과 투여 용량과 같을 것이고 이는 식 11-10에서의 X값과 같을 것이다. 약물을 경구나 다른 경로로 투여하였을 때 전신 순환혈로 들어가는 실질적인 약물의 양은 주로 투여 용량보다 낮다. 그 결과 정맥 투여는 각 약물의 투여 용량에서 가능할 수 있는 최대 AUC를 나타낸다. 같은 용량을 경구로 투여한다면 AUC는 이전에 언급됐던 대로 불완전한 용출이나 불완전한 흡수, 전신 순환혈에 도달하기 전의 대사등의 이유로 낮아질 것이다.

AUC는 또한 식 11-6으로 약물 혈장 농도-시간 곡선을 시간 0부터 무한대까지 적분하여 계산할 수 있다.

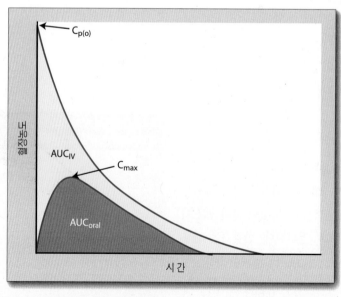

그림 11-6 같은 양의 약물을 각각 정맥 주사 또는 경구로 투여 시 나타나는 각 혈장농도-시간 곡선하 면적(AUC). 같은 양의 약물을 정맥 주사 시 경구 투여할 때 보다 AUC 및 최고 혈장농도가 훨씬 더 높다.

$$AUC = \int_0^\infty C_t dt \quad \text{(식 11-11)}$$

절대 생체이용률

약물의 생체이용률(bioavailability)은 일반적으로 같은 용량의 약물을 정맥으로 투여한 후 얻은 AUC 값과 약물을 투여한 후의 AUC를 비교하여 측정한다. 정맥 투여 시와 비교하기 때문에 이런 측정 형태를 약물의 절대 생체이용률이라고 부른다.

예를 들어 경구용 약물의 절대 생체이용률은 다음 식을 따르며

$$k = \frac{AUC_{oral}}{AUC_{iv}} \quad \text{(식 11-12)}$$

AUC_{oral} 과 AUC_{iv} 는 각각 같은 용량의 경구와 정맥투여 후 곡선하 면적이다. 흡수 생체이용률은 퍼센트(%)로 나타내기도 한다.

$$F = \frac{AUC_{oral}}{AUC_{iv}} \times 100 \quad \text{(식 11-13)}$$

약물을 경구나 정맥으로 같은 용량을 주는 것은 약물의 제형이나 독성을 고려하면 주로 비현실적이거나 부적절하므로 주로 더 작은 용량을 정맥 투여하기도 한다. 이런 상황에서 식 11-13은 다음 식으로 다른 투여 용량을 고려하기 위해 수정되어야 한다.

$$F = \frac{AUC_{oral}}{AUC_{iv}} \times \frac{dose_{iv}}{dose_{oral}} \quad \text{(식 11-14)}$$

앞에서 언급했듯이 정맥투여에서 F 값은 1 또는 100%와 같다. 다른 모든 투여 경로에서 F 값은 앞에서 말한 이유들로 100% 보다 낮거나 같다.

약물 투여경로 및 약물전달 시스템의 영향

투여경로와 제형은 혈장농도 곡선의 모양에 영향을 미친다. 우리는 이미 경구와 정맥투여 후 얻어지는 혈장농도 곡선 사이의 다른 점을 알아왔다. 같은 약물용량을 다른 경로를 통해서 투여하면 우선적으로 흡수 과정이 다르기 때문에 혈장농도 곡선은 변할 것이다.

그림 11-7은 같은 약물, 같은 용량을 가지는 두 가지 다른 정제 A와 B가 다른 혈장 농도 곡선을 보여준다. C_{max} 값과 t_{max} 값은 두 가지 제제에서 다른데 아마 제제 B에서보다 제제 A에서 약물이 더 빠르게 용해되어 그 결과 제제 A의 흡수 속도가 빨라졌기 때문이다. 이 두 제제의 AUC는 완전히 다르고 약물의 생체이용률은 제제 A보다 제제 B가 더 낮음을 나타낸다.

약동학과 약력학의 관계

약동학 분석의 한 가지 목적은 환자에게서 약물의 임상적 효과를 이해하는 데 도움을 주고자 하는 데 있다. PK분석에서 만들어진 한 가지 가정은 조직 약물 농도(수용체에서의 농도 포함)는 직접적으로 혈장 농도와 연관되어 있으며 그 결과로 약물학적 효과와 부작용은 종종 약물의 혈장 농도에 상호관련이 있을 수 있다는 것이다. PK와 PD 사이에 상관관계가 존재한다면 그것은 약물 작용과 약물 안전성을 이해하고 약물의 최적 용량과 투여 일정을 정하는 데 도움이 될 수 있다. PK와 PD 사이의 관계는 그림 11-8에 설명되어 있다.

국소적으로 작용하는 약물에서는 약효를 나타내는 것은 혈장 약물농도가 아니라 그 국소부위 또는 그 부근의 약물농도이다. 이 같은 경우에서 혈장 농도는 유효성과 상호관련이 없을 것이다. 그러나 몇몇의 약물들은 전신에 작용하는 약물처럼 여전히 혈류로 흡수되고 분포, 제거된다. 국소

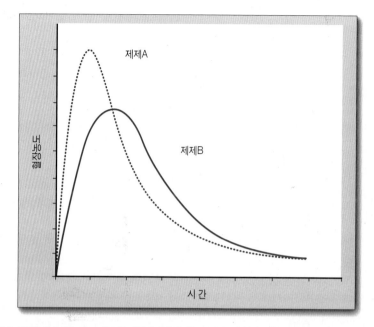

그림 11-7 같은 양의 약물을 함유하는 서로 다른 두 경구제제의 혈장농도 곡선. 두 제제는 서로 다른 C_{max}, T_{max} 및 AUC값을 나타낸다.

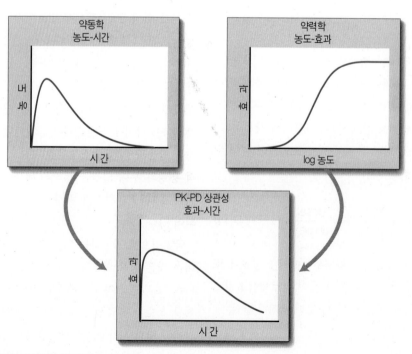

그림 11-8 약동학-약력학 상관관계 개념

적으로 작용하는 약물에서도 의도하지 않은 조직으로 약물 분포로 인한 부작용과 혈장 약물농도는 상관관계가 있으므로 혈장 약물농도를 관찰하는 것이 중요하다.

혈장농도 곡선의 약물학적 특징

PK-PD가 상호관련이 있다면 전신에 작용하는 약물의 혈장 농도는 어떤 약력학적인 파라미터와 약물의 임상적인 효과에 관련이 있을 수 있다. 약물을 다양한 용량으로 투여 후, 혈장 농도를 측정하고 약물 작용과 부작용도 동시에 관찰하여 그 관계를 그래프로 나타내었다. 그림 11-9는 전형적인 경구 투여 후 혈장 농도-시간 곡선이고 혈장 농도가 어떻게 치료효과와 부작용에 관계가 있을 수 있는지를 보여준다.

최소 효과농도(minimum effective concentration; MEC)는 약물의 치료효과가 관찰되는 가장 낮은 혈장농도이다. 이 농도보다 낮은 농도를 유지하면 약효는 나타나지 않는다. 최대 안전농도(maximum safe concentration; MSC)는 또한 부작용과 독성이 보이는 혈장 농도 중 최소 독성농도(minimum toxic concentration, MTC)로 알려져 있다.

약물의 단회 용량 투약 후 치료효과는 혈장농도가 그 약물의 최소 효과농도에 도달할 때 처음 보이며 이것은 약물작용의 개시에 필요한 시간이다. 치료 유효성은 혈장 농도가 최소 효과 농도위에 있는 동안 지속되고 그 시간은 약물의 작용지속기간이다. 작용의 강도는 혈장 농도가 최소 효과농도보다 얼마나 증가하는지에 따라 다르다.

혈장 농도는 약물의 투여 용량에 따라 다를 것이다. 약물의 고용량은 그래프의 곡선을 더 높게, 더 높은 C_{max} 와 더 큰 반응의 강도로 변화할 것이다. C_{max}가 최대 효과농도를 넘는다면 부작용의 발생빈도가 증가할 것이다.

약물 치료의 목적은 필요한 만큼 길게 최소 효과농도와 최대 효과농도 사이의 범위에서 혈장 농도를 유지하는 것이고 이 농도의 범위는 약물의 치료범위(therapeutic range, therapeutic win-

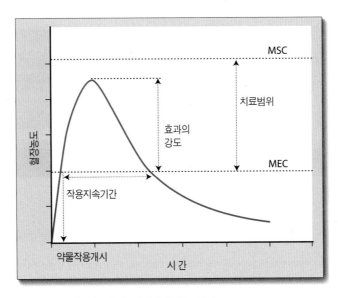

그림 11-9 전형적인 약리학적 특징을 보이는 약물의 경구투여 후 혈장농도곡선
혈장 농도가 최소 효과 농도(MEC)에 도달하면 약물의 작용이 시작된다(onset의 개념). 작용지속기간은 혈장 농도가 최소 효과 농도(MEC)위에 있는 기간이다(curation의 개념). 약물 효과의 강도는 최고 혈장 농도가 최소 효과 농도(MEC)보다 얼마나 더 높은지에 달려있다. 약물의 부작용을 최소화하기 위해서는 최대 안전 농도(MSC)보다는 혈장 농도가 높지 않아야 한다.

dow)로 알려져 있다. 약물의 투여 용량 기준은 치료범위로 농도를 나타내는 것으로 설정한다. 치료범위가 넓을수록 약물은 안전하다. 다시 말해 부작용을 나타내려면 용량이나 혈장 농도가 투여 용량 기준 보다 훨씬 높아야 한다.

반복 투여

우리는 단회 투여 후 혈장 농도 곡선의 특징을 알아보았다. 대부분의 임상적인 적용은 긴 시간 동안 치료약물농도에 도달하고 유지하는 것이며 그러므로 반복 투여가 요구된다. 초기 유효농도는 적절한 용량으로 도달 가능하고 치료범위에서 그 기간을 연장하여 농도를 유지하는 것은 하나의 과제이다. 약물 PK의 전반적인 지식은 과학자와 임상의사들이 지속적인 기간 동안 독성약물농도가 아닌 유효농도를 유지하도록 용량과 투여빈도를 정하는 적당한 반복투여계획을 수립할 수 있게 해준다. 이 목적은 약물이 체내에서 제거되는 속도와 같은 속도로 약물을 투여하여 약물이 치료 범위에서 일정한 혈장 농도 유지하도록 하게 하는 것이다.

반복 투여 요법에서 각각의 연속되는 투여는 바로 전에 투여된 용량이 완전히 제거되기 전에 투여된다. 그 결과 체내에서 약물의 축적으로 각각 투여될 때마다 더 높은 최대 혈장 약물 농도(C_{max})를 만들어 낸다. 그러나 이러한 축적 현상은 혈장 농도가 무한으로 올라가게 하지는 않는다. 결국 C_{max}는 어떤 일정한 값에 도달하고 최소 혈장 농도인 C_{min} 도 용량에 따라 일정한 값에 도달한다. 이때를 PK 용어에서 약물이 항정상태(steady state)에 도달했다고 하고 각 투여 후에 같은 C_{max} 와 C_{min} 값을 가진다(그림 11-10). 반복 투여의 자세한 사항은 이 책에서 다루지 않는다.

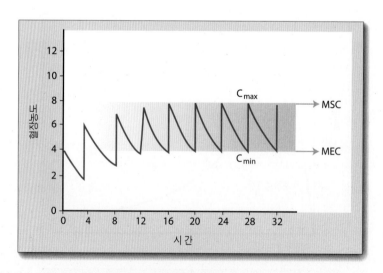

그림 11-10 약물을 반복 투여하여 항정상태에 이르렀을 때의 혈장 농도 곡선
위의 그림은 4시간 간격으로 같은 양의 약물을 정맥 내로 바복 투여하였을 때(IV bolus) 나타나는 혈장 농도 곡선이다. 처음부터 5회째 반복 투여하면 약물은 체내에 점점 축적되어 매번 투여 시 나타나는 최고 혈장 농도와 최저 혈장 농도가 점점 증가한다. 5회째 투여 시(16시간 후) 항정상태에 도달하면 이후부터는 일정한 값의 최고 혈장 농도와 최저 혈장 농도가 유지되며 이 농도 구간이 약물의 치료범위를 나타낸다.

핵심개념

- 구획 약동학(compartment PK)모델링은 체내에서 시간에 따른 약물의 분포를 정량적으로 나타낼 때 사용한다.
- 약물을 체내로 투여 후 혈장 농도 곡선의 모양은 약물의 상대적인 흡수속도, 분포, 소실속도에 의해 결정된다.
- 약품의 흡수속도와 생체내이용률은 투여 경로, 제형, 약물의 물리화학적 및 약동학 성질, 흡수막의 투과도 및 환자의 생리적 특성에 영향을 받는다.
- 약물의 제거(소실)속도상수와 반감기는 약물의 기본적인 약동학계수인 Vd(분포용적)과 CL(청소율)를 이용하여 구할 수 있다.

- 전신에서 작용하는 약물의 경우 약물의 효능과 독성은 그 약물의 혈장 농도와 관련된다. 최소 효과 농도는 효능과 관련하여 혈장 농도가 심하게 높은 경우는 독성을 나타낼 수 있다.
- 넓은 치료 범위를 갖는 약물은 좁은 치료범위를 보이는 약물보다 안전하다.
- 약물치료의 궁극적인 목표는 일반적으로 반복 투여 후 원하는 시간에 치료 범위를 나타내는 혈장 농도를 유지하게 하는 것이다.

복습문제

1. 구획 약동학(compartment PK)모델에 대해서 설명하시오. One-compartment 모델과모델 two-compartment 모델의 차이점을 설명하시오.
2. 다음 약물의 PK 관련 계수들(C_{max}, t_{max}, k_e, $t_{1/2}$, AUC)은 어떠한 정보를 나타내는지 설명하시오. 이 계수들 중 약물의 투여 용량과 투여 경로와 관련이 없는 계수를 고르시오. 또한, 약물의 제형과 투여 경로와 관련없는 계수는 무엇인지 고르시오.
3. 약물의 흡수속도를 결정하는 요인을 설명하시오.
4. 약물의 절대 생체이용률(absolute bioavailability)을 설명하시오. 약물을 정맥 내로 투여 시 절대 생체이용률이 100%인 이유를 설명하시오.
5. 약품의 생체내이용률에 대해 설명하시오.
6. 약물을 경구로 투여 시 생체이용률이 100% 미만인 이유를 설명하시오. 만일 경구 투여약물이 완전히 흡수되더라도 생체이용률이 100% 미만일 수 있는지 설명하시오.
7. 약물의 혈장 농도를 측정하는 것이 중요한 이유를 설명하시오. 약물의 혈장 농도가 효능과 독성에 어떠한 관련이 있는지 설명하시오.
8. 약물의 치료범위를 설명하시오. 이 치료 범위에서 혈장 농도를 유지하는 것이 중요한 이유를 설명하시오.
9. 약동학-약력학 상관관계를 설명하시오. 이를 통해 약물의 용량 투여 간격을 설정하는 데 어떠한 도움을 줄 수 있는지 설명하시오.

연습문제

1. 다음 항생제의 분포용적(Vd)이 35L이고 총 청소율이 65mL/min이라면 이 항생제의 제거(소실)속도상수와 반감기를 구하시오.(단위를 시간과 일로 계산하시오.)
2. 약물 X의 분포용적(Vd)이 40L이고 반감기는 8.7시간이다.

a. 약물 X의 총 청소율을 계산하시오.

b. 이 약물을 투여 후 약물양의 97%이상이 체내에서 제거될 때까지 걸리는 시간을 계산하시오. 이 값은 투여한 약물의 용량에 의해 변하는지 설명하시오.

c. 간질환 환자의 경우 이 약물의 총 청소율은 30mL/min으로 감소하였다면 이 때 약물의 반감기를 구하시오. 이 환자가 약물을 복용 후 약물양의 97%이상이 체내에서 제거될 때까지 걸리는 시간을 계산하시오.(약물의 분포용적은 변하지 않는다고 가정한다.)

d. 정상 신기능 및 간기능을 가진 비만환자의 경우 이 약물의 분포용적(Vd)이 60L로 증가하였지만 총 청소율(65mL/min)은 변하지 않았다. 이 비만환자의 경우 약물의 반감기를 구하고 증감의 이유를 설명하시오.

e. 이 비만환자가 약물을 복용 후 약물양의 97%이상이 체내에서 제거될 때까지 걸리는 시간을 계산하시오.

f. 약물 X의 혈장 농도가 약동학-약력학의 상관관계를 보인다면 이 비만환자의 경우 적절한 약효를 나타내게 하려면 약물의 투여 용법을 어떻게 조절해야 하는지 설명하시오.

3. 어떠한 약물의 경구 300mg 용량에서 AUC값은 750mg hr/L이다. 같은 약물의 정맥 내 투여 100mg 용량에서 AUC값은 375mg hr/L이다. 이 약물의 생체이용률을 구하시오.(비율과 퍼센트로 표기하시오.)

4. 경구로 투여시 80%가 흡수되는 경구용 정제가 있다. 이 정제의 위장관에서의 추출률(ER_{gut})은 0.2이고 간에서의 추출률($ER_{hepatic}$)dms 0.3이라면 이 정제의 경구 생체이용률을 구하시오(비율과 퍼센트로 표기하시오). 단 담즙배설은 일어나지 않는다고 가정한다.

속쓰림 이제 그만...

히스타민은 다양한 생리기능을 조절하는 역할을 하며 전신에 분포하는 내인성 효능제이다. 히스타민은 히스타민 수용체에 결합하며 체내에는 H_1, H_2, H_3, H_4의 네 종류의 수용체가 존재한다. 히스타민은 위에서 위벽세포의 H_2 수용체와 결합하여 위산 생성을 증가시킨다. H_2 수용체 길항제 약물은 이 작용을 방해함으로써 위산의 산도 및 양을 감소시킨다. Cimetidine(Tagamet®)은 경쟁적 H_2 수용체 길항제이다. 이 약물은 속쓰림, 십이지장궤양 및 위 식도 역류질환치료제로 사용한다. Cimetidine의 화학구조식은 다음과 같다.

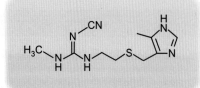

pK_a값이 6.8인 약염기성 약물이며 기본적인 약동학계수는 다음 표와 같다.

V_d (L/kg)	1.2
f_u	0.8
CL_{tot} (mL/min/kg)	7.1

Climetidine은 경구투여뿐 아니라 정맥내 투여용으로 사용된다. 환자군에서 cimetidine 투여 후 각 투여 경로에 따른 약동학 계수는 다음과 같다.

	Cimetidine IV (300 mg)	Cimetidine Oral Tablet (400 mg)
AUC (µg hr mL^{-1})	11.3	9.1
C_{max} (µg/mL)	11.2	2.2
t_{max} (min)	60	~1

문제

1. Cimetidine 제거(소실)속도상수(k_e)와 반감기를 구하시오.
2. 정맥 투여 후 cimetidine이 체내에서 완전히 제거되는 데 걸리는 시간을 구하시오. 경구 제제의 경우도 구하시오.
3. 경구제제의 절대 생체이용률을 계산하시오.
4. 시메티딘을 경구투여 후 변에 투여량의 20%가 검출되었고 cimetidine의 대사체나 분해산물은 검출되지 않았다. 이를 통해 cimetidine의 경구 생체이용률이 100% 미만인 이유를 설명하시오.
5. Cimetidine은 요로 배설되고(주된 소실 경로) 간에서 대사된다. Cimetidine을 정맥내 투여하면 뇨로 75%가 cimetidine 모약물로 25%가 대사체로 배설된다. 경구 투여 시 변에 20%가 모약물로 검출되었고 요로 36%가 cimetidine 모약물로 44%가 대사체로 배설된다. 경구투여 시 정맥 투여보다 더 많은 대사가 일어나는 이유를 설명하시오. 경구 생체이용률을 계산하시오.
6. Cimetidine은 위의 위벽세포의 기저면에 존재하는 H_2 수용체와 히스타민의 결합을 경쟁적으로 저해함으로써 위산 분비를 감소시킨다. 최소 효과 농도(MEC)는 $0.7 \mu g/mL$이다.

   a. MEC의미를 설명하시오. 이 값은 약물의 전신으로 작용할 때 의미를 나타내는가 또는 국소로 작용할 때 의미를 나타내는가?
   b. 위에서 위벽세포와 H_2 수용체의 분포 도식도를 조사하고 이를 이용하여 정맥 내 투여 후 cimetidine의 약물 작용 기전에 대해 설명하시오.
   c. Cimetidine을 경구 투여 하면 반응(효능) 개시 시간은 30분 후이고 투여 후 1시간 후에 최고 효과를 보인다. 30분 후 효능을 나타내기 시작하고 투여 후 1시간 후에 최고 효과를 보이는 이유를 설명하시오.
   d. 매일 아침 식사 직후 속쓰림 증상을 겪는 환자가 아침식사 도중 cimetidine을 먹었지만 증상이 완화되지 않았다. 만일 이 환자의 속쓰림 증상 개선을 위해서는 이 환자에게 추천할 만한 약물 복용법은 무엇인지 설명하시오. 그 이유를 설명하시오.
   e. Cimetidine은 의사의 처방없이 살 수 있는 매우 안전한 약이다. Cimetidine의 MEC에 비해 MSC는 무엇을 의미하는가?

참고

Dipiro JT, Spruill WJ, Wade WE, Blouin RA, Pruemer JM. Concepts in Clinical Pharmacokinetics, 5th ed. American Hospital Association, 2010.

Jambhekar S, Breen PJ. Basic Pharmacokinetics, 1st ed. Pharmaceutical Press, 2009.

Shargel L, Wu-Pong S, Yu ABC. Applied Biopharmaceutics and Pharmacokinetics, 5th ed. McGraw-Hill Medical, 2004.

Tozer TN, Rowland M. Introduction to Pharmacokinetics and Pharmacodynamics: The Quantitative Basis of Drug Therapy. Lippincott Williams & Wilkins, 2006.

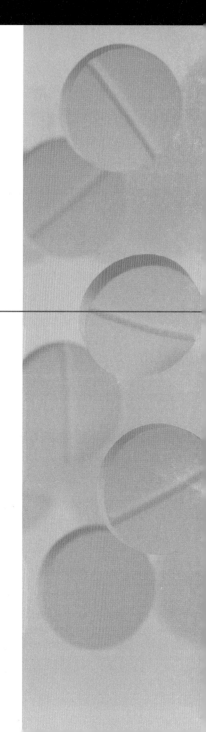

약물의 작용

> 모든 물질은 독성이 있고
> 독이 아닌 물질은 존재하지
> 않는다.
> 올바른 용량이 독과
> 치료약을 구분하여 준다.
> - Paracelsus

12 리간드와 수용체
Ligands and Receptors

사람의 몸은 대략 10^{13} 정도의 세포로 구성되어있고 세포 각각은 외부의 자극에 반응하여 특수한 기능을 수행할 수 있다. 이러한 기능은 현상이나 자극에 대해 급속한 반응을 나타내기도 하고 오랜 시간에 걸쳐 변화나 적응으로 나타나기도 한다. 이러한 통합적이고 시기적절한 기능을 수행하는 다양한 세포의 능력은 복잡한 형태의 신호전달이나 상호작용을 필요로 한다. 세포나 기관계 간의 주요한 신호전달체계는 리간드와 수용체의 작용에 기인한다. 2장에서 간략하게 설명된 것처럼 리간드는 세포로부터 방출되어 수용체와 상호작용하는 화학물질이다. 수용체는 세포 내부나 세포막에 존재하는 전형적인 거대분자 혹은 단백질로서 리간드와 입체상보적 (stereocomplementarity fashion)으로 결합할 수 있는 특수한 부위를 가진다. 이러한 리간드-수용체 복합체는 생물학적인 반응을 유발하는 세포내의 신호전달 과정을 매개한다. 이 장에서는 세포내에 존재하는 여러 가지 형태의 내인성 리간드와 수용체 시스템을 소개하고 리간드와 수용체 간의 상호작용에 따른 생물학적인 반응이 어떻게 일어나는지에 관해 자세히 기술하고자 한다.

신호전달과정
(The signaling process)

세포 신호전달은 세포가 환경으로부터의 정보에 대해 방출, 전달, 수용, 반응하는 과정이다. 이러한 정보는 필요에 따라 세포에서 합성되고 방출되는 내인성 리간드(세포매개인자 혹은 신호전달물질로도 불림)에 의해 매개된다. 인간의 세포는 약물, 박테리아, 바이러스, 독소 등과 같은 외래인자를 감지하고 반응할 수 있다.

신호전달과정에는 세 가지 주요 인자들이 관여하는데 신호전달세포(signaling cell), 리간드(ligand), 그리고 신호를 받는 수용체 (receptor)가 그것이다. 신호전달 세포는 리간드를 합성하고 방출하는 세포를 의미한다. 리간드의 합성 및 방출은 흔히 리간드-수용체 상호작용에 의한 결과 자체에 기인한다. 방출된 리간드와 상보적인 수용체와의 결합은 세포내의 연쇄적인 생화학적 반응들을 매개하여 결국 생물학적인 반응을 유발한다.

세포의 전체적인 움직임 또는 반응은 세포가 받는 신호와 세포의 유전적인 프로그램에 달려있다. 세포는 증폭을 통해 신호에 반응하고, 생화학적인 반응을 수행함으로써, 또한 분화에 의해 일련의 신호에 반응한다. 부가적으로 다른 종류의 세포들은 반응을 수행하기 위해 다른 종류의 신호를 필요로 하며, 동일한 리간드도 다른 종류의 세포에서는 전혀 다른 반응양상을 보인다. 예를 들면, 신경전달물질(neurotransmitter)인 노르에피네프린(norepinephrine)은 골격근에 존재하는 혈관과 뇌에서 발견되는 특이적 신경세포인 콜린성 뉴런(cholinergic neuron)에 모두 작용할 수 있다. 노르에피네프린이 콜린성 뉴런에 작용할 때에는 신경전달물질의 방출을 억제하는 역할을 하지만 혈관에 작용할 때에는 혈관수축을 유발한다. 이러한 노르에피네프린의 경우처럼 동일한 리간드는 세포내의 유전적 프로그램에 따라 서로 다른 반응을 보이게 된다. 이와는 대조적으로, 서로 다른 세포에서의 유사한 기능은 아마도 다른 리간드를 필요로 하는 것 같다. BDNF (Brain-derived neurotropic factor)가 콜린성 뉴런의 증식과 생존에 필수적인 리간드인 반면 특정 혈관의 증식과 생존에는 VEGF (Vascular endothelial growth factor)가 요구된다.

많은 약물은 내인성 리간드를 대신하여 작용하거나 이와 경쟁하며 또는 비 특이적 방법으로 신호전달체계를 변경시킨다. 이러한 방식으로, 약물은 존재하는 생리학적 혹은 생화학적 과정들의 양적인 변화를 유발할 수 있으나 대부분의 약물들은 이러한 과정의 본질을 양적으로 변화시키지는 않는다. 즉, 약물은 이미 일어나고 있는 생리/생화학적 과정을 증가 혹은 감소시킬 수 있으나 직접적으로 다른 새로운 과정을 만들어내지는 못한다. 신호전달을 이해하는 것은 약물의 작용을 이해하는 데 매우 중요하며 연구자가 보다 효과적인 약물을 설계하고 약물작용의 새로운 표적을 동정하는 것을 가능하게 한다.

신호전달과정의 주요한 단계는 아래와 같이 서술될 수 있다

1. 신호전달세포들은 그들이 받는 신호에 기인하여 적절한 리간드를 합성한다.
2. 신호전달세포들은 대개 세포 밖으로 리간드 분자들을 방출한다.
3. 리간드 분자들은 우리가 앞으로 간단하게 살펴볼 여러 가지 다양한 방법을 통해 표적세포로 수송된다. 리간드는 생리·화학적 특성에 따라 세포 외액에 머물거나 표적세포로 들어갈 수 있다.
4. 표적세포에 존재하는 적절한 수용체는 특이적으로 리간드를 인식하고 결합하여 복합체를 형성한다. 수용체는 대개 표적세포의 내부 (세포내 수용체, intracellular receptor) 또는 세포막에 존재한다 (세포-표면 수용체, cell-surface receptor).
5. 리간드-수용체 복합체는 신호를 세포내 신호로 변환하여 표적세포에서의 생화학적 반응을 유발한다.
6. 리간드가 제거되면 반응은 종료된다.

내인성 리간드 (Endogenous Ligands)

리간드를 분류하는 데 있어 간단하거나 흔히 통용되는 분류체계는 존재하지 않는다. 리간드의 수도 많고, 구조나 기능도 매우 다양하므로 단일 분류체계는 매우 복잡하거나 불완전하다. 아래에 제시된 세 가지 분류체계는 화학적, 생화학적, 그리고 해부학적 관점에 기초를 두고 있다.

리간드의 분류 (Classification of Ligands)

첫째, 내인성 리간드를 그들의 구조나 화학적 성질로 분류하는 것은 가능하다. 일부 리간드는 저분자물질인 반면 나머지는 펩티드나 단백질이다. 일부는 생리학적 pH상태에서 전하를 띠고 있

표 12-1 친수성 및 소수성으로 분류된 다양한 형태의 리간드의 예

친수성 리간드 (세포표면 수용체)	소수성 리간드 (세포내 수용체)	소수성 리간드 (세포표면 수용체)
Small molecule hormones	Steroid hormones	Arachidonic acid derivatives
Peptide hormones	Retinoids	Prostaglandins
Neurotransmitters	Thyroxins	Leukotrienes
Growth factors	Vitamin D	Platelet activating factor
Trophic factors	Cortisol	
Cytokines	Nitric oxide	
Chemokines		
Neuromodulatory peptides		

*친수성 리간드는 세포막을 관통하지 못하므로 세포-표면 수용체에 작용할 수 있다. 소수성 리간드는 세포 내 혹은 세포-표면 수용체를 가질 수 있다.

는 반면 나머지는 비전하이다. 일부는 소수성이나 나머지는 극성이다. 이러한 분류는 리간드-수용체 상호작용에 필요한 분자들의 생리화학적 성질에 초점을 맞췄을 때 유용하다.

두 번째 분류 혹은 관점은 리간드가 상호작용하는 수용체의 결합부위에 근거를 두고 있다. 수용체는 세포외부에 존재하는가, 혹은 세포막에 결합이 되어있는가, 또는 세포내에 존재하는가에 따라 분류된다. 대부분의 리간드들은 극성을 띠거나 전하를 가지고 있어서 세포막의 지질 이중

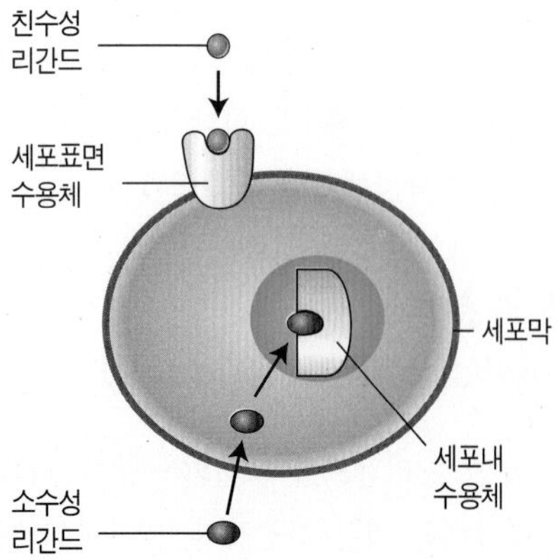

그림 12-1 친수성 리간드와 세포-표면 수용체, 소수성 리간드와 세포 내 수용체와의 상호작용

층을 통과하지 못한다. 따라서 그들의 수용체는 세포막에 존재하여 리간드로부터의 신호를 세포 내부로 전달할 수 있어야 한다. 스테로이드나 일부 비타민과 같은 소수성 리간드들은 수동적인 확산을 통해 세포막을 투과하여 세포내로 들어올 수 있다. 따라서 그들의 표적 수용체는 흔히 세포막이 아닌 세포질이나 핵에 존재한다. 표 12-1은 리간드의 친수성 및 소수성, 그리고 수용체의 위치에 따라 분류된 일반적인 리간드의 예를 보여준다. 그림 12-1은 소수성 리간드 및 친수성 리간드와 각각 작용하는 수용체의 위치를 설명하고 있다. 나중에 살펴보겠지만, 수용체의 위치 및 신호와 관련된 생화학적 기전은 내인성 리간드나 약물이 얼마나 빨리 생화학적 반응을 일으키는가와 밀접한 관련이 있다. 그러므로, 수용체의 위치에 따른 분류체계는 리간드-수용체 상호작용의 결과로 나타나는 세포내 영향을 고려할 때 유용하다.

리간드를 분류하는 세 번째 방법은 해부학과 생리학에 근거를 둔 방법으로 리간드를 생성하는 세포의 종류와 체내 작용점에 기인한다. 예를 들면, 신경전달물질은 신경세포로부터 방출되어 인접한 세포에서 작용한다. 호르몬은 내분비선으로부터 방출되어 그것과 멀리 떨어진 세포에서 작

표 12-2 세포간 정보교환 형태의 특성

	접촉분비	신경시냅스	주변분비	내분비
신호전달형태	세포사이의 직접접촉	시냅스 간극을 통한 확산	세포간극액을 통한 확산	혈류를 통한 순환
국소적 또는 확산적	국소적	국소적	국소적으로 확산	확산
신호조절수단	해부학적 국소화	해부학적 국소화	해부학적 국소화 및 수용체 선택성	수용체 선택성

용한다. 이러한 시스템에 근거한 분류는 리간드-수용체 상호작용과 연관된 해부학적 기원과 생리학적 결과를 연구할 때 유용하다. 표 12-2는 세포 종류와 작용위치에 따라 분류된 리간드의 예를 보여주고 있다.

세포 간 신호전달 방식(Modes of intercellular Signaling)

많은 다양한 종류의 세포로부터 합성, 분비된 리간드는 매우 다양한 방법으로 분비세포로부터 표적세포로 이동된다. 이러한 세포 간의 신호전달의 주요한 방식은 호르몬에 의한 내분비 신호전달과 다양한 그룹의 리간드에 의한 국소적 신호전달이 있다.

내분비 신호전달 (Endocrine Signaling)

분비선이라는 용어는 분비를 담당하는 특수한 세포의 군집 또는 기관을 의미한다. 체내에서 분비물은 전형적으로 다른 장소로 운반되어 현상을 유발하거나 어떠한 과정을 보조한다. 관이라는

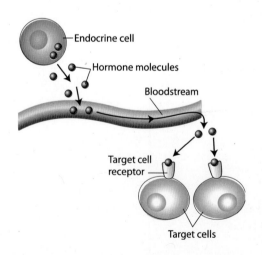

그림 12-2 호르몬에 의한 내분비 신호전달의 과정. 신호전달 세포로부터 방출된 호르몬은 혈류를 통해 멀리 떨어진 표적세포에 운반된다. 여기에서 호르몬은 혈류로부터 나와 수용체에 결합하여 반응을 일으킨다.

구조에 의해 상피표면과 접촉을 유지하는 분비선은 외분비선 또는 ducted gland이라 하며 그 예로 한선과 침샘이 있다. 이러한 분비선은 분비물(땀, 눈물, 점액, 담즙)을 체내표면 혹은 체외표면으로 이르게 하는 튜브나 관으로 방출한다. 외분비선은 전형적으로 신호전달물질의 중요한 원천은 아니다.

내분비선 혹은 관이 없는 분비선은 성장, 발생, 항상성 유지에 관여하는 신호전달물질의 매우 중요한 부류인 호르몬을 분비한다. 호르몬은 혈액 속으로 직접 방출되어 방출된 장소로부터 아주 먼 곳까지 효과를 나타낸다(그림 12-2). 대부분의 호르몬들은 혈액 속을 순환하기 때문에 광범위한 분포를 보이며 효과적으로 모든 세포에 영향을 미친다. 갑상선 자극 호르몬(TSH)과 같은 일부 호르몬들은 오직 한 가지 조직에(갑상선) 영향을 미치는 반면, 에스트로겐(estrogen)이나 성장 호르몬 등은 다양한 조직과 세포에 영향을 미친다. 호르몬 작용의 특이성(specificity)은 앞으로 살펴볼 약물의 경우에서처럼 표적세포에 특이적인 수용체가 존재하느냐 여부에 따라 결정된다.

호르몬이 방출되고 작용하는 시점은 매우 가변적인데 이는 호르몬의 기능에 기인한다. 갑상선 호르몬과 같은 일부 호르몬은 비교적 일정한 양이 분비되어 정상상태에서는 혈액 내 농도가 일정하게 유지된다. 다른 호르몬들은 특이한 주기로 분비가 되는데 예를 들면 당질코르티코이드(glucocorticoid)는 24시간 혹은 하루주기로 분비되는 반면, 여성호르몬은 4주 주기로 분비가 된다. 테스토스테론(testosterone) 수치는 매 주간 일정하게 유지되나 평생 동안 혈액 내 농도는 사춘기 이전이 아주 낮고 청년기에 정점에 달하며 중년기가 시작되면서 점차적으로 감소 추세를 보이는 변화를 보인다. 인슐린이나 항이뇨호르몬(ADH), 에피네프린과 같은 다른 호르몬들은 내부 혹은 외부의 자극에 의해 필요에 따라 분비되

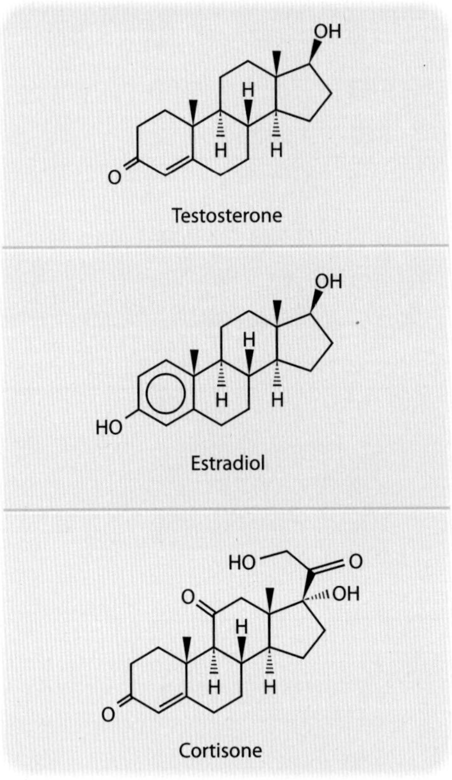

그림 12-3 일반적인 스테로이드 호르몬의 구조

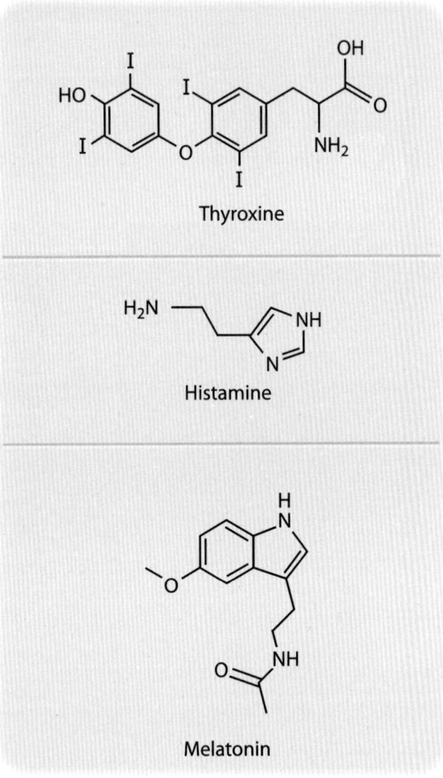

그림 12-4 아미노산으로부터 유래된 호르몬의 구조

어 수초 혹은 수분 내에 반응을 일으킨다. 호르몬의 분비에 있어 이러한 시기적인 차이는 내인성 리간드의 작용을 모방하거나 대체하기 위한 약물을 설계 혹은 사용할 때 중요한 고려사항이 된다.

호르몬의 종류(Types of Hormones). 호르몬은 여러 특성을 가진 세 가지의 구조적인 그룹으로 분류되어질 수 있다.

• 스테로이드(Steroids): 스테로이드는 콜레스테롤로부터 파생된 지질로서 테스토스테론과 같은 성호르몬과 코르티솔 (cortisol)과 같은 부신호르몬을 포함한다(그림 12-3).
• 변형된 아미노산 유도체: 카테콜아민, 갑상선 호르몬, 멜라토닌으로 구성된다. 카테콜아민 (도파민, 노르에피네프린, 에피네프린)과 갑상선호르몬(티록신, 트리요오드티로신)은 티로신으로부터 합성되고, 멜라토닌은 트립토판으로부터 합성된다(그림 12-4).

• 펩티드와 단백질: 펩티드와 단백질 호르몬들은 유전자해독의 결과물로서 크기가 매우 다양한데, 유전자해독 후 변형(posttranslational modification)에 따라 짧게는 3개의 아미노산으로 구성된 펩티드로부터 크게는 다량체로 구성된 당단백질에 이르기까지 다양하다. 그 예로 신경펩티드(바소프레신, 옥시토신), 뇌하수체호르몬 (코르티코트로핀, 고나도트로핀), 그리고 소화관호르몬(인슐린) 등이 있다(그림12-5).

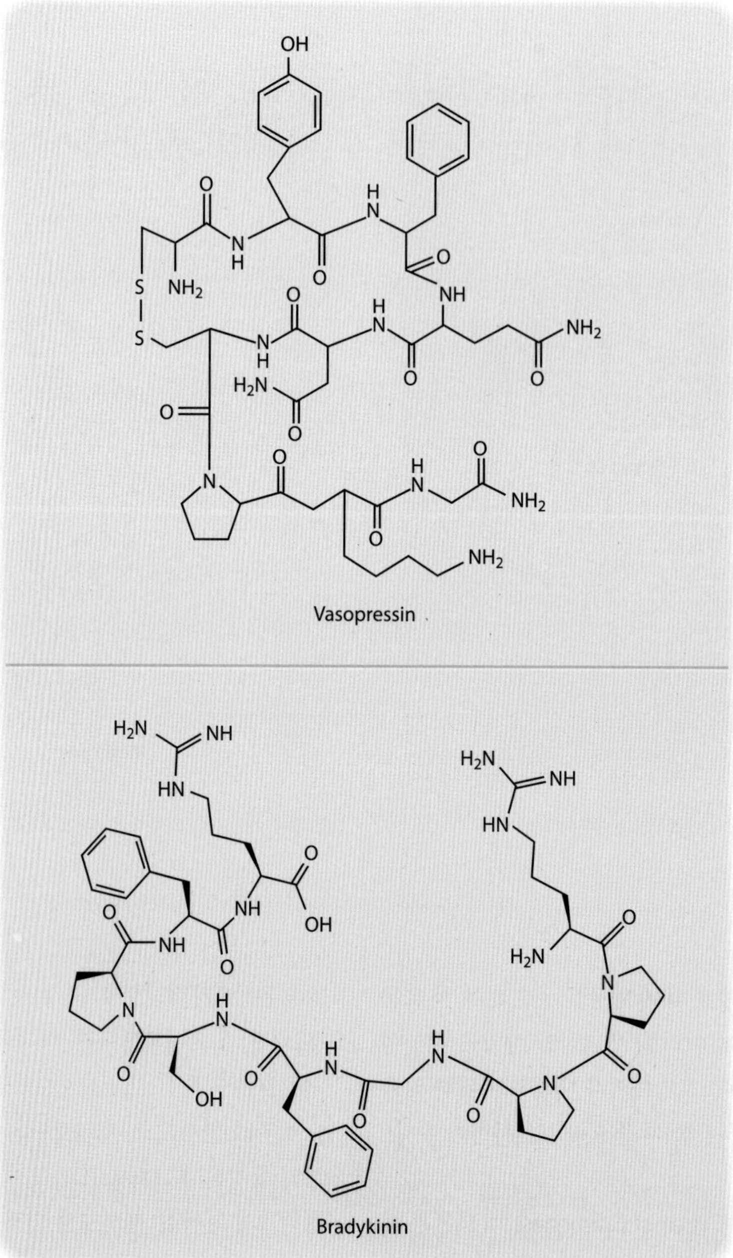

그림 12-5 펩티드 호르몬의 구조

이러한 분자적 다양성에도 불구하고 호르몬은 그들의 수용체가 존재하는 위치에 따라 두 가지 형태로 분류되는데 세포내 수용체를 가지는 호르몬과 세포막에 수용체를 가지는 호르몬이 그것이다.

소수성 호르몬들(예: 스테로이드)은 수동확산을 통해 세포막을 투과하여 그 신호를 세포내로 전달할 수 있는데 그 예로는 성호르몬(안드로겐, 에스트로겐, 제스타겐) 과 부신호르몬(무기질코르티코이드, 당질코르티코이드)등이 있다. 따라서,

이러한 소수성 호르몬들의 수용체는 대개 세포내의 세포질이나 핵에 존재한다. 갑상선호르몬(예: 티록신, 트리요오드티로닌)들은 능동수송을 통해 세포내로 들어와 세포내에 존재하는 수용체에 결합한다. 세포내에 수용체가 있는 이러한 호르몬들의 가장 중요한 작용기전은 표적세포의 유전자발현을 조절하는 것이다.

카테콜아민이나 펩티드 및 단백질 호르몬등과 같은 대부분의 극성이나 전하를 띤 호르몬들은 세포막을 투과할 수 없으므로 신호를 전달하기 위해서는 반드시 세포막에 존재하는 수용체에 의존한다. 이러한 호르몬의 세포외부에 있는 수용체와의 결합은 세포내부에 있는 2차 전령 (second messenger)을 활성화시킴으로써(호르몬은 1차 전령이다) 그 신호를 세포내부로 전달한다. 2차 전령에 관해서는 본 장의 후반부에 살펴보려한다.

호르몬에 의한 신호전달은 혈류로부터 호르몬이 제거됨에 따라 감소하거나 정지된다. 호르몬의 제거는 간, 혈류, 그 밖의 장소에서 일어나며 또한 소변이나 담즙으로 배설될 수 있다.

국소적 신호전달(Local Signaling)

특수한 세포에서 리간드를 방출하여 멀리 떨어진 곳까지 작용을 나타내는 내분비 신호전달과는 달리, 국소적 신호전달기전은 흔하며 인접한 세포에만 작용을 나타낸다. 항상성 유지를 돕기 위해 거의 모든 세포는 다양한 종류의 리간드를 방출하는 것 같다. 전체적으로 국소적 신호전달 리간드는 흔히 세 가지의 특징을 가진다. 혈류를 통해 수송될 필요가 없고, 합성되고 분비된 장소와 인접한 곳에서 작용하며, 전형적으로 작용시간도 짧다는 점이다. 대부분의 이러한 리간드는 필요에 의해 일시적으로 과량 분비되어 급속하게 제거되거나 분해되므로 그들의 작용은 국소적이며 작용시간 또한 짧다. 국소적 신호전달 리간드들은 주변분비(paracrine), 자가분비(autocrine), 접촉분비(juxtacrine)와 같이 그들의 표적세포가 신호를 수용하는 방법에 따라 분류될 수 있으며 표 12-2는 이러한 세 가지 신호전달물질의 특징을 요약하고 있다.

주변분비 신호전달 (paracrine signaling). 주변분비 신호전달은 인접한 세포에 신호를 전달하는 것을 의미한다. 신호전달세포가 세포외액으로 분비한 리간드가 인접한 세포로 확산되어 세포표면의 특이적 수용체와의 결합을 통해 신호를 세포안으로 전달하게 된다. 주변분비 리간드의 예로 인접한 세포의 분열과 성장을 촉진하는 성장인자(BDNF, VEGF)로 불리는 화합물 계열과 autacoid로 불리는 다양한 화합물 계열이 있다. autacoid는 방어 및 수선과정 중에 있는 세포들 간의 소통에 필수적이며 신체가 상처에 반응하도록 돕는다. autacoid의 예는 그림 12-6에 제시되었다.

주변분비 신호전달의 특별한 형태는 뉴런과 관련된 시냅스전달이며 리간드는 신경전달물질이라 불린다. 전기적 자극은 뉴런으로부터 신경전달물질의 방출을 유도하여 신호를 전달하는 뉴런과 표적세포 사이의 짧은 간격부위인 시냅스로 자극이 전달된다. 국소적 신호전달처럼 뉴런성 신호전달은 매우 빠르며 신경전달물질이 정보의 신속한 전달 및 개별 위치에서 빠른 반응을 담당한다. 몇몇 약물들은 신체의 특정 위치에서 이러한 신경전달물질의 작용을 모방하거나 차단함으로써 작용을 나타낸다.

자가분비 신호전달(Autocrine signaling). 자가분비 신호전달은 주변분비 신호전달의 변형된 형태로 세포 자신이 분비한 물질에 반응을 나타낼 때 일어난다. 즉, 신호를 전달하는 세포가 표적세포가 되는 것이다. 만약 이 과정에 한 세포만 관여한다면 신호는 미약하나 동일한 세포 집단이 관

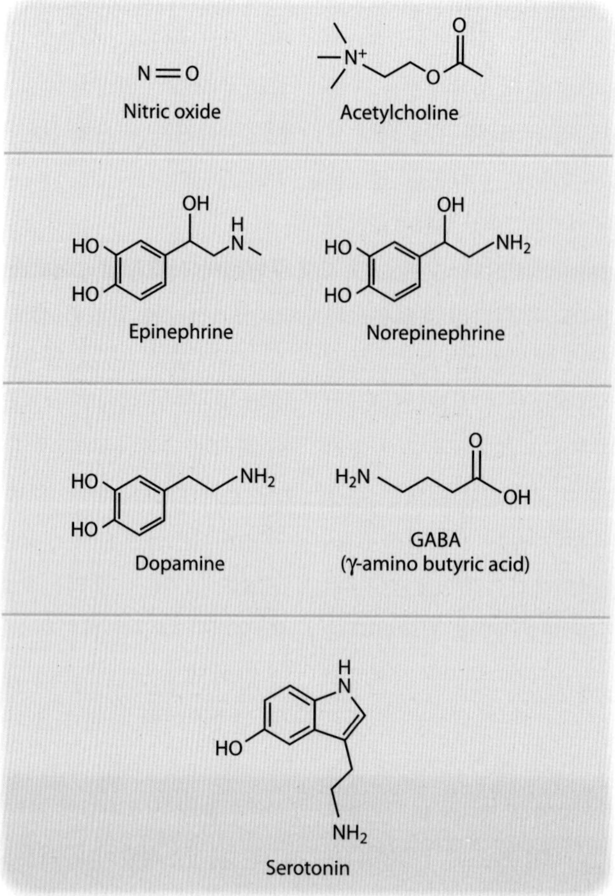

그림 12-6 일반적인 저분자 autacoid의 구조

여한다면 강한 신호가 얻어질 수 있다. 자가분비 신호전달은 한 세포 집단이 유사한 행동양식을 갖도록 할 수 있다 동일한 세포 집단이 자신들에게 신호를 전달하고 각 세포들은 발생을 독려하여 림프구가 관여하는 면역반응에서 보여지듯 동일한 세포집단을 만들어낸다.

접촉분비 신호전달(Juxtacrine signaling). 접촉분비 신호전달은 접촉의존성 신호전달이라 불리며 신호전달세포와 표적세포간의 직접적인 접촉을 필요로 한다. 리간드는 세포외액으로 방출되지 않으며 신호전달세포와 표적세포 사이에서 직접

적으로 이동된다. 접촉분비 신호전달의 한 가지 형태는 리간드가 신호전달세포의 세포막에 부착되어 있다가 표적세포가 리간드와 직접적으로 결합했을 때 신호가 전달이 되는 형태이다. 다른 한 가지 형태는 인접한 세포 간의 간극접합(gap junction)을 통해 신호가 전달이 되는 형태이다. 간극접합은 한 세포의 세포질에서 다른 세포의 세포질로 저분자물질이나 이온 등의 이동을 가능하게 하는 신호전달 접합임을 상기하라. 접촉분비 신호전달의 한 가지 예는 간극접합을 통한 심근세포끼리의 전기전도를 들 수 있다.

작용의 특이성(Specificity of Action)

신체가 신호전달을 통제하는 능력은 적절한 시간에 적절한 반응을 이끌어내는 데 있어 매우 중요하다. 우리는 몇몇 리간드들이(예: TSH) 신체에 널리 분포하지만 어떻게 매우 제한적인 조직이나 장소에서 아주 특이적인 작용을 나타내는지를 보아왔다. 다른 경우에서는, 어떻게 다른 리간드가 신체의 일부 위치에 존재하는 서로 다른 표적에 결합하고(α 혹은 β 수용체) 특정한 세포로부터 분비되었을 때 광범위한 작용을 유발하는 것을 모면하는지에 관해 보아왔다. 두 가지의 서로 다르지만 관련성 있는 개념들이 이러한 역설을 설명할 수 있다. (1) TSH 호르몬의 작용은 오직 하나의 수용체에만 결합할 수 있는 호르몬의 능력에 의해 제한되며 하나의 수용체는 제한된 수의 조직에서 발견된다. 호르몬과 그 대상 수용체 간의 상보성은 매우 특이적이어서 비록 호르몬이 몇몇 다른 형태의 수용체와 접하기도 하지만 오로지 그 단백질/수용체를 발현하는 세포에서만 한 특정형태의 수용체와만 결합하여 생물학적 반응을 유발한다. (2) 그러나, 다른 리간드의 작용은 매우 제한적인 장소에서의 분포로 인해 한정된다. 신경에서 분비되는 노르에피네프린의 경우 몇몇 다른 조직에서는 여러 수용체와 결합할 수 있으나 신경으로부터 분비된 것은 표적세포와 매우 가까운 곳에서 작용을 나타내므로 다른 세포나 의도하지 않은 표적에 영향을 줄 수 있는 높은 농도로 확산될 기회는 거의 없다. 우리는 제 8장에서 약물의 분포에 영향을 미치는 인자에 관해 논의하였다. 지질 친화도, 이온화 정도 그리고 단백질 결합 등이 약물의 분포에 영향을 미칠 수 있다. 이러한 경우에서, 우리는 약물의 분포를 제한하기 위해 제형을 변경할 수 있는데, 발진을 치료하기 위해 피부에 연고제를 적용한다거나 국소부위의 통증을 경감하기 위해 치과 시술 전 국소마취제를 구강 상피세포에 주사할 수 있다. 그러나 대부분의 경우에서 약물은 경구투여를 하므로 호르몬처럼 신체에 널리 분포된다. 그러므로, 약물 작용의 특이성을 결정하는 특징은 약물이 단일 또는 한정된 수의 수용체와 결합하는 능력에 달려있다.

수용체(Receptors)

우리가 논의한 대로, 수용체는 세포의 내부(세포내 수용체) 혹은 세포막(세포외 수용체)에 존재하는 단백질이다. 제 2장에서 언급한 대로 단백질은 복잡한 3차구조를 가진 거대분자임을 상기하라. 리간드의 결합부위는 매우 독특하고 특이적이며 고도로 입체선택적이다(stereoselective). 리간드는 수용체와 상호작용을 일으키기 위해 수용체 결합부위와 입체상보성(stereocomple-mentarity)을 가진다. 세포는 다양한 조합의 리간드에 반응하기 위해 많은 종류의 수용체를 가진다. 일부 수용체는 다른 수용체와 연결되어 신호를 강화 또는 증폭하는 작용을 갖는 반면 다른 수용체는 전적으로 독립적으로 작용하여 서로 다른 수용체와 아무런 생화학적 해부학적 상호작용을 갖지 않는다.

리간드-수용체 상호작용 (Ligand-Receptor Interactions)

생물학적인 반응을 일으키는 리간드(L)와 수용체(R)간의 상호작용은 2단계 과정으로 표현될 수 있다.

- 인식(Recognition) - 수용체가 리간드를 인식하고 복합체를 형성함.
- 신호전달(Signal transduction) - 리간드-수용체 복합체가 생물학적 반응을 유도하는 일련의 세포내 변화를 개시함.

이러한 모델은 아래의 식으로 표현될 수 있다:

$$L + R \rightleftarrows LR \quad \text{(식 12-1)}$$

$$LR \rightarrow\rightarrow effect \quad \text{(식 12-2)}$$

리간드-수용체 복합체(LR)는 첫 번째 단계에서 형성된다 (식 12-1). 2번째 단계에서 리간드는 수용체와의 결합을 통해 수용체의 구조변화를 일으켜 세포내 단백질들과 수용체가 물리적으로 접촉할 수 있게 한다. 이러한 수용체와 다른 단백질 간의 상호작용은 생물학적 반응을 유발하는 일련의 세포내 변화를 일으킨다. 수용체가 리간드와의 결합 및 신호전달의 두 가지 기능을 수행한다는 것은 수용체 내에 두 개의 기능적 도메인이 있음을 제시한다. 구조적인 측면에서 이러한 두 개의 기능적인 도메인을 가지는 것은 신호전달의 제어에 있어 두 가지의 중요하나 가끔 혼란스러운 관찰을 설명해 준다. (1) 일부 내인성 리간드는 다수의 수용체를 활성화 할 수 있으나 매우 다른 세포반응을 유발시킨다. 이러한 경우에, 수용체의 리간드 결합 도메인은 유사하나 신호전달 도메인은 다른 경우이다. (2) 다수의 다른 리간드는 유사한 세포반응을 유발할 수 있다. 이러한 경우에, 수용체의 리간드 결합 도메인은 다르나 유사한 신호전달 도메인을 가지는 것으로 보인다.

비촉매적 및 촉매적 수용체 (Noncatalytic and Catalytic Receptor)

신호전달과 연계되어 있는 수용체는 비촉매적 수용체로 인식되는데 이것은 리간드-수용체 결합이 가역적(식 12-1에서 보여지듯이)이므로 리간드가 반응이 종결된 후(식 12-2) 수용체로부터 분리될 수 있음을 의미한다. 이러한 비촉매적 상호작용은 약물작용의 기본이다. 비촉매적 수용체와 상호작용을 하는 리간드는 세포내 변화를 일으켜 생물학적인 반응을 유발하는데 이를 효능제(agonist)라고 한다. 반면, 수용체와 복합체를 형성하나 세포 내 변화나 생물학적 반응을 유발하지 않는 리간드를 길항제(antagonist)라고 한다. 이러한 용어들은 13장에서 자세히 다루어질 것이다.

리간드는 세포 내부나 막에 존재하는 촉매적 효소들과 결합할 수 있다. 이러한 맥락에서 리간드는 기질(substrate)로 언급된다. 효소는 그들의 기질과 상호작용하여 복합체를 형성하는데, 수용체와는 달리 효소는 기질을 화학적으로 다른 산물로 변환시켜 방출시킨다. 이러한 과정은 아래와 같다. (S: 기질, E: 효소)

$$S + E \rightleftarrows ES \rightarrow Product + E \quad \text{(식 12-3)}$$

따라서, 효소의 두 가지 중요한 특성은 기질을 인식하는 능력(비촉매적 수용체와 유사하게)과 반응을 촉매하거나 기질의 구조를 변화시키는 능력이다. 통상적으로 약물의 약리학적 작용(생물학적 반응을 일으키는 약물의 능력)을 논의할 때 우리는 약물-수용체 상호작용에 입각하여 전자의 특성을 언급한다. 같은 약물의 대사작용을 논의할 때는 효소의 기질로서의 약물을 언급한다. 약물이 어떻게 수용체에 결합하고 기질이 어떻게 효소와 결합하는가를 결정하는 인자들은 매우 유사하다. 수용체와 효소 모두 단백질이며 약물과 기질의 결합은 입체상보성과 인력(attractive force)을 필요로 한다. 13장에서 살펴보겠지만 이러한 결합 상호작용의 수학적 표현은 유사하다. 그러나 약물-수용체 간, 기질-효소 간 상호작용의 결과는 서로 다르고 양자 간 독립적이다. 약물-수용체 상호작용의 결과는 생물학적 반응을 유발시키며 약물은 변화되지 않은 상태에서 수용체로부터 방출된다. 한편, 기질-효소 상호작용은 세포기능에 있어 아무런 변화를 일으키지 않으며 기질은 변화된 형태 (최종산물 혹은 대사체)로 효소로부터 방출된다.

홍미롭게도 일부 비촉매적 수용체는 효능제가 없는 상황에서도 활성화될 수 있는 능력을 가지는데 이러한 수용체를 항시활성(constitutively active) 수용체라고 한다. 즉, 대부분의 유기분자와 마찬가지로 수용체는 다른 형태로 구조를 변화시킬 수 있는데 어떤 경우에서는 효능제가 수용체에 결합할 때 일어나는 구조적인 변화와 동일하다. 이러한 효능제-비의존적 활성은 수용체가 신호를 세포내로 전달하여 세포기능을 조절한다는 개념을 강조하고 있다. 리간드의 역할은 수용체를 활성화시키는 것이다. 리간드는 어떠한 생물학적인 변화를 초래할 것인지를 결정하지 못한다. 몇 가지 경우에서 리간드는 수용체와 결합한 후 이러한 항시활성을 저해할 수 있는데 이러한 리간드를 역효능제(inverse agonist)라 한다. 역효능제는 수용체를 활성화시켜 생물학적 반응을 일으키는 대신 수용체로 하여금 세포기능을 변경하지 못하게 하거나 반대작용을 나타냄으로써 작용한다. 역효능제의 발견은 과학자들로 하여금 수용체의 기능을 이해하는 데 또 다른 유용한 도구를 제공한다. 효능(agonism), 역효능(inverse agonism), 그리고 항시활성(constitutive active)의 개념은 13장에서 다시 논의될 것이다.

수용체 아형 (Receptor Subtypes)

세포가 신호에 대해 반응하는 방식은 세포가 어떠한 형태의 수용체를 발현하는가와 자극에 반응할 수 있는 신호전달기구의 종류에 의해 좌우된다. 우리가 지난 수년간 클로닝과 분자생물학 기법으로 발견한 것처럼, 지금까지 수많은 수용체와 그 아형이 보고되었다. 수용체 아형은 유사한(동일하지 않은) 결합 도메인과 다른 신호전달 도메인을 가지는 수용체 집단이다. 따라서 수용체 아형은 일반적인 내인성 리간드에 의해 활성

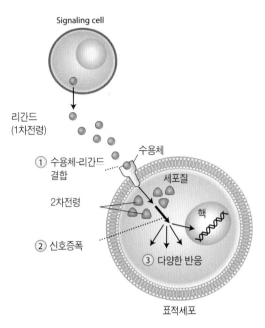

그림 12-7 신호전달과정의 개략도. 신호전달세포는 표적세포에 존재하는 수용체에 결합하는 리간드를 방출한다. 이러한 리간드-수용체 결합은 2차 전령이 관여하는 신호전달과정을 개시한다. 그 결과 표적세포에서의 세포반응으로 나타난다.

화되나 서로 다른 생물학적 반응을 일으킬 수 있다. 물리학적 관점에서 수용체 아형의 존재는 우리의 신체가 단지 한 가지 리간드를 신체의 다른 장소로 분비함으로써 다양한 작용을 나타낼 수 있음을 가능하게 한다. 예를 들면, 노르에피네프린은 α_1, α_2, β_1, β_2로 세분화되는 α, β-아드레날린성 수용체 (adrenoreceptor)와 상호작용할 수 있다. 이러한 수용체 아형은 각기 다른 기관에서 발견된다. 예를 들면, 심장은 β_1 수용체를 갖는 반면 β_2 수용체는 기관지 평활근에서 발견된다. 각각의 수용체 아형은 다른 기능을 가지며 각각 다른 장소로 분비된 노르에피네프린은 다른 생리학적 영향을 나타낸다. 또 다른 예는 무스카린성 과 니코틴성 수용체로 세분화되는 콜린성 수용체에 결합하는 아세틸콜린이다. 이러한 수용체 각각은 뇌나 말초기관을 포함한 신체의 다양한 위치에서 독특한 기능을 수행하는 매우 다양한 수용체 아형으로 분류된다.

약물개발이나 약물치료의 관점에서 수용체 아형의 존재는 오직 한 가지 형태의 수용체에 결합하는 약물의 디자인을 가능하게 한다. 이러한 방법으로 오직 한 가지 작용을 나타낼 수 있는 매우 선택적인 약물이 만들어질 수 있다. 역으로 많은 수용체 아형에 결합할 수 있는 약물은 많은 임상 용도를 가질 수 있으나 동시에 원치 않는 부작용을 나타낼 수 있다.

신호전달(Signal Transduction)

우리는 리간드나 약물이 생물학적 반응을 일으키기 위하여 인식과정(리간드가 수용체의 결합 도메인에 결합)과 신호전달과정의 2단계 과정을 거치는 것을 보아왔다. 리간드가 수용체와 결합하면 수용체의 구조변화를 유발하여 세포내의 일련의 변화를 야기하여 생물학적인 반응을 만들어낸다. 신호전달은 세포 외부의 리간드-수용체 상호작용이 세포내의 변화를 유발하는 과정을 의미한다. 다른 표현으로 세포외부의 신호가 세포내부의 활성의 변화로 변환되는 과정이다. 세포내 궁극적인 종착지점으로 메시지를 전달하는 데 있어 부가적으로 세포내 분자들이 흔히 관여하게 된다. 그림 12-7은 일반적인 의미에서 이러한 개념을 묘사하고 있다.

리간드는 신호전달세포로부터 표적세포 표면의 수용체로 신호를 운반하는 1차 전령으로 간주된다. 최초의 리간드-수용체 결합이 일어나면 2차 전령이라 불리는 다른 화합물이 세포질이나 핵에 존재하는 다른 특정 세포위치로 신호를 전달하는 데 중요한 역할을 한다. 2차 전령은 세포 외 신호 전달을 매개하는 반감기가 짧은 분자로서 대개 특정한 리간드-수용체 상호작용에 의해 특이적으로 생성된다. 다양한 신호전달 경로에서 특히 중요한 2차 전령은 cyclic AMP(cAMP), 칼슘이온, inositol 1, 4, 5-triphosphate (IP$_3$), diacylglycerol(DAG) 등을 포함한다.

신호전달은 몇 가지 중요한 특징을 가진다:

- 신호는 적은 양의 리간드로부터 다량의 세포반응을 유발할 수 있는 증폭과정을 거친다. 예로 리간드 한 분자가 하나의 수용체를 활성화시키는 것을 생각해보라. 이것은 adenylate cyclase 효소 10 분자를 활성화시켜 cAMP 100 분자를 만들고, 1,000 분자의 단백질 인산화효소를 활성화시키며, 10,000 분자의 칼슘채널을 인산화시킨다. 따라서 100,000 unit의 칼슘이 세포내로 유입된다.

- 신호전달경로는 아마도 다른 종류의 수용체로부터 만들어지는 상반된 작용에 영향을 받는 것 같다. 예를 들면, β_1수용체는 세포내의 특정 단백질을 통해 adenylate cyclase 효소를 활성화시키는 반면 α_2 수용체는 adenylate cyclase를 억제하는 다른 종류의 단백질을 활성화시킨다. 이러한 상반된 작용은 세포기능의 균형과 조절에 중요하다(그림 12-8A).

- 신호전달경로는 서로 다른 수용체로부터 수렴될 수 있다. 서로 다른 수용체들은 일반적인 2차 전령과 연계되어 그 신호를 증강(enhance), 강화(reinforce), 또는 가외성(redundancy)을 제공한다(그림 12-8B).

- 신호전달경로는 분할될 수 있어서 세포내의 몇 가지 전달경로가 동시에 영향을 받을 수 있다. 일부 수용체는 두 가지의 서로 다른 2차 전령을 생성하는 단백질과 연계가 되어 서로 상이하거나 분할되는 신호체계에 영향을 줄 수 있다. 이러한 경로는 서로 상이하나 특이적이고 복잡한 세포기능을 부여하여 성장이나 분화를 촉진하거나 세포 물질대사의 복합적인 경로를 조절할 수 있다(그림 12-8C).

- 시간에 따른 신호전달 반응 양상은 매우 빠르고 순간적인(miliseconds) 반응에서부터 매우 느리고 지속적인(hours to days) 반응에 이르기

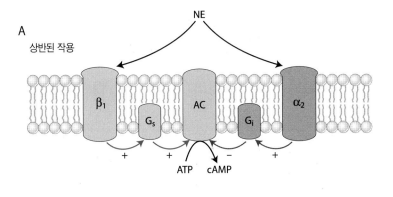

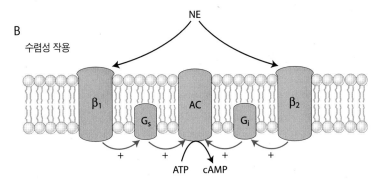

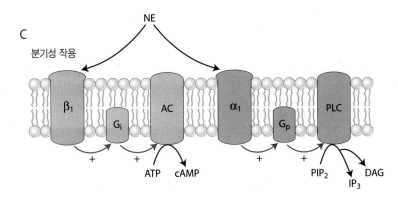

그림 12-8 A. β_1 수용체의 활성화는 G단백 촉진 단백질(G_s)을 자극하여 2차 전령인 cAMP를 생성하는 adenylate cyclase 효소를 활성화
시킨다. α_2 수용체의 활성화는 G단백 억제 단백질(G_i)를 자극하여 adenylate cyclase를 억제함으로써 cAMP의 합성을 저해한다. B. β_1 또
는 β_2 수용체의 활성화는 모두 G단백 촉진 단백질(G_s)을 자극하여 adenylate cyclase 효소를 활성화시킨다. C. 동일한 리간드는 서로 다
른 2차 전령과 연계된 서로 다른 수용체를 활성화하여 각각 다른 반응을 유발할 수 있다. 이러한 두 개의 신호전달과정에 의한 반응은 상
보적이거나 혹은 전적으로 독립적일 수 있다.

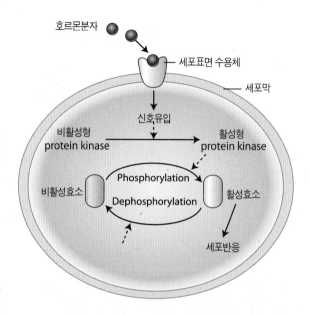

그림 12-9 호르몬에 의한 효소의 활성화 및 비활성화. 호르몬의 세포-표면 수용체와의 결합은 신호를 세포내부로 전달한다. 신호는 단백질 인산화효소를 활성화시켜 다른 효소의 인산화를 유도함으로써 궁극적으로 세포 반응을 유발한다. 활성 효소는 탈인산화효소에 의해 비활성화되고 또 다른 신호전달을 위해 다른 신호를 기다린다.

까지 다양하다.

• 신호전달경로의 조절은 역동적이다. 신호의 전달은 세포의 요구에 따라 변화하는데 2차 전령의 성질(합성 대 분해, 흥분 대 억제)이나 양에 의해 변화될 수 있다.

단백질 인산화는 신호전달이나 정보의 이동을 매개하는 매우 일반적인 수단이다. 대개 전형적인 사람의 세포내에 존재하는 단백질 중 1/3이 한번 혹은 여러 번 인산화될 수 있다. 단백질의 인산화와 탈인산화는 두 개의 효소에 의해 조절된다: 단백질에 인산을 붙여주는 단백질 인산화효소 (protein kinase)와 단백질에 붙은 인산기를 제거하는 단백질 탈인산화효소(protein phos-phatase)이다. 인산화는 효소의 생물학적 활성을 증가 혹은 감소시킴으로써 단백질 분해를 위한 표식뿐 아니라 세포 구획 간 이동이나 단백질간의 상호작용을 가능하게 한다.

다양한 신호전달경로에서 일반적인 2차 전령을 통한 신호전달은 기회가 될 수 있으나 한편으로 잠재적인 문제를 유발할 수 있다. crosstalk이라 불리는 일부 신호전달경로로부터의 신호의 입력은 2차 전령의 농도에 영향을 줄 수 있다. crosstalk에 의한 신호전달은 각각의 독립적인 신호전달경로보다 훨씬 더 정교하게 세포활성을 조절할 수 있다. 그러나 부적절한 crosstalk은 2차 전령에 의해 잘못 해석된 신호를 야기할 수 있다.

신호전달과정이 개시되어 다른 세포과정에 영향을 미치는 정보가 전달이 된 후에는 이러한 신호전달과정들은 종결되어야 한다. 이러한 종결이 없으면 세포는 새로운 신호전달에 대한 반응성을 상실한다. 단백질 탈인산화효소는 신호전달과정의 종결을 위한 하나의 기전이다. 단백질 인산화와 탈인산화의 역할은 그림 12-9에 표시되었다.

신호전달경로는 대부분의 세포기능을 조절하며 약물개발의 관점에서부터 약물의 표적에 관한 방대한 정보를 제공한다. 경로에서의 각각의 단계는 잠재적인 약물작용점을 제시한다.

수용체의 구조와 분류 (Receptor Structure and Classification)

앞에서 수용체 매개 세포신호전달에 관련된 두 가지 중요한 단계 (인식과 신호전달)의 일반적인 개념을 다루었으니, 이 장의 다음 섹션에서는 어떻게 수용체와 신호전달경로가 서로 상호작용하며 이것이 어떻게 수용체를 분류하는 데 역할을 하는지 그 구체적인 예를 통해 살펴보고자 한다. 수용체를 분류하는 데 사용되는 일반적인 방법은 수용체와 결합하는 리간드에 의한 분류이다. 예로 에스트로겐, 인슐린, 또는 아세틸콜린 수용체이다. 이러한 분류방법은 관여하는 리간드를 확인하는 견지에서는 유용하나 신호전달이 일어나는 기전이나 세포에 미치는 영향이 어떠할지를 예측하기는 어렵다. 수용체 분류의 또 다른 접근방법은 구조, 기능, 신호전달경로에 의한 분류방법이다. 이것을 기반으로 우리는 다섯 가지의 광범위한 수용체 범주로 분류할 수 있다:

세포-표면 수용체:
- 이온채널 수용체(Ion-channel receptors)
- G단백질-결합 수용체(G protein-coupled receptors)
- 효소적 수용체(Enzymatic receptors)

세포내 수용체:
- 전사조절 수용체(Transcriptional regulation receptors)
- 세포내 효소 (Intracellular enzymes)

이러한 구조적 분류의 각각에 관한 간략한 설명과 작용기전은 아래에 제시되었다.

세포-표면 수용체 (Cell-Surface Receptors)

세포가 세포 외부의 자극을 감지하는 주요한 기전은 세포-표면 수용체를 통해서 일어난다. 세포-표면 수용체는 세포막에 끼어있는 형태로 리간드 결합 도메인이 세포외부 쪽으로, 신호전달 도메인은 세포막의 세포내부 쪽으로 향하고 있다. 이러한 수용체들은 세포막에 위치하면서 각각 세포 내부와 외부에 모두 노출되어 있으므로 막관통(transmembrane) 수용체라고 불린다.

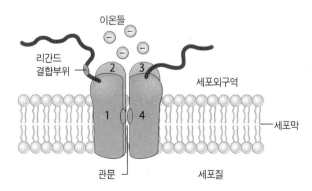

그림 12-10 리간드-개폐 이온채널 수용체의 모식도. 수용체는 막관통 단백질이다 (여기에 4개의 막관통 부위가 1-4까지 표시되었다). 단백질의 세포외 부분은 리간드-결합부위이다. 리간드-수용체 결합은 수용체의 구조적 변화를 야기한다. 이것이 이온채널의 문을 개방하여 이온들이 세포내로 확산되도록 구멍을 형성한다.

이온채널 수용체
(Ion-Channel Receptors)

많은 세포내 기능은 세포막을 관통하여 세포 내부나 혹은 세포 외부로 이동되는 이온을 필요로 한다. 세포막은 지질로 구성되어 이온화된 분자들의 투과를 허용하지 않으므로 작은 이온 (예: Na^+, K^+, Ca^{2+}, Cl^-)들의 투과를 위해서 특수한 막 관통 채널들을 필요로 한다. 채널 단백질들을 구성하는 아미노산의 작용기(functional group)의 입체배좌(coformation), 구조, 이온화는 채널이 특정한 이온을 수송하는 데 있어 선택성을 부여한다. 예를 들면, 일부 채널은 오직 Na^+ 만 투과시

키며 일부 채널은 Cl^- 에 대해 선택적이다. 이러한 채널 단백질의 구조적 변화는 채널을 개폐함으로써 세포 내·외로 이온의 이동을 조절하게 된다.

리간드-개폐형 이온채널(Ligand-gated ion channel)은 특정한 신경전달물질이 그 수용체와의 결합을 통해 개폐된다. 이온채널-수용체 복합체는 거대한 단백질 복합체로서 세포막을 관통하는 채널과 별도의 리간드 결합부위(수용체)를 구성하는 여러 개의 소단위체(subunit)를 포함한다 (그림 12-10). 리간드가 결합하게 되면, 채널은 신속하게 닫힌 상태에서 열린 상태로 구조변화를 일으키며 리간드가 수용체로부터 분리되면 이온

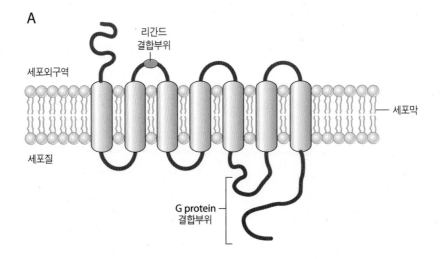

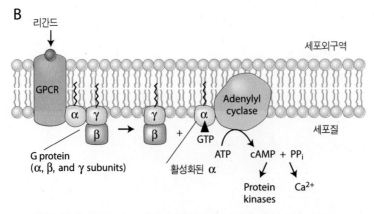

그림 12-11 A. G단백질-결합 수용체의 구조는 7개의 막관통 도메인, 리간드 결합부위, G단백질 결합부위를 가진 7개의 막관통 단백질 (7TM) 수용체를 보여준다. B. 리간드에 의해 G단백질-결합 수용체(GPCR)가 활성화된 후 신호전달경로

채널은 닫히게 된다. 하지만, 지속적으로 리간드에 노출이 된 후에는 수용체는 탈감작 (desensitized)될 수 있다.

이러한 이온채널의 신호 리간드는 신경전달물질이다. 그 예로 니코틴성 아세틸콜린 수용체 (리간드가 아세틸콜린이고 골격근에 존재하는 Na^+/K^+ 채널을 조절함)와 γ-aminobutyric acid (GABA) 수용체(리간드가 GABA이고 뇌에 존재하는 Cl^- 채널을 조절함)가 있다. tubocurarine과 같은 신경근 차단약물은 골격근에 존재하는 아세틸콜린 수용체에 작용하여 Na^+ 이온의 유입을 막음으로써 근세포의 탈분극과 근수축을 억제한다. turbocurarine 및 유사한 신경근 차단약물은 환자의 주요외과적 수술 전의 마취에 사용된다. Diazepam(Valium®)은 GABA 수용체 복합체에 작용하여 Cl^- 채널이 지속적으로 열리게끔 함으로써 내인성 리간드 GABA의 작용을 증강시킨다. Diazepam은 항불안 약물로 사용되는데 불안적 행동을 야기하는 뇌의 특정부위에 GABA의 억제성 작용을 증강시킴으로써 작용한다. 리간드-개폐형 이온채널 수용체의 개략적 모식도는 그림 12-10에 나타내었다. 리간드-개폐형 이온채널은 매우 신속하게(수초단위로)진행되며 이것은 시냅스를 통한 정보의 신속한 전달에 매우 중요하다.

또 다른 형태의 이온채널은 전압-의존적 이온채널(voltage-dependent ion channel)로서 이는 리간드 결합부위와 연계되어 있지 않다. 이러한 채널은 생체막을 거스르는 전압의 차이가 발생할 때만 개폐되는데 이러한 경우 리간드보다는 전압의 변화가 채널단백질의 구조적 변화를 통해 채널을 개폐한다. 따라서 전압의존성 수용체에 의한 이온의 수송에 직접적으로 관여하는 리간드는 존재하지 않는다.

G단백질-결합 수용체
(G Protein–Coupled Receptors)

G단백질-결합 수용체 (GPCRs)는 정상적인 세포 간 통신이나 기능에 중요한 세포-표면 수용체의 한 부류이다. GPCRs은 약물의 설계나 치료에 중요한 표적이다. 현재 시장에서 유통되고 있는 모든 약물의 절반이상이 GPCRs을 표적으로 한 약물로 추정되고 있다.

GPCRs 체계는 세 가지 부분으로 구성되는데 세포표면 수용체, G 단백질, 2차 전령이다. 수용체 자체는 막을 7번 관통하는 도메인을 가진 단일 폴리펩티드 사슬이다. 즉, 수용체는 세포막에 끼어있는 형태로 지질이중층을 7번 관통하고 있다 (그림 12-11A). G단백질은 세포막의 안쪽표면에 위치하여 수용체와 2차 전령 사이에서 신호를 연결해주는 역할을 한다. 궁극적으로 2차 전령은 생물학적 반응을 유발시킨다.

G단백질이란 용어는 guanine nucleotide 결합단백질로 정의되며 α, β, γ, 세 개의 단량체로 구성되는 이종 삼량체(heterotrimeric)이다. G단백질은 효소나 이온채널과 같은 다양한 2차 전령과 연계되어 있다. G단백질은 몇 가지 아형으로 존재하는데 adenylate cyclase와 연계된 G_s와 G_i, phospholipase C와 연계된 G_q등이 있다.

GPCRs은 호르몬, 신경전달물질, autacoid 등 다양한 종류의 세포외부 리간드와 결합한다. 예상할 수 있는 것처럼 이러한 부류의 수용체들은 서로 다른 내인성 리간드를 인식하기 위하여 세포외부 결합 도메인이 아주 다양하다. 수용체의 신호전달 도메인 (effector 도메인이라고도 불림)은 매우 보존적이며 (유사한 아미노산 서열을 가짐), 그 기능은 세포내부에 존재하는 G단백질과의 물리적인 상호작용을 하는 데 있다.

GPCRs을 통한 2차 전령 cAMP를 형성하는 일련의 과정들은 그림 12-11에 보여지며 아래에 설명되어진다.

1. 리간드가 수용체에 결합하기 앞서 α 소단위체
   는 GDP와 β-γ 소단위 복합체 모두에 결합되어
   있다. β-γ 소단위 복합체의 기능은 α 소단위체
   의 활성을 저해하는 데 있으며 α와 γ 소단위체
   는 세포막의 안쪽표면에 공유적으로 결합되어
   있다.

2. 리간드가 수용체의 세포외부 도메인과 결합하
   면 수용체는 구조적 변화를 일으켜 신호전달
   도메인이 세포내 G단백질의 α 소단위체와 상
   호작용 할 수 있도록 유도한다. 이러한 상호작
   용은 α 소단위체와 결합된 GDP를 GTP로 치환
   시킨다.

3. GTP가 α 소단위체와 결합 시 α 소단위체는 이
   를 억제하는 β-γ 소단위 복합체로부터 유리되
   어 활성을 가지며 2차 전령 시스템을 활성화시
   킬 수 있다. 그림 12-11에 보여지는 2차 전령
   시스템은 세포안쪽으로 효소활성 부위를 갖는
   막관통 단백질인 adenylate cyclase이다. 이 경
   우, adenylate cyclase는 ATP로부터 궁극적으
   로 생물학적 반응을 일으키는 cAMP로의 변환
   을 촉매한다. 다른 세포들에서, α 소단위체는
   이와 유사한 기전으로 작용하는데 주로 다른 2
   차 전령 시스템을 활성화하거나 혹은 억제하는
   역할을 한다.

4. α 소단위체는 GTPase 활성을 가져 GTP를
   GDP로 가수분해한다. α 소단위체에 GDP가
   결합되면 β-γ 소단위 복합체와의 재결합을 유
   도하여 adenylate cyclase와의 상호작용을 종
   결시킨다. 이러한 개시-종결 기전은 신호전달
   경로를 조절하는 데 매우 중요하다.

증폭(amplification)이라는 개념을 기억하라.
즉, 하나의 리간드가 하나의 수용체를 활성화시
키고 하나의 수용체는 몇몇 G단백질을, 각각의
G단백질은 다수의 2차 전령 시스템을 활성화시
킨다.

효소적 수용체 (Enzymatic Receptors)

이러한 간단한 부류의 수용체는 리간드와 결합
하는 세포외부 부분, 지질이중층을 관통하는 한
개의 소수성 부분, 그리고 세포질에 위치하는 세
포내부 부분을 가지고 있다. 이 세포내부 부분은
리간드의 결합으로 유발되는 고유의 효소활성을
가진다. 즉, 수용체 자체가 효소이다. 이러한 경
우의 리간드-수용체 결합은 가역적인데 그 이유
는 신호를 전달하는 리간드가 기질이 아니기 때
문이다. 기질은 세포내부에 위치하여 리간드에
의한 수용체의 활성화에 의해 다른 산물로 전환
된다.

가장 잘 알려진 효소적 수용체는 단백질 인산
화효소 수용체인데 이는 활성화되면 단백질 인산
화효소로 작용한다. 예를 들면, 티로신 인산화효
소는 단백질의 티로신 잔기에 선택적으로 인산화
를 유도하고 세린/트레오닌 인산화효소는 세린/
트레오닌 잔기를 인산화시킨다. 고유의 단백질
인산화 활성을 가진 효소 수용체는 대부분의 세
포 성장인자 (EGF, NGF, PDGF)와 결합하여 작용

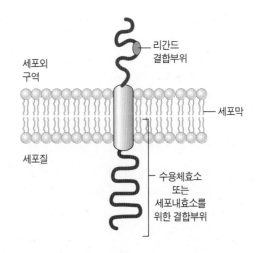

그림 12-12 단일 막관통 단백질, 세포외부 리간드 결합부위, 효소
활성과 연계된 세포내부 부위를 보여주는 효소활성 수용체의
구조적 모식도

을 나타내며 암에 있어서 그들의 역할 때문에 많은 관심을 받고 있다.

또한 수용체는 효소와 연계된 수용체 일 수 있다. 리간드에 의해 활성화되면 이 수용체들은 인접한 효소에 결합하여 그 활성을 조절한다. 여기에서도 마찬가지로, 신호전달 리간드는 기질이 아니다. 리간드와 수용체의 결합은 세포내에서 궁극적인 작용을 나타내는 단백질 인산화의 연쇄반응을 매개한다. 이러한 단일 막관통(1TM) 수용체의 부류는 리간드의 결합이후에 활성화되는 세포내부 효소체계에 따라 더 세분화될 수 있다.

그림 12-12는 단일 막관통 단백질, 세포외부 리간드 결합부위, 그리고 세포내부 효소활성부위를 포함한 효소-연계 수용체를 설명하고 있다. 예로, 사이토카인(cytokine) 수용체는 티로신 인산화효소-연계 수용체이다.

사이토카인 수용체는 그들의 신호전달 리간드(사이토카인, 인터페론, 인간 세포성장인자[HGF])에 의해 먼저 활성화된 후 세포질내의 티로신 인산화효소에 결합하여 표적 단백질을 인산화시킬 수 있다. 그러므로, 단백질 인산화효소는 GPCRs과의 상호작용에서처럼 효소-연계 수용체의 신호전달과정에서도 관여하게 된다.

세포내 수용체 (Intracellular Receptors)

많은 세포내 단백질들은 신호전달 리간드와 다른 화합물의 수용체로 작용한다. 이러한 수용체는 세포 안에 위치하므로 신호전달 리간드는 세포막을 투과하여 수용체에 도달하고 결합하여야 한다. 그러므로 리간드는 세포막을 투과하기 위하여 반드시 친지성(lipophilic)이어야 한다 (스테로이드 호르몬처럼).

전사조절 수용체 (Transcriptional Regulation Receptors)

핵 수용체라고도 불리는 전사조절 수용체는 대부분의 세포내 수용체를 구성한다. 전사조절 수용체는 대개 리간드-수용체 복합체가 세포질로부터 핵으로 이동되어 RNA의 전사를 개시하는 작용을 유발한다. 이러한 수용체는 아래와 같이 세부적으로 분류된다.

- 스테로이드 수용체(예: 코르티코스테로이드, 성 스테로이드, 무기질코르티코이드의 수용체)
- 비스테로이드 수용체(예: 갑상선 호르몬, 레티노산 (retinoic acid), 비타민 D의 수용체)

호르몬이 어떻게 세포내에 존재하는 수용체에 결합하여 반응을 유발하는지에 대한 과정은 그림 12-13에 설명된다. 호르몬은 수동확산을 통해 세포막을 통과하여 세포질에 존재하는 수용체에 결합하고 활성화시킨다. 수용체는 세 개의 기능적 도메인을 가진다. 주어진 호르몬 또는 리간드에 선택적으로 결합하는 리간드-결합 도메인, 리간드-수용체 복합체가 게놈의 특정부위에 결합하게끔 하는 DNA-결합 도메인, 전사조절에 필요한 활성화 기능 도메인이 그것이다. 활성화된 호르몬-수용체 복합체는 핵으로 이동하여 DNA에 결합하고 mRNA의 전사를 개시한다. mRNA는 핵에 남아 세포질내의 특정한 단백질의 합성을 위한 주형으로 사용된다. 이러한 과정은 시간이 소요되며 일반적으로 리간드-수용체 결합에서부터 단백질의 합성까지 몇 시간까지 소요될 수 있다. 이러한 이유로 핵 수용체에 작용하는 호르몬에 의한 효과는 최초의 신호전달이 시작되고 오랫동안 지속될 수 있다.

그림 12-14는 다양한 형태의 수용체에 결합하는 효능제로부터 유발되는 신호전달과정의 전반

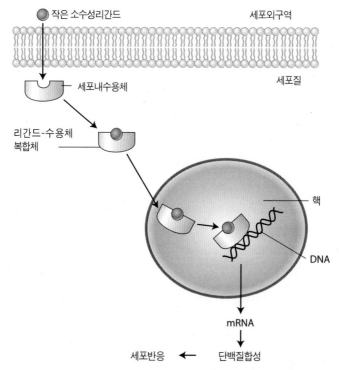

그림 12-13   전형적인 세포내 호르몬 수용체의 작용기전. 수용체는 세포의 세포질에 위치한다. 호르몬(리간드)은 수용체에 결합하기 위해 지질이중층을 통과하여 세포 안으로 들어와야 한다.

적인 흐름을 보여준다.

세포내 효소
(Intracellular enzymes)

효소는 대부분의 세포과정과 반응을 촉매한다. 각각의 세포는 기능을 수행하기위하여 적어도 500종 이상의 서로 다른 효소를 필요로 하며, 이러한 효소의 형태나 농도는 세포의 요구에 따라 다양하다. 세포기능의 유지를 위한 효소의 역할을 고려하면 효소는 약물의 표적으로서 중요한 집단이 될 수 있다. 이러한 논점까지 우리의 논의에서 세포외부의 신호로부터 세포내부의 반응을 유발하는 신호전달-번역에 관여하는 단백질로서의 수용체에 초점을 맞춰왔다. 기술적으로 효소는 기질을 산물로 전환하는 반응을 촉매한다는

점에서 이러한 정의에 부합되지 않는다. 효소는 생물학적 반응을 생성하는 데 있어 직접적으로 관여하지 않는다. 그러나, 효소는 세포의 신호전달과정을 조절하는 데 중요한 역할을 담당하는데 이는 효소의 역할 중 하나가 신호전달물질의 합성과 분해를 촉매하기 때문이다.

효소는 세포외부 혹은 세포내부에 존재할 수 있다. 세포 내 효소는 우리가 지금까지 살펴본 세포막에 결합된 형태이거나 세포질 혹은 다양한 세포내 구조물 내에 포함될 수 있다. 많은 세포내 효소는 단백질 인산화효소와 같이 우리가 이미 논의했던 신호전달과정에 관여하며 세포내의 약물의 표적으로 작용한다. 세포외부 효소들 또한 약물의 표적으로 중요하다. 제 13장에서 우리는 약물의 작용에 대한 수용체와 효소 간의 유사성과 차이점에 관해 심도 있게 논의할 것이다.

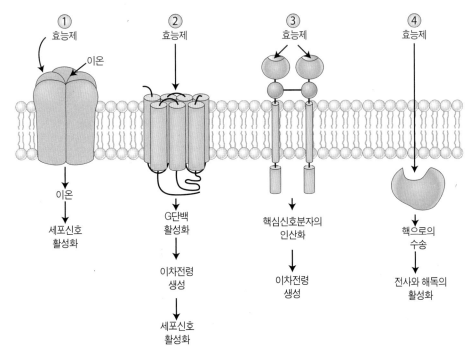

그림 12-14　효능제-수용체 결합에 의한 신호전달의 요약 (1) 리간드-개폐 이온채널 (2) G단백질-결합 수용체 (3) 효소-연계 수용체 (4) 세포내 수용체

리간드-수용체 상호작용의 조절 (Modulation of Ligand-Receptor Interactions)

　리간드-수용체 상호작용은 우리의 신체가 항상성을 유지하고 신체의 필요 또는 요구, 그리고 자가 방어나 수선에 반응하는 방법이다. 지금까지 보아왔듯이, 신체가 요구에 따라 매우 빨리 반응하거나 혹은 천천히 그리고 지속적으로 반응하도록 해주는 다양한 종류의 리간드, 수용체, 신호전달과정이 있다. 외부 환경의 단시간 혹은 장시간에 걸친 변화(음식, 운동, 환경적요인)에 효과적으로 대응하기 위해 신체는 또한 적응할 수 있어야 한다. 신체는 얼마나 많은 리간드가 존재하고 어떻게 수용체나 그로인한 신호전달과정이 잘 작동할 수 있는지를 포함하는 여러 가지 척도를 조절하거나 변경함으로써 이를 달성할 수 있다. 만약 이러한 조절기전이 효과적으로 작동하지 않으

면 그 결과는 질병이나 질환으로 나타난다.

리간드의 농도 (Concentration of Ligand)

　리간드의 농도는 얼마나 많은 리간드-수용체 복합체가 형성되고 그로인해 신호가 강화되는지를 부분적으로 결정한다. 리간드의 농도는 아래에 의해 조절된다.

• 리간드의 합성을 증가시키거나 감소시킴
• 리간드의 방출을 증가시키거나 감소시킴
• 수용체 부위로부터 리간드의 분해를 변화시키거나 제거함

수용체의 밀도(Receptor Density)

　수용체 또한 항상성을 유지하기 위해 변화하는 환경에 적응하는 능력을 가지는데 이러한 능력을

수용체 역동성(receptor dynamism)이라 한다. 이러한 반응의 주요한 징후는 수용체의 밀도나 특정 위치에서의 수용체의 수가 일정한 요동(fluctuation)을 보이는 것이다. 수용체의 농도는 고정되어있지 않고 역동적이며 합성 혹은 분해의 상반적인 속도에 의해 조절된다. 신체는 이러한 속도를 다음과 같이 변화시킨다.

- 리간드가 부족할 때 수용체 상향조절(upregulation)에 의해 수용체의 수를 증가시킨다. 이러한 현상은 신경전달물질인 도파민을 합성, 분비하는 신경의 점진적 소실이 나타나는 파킨슨병에서 그 예를 들 수 있다. 질병이 가속화되어 도파민이 점점 소실되면, 신경은 도파민의 결핍을 보상하기위해 도파민 수용체의 합성을 증가시켜 수용체의 농도를 증가시킴으로써 작용한다.
- 리간드의 과잉 시 수용체 하향조절(downregulation)에 의해 수용체의 수를 감소시킨다. 이러한 현상은 천식환자에게 β-효능제를 과잉사용 시 관찰된다. β-수용체의 과잉촉진은 β-아드레날린성 수용체 인산화효소(βARK)를 통한 β-수용체의 인산화를 유발할 수 있다. 이러한 인산화는 β-arrestin을 통해 수용체를 G단백질로부터 유리시키고 2차 전령을 파괴하는 효소를 활성화시킨다. 이러한 경우, 신체는 수용체의 수와 농도를 감소시켜 과잉 리간드의 존재에 적응하게 된다.

알로스테릭 조절 (Allosteric Modulation)

알로스테릭 (allosteric) 효과는 두 번째 분자가 단백질에 결합함으로써 리간드에 대한 첫 번째 단백질의 결합능이 변화할 때 발생된다. 조절분자 혹은 리간드는 단백질의 다른 부위에 결합하거나 심지어 다른 소단위체에 결합한다. 조절자의 결합위치를 알로스테릭 부위라고 한다. 리간드와 조절분자의 구조는 매우 다를 수 있는데 이는 서로 다른 부위에 결합하기 때문이다. 조절자가 수용체에 결합하면 수용체의 활성부위의 구조적변화를 유발하여 첫 번째 리간드의 친화력을 증가시키거나 감소시킨다. 따라서 조절분자의 존재 혹은 농도는 리간드-수용체 상호작용을 조절할 수 있으며, 알로스테릭 조절자의 존재는 세포 신호전달을 조절하는 또 하나의 수단이 될 수 있다.

알로스테릭 효과는 효소반응을 조절하는 데 있어 중요하다. 세포는 효소반응을 조절하기 위해 알로스테릭 활성제 (활성을 증가시킴) 혹은 알로스테릭 저해제(활성을 감소시킴)를 사용한다. 비효소 수용체 역시 알로스테릭하게 조절될 수 있는데 마취제, 신경스테로이드, 신경독소, 그리고 알콜과 같은 약물이 리간드-개폐성 이온채널의 활성을 조절할 수 있다. GPCRs-상호작용 단백질 (GIPs)로 불리는 내인성 화합물 또한 다른 신호전달 단백질과의 접촉을 촉진함으로써 리간드의 친화력을 변경하거나 세포막으로 수용체를 이동 또는 세포막으로부터 수용체를 제거함으로써 수용체 농도를 조절하여 수용체의 기능을 조절한다.

핵심개념

- 세포의 정보교환은 리간드의 적절한 분비와 그 수용체와의 결합을 통해 수행된다.
- 친수성 리간드는 세포표면 수용체와 결합하는 반면, 소수성 리간드는 세포막을 투과한 후 세포 내 수용체와 결합할 수 있다.
- 호르몬은 내분비선에서 합성되어 혈류를 따라 표적 수용체에 운반되어지는 리간드이다. 그들은 효소를 활성화하거나 유전자 발현을 조절함으로써 작용한다.
- 관이 없는 선이나 다른 세포는 국소 신호전달을 위해 오타코이드를 분비한다. 많은 리간드는 호르몬과 국소신호전달 물질로서 작용할 수 있다.
- 주변분비 신호전달은 인접한 세포에 영향을 준다. 자가분비 신호전달은 세포자신이 분비한 물질에 반응을 나타낼 때 일어난다. 접촉분비 신호전달은 접촉하고 있는 두 세포 사이에서 일어난다.
- 신호전달과정은 세포 외부의 신호가 여러 가지의 2차 전령 시스템의 과정에 의해 세포 행동의 변화로 전환되는 과정이다.
- 수용체는 비촉매적(효능제와 가역적으로 결합함으로써 작용), 촉매적(반응을 촉매하여 작용), 또는 항시 활성적(효능제가 없이도 작용)으로 작용할 수 있다.
- 세포-표면 수용체(이온채널 수용체, GPCRs, 효소-연계 수용체)는 세포막에 존재하여 리간드와 결합하는 반면, 세포내 수용체(전사조절 수용체와 효소)는 리간드가 세포내로 투과되어야 한다.
- GPCRs은 판매되는 약물들의 절반 이상의 표적이다.
- 리간드-수용체 상호작용은 리간드나 수용체의 농도변화 혹은 알로스테릭 효과에 의해 조절된다.

복습문제

1. 세포의 정보교환에 관여되는 단계들은 무엇인가?
2. 내분비선과 조직에서 분비되는 호르몬의 종류에 대해 기술하시오.
3. 호르몬에 의한 내분비 신호전달과정에 관해 설명하시오. 내분비 신호전달과정의 핵심적 특징은 무엇인가?
4. 내분비신호전달과 리간드에 의한 국소적 신호전달간의 유사성과 차이점은 무엇인가?
5. 주변분비(paracrine), 자가분비(autocrine), 접촉분비(juxtacrine)간의 특징과 차이점을 제시하시오.
6. 신호전달과정에 관해 설명하시오. 왜 신호전달과정이 극성 리간드에 있어 중요한가?
7. 신호전달과정에 있어 2차 전령의 역할은 무엇인가? 세포의 필요에 따라 신호는 어떻게 변화되는가?
8. 한 종류의 신호전달 리간드가 신체의 다른 부위에서 어떻게 다른 효과를 나타내는지 설명하시오.
9. 수용체란 무엇인가? 촉매적, 비촉매적, 항시활성 수용체를 구분하여 설명하시오.
10. 세포표면 수용체와 세포내 수용체를 나열하고 간략히 설명하시오.
11. 신체가 리간드-수용체 상호작용을 어떻게 조절하는지 기전을 설명하시오.

스테로이드: 어떻게 그들의 효과를 제한할 수 있는가?

FY는 무릎에 고통스러운 종창을 지닌 64세 성인 남성이다. 그는 몇 년 동안 매일 naproxen (Naprosin®)을 복용하고 있다. 최근 종창과 고통이 악화되었고 고용량의 naproxen을 투약하여도 고통이 경감되지 않았다. FY는 무릎 재생수술의 대상자이며 그의 내과의사는 수술까지 양쪽 무릎에 hydrocotisone을 관절강 내 주사하기로 결정하였다.

Hydrocortisone

Fludrocortisone

1. Hydrocortisone은 스테로이드 구조를 가진다. 어떻게 약물의 화학적 특징이 작용할 수용체(예: 세포-표면 수용체, 세포내 수용체)를 결정할 수 있는지, 이 약물이 어떠한 수용체에 작용할지를 설명하시오.

2. Hydrocortisone은 효능제이다. 일반적인 조건에서의 작용기전을 설명하라. 즉, 약물이 수용체와 상호작용할 때 어떠한 세포 변화가 유발될지를 설명하시오.

3. 일반적인 조건에서 이 수용체에 작용하는 길항제의 작용기전을 설명하시오.

4. 일반적 조건에서 이 수용체에 작용하는 역효능제의 작용기전을 설명하시오.

5. 이 환자에게 약물은 무릎 주사를 통해 투약된다. 환자는 투약된 후 고통완화가 더디게 일어날 거라고 들었다. 약물의 작용기전에 근거하여 왜 이러한 약물작용이 지연되는지를 설명하라.

6. Hydrocortisone은 부신기능부전, 천식, 쇼크, 피부발진을 치료하는 데 사용되며 면역억제반응을 일으킨다. 어떻게 hydrocortisone이 이렇게 외관상 많은 서로 다른 작용을 나타낼 수 있는가?

7. Hydrocortisone은 내인성 리간드인 cortisol의 대체제로 사용될 수 있다. 장기간 hydrocortisone의 사용은 골다공증을 유발할 수 있다. 정상적인 사람에 있어서, 왜 내인성 cortisol이 이러한 골다공증을 유발하지 않는지 적어도 두 가지 이상의 이유를 제시하시오.

8. Hydrocortisone은 피부발진을 치료하기위해 크림, 연고, 로션등의 몇 가지 국부용 약물로도 사용되고 있다. 그러나 이러한 국부용 약물은 부신기능부전, 천식, 또는 쇼크의 치료에는 효과적이지 않다. 어떻게 이러한 제제가 약물의 약리적 성질을 변화시킬 수 있는지 설명하시오.

9. Fludrocortisone을 전신 투여했을 때 항염증효과를 보이지 않는다. 유일한 효과는 신장에 작용하여 Na^+ 함유를 증강시키는 것이다. 왜 fludrocortisone의 효과가 신장에 제한되어 나타나는지 어떻게 설명할 것인가? 그것은 결합도메인 또는 신호전달 도메인에 관여되는가?

참고

Foreman JC, Johansen T, Gibb A (eds). extbook of Receptor Pharmacology, 3rd ed. CRC Press, 2010.

Gomperts BD, Kramer IM, Tatham PER. Signal Transduction. Academic Press, 2009.

Hancock JT. Cell Signaling. Oxford University Press, 2010.

Vauquelin G, von Mentzer B. G Proteincoupled Receptors: Molecular Pharmacology. John Wiley & Sons, 2007.

13 약물작용의 기전
Mechanisms of Drug Action

2장에서 우리는 의학적으로 사용되는 약물들의 세포 내 표적은 단백질과 관련된 분자들이고 대부분의 약물들은 수용체라 불리는 단백질의 특정 부위에 결합함으로써 효과를 나타낸다는 개념을 소개했다. 약물들은 일반적으로 내인성 리간드와 경쟁적으로 또는 서로 치환되면서 작용한다. 그러므로 일반적으로 약물은 생리학적 또는 생화학적인 과정에서 정량적인 변화를 만들지만 원래 과정과는 다른 새로운 과정을 만드는 정성적인 변화는 만들지 못한다.

약물작용의 이론

2장에서 약물과 수용체의 구조사이에서 나타나는 구조적 상보성과 친화력이 어떻게 두 분자가 결합하는 데 주요한 역할을 하는지 설명하였다. 12장에서는 어떻게 수용체들이 세포활성을 변화시킴으로써 생물학적 반응을 만들어내는지 설명하였다. 이번 장에서는 위 설명들을 기반으로 약물이 수용체에 결합할 때 어떤 작용들이 나타나는지 설명할 것이다.

약물작용의 이론적인 모델 중 하나로서 two-state receptor model이 있다(그림 13-1). 이 모델은 원래 G 단백질-결합 수용체들(GPCRs)의 활성을 설명하는데 사용했었고, 지금은 어떤 수용체이든지 약물작용을 이해하는 데 있어서 일반적인 접근 방법이다. 이 모델에서 수용체는 비활성형(R state)과 활성형(R* state)인 두 구조가 평형상태를 이루며 존재하고 있다는 것을 가정하고 있다. 활성형 상태의 수용체는 세포활성을 변화시킬 수 있다. 약물이나 내인성 리간드에 결합하지 않은 대부분의 수용체들은 비활성형 상태로 존재하고 있다.

약물이 수용체에 작용하기 위해서는 먼저 그 수용체에 친화성을 가지고 있어야 한다(친화성에 대해서는 이번 장과 14장에서 자세히 설명할 것이다). 생리화학적으로 같은 약물이라 할지라도 R과 R*에 대해서 다른 친화성을 가질 수 있다. 그러므로 약물-수용체의 결합은 약물마다 다른 방식으로 수용체에 작용할 수 있다. 일반적으로 약물은 수용체에 결합해서 신호전달을 증가시키거나, 감소시키거나, 차단하는 방식으로 작용한다.

효능제와 길항제

효능제는 활성형 상태의 수용체와 결합해있는 화합물로서 수용체가 반응하도록 자극시킨다. 효능제는 아래와 같이 DR* 복합체를 형성하기 위해

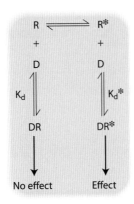

그림 13-1 Two-state receptor model. R은 비활성형인 수용체를 의미하고 R*은 활성형인 수용체를 의미한다. D는 약물을, DR과 DR*은 약물-수용체 복합체를 의미한다. R, R*, DR, DR*은 서로 평형 상태로 존재한다. K_d와 K_d*는 약물-수용체 복합체가 생성되고 해체되는 과정에서의 평형상수를 의미하고 약물의 친화성과 관련되어 있다.

서 R*에 결합하는 경향을 가지고 있다.

$$D + R^* \rightleftarrows DR^* \rightarrow Effect \quad \text{(식 13-1)}$$

R*에 결합하는 효능제의 능력은 다양할 것이다. R에 비해 R*에 더 큰 선택성을 가지고 있는 약물을 완전효능제(Full agonist)라고 부르며 최대반응을 생성시킬 수 있다. R에 비해 R*에 적은 선택성을 가지고 있는 약물을 부분효능제(partial agonist)라고 부르며 수용체의 반응을 자극시킬 수 있지만 완전효능제만큼은 일으키지 못한다. 식 13-1과 그림 13-1을 보자. 완전효능제는 DR* 복합체를 형성하기 위해서 R*에 선호하여 결합함으로써 생물학적 반응이나 작용을 발생시킨다. DR*이 형성될 때, R과 R* 사이의 평형은 R*를 더 형성시키도록 이동하며 추가적으로 약물과 R*이 결합하게 하여 생물학적인 반응을 생성시킨다. 만약의 R*에 대한 친화력이 R에 대한 것보다 굉장히 큰 약물이라면, 이론적으로 모든 수용체는 활성형 상태로 바뀌며 완전한 반응을 나타낼 것이다. 한편, 부분효능제는 R*에 결합해서 약간의 반응은 나타내나 전체적인 반응을 나타내지 못한다. 그 결과, 평형은 R*로 이동하고 생물학적인 반응을 나타내지만 완전 효능제만큼의 작용은 나타내지 못한다. 이는 부분 효능제가 완전 효능제와는 달리 R에도 결합하기 때문이다.

같은 모델을 사용해서 우리는 역효능제의 활성에 대해 설명할 수 있다. 이름이 말해주듯이 역효능제(inverse agonist)는 효능제의 반대작용을 나타낸다. 결합하는 측면에서 볼 때, 역효능제는 R* 보다 R에 더 결합하려는 경향을 가지고 있고 그 결과 주로 DR 복합체를 형성시킨다. 이 결합은 평형을 R*에서 R로 이동시키며 활성형 상태의 수용체를 감소시킨다.

$$D + R \rightleftarrows DR \rightarrow No \ effect \quad \text{(식 13-2)}$$

만약에 대부분의 수용체가 R*의 상태로 존재한다면, 역효능제는 평형을 R*에서 R로 이동시킬 것이고 수용체의 신호를 감소시켜서 결국 세포의 생물학적 활성을 감소시킨다. 만약에 대부분의 수용체가 활성형이 아니라면, 역효능제는 특이적인 작용을 가지지 않을 것이다.

약물의 마지막 분류 타입인 길항제(antagonist)는 R*과 R에 다르게 결합하는 성질을 가지지 않고 동일한 친화성을 가지고 있기 때문에 평형 상태를 바꾸지 않는다. 길항제는 자신의 능력으로 수용체의 활성을 바꾸는 것이 아니라 수용체에 결합해 있는 효능제나 역효능제에 경쟁적으로 작용해서 그 약물들의 활성을 차단시킨다. 이 때문에 길항제는 임상적으로 생물학적인 반응을 생성시키는 내인성 리간드의 작용을 감소시킬 때 사용한다. 그림 13-2는 two-state receptor model에 입각한 각 약물들 타입에 따른 활성도 차이를 그래프로 보여주고 있다.

동일 수용체에 대한 효능제와 경쟁적 길항제는

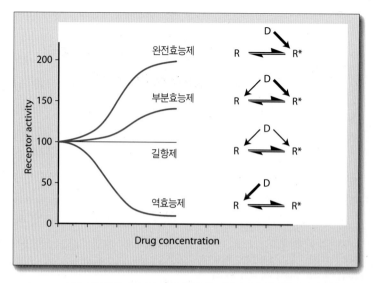

그림 13-2 Two-state receptor model과 약물 활성 메커니즘. 굵은 화살표는 약물과 수용체 간의 강한 친화성이 있음을 의미하는 반면, 가는 화살표는 약한 친화성이 있음을 의미한다. Y 축은 약물이 존재하지 않을 때의 수용체 활성도를 100으로 해서 각 약물 타입별 수용체 활성도를 보여준다. 수용체의 활성도는 약물이 활성형 수용체와 비활성형 수용체 중 어느 상태의 수용체에 친화성이 더 있는지에 기반해서 변한다.

수용체의 동일 부위에 결합할 것이다. 그러므로 동일 수용체의 효능제와 길항제가 구조적 유사성을 가질 수 있는 것은 논리적인 것으로 보인다. 2장에서 논의했듯이 pharmacophore는 종종 약물 표적의 내인성 리간드 이후에 모델링 된다. 대개 내인성 리간드는 작은 크기의 친수성 분자로서 효능제를 디자인하기에 적합하다. 왜냐하면 내인성 리간드와 효능제는 수용체를 활성화시키기 위해 매우 유사한 방법으로 수용체에 들어맞기 때문이다. 그러나 경쟁적 길항제는 대개 크기가 크고 효능제와 비교해서 지용성이며 효능제와 구조적 유사성이 있다고 볼 수 없다. 경쟁적 길항제에 대한 구조적 상보성이란 개념을 설명하기 위해 길항제는 효능제가 결합하는 자리 근처에 있는 소수성 결합자리에 결합할 것이다. 이런 방식으로 경쟁적인 길항제는 수용체의 활성부위를 차단시키지만 수용체의 신호전달 영역과 생리적인 상호작용은 없다(수용체는 구조 변화가 일어나는 부위와 생물학적인 반응이 나타나는 부위로 나누

어진다). 그림 13-3과 13-4는 내인성 리간드와 효능제 사이의 구조적 유사성과 친수성, 그리고 효능제와 길항제 사이의 구조적 차이와 소수성에 대해 설명하고 있다. 표 13-1과 13-2는 각각 효능제와 길항제를 보여주고 있다.

Allosteric 약물

우리가 그 동안 이야기해온 수용체 모델은 약물-수용체 상호작용과 생물학적 반응 간에 직접적인 연관성을 포함하고 있다. 이 방식으로 현재 사용되고 있는 많은 약물들은 효과적이지만 신호의 효과나 강도를 조절하기 위해서는 활성 부위에서 약물의 용량을 조절하는 것이 필요하다. 수용체를 자극하거나 지속적으로 차단하는 것은 아마도 문제가 될 것이다. 그러나 수용체에 대한 약물의 활성을 조절하거나 선택적으로 바꿔준다면 이 문제는 해결될 것이다. 오랜 기간 동안 allosteric 조절은 단백질 기능을 조절하는 일반적

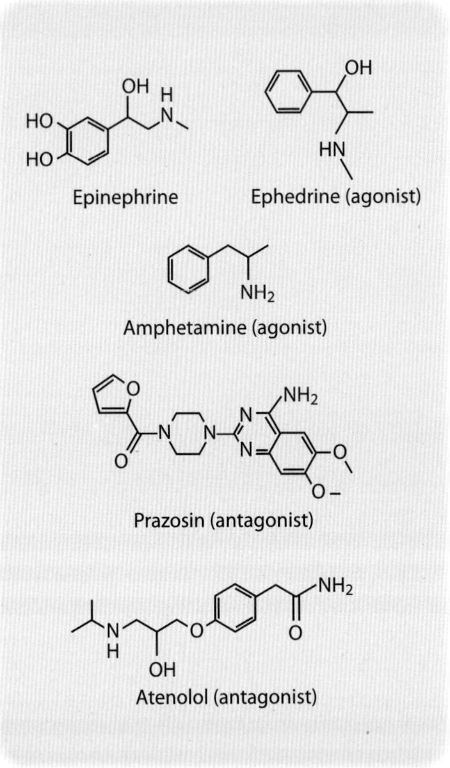

그림 13-3 Epinephrine의 효능제와 길항제 예시. Epinephrine과 그 효능제와 구조적 유사성, 그리고 길항제와 구조적 차이에 대해 주목해보라. Ephedrine과 amphetamine은 자극제인 반면, prazosin과 atenolol은 고혈압 치료제로서 혈압을 낮추는 데 사용한다.

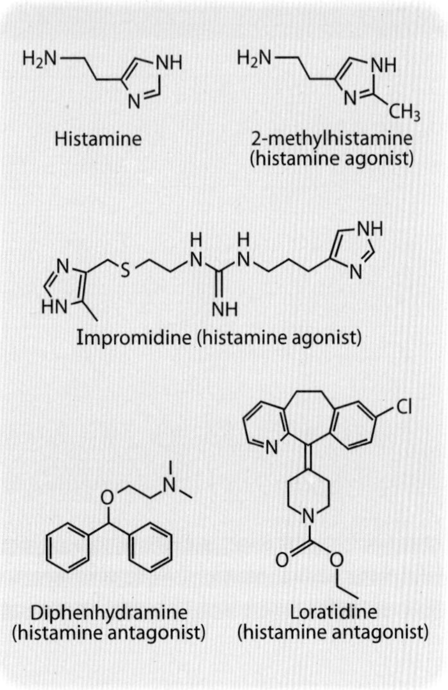

그림 13-4 Histamine에 대한 효능제와 길항제 예시. Histamine과 그 효능제와 구조적 유사성, 그리고 길항제와 구조적 차이에 대해 주목해보라. Histamine 효능제는 임상적으로 사용하지 않지만 연구용도로 사용하고 있다. Diphehydramine과 loratadine은 항히스타민제로서 알러지를 치료하는 데 쓰인다.

이고 널리 쓰이는 메커니즘으로 인식해 왔다. Allosteric 조절자는 수용체의 활성화부위와 구별되는 부분에 결합해서 리간드 결합과 단백질 기능에 영향을 줄 수 있는 구조적인 변화를 일으킨다. 이러한 개념은 단백질 행동을 조절하는 중요한 메커니즘으로 연구되어 오고 있다. 예를 들어

많은 수의 효소들이 가지고 있는 allosteric 구조는 기질-결합부위로부터 따로 떨어져 있다. 그럼으로써 조절능력이 있는 작은 분자들은 그 곳에 결합해서 효소활성에 영향을 끼치게 될 것이다.

Allosteric 효능제는 그들 스스로는 아무 작용이 없지만 리간드의 작용이나 효능제 친화력을 증가

표 13-1 효능제		
수용체	**약물**	**치료 예**
α adrenoceptor	Oxymetazoline*	비충혈
Opioid 수용체	Meperidine, morphine	통증
글루코코르티코이드 핵수용체	Dexamethasone	염증
GABA_A 수용체	Alprazolam	불안
칼륨 이온 채널	Minoxidil	모발 성장

*부분 효능제.

GABA, γ-aminobutyric acid.

표 13-2 길항제

수용체	길항제	치료 예
칼슘 이온 채널	Diltiazem	고혈압, 협심증
안지오텐신 수용체	Losartan	고혈압, 만성 신부전증, 심부전
β adrenoceptor	Propranolol	협심증, 심근경색, 심부전, 고혈압
미네랄 코르티코이드 핵수용체	Spironolactone	간경변증과 심부전에 따른 부종
에스트로겐 핵 수용체	Tamoxifen	유방암
세로토닌 운반체	Fluoxetine	우울증
히스타민 H_2 수용체	Cimetidinea, ranitidinea	위장 장애

a역 효능제

시키는 약물이다. Allosteric 역효능제는 효능제의 친화성이나 활성을 감소시킨다. Allosteric 길항제 또는 억제제는 내인성 리간드의 결합이나 기능에 영향을 주지 않고 allosteric 부위에 결합해서 같은 부위에 결합하는 다른 allosteric 조절자의 작용을 차단한다.

Allosteric 조절자의 활성 메커니즘은 다음과 같은데, allosteric 부위에 결합해서 1차 결합부위에 결합하는 내인성 리간드의 결합이나 활성을 조절한다는 점이다(그림 13-5). GABA 수용체-chloride 이온 채널 복합체의 allosteric 단백질은 약물의 중요 표적이다. 신경전달물질인 GABA는 $GABA_A$ 수용체에 결합해서 chloride 이온 채널을 개방시킨다. 이와 같은 현상이 나타나는 수용체로 benzodiazepine 수용체가 있다. Diazepam 같은 benzodiazepine이 이 부위에 결합하면 이온 채널을 지속적으로 개방시킬 수 있도록 조절함으로써 GABA의 활성을 증가시킨다. 만약에 GABA가 존재하지 않는다면 diazepam은 chloride 이온 채널에 영향을 끼치지 않는다. 이와 같이 diazepam의 allosteric 효과는 GABA가 매개되는 반응들을 조절하는 데 좋지만 GABA의 양이나 분비되는 정도에 따라 diazepam의 활성은 제한된다.

약물-수용체 상호작용의 정량

약물-수용체의 상호작용을 측정하는 데 겪는 어려움들 중 하나는 대다수 수용체들의 구조, 특징, 그리고 농도를 아직 모르거나 완전히 밝혀진 것이 없다는 것이다. 다양한 실험적인 파라미터들과 접근법들은 약물과 수용체 사이의 상호작용을 설명하는 데 사용되고 있다. 이 파라미터들은 수 십 년 동안 발전해왔고 우리에게 다른 정보들을 제공해왔다. 약물과 수용체의 활성을 모델링하는 것은 우리가 수용체의 활성을 더 잘 이해하고 분석하고 설명해줄 수 있도록 도와준다. 친화성, 내재적 활성, 그리고 효능은 어떤 약물이 수용체에 더 좋은 활성을 가질 수 있는지 알 수 있도록 도와준다.

친화력

약물이 약물학적인 작용을 나타내는 데 필요한 첫 번째 단계는 그 수용체에 결합하는 것이다. 친화력(affinity)은 약물이 수용체에 결합하는 능력을 의미한다. 친화력이 수용체에 대한 약물의 활성에 대해서는 언급하지 않지만, 약물이 잘 결합할 수 있는지는 말할 수 있다. 효능제, 부분효능제 및 길항제는 그 효과를 나타내기 위해 수용체에 친화력을 가져야 한다.

약물의 친화력은 수학적인 용어로 나타낼 수 있다. 수용체와 상호작용함으로써 나타나는 약물의 기능을 설명하는 식 13-1을 기억해보자.

약물-수용체 상호작용을 설명하는 것은 질량작

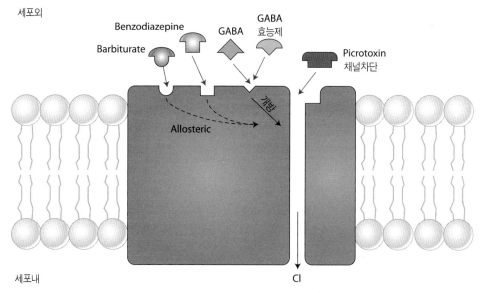

그림 13-5 GABA 수용체/chloride 이온 채널 복합체에 대한 allosteric과 비경쟁적인 길항작용의 메커니즘. 내인성 리간드인 GABA 또는 GABA 효능제는 chloride 이온 채널을 개방시킴으로써 수용체를 활성화시킨다. Benzodiazepine 효능제는 이온 채널을 개방시키는 GABA의 기능을 높임으로써 긍정적인 allosteric 효과를 만들어낼 수 있다. Benzodiazepine 역 효능제는 이온채널을 개방시키는 GABA의 기능을 감소시킴으로써 부정적인 allosteric 효과를 나타낸다. Picrotoxin은 비경쟁적인 길항제이다. 이 약물은 GABA가 이온채널을 개방시키는데도 불구하고 chloride 이온 채널을 차단시키고 chloride 이온의 유입을 막는다. Benzodiazepine 수용체의 picrotoxin 결합 부위와 GABA 수용체는 수용체-이온 채널 복합체에서 따로 구별된 부위이다.

용의 법칙을 기초로 하여 다음과 같이 나타낼 수 있다.

$$[Enzyme] + [Substrate] \rightleftharpoons [E - S] \rightarrow Product$$

(식 13-3)

약물-수용체 상호작용에 대한 질량작용의 법칙을 통해 식 13-1을 고칠 수 있고 약물과 수용체 사이의 반응에 대한 평형 상태를 수학적으로 정의할 수 있다. K_A는 결합상수로 K_D는 해리상수로 쓰일 수 있다.

[D]는 비결합 약물의 농도를 말한다. [R]은 비결합 수용체의 농도를 말한다. [DR]은 약물과 결합한 수용체의 농도를 말한다.

$$[D] + [R] \underset{k_2}{\overset{k_1}{\rightleftharpoons}} [DR] \quad \text{(식 13-4)}$$

$$K_A = \frac{k_1}{k_2} = \frac{[DR]}{[D][R]} \quad \text{(식 13-5)}$$

$$K_D = \frac{1}{K_A} = \frac{[D][R]}{[DR]} \quad \text{(식 13-6)}$$

친화력은 약물의 수용체에 대한 결합력을 말하는데, 결합 속도(k_1)보다 해리 속도(k_2)의 영향을 더 많이 받는다. 그러므로 K_D는 일반적인 친화력의 척도이다. 친화력의 측정 단위는 μM과 같은 농도이다. 이 식들에 기초하여, 강한 친화력을 갖는 약물은 낮은 K_D값을 갖는다는 것을 알 수 있다. 즉, 수용체에 결합하기 위해 필요한 약물의 농도가 낮은데(또는 양이 적은데), 그 이유는 이것의 수용체에 대한 인력이 크기 때문이다. 만약 약물의 수용체에 대한 인력이 낮다면 요구되는 약물의 농도가 높으며, 따라서 높은 K_D값을 갖는다.

이 관계를 묘사할 때, 다음 가정들이 적용된다.

- 모든 수용체들은 동일하며 약물에 대한 접근성이 같다.
- 하나의 분자는 하나의 수용체를 차지한다.
- 약물-수용체 복합체의 형성은 가역적이다.
- 수용체에 결합한 약물의 총량은 존재하는 약물의 총량과 비교하여 무시할 수 있다. 즉, [DR]이 형성될 때 [D]는 크게 감소하지 않는다.

점유 이론

점유 이론(occupation theory)은 약물이 약물학적 또는 생물학적 효과를 나타내기 위해서는 수용체에 결합하거나 수용체를 차지해야 한다는 개념에 기반을 두고 있다. 더 나아가 점유 이론은 약물학적 효과의 크기가 점유된 수용체의 비율과 정비례한다고 말한다. 이것은 약물의 최대 효과는 모든 가능한 수용체들이 점유되었을 때 발생하며, 최대 효과의 50%는 수용체들의 50%가 점유되었을 때의 결과라는 것을 내포한다. 이 이론은 다음 일련의 식들에 기초한다.

가정 : 비결합 수용체의 농도는 총 수용체의 농도에서 약물과 결합한 수용체의 농도를 뺀 것이다. [R] = [R_T] - [DR]

식 13-6에서 [R]을 [R_T] - [DR]로 바꾼다.

$$K_D = \frac{[D]([R_T] - [DR])}{[DR]} \quad \text{(식 13-7)}$$

양쪽에 [DR]을 곱한다.

$$K_D[DR] = [D][R_T] - [D][DR] \quad \text{(식 13-8)}$$

양쪽에 [D][DR]을 더하고 간략하게 한다.

$$[DR](K_D + [D]) = [D][R_T] \quad \text{(식 13-9)}$$

식을 다시 정리하면

$$\frac{[DR]}{[R_T]} = \frac{[D]}{K_D + [D]} \quad \text{(식 13-10)}$$

이 식에서 [DR]/[R_T]은 약물로 점유된 수용체의 비율을 말한다. 만약 수용체에서 그 약물의 농도가 K_D값과 같다면, 이 식에 따라서, 절반의 수용체가 점유된다. 그러므로 K_D값은 친화력의 척도일 뿐만 아니라, 절반의 수용체를 차지하기 위해 필요한 약물의 농도이기도 하다. 식 13-10이 Michaelis-Menten 식(식 13-11)과 매우 유사하다는 것에 주목하자. $K_M = 1/2\ V_{max}$인 것처럼 K_D = 절반 점유이다.

$$\frac{[V]}{[V_{max}]} = \frac{[S]}{K_M + [S]} \quad \text{(식 13-11)}$$

점유 이론에 따르면, 반응은 점유된 수용체의 비율에 정비례한다. 이에 따라 식 13-9에서 [DR]/[R_T]을 E/E_max로 바꾸는데, 여기서 E는 주어진 효과를 말하며 E_max는 모든 수용체가 점유되었을 때 얻어질 수 있는 최대 효과이다. 이로부터, 식 13-12를 유도할 수 있다.

$$E = E_{max} \frac{[D]}{K_D + [D]} \quad \text{(식 13-12)}$$

식 13-12는, [D]가 K_D보다 훨씬 커서 $K_D + [D] \sim [D]$가 되는, 약물 농도가 높은 상태에서 E가 E_max와 같다는 것을 내포하며, 모든 이용가능한 수용체들이 완전히 점유되었을 때 약물이 최대 효과를 나타낸다는 것을 암시한다. 그러나 이것이 항상 맞는 것은 아니다. 이전 장에서 우리는 수용체 결합과 반응 사이의 관계가 G 단백질, 효소들 그리고 2차 전령들을 수반하는 복잡한 생화학적 사건들을 유발할 수 있다는 것을 이미 보았다. 효능제-수용체 결합은 궁극적으로 약물학적 효과를 나타내는 일련의 생화학적 사건들에서 단지 첫 번째 단계일 뿐이다. 점유 이론의 결점은 약물이 수용체에 결합한 후에 반응을 만들어내는 능력에 관한 어떤 정보도 제공하지 않는다는 것이다. 특히, 이것은 완전효능제, 부분효능제, 길항제를 구별하지 못하는데 이 모두는 수용체를 완전히 점유할 수 있다.

두 가지 개념들(내재 활성과 효능)이 점유 이론의 단점을 보완하기 위해서 도입되었다.

내재 활성

두 가지 요소가 약물의 효과를 지배한다는 설이 있다: 친화력과 내재 활성(intrinsic activity). 친화력은 앞서 말했듯이 약물-수용체 결합의 척도이다. 내재 활성(α로 표시됨)은 수용체에 결합했을 때 최대효과를 일으키는 약물의 능력을 말한다. 그러므로 효능제와 길항제 모두 수용체에 대하여 친화력을 가지고 있지만, 효능제만이 내재 활성을 가진다고 말할 수 있다.

완전 효능제는 말 그대로 모든 수용체가 점유되었을 때 최대 효과를 나타내는데(이것이 R^* 형태의 수용체에 우선적으로 결합하기 때문임), 1의 α값을 갖는다. 부분 효능제는 모든 수용체를 점유했을 때 최대 반응보다 낮은 반응을 일으키는데(이것이 R형태와 R^*형태의 수용체 모두에 결합하기 때문임), 1보다 작은 α 값을 갖는다. 길항제는 내인성 활성을 갖지 않는데(이들이 R형태와 R^*형태의 수용체 사이의 평형을 바꾸지 않기 때문임), 0의 α값을 갖는다.

약효(E)는 내재 활성과 관련이 있다고 여겨지며, 약물-수용체 복합체의 농도는 다음과 같다:

$$E = \alpha[DR] \quad \text{(식 13-13)}$$

또한 다음과 같이 나타낼 수도 있다.

$$E = \alpha \cdot E_{max} \frac{[DR]}{R_T} \quad \text{(식 13-14)}$$

이 식들은 $[DR]/[R_T]$=1이 될 때까지 약효 E와 점유된 수용체의 비율 $[DR]/[R_T]$이 직선적인 관계라는 것을 나타낸다. 이것은 완전 효능제(α=1)가 모든 수용체들을 점유하였을 때($[DR]/[R_T]$=1) 최대 효과를 나타낸다는 것을 암시한다. 부분효능제($0<\alpha<1$)는 모든 수용체를 점유하였을 때도 최대 효과를 나타내지 않는다.

지금까지 최대 효과는 수용체를 완전히 점유하는 것을 필요로 한다고 추정했다. 그러나 이것이 항상 맞는 것은 아니다. 두개의 완전 효능제(α=1)들이 이용 가능한 수용체들을 서로 다른 비율로 차지하여도 각각 최대 반응($E=E_{max}$)을 유발하는 경우가 있다. 즉, 효능제 A는 40%의 수용체를 점유하여 최대 효과를 나타내지만, 효능제 B는 80%의 수용체를 점유하여 최대효과를 나타낼 수도 있다. 이것은 두 개의 효능제들이 수용체를 서로 다른 정도로 활성화시키기 때문에 발생되는 것으로 생각된다. 약효과 수용체 점유 사이의 비선형적 관계는 이러한 접근으로 설명할 수 없다.

효능

효능제에 의한 수용체의 점유가 먼저 수용체 내에서 자극 S를 만들고, 이 자극이 궁극적으로 효과 E를 만들어 낸다는 설이 있다. 효능(efficacy) e는 효능제가 얼마나 효율적으로 수용체를 자극하는지에 대한 척도이다. 높은 효능을 가진 효능제는 강한 자극을 만들어내는 능력을 갖는다. 분자적인 측면에서, 자극은 효능제-수용체 복합체가 이것의 활성화 형태(DR*)를 어느 정도까지 만들어 낼 수 있는지에 대한 척도이다. 여기에서 효능이라는 용어는 임상에서와는 다른 의미를 갖는 것에 주목해야 하는데, 임상적으로 효능이라는 용어는 약물이 얼마나 효율적으로 질병이나 증상을 치료하는지를 말한다.

효능의 개념은 서로 다른 비율로 수용체를 점유하였을 때도 모두 최대 효과를 나타내는 효능제들의 분명한 능력을 설명할 수 있다. 서로 다른 효능제들은 수용체를 같은 비율로 점유 하였을 때 서로 다른 강도의 자극을 생산하여 그 결과 다른 효과 E를 유발 할지도 모른다. 반대로, 두 개의 약물이 수용체를 서로 다른 비율로 점유하였을 때 같은 효과를 나타낼 수도 있다.

효능의 개념을 수학적으로 표현하기 위해서, 효능제의 효과를 약물-수용체 결합 후에 생성되는 자극의 함수로 나타낼 수 있다.

$$E = f(S) \quad \text{(식 13-15)}$$

f는 수용체 자극을 반응으로 바꾸는 함수이고, E는 앞서와 같이 효과이고, 그리고 S는 자극이다. 자극의 강도는 다음과 같이 약물의 효능 e와 수용체 점유에 의존한다.

$$S = e \frac{[DR]}{[R_T]} \quad \text{(식 13-16)}$$

효능의 개념에서, 약물-수용체 복합체가 충분히 강한 자극을 만든다면 단지 수용체들의 일부만이 점유되었을 때도 최대 효과가 관찰될 수 있다. 그러므로 효능이 높은 약물은 낮은 비율로 수용체를 점유하였을 때도 최대 반응을 자극할 수 있다. 반대로, 효능이 낮은 약물은 작은 자극 때문에 100%로 수용체를 점유하였을 때도 최대 효능보다 낮은 효능을 나타낼지도 모른다.

효능(e)과 내재 활성(α)은 어떻게 약물이 약물학적 효과를 조절하는지를 설명하는 두 가지의

접근이다. 비록 이들은 서로 다른 개념이지만, 종종 문헌에서 상호 변환되어 사용된다.

잉여 수용체

위 접근들은 약물의 효과가 점유된 수용체의 총 개수에 의존한다는 것을 보여준다. 그렇지만 최대 효과는 약물이 모든 이용가능한 수용체들을 점유하기 전에 빈번하게 보여진다. 최대 반응을 위해 요구되는 것 이상의 과잉 수용체들은 잉여 수용체(spare receptor) 또는 비축 수용체라고 불리는데, 이것은 효능제의 최대 반응의 얻어질 때 효능제에 의해 점유되지 않는 수용체를 말한다.

GPCR을 예로 들면 잉여 수용체의 개념을 더 잘 이해할 수 있다. 효능제로 점유된 하나의 GPCR은 많은 G 단백질들은 활성화 할 수 있다. 어느 특정 정도로 수용체가 점유되었을 때 세포 내의 모든 이용가능한 G 단백질들이 활성화 되고, GPCR 점유가 더욱 증가해도 그에 따라 G 단백질의 활성화와 약물학적 효과가 증가하지는 않을 것이다.

그러므로, 잉여 수용체 이론은 어떤 수용체에 의해 조절되는 신호 전달 경로의 특별히 높은 효율성을 설명하는 가설이다. 한 가지 추측할 수 있는 것은 잉여수용체가 약물에 대한 민감성을 증가시킨다는 것인데, 만약 반응이 특정 수의 수용체들이 점유되어 만들어진다면 이용 가능한 수용체의 수를 증가시키는 것이 더 낮은 약물 농도에서 같은 크기의 반응을 나타내게 한다. 식 13-1을 참고하면 이것을 이해할 수 있다. 더 높은 농도의 수용체들(따라서 R*)이 의미하는 것은 약물 농도가 더 낮을 때도 같은 농도의 복합체 DR*을 유발할 수 있다는 것이다.

길항의 기전

지금까지, 주로 효능제 약물들을 다루었다. 그

러나, 수용체 길항제들도 약물 치료에서 매우 중요하다. 길항제는 효능제의 효과를 감소시키거나 억제하는 물질이다. 이는 다음과 같이 분류될 수 있다.

- 경쟁적 길항제(Competitive antagonists)
- 비경쟁적 길항제(Noncompetitive antagonist)
- 기능적 길항제(Functional antagonists)
- 화학적 길항제(Chemical antagonists)

경쟁적 길항제

경쟁적 길항제는 효능제처럼 수용체에 친화력을 가지고 결합하는 물질이다. 하지만, 길항제는 내재 활성을 가지지 않으며 생물학적 반응으로 이어지는 자극을 발생시킬 수 없다. 경쟁적 길항제를 이해하는 한 가지 방법은 그들이 '침묵의' 리간드라고 생각하는 것인데, 효능제와 길항제는 수용체의 같은 부분에 결합하지만 효능제는 반응을 자극하는 반면에 길항제는 그렇지 않다. 두 가지 상태의 수용체 모델에 따르면, 길항제가 내재 활성이 결핍된 것은 길항제가 수용체의 비활성(R)과 활성(R*) 형태 모두에 동일한 친화력을 가지고 있기 때문이다. 그러므로 R과 R* 사이의 평형은 변하지 않으며 길항제는 '인지된' 효과를 갖지 않는다. 내재 활성과 효능을 포함하는 모델과 식들을 다시 한 번 참고하고, 12장으로부터 수용체가 결합 영역과 신호 전도 영역으로 구성되었다는 것을 상기하자. 경쟁적 길항제는 친화력을 가진다. 이들은 효능제처럼 결합 영역에 결합한다. 경쟁적 길항제는 신호 전도 영역에 결합하거나 이것과 상호작용하지 않기 때문에 내재 활성이나 효능을 갖지 않으며, 따라서 자극이나 생물학적 반응을 만들지 못한다. 그림 13-6은 효능제 결합과 경쟁적 길항제 결합을 간략하게 보여준다.

경쟁적 저해의 두 가지 중요한 특징은 (1) 길항제와 효능제가 같은 수용체를 두고 서로 경쟁한다는 것과 (2) 길항제가 내인성 리간드나 약물과 같은 효능제의 작용을 방해하는 경우 간접적으로 생물학적 반응을 일으키는 것이다. 경쟁적 길항제와 효능제가 같은 자리를 두고 경쟁하기 때문에, 각각 약물의 농도와 수용체에 대한 상대적인 친화력이 중요한 고려대상이다. 14장에서 우리는 경쟁적 효능제와 길항제 사이의 상호작용을 설명하는 수학적 모델을 제공할 것이다. 어떤 경우에서나 효능제의 농도를 증가시킴으로써 경쟁적 길

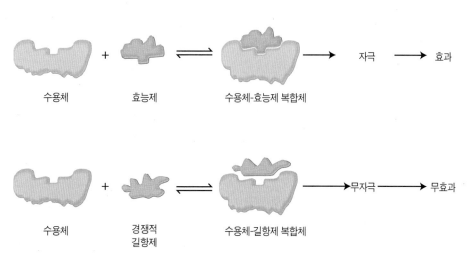

그림 13-6 효능제와 경쟁적 길항제의 작용기전에 대한 계통도이다. 효능제와 결합하면 수용체의 형태가 변할 수 있다는 것에 주목하자.

항의 효과를 역전시킬 수 있다는 것을 기억하는 것이 중요하다. 반대로, 길항제의 농도가 리간드의 농도에 비하여 증가되는 경우 길항제와 수용체의 결합이 선호될 것이다.

비경쟁적 길항제

비경쟁적 길항제는 여러 가지 경로를 통해 효능제의 효과를 방해하거나 감소시킬 수 있다. 이름에서 알 수 있듯이, 비 경쟁적 길항제는 같은 결합자리를 두고 효능제와 경쟁하지 않는다. 이들은 다른 자리에 작용하여 수용체의 활성화에 의해 시작되고 생물학적 반응에 의해 종료되는 일련의 사건이 일어나는 과정 중 어떤 지점을 지연시킨다. 예를 들어, 길항제는 같은 수용체의 다른 자리에 결합하여 효능제의 결합을 방해하는 방향으로 입체구조를 변화시킬 수 있다. 이런 종류의 비경쟁적 길항은 알로스테릭 길항(allosteric antagonism)이라고 하고 이 장의 앞부분에서 논의하였다. 비경쟁적 길항제가 효과를 나타내는 다른 기전은 효능제-수용체 복합체가 형성된 뒤에 일어나는 사건들을 방해하여 생물학적 반응이 일어나는데 필수적인 일련의 변화들을 차단하는 것이다. 예를 들어, GPCR과 상호작용하여 이차 전령인 디아실글리세롤(diacyl glycerol, DAG)의 합성을 증가시키는 내인성 리간드가 있을 때, DAG의 합성을 차단하는 약물은 비경쟁적인 방법으로 그 내인성 리간드의 효과를 방지할 것이다. 비경쟁적 저해에서, 효능제 농도의 증가는 길항제의 효과를 역전시키는 결과를 낳지 못한다. 그 둘은 같은 자리를 두고 경쟁하지 않고 효능제를 증가시키는 것은 비경쟁적 길항제가 결합이나 효과를 나타내는 방식을 변화시키거나 바꾸지 못한다. 비경쟁적 길항제의 작용기전은 그림 13-7에 설명되어있다.

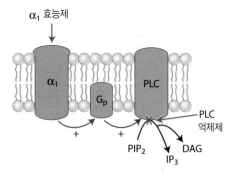

그림 13-7 약물-수용체 상호작용에서 비경쟁적 길항제의 작용기전. α효능제는 α₁ 수용체를 활성화시키고 이는 G단백질을 활성시켜 phospholipase C(PLC)의 활성화가 일어난다. PLC는 phosphatidyl inositol 4,5 bisphosphate(PIP2)에 촉매작용을 하여 이차 전령 inositol triphosphate(IP3)와 diacyl glycerol(DAG)로 전환시킨다. PLC를 억제하는 약물은 α₁ 수용체의 비경쟁적 길항제로 작용할 것이다. 비경쟁적 길항제의 다른 작용기전은 그림 13-5에서 볼 수 있다.

기능적 길항제

기능적 길항제는 실제로 효능제이지만 서로 반대의 효과를 일으킨다. 일반적으로, 기능적 길항제는 같은 세포에서 서로다른 수용체 시스템과 상호작용하거나 장기나 기관의 수준에서 반대의 효과를 낸다. 예를 들어, 수용체/세포 수준에서, isoproterenol(β₁ 수용체 효능제)와 methacholine(무스카린 효능제)는 각각 심박수를 증가시키고 감소시킨다. β₁ 수용체의 자극은 수용체와 Gs 단백질의 상호작용을 가능하게 하고 이는 adenylate cyclase 효소를 활성화시켜 이차 전령인 cAMP가 늘어나게 된다. 같은 심장 세포에서 M₂ 무스카린 수용체의 자극은 Gi 단백질과 수용체의 상호작용이 일어나게 하여 adenylate cyclase를 억제하고 2차 전령 cAMP를 감소시킨다. 각각 다른 수용체에 작용함에도 불구하고, 두 약물의 작용 경로는 세포 안에서 서로 반대의 작용을 한다. 다른 기능적 길항제들은 별개의 장기에 작용하거나(예: 혈압 조절에서의 심장과 혈관) 또는 같은 장기상에서 작용경로를 공유하지 않는 다른 수용체에 작용하기도 한다(예: 중추신경계에서 amphetamine은 자극제, diazepam은 억제제).

화학적 길항제

화학적 길항제는 효능제와 화학적으로 반응하여 이의 구조를 변형시키는 방식으로 수용체와 복합체 형성이 불가능한 불활성화 상태로 만든다. 이러한 종류의 길항제들은 수용체 자리에서 실제 효능제의 농도를 감소시키고, 과다복용이나 중독을 치료하는 데 유용하게 쓰인다. 한 예로 항응고제인 warfarin의 화학적 길항제 protamine sulfate를 들 수 있다. 과량의 warfarin은 과다 출혈을 일으킬 수 있다. Protamine sulfate(약염기)는 heparin이 수용체에 결합하지 못하게 하는 방식으로 warfarin(약산)과 결합할 수 있다. 이러한 방식은 화학적 길항제의 표적이 수용체가 아니라 약물이라는 것을 제외하고 경쟁적 길항제의 방식과 크게 다르지 않다. 결과적으로 warfarin 작용의 반전이 일어나게 된다.

약물작용에서의 입체선택성

2장에서 분자의 입체화학이 단백질의 활성화 자리에 결합하는 능력에 커다란 영향을 미친다는 것을 알아보았다. 이 사실은 여러 가지 시나리오가 가능한 키랄 약물의 약물-수용체 상호작용에서 특히 중요하다.

- 거울상 이성질체 1과 거울상 이성질체 2가 같은 활성을 띰: 다양한 barbiturate의 거울상 이성질체 들의 항경련 활성이나 warfarin 거울상 이성질체들의 항응고 활성의 차이는 거의 없다
- 거울상 이성질체 1은 활성는 거울상 이성질체 2는 불활성: profen 계열 비스테로이드성 항염증 약물(예: ibuprofen, ketoprofen, flurbiprofen)들은 (S)-거울상 이성질체 만이 활성을 보인다.
- 거울상 이성질체 1은 효능제, 거울상 이성질체 2는 같은 수용체의 길항제: dihydropyridine과 dihydropyrimidone에서 (R)-거울상 이성질체는 칼슘채널 길항효과를 갖는 반면 (S)-거울상 이성질체는 칼슘채널 효능제이다.
- 거울상 이성질체 1은 활성, 거울상 이성질체 2는 다른 별개의 활성: β차단제 에서 거울상 이성질체1은 β아드레날린성 수용체를 차단하는 반면에 거울상 이성질체2는 혈중 지질에 이로운 효과를 가진다.
- 거울상 이성질체 1은 활성, 거울상 이성질체 2는 독성: bupivacaine의 두 거울상 이성질체들은 모두 국소 마취 활성을 가지나 (R)-거울상 이성질체는 심장독성이 있다.

위에 주어진 예와 관찰들은 여러 가지 방면에서 중요하다. 다른 거울상 이성질체와 연관된 활성, 불활성 또는 활성의 변화는 보통상태와 질병상태에서 수용체들의 역할에 대해 많은 것을 알려준다. 수용체나 리간드 구조의 아주 작은 변화가 기능의 커다란 변화를 야기할 수 있다. 또한 이러한 관찰들은 약물 개발의 어려움과 복잡성을 시사한다. 많은 라세미 약물의 효능과 안전성을 향상시키기 위해 라세미체보다 한가지 거울상 이성질체를 개발하는 것이 약물 연구의 목표이다. 현재 한 가지 순수한 거울상 이성질체를 대량생산 하는 것이 가능하며 대부분의 새로운 키랄 약물이 한 가지 이성질체로 디자인되어 개발되고 있다. 그러나 하나의 이성질체만 합성하는 경로를 디자인하는 것이 어려운 경우가 있다. 이러한 경우에는 약물을 처음에 라세믹체로 합성하고 후에 거울상 이성질체를 분리하는 방법을 쓴다. 키랄 약물의 도입으로 인한 어려움을 피하는 방법 중 하나는 대칭 중심이 없는 비대칭 약물을 디자인하는 것이다. 그러나 이러한 접근은 약물 디자인을 제한하고 원하지 않은 효과나 독성들을 증가시킬 수도 있다.

약물과 효소의 상호작용

효소는 화학반응을 촉진시킴으로써 촉매적으로 기질을 생성물로 변환시키는 단백질이다. 우리 몸의 세포들은 세포 신호전달(신경전달물질, 호르몬, autacoid 등의 합성), 대사(에너지 생성을 위한 지방, 탄수화물, 단백질의 분해), 복제(전사와 번역) 등과 같은 그들의 정상 기능을 수행하기 위해 수백 가지의 효소들을 필요로 한다. 이러한 기능을 제대로 수행하지 못하는 경우 질병이 발생할 수 있다. 이와 유사하게, 감염성 세균들도 살아남고 증식하기 위해 효소를 필요로 한다. 많은 질병들을 사람이나 세균의 특정한 효소를 선택적으로 방해함으로써 치료한다. 효소의 활성화가 치료하는 데 쓰이는 경우가 있기도 하지만 대부분의 효과는 효소를 억제함으로써 얻어진다.

효소 억제제

효소 억제제(enzyme inhibitor)는 효소와 결합하여 이의 촉매작용을 감소시키거나 제거하는 물질이다. 대부분의 억제제들은 기질에 대한 효소의 친화력을 감소시키거나, 촉매작용이 가능한 효소의 양을 감소시키거나, 이 둘을 합한 기전에 의해 작용한다. 처음으로 개발된 효소 억제제 약물은 세포 성장에 필수적인 경로에 있는 효소를 차단하여 세포 복제를 억제하는 항균제와 항종양제이다. 5-fluorouracil (5FU)나 6-mercaptopurine (6MP)와 같은 약물들은 DNA와 RNA 합성에 필요한 피리미딘과 퓨린 핵산 합성에 관여하는 효소를 차단한다. 세팔로스포린은 사람의 효소에는 영향을 미치지 않는 농도에서 세균 세포벽과 연관된 효소를 억제하기 때문에 효과적인 항생제다. 현재 많은 수의 약물들이 목표하는 사람 효소를 억제함으로써 작용을 한다. 이러한 방식은 효소의 원래 기질이 특정한 질병에 의해 결핍된 이로운 물질일 경우나 효소반응의 생성물이 해로운

경우 새로운 약물을 개발하는 데 유용한 접근 방법이 되었다. 특정한 화합물의 결핍에 의해 발생하는 병이 있고, 그 화합물이 표적 효소일 경우를 생각해보자. 표적효소를 억제하는 약물의 사용은 기질의 분해를 늦추거나 막을 것이고 이에 따라 그 기질의 농도를 높여 질병을 치료할 것이다. 뇌중 도파민의 낮은 농도에 의해 발생하는 파킨슨병이 한 예이다. 도파민을 분해하는 효소인 cate-chol-O-methylransferase(COMT)의 억제가 항파킨슨 약물인 tolcapone(Tramas)의 작용기전이다. 반대로 어떤 화합물이 과량으로 존재함으로써 질병을 일으키는 경우, 그 화합물의 합성을 촉매하는 효소를 억제시키는 것이 유용한 접근방법일 것이다. 예를 들어, angiotensin-converting enzyme(ACE)은 항고혈압 약물의 중요한 표적이다. 안지오텐신 I 은 ACE에 의해 안지오텐신 II로 전환되고 이는 혈압의 상승을 일으킨다. 따라서 ACE를 억제하여 안지오텐신 II 의 농도를 낮추면 혈압이 낮아지게 된다. Captopril, enalapril, 또는 lisinopril과 같은 ACE 억제제들은 매우 효과적인 항고혈압 약물이다.

가역적 효소 억제제

대부분의 억제제들은 억제제-효소 복합체 형성이 비공유결합에 의해 이루어져 복합체가 후에 분리될 수 있는 가역적 효소 억제제이다. 가역적 효소 억제제는 효소에 결합하는 방식에 따라 경쟁적 또는 비경쟁적으로 분류될 수 있다.

경쟁적 효소 억제제

경쟁적 억제제는 기질과 동일한 효소의 활성자리에 결합한다. 억제제와 기질은 그들의 상대적인 친화도와 농도에 따라 결합자리에서 서로를 치환한다. 이와 같은 억제제들은 특정 효소에 고도로 특이적이고 표적 효소의 기질이나 생성물과

비슷한 구조를 가지고 있다. 대부분의 효소 억제제들이 경쟁적이고 비가역적이다. 효소 E와 기질 S 그리고 비경쟁적 억제제 I의 결합은 다음과 같은 식으로 표현될 수 있다.

$$E + S \rightleftarrows ES \rightarrow Product$$
$$E + I \rightleftarrows EI \rightarrow No\ product$$

(식 13-17)

유리 효소는 기질과 반응하여 ES 복합체를 형성하거나, 억제제와 반응하여 EI 복합체를 형성할 수 있다. ES 복합체는 생성물을 형성할 수 있는 반면 EI 복합체는 하지 못한다. 기질을 생성물로 전환시키는 효소반응의 속도가 Michaelis-Menten 식에 의해 수학적으로 설명된다는 것을 상기하자.

$$V = \frac{V_{max}[S]}{K_m + [S]}$$

(식 13-18)

그리고 주어진 기질에 대한 효소의 친화력 K는 다음과 같다.

$$K = \frac{1}{K_m} = \frac{[ES]}{[E][S]}$$

(식 13-19)

경쟁적 억제제의 존재는 일부 효소 분자들의 활성자리를 막아 ES 복합체의 농도를 감소시킨다. 이것은 기질에 대한 효소의 겉보기 친화도를 감소시켜 K_m 값을 증가시킨다. V_{max}는 유지될 수 있으나 이를 얻기 위해 더 높은 농도의 기질이 필요할 것이다. 일반적으로 경쟁적 억제제는 효소의 활성자리에 결합하기만 할 뿐 더 이상의 반응을 일으키지 않는다. 그러나 경쟁적 억제제가 효소에 대한 대체기질로 작용하여 효소에 결합 한 뒤 대체생성물로 전환되는 경우도 있다. 경쟁적이든 비경쟁적이든 가역적 억제제는 반응자리에

서의 농도가 효소-기질 복합체 형성을 막을 수 있을 만큼 높은 경우에만 효과적이다. 따라서, 약리학적 효과를 유지시키기 위해 추가적인 용량의 억제제가 필수적이다. 항균제의 하나인 sulfon-amides가 경쟁적 효소 억제제의 좋은 예이다. Sulfonamides는 박테리아의 증식에 필수적인 화합물인 tetrahydrofolate 합성에 필요한 효소 dihydropteroate를 특이적으로 억제한다. 따라서, sulfonamides는 정균성이고 세균 감염을 치료하는데 쓰인다. 다른 예로는 스타틴 계열의 약물들(lovastatin, mevastatin, 그리고 simvastatin)이 있다. 이 약들은 콜레스테롤 생합성을 촉매하는 효소 중 하나인 3-hydroxy-3-methylglutaryl coen-zyme A(HMG-CoA) reductase의 경쟁적인 억제제이다. 이 효소의 억제는 몸 안에서 콜레스테롤 생합성을 감소시킴으로써 혈장 콜레스테롤 농도를 감소시킨다.

비경쟁적 효소 억제제

비경쟁적 효소 억제제는 보통 효소의 allosteric(별공간적) 자리(기질이 붙는 활성 자리와 다른 곳)에 붙는다. 이런 억제제들은 보통 구조적으로 기질과 관련이 없으나, 이들이 효소와 붙게 되면 활성자리의 형태를 변하게 함으로써 활성자리가 기질과 붙어서 효과적으로 결과물을 산출할수 없게 한다. 기질과 억제제는 동시에 효소에 붙어 3원 복합체를 형성할 수 있으나, 이 복합체는 비활성이다. 이 현상은 그림 13-8에 설명되어 있다. 비경쟁적 억제는 다음의 식들로 표현될 수 있다.

$$E + I \rightleftarrows EI$$
$$EI + S \rightleftarrows EI \rightarrow No\ product$$
$$E + S \rightleftarrows ES \rightarrow Product$$
$$ES + I \rightleftarrows EIS \rightarrow No\ product$$

(식 13-20)

효소-억제제-기질(EIS)복합체는 두 가지 경로로 만들어 질 수 있지만 비활성의 복합체와 결과물이 생성되지 않는다는 같은 결과를 가져온다.

작용을 촉매하는 자리가 억제제의 의해서 영향을 받기 때문에 효소의 촉매작용의 속도는 감소된다. V_{max}는 감소하게 되지만 결합 자리는 영향을 받지 않으므로 K_m은 바뀌지 않는다. 결합이 효소의 다른 자리에서 일어나므로 기질의 초과량을 넣어도 비경쟁적 억제제를 대체할 수 없다. 따라서 기질의 농도는 억제의 정도에 영향을 주지 않는다.

비가역적 효소 억제제

효소와 기질 간의 대부분의 상호작용은 효소가 반응후에 변하지 않고 다른 기질과 결합할 수 있다는 점에서 가역적이다. 만약 효소와 억제제의 상호작용이 공유결합적인 성질을 가진다면 이 화합물은 비가역적 효소 억제제, 또는 효소 불활성자라고 불린다. 그 중의 한 예가 그림 13-9에 있다. 비가역적 억제제는 효소에서 떨어지지 않기 때문에 비활성하는 역할을 오랫동안 유지할 수 있다. 그러나 이것은 추가적인 억제제가 필요하

지 않다는 말이 아니다. 효소가 활성을 잃음에 따라서 몸은 더 많은 효소 분자들을 합성하고, 비활성 정도를 유지하기 위해서 더 많은 억제제가 필요하게 된다. 새로운 효소의 분자를 합성하는 것은 몇 시간 또는 며칠씩 걸리기 때문에 이런 억제제의 효과는 길게 지속된다.

많은 독이 세포에 유해한 이유는 그들이 효력이 강한 비가역적 억제제이고, 효소를 변성시키기 때문이다. 그의 예로는 중금속(수은, 납, 비소)과 청산가리가 있다.

많은 약들이 또한 비가역적 효소 억제에 의해 효과를 나타낸다. 많이 알려진 예로는 aspirin의 prostaglandin synthetase의 비가역적 억제이다. 항생제와 같은 항균제 또한 비가역적 효소 억제제이다. 예를 들어, penicillin은 세균의 효소 중 세균의 세포벽 합성에 필수적인 transpeptidase에 붙어 비활성화 시킨다. Nitrogen mustard 같은 다른 비가역적 억제제들은 항암치료에 사용한다.

효소억제의 선택성

효소억제에서의 선택성은 유익한 효과에 원치 않는 부작용이 동반하지 않게 하기 때문에 바람

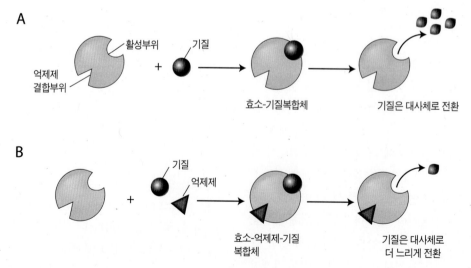

그림 13-8 비경쟁적 효소억제제의 효소 반응의 속도에 대한 효과를 나타내는 도표
A. 억제제가 없는 반응 B. 억제제가 있는 반응

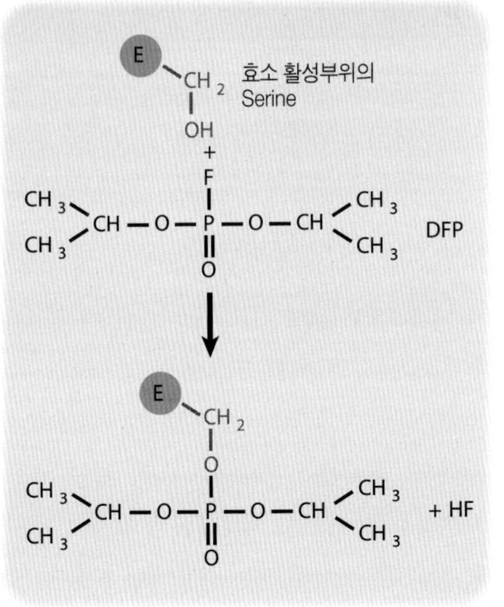

그림 13-9 비경쟁적 효소억제제의 효소 반응의 속도에 대한 효과를 나타내는 도표

직하다. 과학자들이 효소의 활성과 구조에 대해서 더 많이 알아갈수록 더 선택적인 억제제의 디자인이 가능하다. 가역적, 비가역적 효소 억제제 모두 선택적으로 만들어질 수 있다. 선택성을 증가시킨 좋은 예는 NSAID라는 약의 종류에서 볼 수 있다. 이 약들은 cyclooxygenase(COX)를 억제함으로써 효과를 나타낸다는 것이 알려지기 전에도 효과적인 진통제로 알려져 있었다. 이 COX는 prostaglandin의 생성에 관여하며, 이 prostaglandin은 관절염의 통증과 부종을 유발한다.

　그러나 모든 NSAID가 위점막을 파괴하여 위장에서 심한 부작용과 출혈을 일으키진 않는다. 과학자들은 나중에 COX에 두 가지 형태가 있다는 것을 발견했다. COX-1은 위, 신장 기능, 혈소판 응집 등에 원치 않는 효과와 주로 관계있고 COX-2는 발열, 통증, 부종과 관련이 있다. 이 두 효소는 60% 동질성을 가지고 있다.

　더 오래된 종류의 NSAID(aspirin, ibuprofen, naproxen)은 COX-1과 COX-2 둘 다 억제하여 위

출혈, 신장과 간에 독성을 나타내는 등의 심각한 부작용을 나타낸다. 선택적 COX-2 억제제들인 celecoxib(Celebrex®)와 rofecoxib (Vioxx®)는 선택적인 스크리닝을 통해 발견되었다. 이런 약들은 COX-1에 영향을 크게 주지 않는 효과적인 COX-2 억제제이다. 새로운 연구결과에 의하면, COX-2 억제제를 투여한 임상시험 참가자들에게서 치명적이거나, 치명적이지 않은 심장 발작의 가능성이 더 증가한 것으로 나타났다. Rofecoxib는 시장에서 퇴출되었으며, celecoxib는 최대한 주의를 기울여 사용되고 있다.

수용체와 효소의 공통점

약물이 세포의 수용체에나 효소에 결합할 때 그 결합과 단백질의 기능에 영향을 미치는 과정의 원리에는 많은 공통점이 있다. 이 공통점은 표 13-3에 요약되어있다.

수용체와 관련 없는 약물의 작용

모든 약들이 몸 안의 특정한 수용체나 특정 효소의 활성자리에 작용하는 것은 아니다. 몇몇 약물들은 세포외적으로 작용하며 그들의 작용은 몸의 세포가 아닌 부분의 구성요소를 표적으로 한다. 다른 어떤 약물들이 세포나 막에 작용할지라도, 그들의 작용은 수용체나 효소와의 특이한 상호작용이라기보다는 주로 물리화학적인 면에서의 결과이다. 이런 종류의 약물들은 비특이적 기전을 통해 작용한다고 말한다. 이 종류에 들어가는 몇 가지 예들이 있다. 제산제, 변비약, 하제 같은 위장약들은 위장관에 비특이적인 작용을 한다. 혈장대용액은 혈액 손실의 경우에 사용되는 고분자액이다. 자외선 차단제 같은 피부에 바르는 다양한 물질들 또한 이 종류에 포함된다. 많은 비특이적 약물들의 작용은 그들의 물리화학적인 성질과 관련되어있다. 예를 들어, 어떤 이론

표 13-3 효소와 수용체 과정에서 용어와 사건의 비교

사건	효소	수용기
화합물이 활성자리에 붙는 것	내인적 기질, 약물	내인적 리간드, 약물
복합체	ES 또는 ED	LR 또는 DR
결합자리의 수	하나 또는 더 많은 자리	하나 또는 더 많은 자리
결합 친화성	K_m	K_d
단백질에 붙는 분자들	활성화제, 억제제	작용제, 길항제
조절	입체성 다른 자리 활성화 또는 억제	입체성 다른 자리 활성화 또는 억제
결과	생성물이 형성됨	반응

ED, 효소-약물; ES, 효소-기질; K_m, Michaelis 상수; K_d, 해리 상수; DR, 약물-수용체; LR, 리간드-수용체

에서는 다양한 구조를 가지고 있는 흡입마취제(아산화질소, 클로로포름과 에테르 같은 다양한 휘발성 유기 화합물)들은 모두 다 신경의 세포막 지질이중층에 용해되어, 이온채널의 기능을 바꿈으로써 뇌에 비슷한 영향을 준다고 설명한다. 화학적 소독제나 살균제는 비특이적으로 생물의 막

과 조직을 파괴함으로써 작용한다. 이런 작용은 비가역적이며, 세포의 기능적인 통일성이 영구적으로 파괴된다. 이런 모든 경우에서 약물의 작용들은 수용체에 대한 작용보다는 약의 물리화학적 성질과 관련이 있다.

핵 심 개 념

- 약물들은 리간드의 본연의 작용을 증가시키거나(효능제), 감소시킨다(길항제, 억제제). 몇몇 약물들은 수용체나 효소에의 결합이 필요없는 비특이적인 기전을 통해 작용한다.
- 효능제들은 수용체의 효과 특징을 자극하기 위해 활성화된 수용체의 상태와 상호작용한다. 완전 효능제는 활성화된 수용체 형태와 더 큰 선택성이 있고, 부분 효능제는 활성화된 수용체 형태에 더 작은 선택성이 있고 완전 효능제보다 더 작은 효과를 보인다.
- 경쟁적 길항제는 효능제와 같은 수용체에 대해 상대적인 농도와 친화도에 따라 경쟁한다. 경쟁적 길항작용은 초과량의 효능제에 의해 없어질 수 있다
- 비경쟁적 길항제는 입체성 다른 자리에 붙거나, 신호 전달을 방해함으로써 효능제의 효과를 줄인다. 이 길항 작용은 초과량의 효능제에 의해 없어질 수 없다.

- 약물 효과의 강도는 친화도, 본질적인 활동성과 효과와 같은 몇 가지 요인에 의해 정해질 수 있다. 각각의 요소들은 다른 방면에서 어떻게 약물이 약물학적 효과를 내는지를 측정한다.
- 효소 억제제들은 원래의 기질에 대한 친화도를 감소시키거나 촉매작용을 할 수 있는 효소의 양을 감소시키거나, 또는 두 작용을 다함으로써 목표가 되는 효소의 활동을 감소시킨다.
- 경쟁적 효소 억제제들은 효소의 원래 리간드와 같은 활성 자리에 결합한다. 이런 억제는 초과량의 기질로써 없어질 수 있다. 비경쟁적 효소 억제제들은 효소의 알로스테릭 부위에 결합한다. 이런 억제는 초과량의 기질로 없앨 수 없다. 비가역적 효소 억제제들은 일반적으로 효소에 공유결합으로 결합하여 비활성화시킨다.

복습문제

1. 어떻게 효능제, 길항제, 부분 효능제, 역효능제들은 수용체와의 상호작용에서 다른가?
2. 수용체의 점유이론에 대해서 설명하라. 그것의 결점은 무엇인가? 본질적인 작용의 개념에서 이것들은 어떻게 설명되는가?
3. 어떻게 자극과 효율의 개념이 수용체의 다른 부분을 차지하는 동안에 최대 효과를 내는 약물의 능력을 설명하는지 서술하라.
4. 어떻게 경쟁적, 비경쟁적 길항제들이 역할을 하는가? 기전에서 차이점은 무엇인가?
5. 어떻게 약물의 적용이 수용체의 상향조절 또는 하향조절을 일으키는가? 그의 결과는 무엇인가?
6. 어떻게 효소 억제제들이 약으로서 일하는지 설명하라.
7. 경쟁적, 비경쟁적, 비가역적 효소 억제제들의 결합과 작용의 기전을 구분하라.
8. 약물 작용의 비특이적 기전에 대해 상세히 서술하라.

CASE STUDY 13-1

β 차단제의 작용

45살 남성인 LT는 달리기 선수이고 정상범위의 체질량 지수를 가졌지만 그는 고혈압(160/110)과 정상 휴식 심박동수(70)를 가지고 있다. 그는 선택적 β_1 수용체 길항제인 metoprolol을 처방받았다.

약물 사용 4주후 그의 혈압은 정상범위로 회복하였고 휴식 심박동수도 40으로 되었다. 그러나 LT는 걷는 동안 엄청난 피로를 느꼈고 예전과 같은 인내력이 사라진 것 같다고 불만을 호소했다. 그 다음 8주의 코스가 지난 뒤, 의사는 약사와 같이 토의하며 metoprolol의 용량을 조절했다. 낮은 용량은 LT의 피로감을 감소시키는 데 도움을 주었지만 적절한 혈압 조절은 실패했다.

약사는 비선택적 β 수용체 길항제이면서 부분 효능제 활성을 가진 labetalol(Normodyne®)로 변경할 것을 제안하였다. 4주의 치료가 이루어진 후 LT의 혈압은 정상으로 돌아왔고 휴식 심박동수는 70으로 되었다.

Metoprolol

Labetolol

1. 왜 선택적 β_1 수용체 길항제는 비선택적 β 수용체 길항제보다 더 좋은 약물로 보이는가? 선택적인 길항제가 수용체를 더욱 잘 차단시켜서 일까?
2. Labetalol 은 intrinsic sympathomimetic activity(ISA)을 가지고 있다고 알려져 있다. ISA와 부분 효능제가 유사한 개념인지 설명하시오.
3. metoprolol, labetalol과 내인성 리간드인 norepinephrine을 비교할 때 관련성이나 효험이 비슷한지 혹은 다른지를 설명하시오.

4. 이 케이스에서 부분 효능제인 labetalol은 LT의 휴식 심박동수를 감소시켰는데 어떤 작용으로 그렇게 되었을까?

5. labetalol은 낮은 지용성을 가지고 metoprolol 은 중간정도의 지용성을 갖는 것으로 분류 되었다. 지용성 정도의 차이에 관하여 어떤 장점과 약점이 있을까?

6. LT는 metoprolol이 자신의 running perfor- mance를 감소시킨 원인이라고 주장하는데, 이 것이 올바른 주장일까? 이유를 설명해보시오. 경쟁적인 길항제의 메커니즘을 기반으로 해서 볼 때, 그는 부작용을 해결할 수 있을까?

7. 장기간 동안 길항제의 사용은 수용체 수와 농도의 변화를 가져온다. 만약 LT가 수개월 동안 metoprolol을 사용한 뒤 사용을 갑자기 멈춘다면, 그의 심박동수는 어떻게 될까? 이러한 작용은 labetalol을 장기간 사용하고 갑자기 사용을 멈춘 것과 유사한 현상인가?

참고

Brunton L, Lazo J, Parker K (eds). Goodman & Gilman's The Pharmacological Basis of Therapeutics, 11th ed. McGraw-Hill Professional, 2005.

Harvey RA, Champe PC, Finkel R, Cubeddu L. Lippincott's Illustrated Reviews: Pharmacology, 4th ed. Lippincott Williams & Wilkins, 2008.

Katzung BG (ed). Basic and Clinical Pharmacology, 11th ed. McGraw-Hill/Appleton & Lange, 2009.

Rang HP, Dale MM. Rang and Dale's Pharmacology, 5th ed. Churchill Livingstone, 2003.

14 용량-반응 상관관계
Dose-Response Relationships

우리는 약물이 체내에서 작용하는 기전에 대한 분자적 수준에서의 지식으로부터 효과적인 약물 치료를 위한 실용적인 개념을 도입해야 한다. 특히, 다양한 약물의 효과 (effectiveness)와 선택성(selectivity) 그리고 안전성 (safety) 에 관해서 구별할 줄 알아야 하며 이러한 변수들이 어떻게 약물의 투여용량(dose)과 관련되는지 이해해야 한다. 특정 환자에게 독성 없는 유효용량을 최적화하기 위해 이는 매우 중요하다. 용량과 반응의 상관관계에 대한 이해는 새로운 약물을 개발하는 데 있어 가장 중요한 도전 과제 중 하나이다.

제 13장에서 우리는 대부분의 약물이 수용체 혹은 효소와의 결합을 통해 작용함을 배웠으며 이 반응은 표적 단백질의 활성 부위에서 작용 가능한 약물 농도와 연관되어 있다. 약물의 용량과 그것으로부터 생성된 반응과의 관계를 이해하는 것부터 시작하자.

농도-반응 상관관계

이전에 논의 되었던 개념으로부터 우리는 수용체와 효능제(agonist)(또는 길항제; antagonist) 상호 작용에 대한 농도-효과 상관관계에 대해 설명할 수 있다. 이러한 대부분의 상관관계들은 효소, 세포 또는 적출된 기관에서의 관내 실험을 통해 얻어졌으며 이것은 활성 부위에서의 정확한 약물 농도를 아는 것을 가능하게 한다. 이 장 후반부에서 우리는 동물이나 사람에서의 연구와 관련하여 약물 반응 곡선을 논의할 것이다.

결합과 반응 곡선

그림 14-1은 같은 수용체에서의 완전 효능제와 부분 효능제의 농도-효과 또는 농도-반응 곡선을 보여준다. 이와 같은 곡선을 만들기 위해서는 알고있는 양 또는 농도의 단일약물을 시험관 내 실험시스템(tissue culture, cell culture, or well plate)에 넣고 근육수축, 신호물질의 방출 또는 단백질인산화 등을 측정한다. 이 실험은 다양한 농도의 약물을 이용하여 매우 작은 반응부터 최대 반응을 보여주기 위해 여러 번 반복된다. 농도로 표현된 용량은 독립 변수이며, X-축에 표시한다. 효과(E/E_{max})는 종속 변수이며 Y-축에 표시한다. 농도-반응 곡선은 일반적으로 다음의 방정식에 의거하며 13장에 소개되어 있다.

$$E = \alpha \cdot E_{max} \frac{[DR]}{[R_T]} \quad \text{(식 14-1)}$$

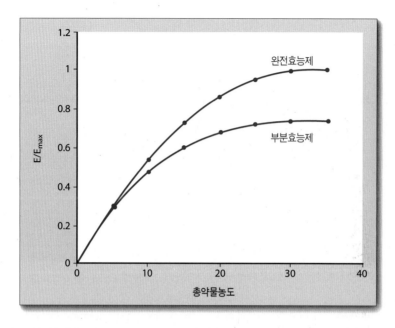

그림 14-1 약물의 농도와 반응 간의 관계를 보여주는 완전효능제와 부분효능제의 전형적 농도-반응곡선

농도-반응 곡선뿐만 아니라, 우리는 농도-반응 곡선과 유사한 농도-결합 곡선을 만들 수 있다. 효능제 그리고 수용체의 같은 부위에 결합할 수 있는 경쟁적 길항제를 가정하자. 두 약물은 모두 수용체에 친화력을 가지고 있지만, 오직 효능제만이 세포 활성의 변화를 초래하는 수용체 형태 변화를 야기함으로 효능(efficacy)을 가진다. 길항제는 세포 활성을 직접적으로 변화시킬 수 없으므로 효능을 가지지 않는다. 길항제 자체는 세포 활성을 변화시키지 않기 때문에, 우리는 각각 다른 농도에서의 수용체와의 결합 또는 차지하는 능력을 기본적으로 측정함으로써 길항제의 "효과(effect)"를 확인한다. 농도-반응 곡선은 E/E_{max}에 따라 최대 반응의 백분율 또는 비율로 나타낸다. 농도-결합 곡선은 [DR]/[R_T]에 따라 총 수용체 결합 백분율 또는 비율로 표시한다. 농도-결합 곡선은 특정 수용체에 대한 약물의 선택성(selectivity)에 대한 중요한 정보를 제공한다. 선택성의 개념은 이 장의 후반부에서 설명될 것이다.

그림 14-1의 농도-반응 곡선에서 몇 가지 중요하고 흥미로운 사실을 알 수 있다.

- 저 용량에서 곡선은 매우 가파르다. 작은 차이의 농도 변화가 큰 반응의 차이를 만들어내며, 이로 인해 그래프상에서 농도와 효과가 정확하게 일치하기 어렵다.
- 고 용량에서 효과가 거의 최대치일 때는 반대이다. 큰 차이의 농도 변화가 매우 작은 반응의 차이를 만들어낸다.
- 농도와 반응의 관계는 비례하지 않는다. 즉 100%에 해당하는 반응을 나타내기 위한 농도는 50% 반응을 나타내는 농도의 두 배가 아니라 더 크다. 앞서 언급한 것처럼, 초기의 가파른 농도-반응 곡선이 효과의 상당 부분을 차지하기 때문이다.
- 그림 14-2에서 보여주는 효소-기질 상호작용의 촉매 반응은 농도-반응 그리고 농도-결합 곡선과 매우 유사한 그래프로 그려진다. 따라서 우리의 효능제에 대한 앞선 이론을 효소-기질에도 적용할 수 있다.

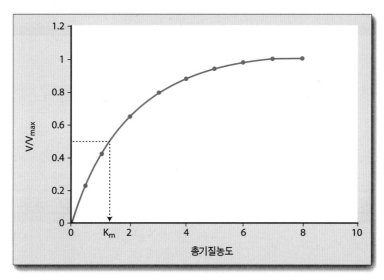

그림 14-2 총기질농도와 반응(V/V_{max}) 간의 관계를 보여주는 농도-반응곡선. Michaelis 상수(K_m)는 반응률이 50%일때의 기질의 농도이다.

로그 눈금(Logarithm scales)

일반적으로 광범위한 효능제의 농도를 보여주기 위해서 농도-반응 곡선의 X-축의 약물 농도를 대수(로그)로 나타내기도 한다. 이 경우 그림 14-3에서처럼 효능제에 대한 50% 반응을 중심으로 S자 모양의 대수 농도-반응 곡선을 얻을 수 있다. 이 중간점은 최대치 반응의 50%를 나타내며 이것을 중간유효농도(median effective concentration (EC_{50})) 라고 부른다. 대수 농도 눈금을 사용하는 또 다른 좋은 점은 중간유효농도 근처(최대 반응의 20%와 80% 사이)에서 직선모양을 나타낸다는 점이며, 이것은 수학적 분석을 용이하게 한다. 중간정도의 효능제 농도에 대한 반응과 대수 농도는 선형 관계이다. 곡선에서 이 부분의 기울기가 가장 높으며 효능제의 작은 차이가 반응의 큰 차이를 만들 수 있다.

효소-기질 시스템에서도 같은 종류의 S자 모양의 곡선을 가진다. 여기선 기질 농도의 대수값에 대하여 V/V_{max}로 표시하게 되며, 최대 반응의 50%를 나타내는 곡선의 중점 농도는 K_m이다.

우리 몸에서 내인성리간드의 농도는 약물-단백

상호작용에 있어서 ES_{50}이나 K_m값 근처, 즉 농도-반응곡선에서 직선부분에 해당한다. 리간드의 농도를 조금 변화시킴으로써 세포반응을 정교하게 조절할 수 있다.

길항제와 저해제

제 13장에서 우리는 길항제와 저해제의 작용기전에 대해 설명했다. 길항제는 수용체에서의 효능제의 효과를 감소시키거나 방지하는 약물이다. 효소 저해제는 기질이 산물로 전환되는 반응을 막거나 감소시키는 약물이다. 일반적으로 길항제와 저해제는 두 가지 종류로 분류된다. 경쟁적 그리고 비경쟁적. 경쟁적 길항제 또는 경쟁적 저해제는 효능제(기질)가 결합하는 목표단백질 동일부위에 대해 친화력을 가진다. 효능제와 경쟁적 길항제는 같은 활성 부위에서 경쟁하며 각자의 상대적 농도와 친화력에 따라 대체될 수 있다. 반면 비경쟁적 길항제 또는 저해제는 일반적으로 목표 단백질의 다른 부위에 결합한다. 즉 효능제 결합부위와는 구별되는 다른 부위에 결합한다.

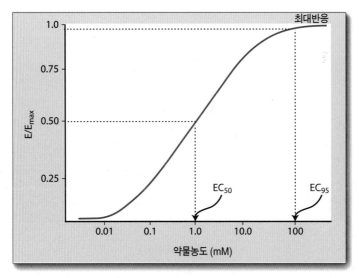

그림 14-3 완전효능제의 대수농도-반응곡선. X축은 로그눈금이며 특징적인 S자곡선을 나타낸다. EC_{50}은 50%의 최대효과를 나타내는 약물의 농도(E/E_{max}=0.50)이며 최대반응의 20-80%에 해당하는 곡선은 선형이다.

경쟁적 결합

그림 14-4는 경쟁적 길항제(또는 억제제)가 없거나 또는 서로 다른 두 농도로 존재할 때 효능제(또는 기질)의 농도-반응 곡선을 보여준다. 길항제가 없을 때(곡선 0), 효능제는 1.0의 최대효과를 만들어 내며 1.0 μM의 EC_{50}을 가진다. 즉 1.0 μM 농도에서 최대효과의 절반에 해당하는 효과를 만들어 낸다. 경쟁적 길항제가 낮은 농도로 존재할 경우(곡선 1), 효능제의 양이 충분하다면 동일한 최대 효과를 생성할 수 있으며, 따라서 반응을 생성하는 데 필요한 효능제의 농도가 커진다. 경쟁적 길항제의 농도가 더 높아진 경우(곡선 2), 곡선은 더 오른쪽으로 이동하지만 제공하는 효능제의 양을 늘림에 따라 동일한 최대 반응을 얻을 수 있다.

이러한 일련의 농도-반응 곡선으로부터 다음의 세 가지 중요한 사항을 알 수 있다.

1. 경쟁적 길항제는 겉보기해리상수(apparent K_d 또는 EC_{50})의 변화를 초래한다. 효소 속도론에서 경쟁적 저해제가 겉보기 K_m(apparent Michaelis-Menten constant)을 변화시키는 것

과 마찬가지로, 경쟁적 길항제는 겉보기 K_d(EC_{50}과 연관된 수용체 절반이 점령된 때의 농도)에 영향을 미친다.

2. 경쟁적 길항제는 최대 효과의 크기에 영향을 미치지 않는다. 경쟁적 길항제가 존재하더라도 같은 E_{max}를 얻을 수 있다. 효능제의 양이 충분히 커지면 활성 부위에서 길항제와의 결합 경쟁을 극복할 수 있으며 결과적으로 충분한 효과를 생성한다.

3. 경쟁적 길항제는 농도-반응 곡선을 오른쪽으로 평행 이동시킨다. 곡선의 기울기는 동일하게 유지되며 이는 약물-수용체 상호작용 기전이 경쟁적 길항제에 의해 변하지 않기 때문이다.

효능제와 길항제의 경쟁은 각각의 상대적 농도와 수용체와의 친화력에 의존하므로, 길항제의 농도가 높거나 친화력이 클 경우 농도-반응 곡선이 오른쪽으로 더 이동하게 된다. 농도-반응 곡선의 이동 정도는 길항제를 비교할 때 효과적인 지표이며 농도 비(concentration ratio)로 표현할 수

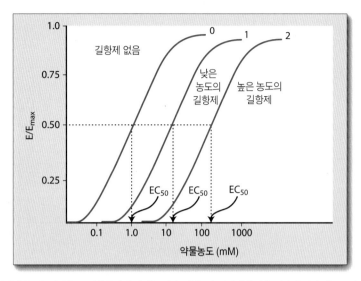

그림 14-4 경쟁적길항제가 효능제의 농도-반응곡선에 미치는 영향. 곡선 0은 길항제가 없을 때이며 곡선1과 2는 경쟁적 길항제가 낮은 농도와 높은 농도로 각각 존재할 때 농도-반응곡선이 이동한 것을 보여준다. E/E_{max}값은 변화하지 않으나 EC_{50}값은 변화한다.

있다. 이것은 길항제 존재 시 원래의 반응을 나타내기 위해서는 효능제의 농도를 증가시켜야 함을 의미한다.

또한 이것은 경쟁적 길항제의 효과가 고농도의 효능제에 의해 반전될 수 있음을 보여준다.

동일한 개념이 효소 기질과 그들의 경쟁적 저해제에도 적용된다.

비경쟁적 결합

그림 14-5는 비경쟁적 갈항제가 없거나 또는 서로 다른 농도로 존재할 때 효능제의 농도-반응 곡선을 나타내고 있다. 길항제가 없을 때(곡선 0), 효능제는 1.0의 최대 효과를 초래하고 이 때의 EC_{50} 값은 1 μM 이다. 낮은 농도의 비경쟁적 길항제가 존재할 때(곡선 1), 곡선은 오른쪽 아래로 이동한다. 최대 효과는 감소하며, 이는 효능제를 더 많이 증가시킨다해도 마찬가지이다. 더 높은 농도의 비경쟁적 길항제가 존재할 때(곡선 2) 최대 효과는 더 많이 감소한다.

이러한 일련의 농도-반응 곡선으로부터 다음의 3가지 중요한 사항을 알 수 있다.

1. 비경쟁적 길항제는 겉보기해리상수 (apparent K_d 또는 EC_{50})를 변화시키지 않는다. 그림 14-5 에서와 같이, 비경쟁적 길항제는 EC_{50}에 영향을 미치지 않는다. 이것은 비경쟁적 효소 저해제가 존재하더라도 K_m값이 변하지 않는 경우와 유사하다. (EC_{50} 값은 효능제+비경쟁적 길항제 곡선에서 얻어지는 E_{max}를 기반으로 하며, 효능제가 단독으로 존재할 때의 E_{max}와는 관련이 없다).

2. 비경쟁적 길항제는 효능제의 최대 효과에 변화를 초래한다. 효능제와 비경쟁적 길항제는 같은 결합부위에 대하여 경쟁하지 않는다. 따라서 얼마나 많은 효능제를 가했느냐는 중요하지 않으며, 효능제의 증가로 길항작용이나 길항제에 의한 저해를 극복하지 못한다.

3. 비경쟁적 길항제는 농도-반응 곡선을 오른쪽 아래쪽으로 이동시킨다. 이 때 곡선의 기울기가 바뀌는데 이것은 비경쟁적 길항제에 의해 약물-수용체 상호결합의 메커니즘이 바뀌기 때문이다.

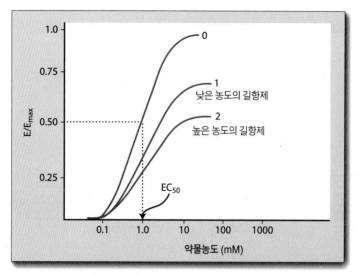

그림 14-5 비경쟁적 길항제가 완전효능제의 농도-반응 곡선에 미치는 영향. 곡선 0은 길항제가 존재하지 않을 때의 곡선형태이며, 곡선1 과 2는 각각 낮거나 높은 농도의 비경쟁적 길항제가 존재할 때 곡선이 이동하는 모습을 보여준다. EC_{50}의 값은 차이가 없으나 E/E_{max}는 변한다.

비가역적 결합

제13장에서 모든 수용체 중 일부만 점유되어도 최대 반응이 일어날 수 있다는 여분 수용체의 개념을 소개하였다. 그것은 수용체와 세포 내 신호전달 경로 사이에 매우 효과적인 연결 메커니즘을 가진 특정 수용체 시스템의 존재를 시사한다. 만약 활성 부위에 결합하여 공유 결합(실제 비가역적인)을 형성하는 길항제를 이용하여 이런 종류의 시스템의 농도-효과 곡선을 그린다면 그림 14-6에서와 같은 곡선을 볼 수 있다. 낮은 농도의 비가역적 수용체 길항제가 존재할 때(곡선 1) 곡선은 오른쪽으로 평행 이동하는데, 이는 경쟁적 상호작용을 의미한다. 여분 수용체가 없는 상황에서는 곡선이 오른쪽 아래 방향으로 이동할 것이라고 예상할 수 있다.(심지어 길항제가 효능제와 같은 부위에 결합하더라도 상호작용은 비경쟁적인 것으로 간주한다. 왜냐하면 길항제와 수용체 사이의 공유 결합으로 인해 길항제가 수용체로부터 분리되지 못하게 되므로 그 자리에 효능제가 치환되는 것이 불가능하기 때문이다). 여분 수용체가 있는 상황에서 곡선은 경쟁적억제의 경우와 일치한다. 왜냐하면 수용체의 수가 줄었다하더라도 아직도 최대효과를 나타내기 위해 필요한 수용체(여분수용체)가 있기 때문이다. 비가역적 길항제의 용량이 증가함에 따라(곡선 2)수용체들이 충분히 차단되고 따라서 최대 반응이 나올 수 없다. 이때 곡선은 비경쟁적 길항작용을 나타낸다.

용량-반응 상관관계

동물이나 사람에 처치할 때, 특정 수용체에서의 약물의 정확한 농도는 알려져 있지 않다. 그러나 이 농도는 약물 투여 용량과 관련이 있다: 약물 투여량이 증가할수록 수용체에 존재하는 약물 농도도 증가한다. 따라서 약물의 용량을 알고 이 때의 약물학적 반응을 측정할 수 있다면 용량-반응(dose-response) 또는 용량-효과 상관관계(dose-effect relationship)가 성립될 수 있다. 용량-반응 상관관계는 실험적이고 임상적인 과학 분야 모두에서 데이터를 표현하는 일반적인 방법이다. 앞

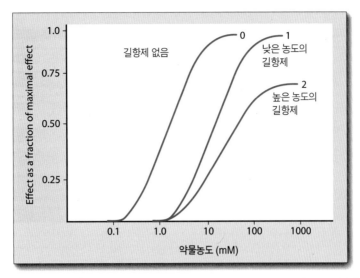

그림 14-6 비가역적 비경쟁적 길항제가 완전 효능제의 농도-반응 곡선에 미치는 영향. 곡선 0은 길항제가 존재하지 않을 때를 나타내며, 곡선 1은 여분 수용체가 있을 경우 비가역적 길항제의 효과를 그린 것이다. 곡선 2는 더 많은 비가역적 길항제를 첨가하여 여분 수용체를 고갈시켰을 때의 효과를 그린 것이다.

단원에서 약물 용량은 수용체 활성 부위에서의 약물 농도와 이와 관련한 약물학적 반응을 결정하는 여러 요소들 중 하나에 불과함을 설명했다. 약물의 흡수, 분포, 대사, 그리고 배설 (ADME) 양상 또한 중요하다. ADME는 약물 혈장 농도를 결정하는데 이는 수용체(작용 부위)뿐만 아니라 다른 조직에서의 약물 농도에 영향을 미친다. 따라서, 같은 용량의 약물이 다른 경로를 통해 투여되거나, 같은 경로로 투여되더라도 제형이 다른 경우 약물학적 반응이 달라질 수 있다.

제11장에서 혈장 농도와 반응 사이의 상관관계에 대해 알아보았다. 대부분의 경우, 모든 다른 조건이 같을 때, 투여된 약물의 용량이 증가하면 그에 비례하여 혈장 농도가 증가하는데(한계치까지), 이것은 용량-반응 상관관계를 이야기할 때 꼭 이해하고 있어야 하는 부분이다.

용량-반응 곡선(dose-response curve, DRC)은 보통 X-축에 로그용량으로 그린다. Y-축은 반응을 나타내는데, 단계적 용량-반응 곡선(graded DRC)에서 효과의 강도나 비연속적 용량반응 곡선 (quantal DRC)에서 효과의 빈도로 표시한다.

단계적 용량–반응 곡선

단계적 용량-반응 곡선은 개체별로 용량-효과 상관관계를 나타내는 데 유용하다. 전제 조건은 용량에 따라 반응이 지속적으로 달라지며, 용량이 증가하면 반응이 커진다는 것이다. 그림 14-7에 보면, 단계적 용량-반응 곡선은 50% 반응 지점에 대칭 중심이 있는 S자 형태이다. 역치 용량은 (threshold dose) 측정 가능한 반응을 만들어 내는 가장 낮은 용량이다. 대칭 중심 근처의 곡선 기울기는 또한 의미가 있는데, 기울기가 가파를 수록 작은 용량의 증가로 반응이 크게 증가함을 의미한다.

효력, 친화력 및 효능

약물의 효력(potency)은 특정 반응을 생성하기 위해 필요한 용량이다. 반응은 세포 단계(예: 막전위 변화)부터 시스템 단계(예: 혈압의 변화)까

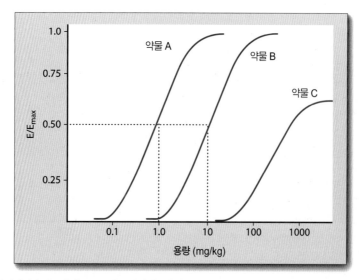

그림 14-7 동일수용체에 작용하는 세 약물(A, B 및 C)의 단계적 용량반응 곡선. 용량은 체중 kg당 mg으로 표시한다. X-축은 로그눈금 이고 S형곡선을 보인다. 약물 A는 B보다 10배더 효력이 크며, 약물 C는 A나 B보다 효력이 작다. 약물 A와 B는 둘다 최대효과에 도달하고 동일한 효능을 나타내지만 약물 C의 효능은 A나 B보다 낮다.

지 다양한 범위에서 측정될 수 있다. 친화력 (affinity)은 약물이 수용체에 결합할 수 있는 능력을 측정하는 것으로, in vitro 상에서 측정하고 K_d 로 표시한다. 이 두 가지는 같은 타깃 부위에 작용하는 다른 약물들을 서로 비교하는 중요한 요소이다. 특정 효과를 생성하는데 더 적은 용량이 요구된다면 효력이 더 큰 약물이고, 다시 말해 효력이 더 큰 약물은 더 적은 양으로도 주어진 반응을 일으킬 수 있다. 따라서, 효력은 수용체에 대한 약물의 친화력과 관련이 있고, 친화력이 클수록 일반적으로 효력이 큰 약물이다.

개인에 약물을 투약했을 때 효력은 투여된 약물이 얼마나 많이 수용체까지 도달하느냐에 의해서도 좌우된다. 수용체에 도달하는 용량은 약물의 ADME 특성에 따라 결정된다. 따라서 in vitro 에서 가장 뛰어난 친화력을 갖고 있는 약물이 가장 효력이 높다고 할 수는 없다. 왜냐 하면 ADME 과정에서 수용체 부위에 도달하는 양이 적을 수도 있기 때문이다. 뿐만 아니라 ADME의 차이는 때때로 같은 약물의 효력이 개개인에 따라 달라

지도록 만들기도 한다.

반면에 효능(efficacy)은 용량과 상관 없이 약물이 만들 수 있는 최대 반응을 측정하는 것으로 이것은 때때로 약물의 본질적 활성과 관련이 있다. 본질적 활성이 높은 약물일수록 효능이 크다. 이 요소는 또한 같은 작용을 하는 두 가지 약물을 비교할 때에도 유용하다.

효능제의 효력은 X-축에서의 위치로 비교될 수 있고 효능은 Y-축에서의 최대 반응으로부터 결정된다. 그림 14-7에서 보면

- 약물 A는 약물 B나 C보다 효력이 더 크다.
- 약물 B는 약물 A와 같은 최대 효과를 가지나 효력이 더 작다.
- 약물 C는 높은 용량에서도 약물 A의 효능에 절대 도달할 수 없다.

효력은 하나의 약물에서 다른 약물로 바꾸려고 할 때 약물의 용량 결정에 유용하지만, 유효성이나 안전성에 대한 정보는 제공하지 않는다. 따라

서 효력이 가장 큰 약물이 반드시 최고의 약물이 되는 것은 아니다. 효력이 임상적으로 중요한 경우는 단지 약물의 효력이 매우 크거나(약물 용량이 조금만 달라져도 효과의 차이가 커서 안전한 약물 투약이 어려울 때) 매우 작을 때(정제나 캡슐이 너무 커서 먹기 어려워 약물을 편하게 복용하기가 어려울 때)이다. 효능은 약물 용량보다는 약물의 유효성에 초점을 두기 때문에 효력보다 치료적 측면에서 더 중요하다.

비연속적 용량-반응 곡선

모든 환자가 같은 방식, 같은 정도로 약물에 반응하는 것은 아니다. 매우 소수의 개인은 낮은 용량으로도 기대하는 효과를 얻기도 하지만, 대부분은 매우 높은 농도에서 기대 효과를 보인다. 이 점은 생물학적 다양성 (biological variability)에 대한 문제를 의미한다. 이 다양성은 수용체의 차이, 수용체 부위에 도달하는 약물의 양의 차이, 또는 다른 이유에 의한 결과일 수도 있다. 우리는 이런 차이와 연관이 있는 다양한 요소에 대해 15장에서 다룰 것이다.

개인에 따른 용량-반응의 다양성을 측정하기 위해 Y-축에 특정 반응의 빈도(예: 최소 농도에서 특정 반응을 나타내는 개체의 수)를 표현하는 용량-반응 곡선을 그릴 수 있다. 이것은 개별적인 환자보다 환자군에 대한 약물 효과를 평가하는 데 유용하다. 이와 같은 분석을 위해, 반응은 양적, 질적으로 잘 정의되어야 한다. 왜냐하면 반응의 측정은 비연속적이고, 연속적인 변수가 아니기 때문이다. 예를 들면 환자가 잠이 든다거나 혈압이 10mmHg 더 낮아지는지의 여부 등과 같이 특정 반응이 나타나거나 그렇지 않거나로 표시한다.

이와 같은 데이터를 얻기 위해서 집단의 모든 환자가 실질적으로 반응할 때까지 약물의 용량을 높여야 하며, 필수적으로 집단 내의 개인별 역치

값을 얻게 된다. 그림 14-8에서 보이는 것처럼 그래프는 보통 종 모양이고 Gaussian이나 정규 분포를 따른다. 이런 형태의 곡선을 비연속적 용량-반응 곡선(quantal dose-response curve)이라 부르고, 집단 내의 DRC를 표현하는 데 유용하다.

비연속적 용량-반응을 나타내는 다른 방법은 그림 14-9에서처럼 특정 용량에 반응하는 누적빈도로 데이터를 나타내는 것이다. 용량이 증가할수록 반응하는 개체 수가 많아진다: 가장 높은 농도에서 모든 개체가 반응을 나타낸다. 이 경우에도 역시 50% 반응 지점에 대칭 중심이 있는 S자형 곡선을 얻게 된다. 누적 비연속적 용량반응 곡선의 대칭 중심의 용량을 ED_{50} 또는 중간유효용량(median effective dose)이라고 한다. ED_{50}은 절반의 개체에서 기대 효과가 생성될 때의 용량으로 정의한다. 같은 반응을 만드는 두 가지 약물의 효력을 비교하는 하나의 방법은 ED_{50} 값을 비교하는 것이다. ED_{50} 값이 작을수록 효력이 큰 약물이다. 마찬가지로, ED_{95}는 95%의 개체에서 효과를 보이는 용량으로 정의할 수 있다.

용량 관련 선택성 및 독성

DRC와 농도-결합 곡선은 수용체에 대한 약물의 선택성이나 효과를 결정하는 데 사용된다. 또한 이 곡선들은 독성이나 부작용을 예상하는 데 도움을 준다. 대부분의 약물들은 부작용이나 의도하지 않은 효과들을 초래한다. 약물이 하나 이상의 수용체에 작용한 결과 생기는 이런 부작용들은 얼마나 많은 약물이 투여되었느냐와도 관련이 있다. 이것은 용량과 관련하여 나타나는 부작용이다. 때때로 이런 부작용들은 심각한 문제(독성, toxicity)를 일으키고, 다른 경우에는 상대적으로 덜 해로울 수도 있다. 드물게 약물의 부작용이 바람직한 결과를 초래할 수도 있다. 바람직하지 않은 부작용들은 약물유해반응(adverse drug reactions, ADRs)으로 알려져 있다.

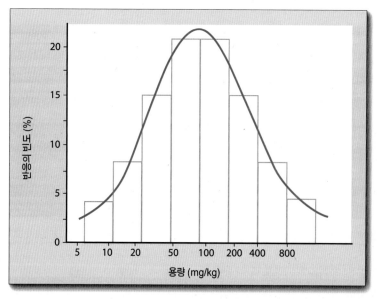

그림 14-8 최소 용량을 투여했을 때 반응의 빈도(반응한 환자의 수)를 보여주는 비연속적 용량-반응 곡선

가장 일반적인 형태의 ADR은 약물의 용량과 관련이 있고, 하나 혹은 그 이상의 알려진 약물학적 효과에 의한 결과이다. 실제 80%의 약물 부작용은 이런 것들이다. 용량 관련 약물 부작용은 예상 가능하고 피할 수 있다. 항히스타민제 투여 후의 졸음이라던가 베타-효능제 사용 후의 심박수 증가 등이 그 예이다. 다른 종류의 부작용은 용량과 상관없거나 심지어 약물의 생물학적 작용과 직접적인 관련이 없는 경우도 있다. 이러한 것들은 일반적으로 특이반응(idiosyncratic reactions)이나 allergic 효과(allergic effects)라고 불린다. 이런 종류의 부작용에 대해서는 제15장에서 다룰

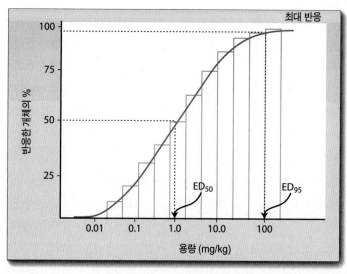

그림 14-9 전형적인 비연속적 용량-반응 곡선. X-축에는 용량(mg)/몸무게(kg)를 로그로 표현하였으며, Y-축에는 누적 반응한 개체의 비율을 나타내었다. ED_{50}과 ED_{95}는 각각 50%와 95%의 개체가 정의된 반응을 나타내는 용량이다.

것이다.

약물의 유익한 효과에 대해 비연속적 용량반응 곡선을 그리는 것과 마찬가지로 약물의 용량 의존적인 약물유해반응 곡선을 얻을 수 있다.

약물 선택성

선택성(selectivity)은 약물이 다른 수용체에 비하여 특정 수용체에 우선적으로 결합할 수 있는 능력을 의미한다. 만약 특정 수용체에 결합하기 위해 필요한 약물의 용량이나 농도가 다른 수용체에 결합하기 위해 필요한 양보다 현저하게 적다면, 그 약물은 선택성이 있는 것으로 간주한다. 농도-결합 곡선과 용량-반응 곡선은 약물의 선택성을 결정을 할 때 유용하다.

앞에서 다뤘듯이 농도-결합 곡선으로부터 약물과 수용체의 친화력에 대한 정보를 얻을 수 있다. 용량반응 곡선은 효능에 관한 정보를 제공할 뿐 아니라, ADME 과정을 조절할 수 있도록 상대적인 효력에 대해서도 어느 정도 예측할 수 있도록 해준다. 약물 개발 과정에서 길항제의 경우 친화력과 선택성은 매우 중요한 고려사항이다. 효능과 선택성은 효능제에 있어서 중요한 고려사항이다. 약물의 효력은 엄청나게 적거나 많아서 투약에 문제가 될 수 있을 만한 용량인 경우를 제외하고는 일반적으로 중요한 문제가 아니다.

그림 14-10은 친화력과 선택성에 관해 설명하고 있다. 항생제 개발을 예로 들어 보자. 대개 약물의 타깃은 박테리아의 생존에 필요한 효소인데, 대부분의 경우 숙주 세포는 비슷하지만 동일하지는 않은 효소를 가지고 있다. 항생제 개발은 사실상 사람의 효소를 저해하지 않는 농도에서 박테리아가 가지고 있는 효소에 결합하여 활성을 저해하는 약물, 즉 박테리아 효소에 선택적인 약물을 찾는 것으로 시작한다. 그림 14-10에서 보면, 약물 A의 경우 박테리아의 효소를 저해하기 위해 필요한 약물 용량에서 숙주의 효소 또한

50% 이상 저해한다. 그들의 K_d 값의 차이 (친화력의 측정값)는 약 3배이다. 대조적으로 약물 B는 박테리아 효소에 비하여 숙주 효소를 저해하는 데에 거의 100배의 농도가 필요하다. 결과적으로 약물 B가 약물 A에 비해 숙주의 효소보다 박테리아 효소에 더 선택적이다. 효력은 약물 A가 약물 B보다 크다.

치료 지수

약물의 제일 심한 부작용은 치사율 또는 사망이다. 동물실험에서 급성 노출 후 일정 기간 동안 50%의 치사율을 보이는 약물의 양을 반수치사량(LD_{50}, median lethal dose)이라고 한다. 이상적인 경우 약물의 LD_{50}이 ED_{50}보다 훨씬 커야 안전하게 사용할 수 있다. 투여 방법이 달라지면 투여 부위에 따른 흡수 및 생체이용율의 차이로 인해 약물의 LD_{50} 수치도 달라진다.

약물학적 치료 지수(TI, therapeutic index)는 치료율(therapeutic ratio)이라고도 불리며 다음과 같이 정의한다.

$$TI = \frac{LD_{50}}{ED_{50}} \quad \text{(Eq. 14-2)}$$

TI 값이 큰 약물은 안전한 약물임을 의미한다. 예를 들어 TI 값이 25인 약물은 TI 값이 8인 약물보다 안전하다.

피험자가 사람인 경우는 LD_{50}을 정할 수 없기 때문에, 임상적으로 50%의 개체에서 독성 효과를 보이는 용량을 반수중독량(median toxic dose, TD_{50})으로 정의한다. 이러한 경우 임상적 치료 지수는 다음과 같다.

$$TI = \frac{TD_{50}}{ED_{50}} \quad \text{(Eq. 14-3)}$$

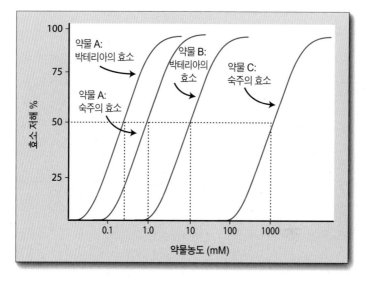

그림 14-10 박테리아의 효소와 숙주의 효소를 저해하는 두 약물의 효과를 비교하는 농도-반응 곡선. 약물A가 숙주 효소를 50% 저해하는 데에 필요한 농도(Ki)는 박테리아 효소에 대한 Ki 보다 3배 더 크다. 하지만 약물 B의 숙주 효소에 대한 Ki 값은 박테리아 효소의 Ki의 10배이다. 따라서 약물 A가 약물 B보다 더 강력한 반면, 약물 B는 박테리아의 효소에 더 높은 선택성을 갖는다고 할 수 있다.

다시 말해 TI는 약물의 안전성에 대한 측정값이다. 임상적 TI 5가 의미하는 것은 환자의 50%에서 특정 독성 효과(간 손상 같은)를 나타내는 용량이 환자의 50%에서의 효능을 나타내는 용량보다 5배 많다는 뜻이다. 이 단원에서 이후에 사용하는 TI는 임상적 TI를 의미한다.

그림 14-11은 TI 10인 약물 X의 유효량(치료량) 및 중독량과 반응과의 상관관계를 보여준다. 약물 X가 두 종류의 DRCs 사이에 차이가 크다는 것은 이 약물이 좋은 안정성을 갖는다는 것을 뜻한다. 일반적으로 TI값이 2보다 적은 약물이 사용될 때 임상적으로 몇몇 환자에서 치료량에서도 상당한 독성을 보인다. 따라서 그러한 약물은 반드시 특정한 환자의 위험-이득 분석에서 좋을 경우에만 사용하여야 한다. 약물의 선택성은 안정성 프로파일을 결정하는 데 매우 중요하다.

약물은 그 정도에 차이는 있지만 다양한 독성 효과를 나타낼 수 있다. 낮은 용량에서 메스꺼움 또는 위장장애, 두통과 같은 비교적 약한 부작용이 나타날 수 있는 반면, 높은 용량에서는 간 및

신장 손상과 같은 더 심각한 부작용이 발생 할 수 있다. 따라서 각각의 독성에 따라 다른 TD$_{50}$과 TI 값을 갖게 된다.

확실한 안전 요인

TI는 효능과 독성 DRCs의 중간지점만 비교하기 때문에 TI를 통한 약물 안정성 측정이 항상 좋은 측정법인 것은 아니다. 이러한 곡선은 겹쳐지는 부분이 있기 때문에 몇몇 환자들에게 있어서는 평균적으로는 효과를 나타내는 범위에서 조차도 중요한 치료적 이득 없이 독성만을 보일 수도 있다.

이러한 문제는 그림 14-12의 약물 Y에 대한 DRCs에서 분명히 드러난다. 그림 14-11에서 약물 Y는 약물 X와 TI 값은 같지만 그렇다고 해서 약물 Y가 약물 X만큼 안전한 것은 분명 아니다. 그 이유는 몇몇 환자에게서는 원하는 치료 효과를 얻기 위해 필요한 약물Y의 용량이 중독량일 수도 있기 때문이다. 따라서 TI 자체만으로는 치료 및 독성효과에 대한 DRCs의 기울기에 대한 어떠한

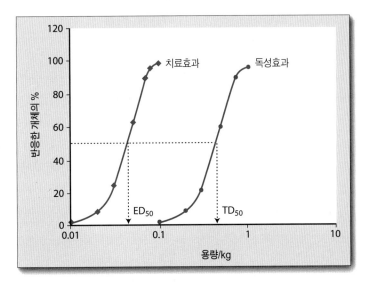

그림 14-11 약물 X의 치료 효과 및 독성 효과에 대한 비연속적 용량-반응 곡선. TD_{50}/ED_{50} 비율은 약물의 치료적 인덱스 (TI)를 뜻한다. 약물 X의 TI=10 이다. 환자의 90% 이상에서 약물 효과를 나타내는 용량에서 거의 독성이 나타나지 않음을 주목하라.

정보도 주지 않기 때문에 약물 안전성을 정확하게 결정하는 데에 유용하지 않다. 만약 치료에 대한 DRC가 비교적 평평하다면 약물의 TD_{50}과 ED_{50}이 상당히 다를지라도 두 곡선 사이에 겹쳐지는 부분이 상당히 있을 것 이다.

이상적으로 우리는 어떠한 환자에게도 독성을 나타내지 않는 용량에서 모두에게 효과적으로 작용하는 약물을 선호한다. 이러한 개념은 다음과 같은 확실한 안전 요인(certain safety factor, CSF)라 불리는 파라미터로 나타낼 수 있다.

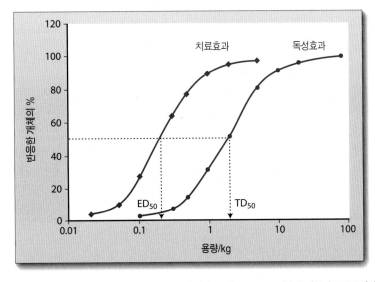

그림 14-12 약물 Y의 치료 효과 및 독성 효과에 대한 비연속적 용량-반응 곡선. TD_{50}/ED_{50} 비율은 약물의 TI를 뜻한다. 약물 Y의 TI는 10이다. 환자의 90% 이상에서 약물 효과를 나타내는 용량에서 분명한 독성이 나타남을 주목하라.

$$CSF = \frac{TD_1}{ED_{99}} \quad \text{(Eq. 14-4)}$$

여기에서 TD_1는 1%의 사람에게서 독성을 나타내는 최소 중독량(minimally toxic dose)을 나타내며, ED_{99}는 99%의 사람에게서 효과를 보이는 최대 유효량(maximallyeffective dose)을 뜻한다. 여기에서 쓰이는 1%와 99%의 확률은 한 예일 뿐이며, 실제로는 독성과 효과 모두에 적절한 비율을 조정할 수 있다.

CSF는 독성 DRC의 최하점과 치료 DRC의 최고점이 겹치는 부분을 계산하는 것이다. 어떤 약물의 CSF가 1이라 함은 단지 1% 환자에서 독성을 보이는 용량에서 99% 환자에 효과를 나타낼 수 있음을 의미한다. CSF가 높을수록 사실상 두 DRC 사이에 겹쳐지는 부분이 거의 없으며, 따라서 독성 발현 위험이 거의 없이 최대유효량을 사용할 수 있음을 의미한다.

위험과 이득

평균적인 환자에 추천 용량의 약물을 사용할 때 특별히 심각한 부작용이나 독성이 나타나지 않으면 이 약물은 일반적으로 안전하다고 할 수 있다. 그러나 이것은 약물유해반응이 없다는 것을 의미하는 것은 아니고, 다만 약물의 위험-이득 비율로 볼 때 대부분의 환자에게 안전하다는 것을 의미한다.

TI와 CSF는 종종 환자에 대한 독성 가능성을 예측하는 데 사용된다. 부작용과 독성 가능성이 높을 때에는 환자의 ADRs를 모니터링 하면서 낮은 용량에서 시작하여 천천히 높이게 된다. 대부분의 환자에게 안전한 약물이라 하더라도 특정한 질병, 생리적 기능 손상, 또는 유전적 소인에 따라 독성을 나타낼 수 있다.

핵심개념

- 수용체 또는 효소에 대한 약물 작용은 약물-반응 상관관계 그래프로 표시할 수 있다.
- 약물에 의한 생물학적 반응은 약물 농도가 높을 때 수용체가 완전히 포화되어 정체기(plateau)를 형성한다.
- 단계적 용량-반응 곡선은 서로 다른 약물 사이의 효능, 효력 및 독성을 비교한다. 또한 약물이 완전 혹은 부분 효능약인지, 경쟁적 혹은 비경쟁적 길항제인지를 나타낸다.
- 비연속적 용량-반응 상관관계는 집단에서의 약물 반응의 다양성을 표시하는데 유용하다.
- 약물의 안전성은 용량-독성 반응 상관관계에 의해 묘사될 수 있다.
- 약물의 임상적 치료지수는 중간유효량에 대한 중간중독량의 비율이다.
- 용량-반응 및 용량-독성 상관관계 곡선은 약물의 위험-이득을 정의하고 적절한 용량을 선택하는데 함께 이용된다.

복습문제

1. 완전 효능제와 부분 효능제의 농도-반응 곡선의 중요한 특징을 설명하라. 이 곡선과 효소 활성 곡선과의 유사점은 무엇인가? 농도를 로그 스케일로 표시할 때 곡선은 어떻게 변하는가?

2. 경쟁적 및 비경쟁적 길항제 존재시 효능제의 농도-반응 곡선은 어떻게 변하는가?

3. 경쟁적 및 비경쟁적 억제제 존재시 기질에 대한 농도-반응 곡선은 어떻게 변하는가?

4. 농도-반응 상관관계와 용량-반응 상관관계는 어떻게 다른가? 후자가 치료적 적용에 더 유용한 이유는 무엇인가?

5. 약물의 효력(potency)와 효능(efficacy)의 차이를 설명하라. 이들은 용량-반응 곡선에서 어떻게 나타나는가?

6. 선택적 약물의 의미는 무엇인가? 어떻게 용량-반응 곡선으로부터 선택성을 결정할 수 있는가?

7. 약물학적 치료지수와 임상적 치료 지수의 차이를 설명하라. 후자가 약물 치료에 더 적절한 이유는 무엇인가?

8. 약물 용량의 선택에 있어서 임상적 치료 지수보다 확실한 안전요인이 더 적합한 이유를 설명하라.

CASE STUDY 14-1

베타 수용체에 대한 경쟁작용

약사와 1학년 약학 전공 학생 인턴이 사람들이 가지고 있는 모든 처방약과 일반약을 약사에게 가져와 검토받도록 하는 brown bag 행사에 참여하고 있다. 한 특정 환자가 천식에 서방정인 albuterol (VoSpire ER, 4mg, 하루 두 번)과 고혈압에 propranolol(하루 두 번, 60mg)을 복용하고 있었다. 또한 그는 호흡에 어려움을 느낄 때마다 albuterol 흡입기(Ventolin HFA: 90μg/흡입)를 사용하고 있는데, 최근 그 사용 빈도가 높아졌다.

약사는 환자의 약물 치료를 더 잘 관리해야 할 필요를 느끼고, 환자에게 그의 의사와 대안 논의를 위해 연락할 수 있는지 물어보았다. 약사는 학생들에게 환자의 약물 정보를 찾아 보고 어떠한 선택이 가능한지 논의하고자 하였다. 학생들이 찾은 정보는 다음과 같다.

- 베타1 수용체는 심장에 위치하여 억제시 심박동수가 감소하고 활성 시 심박동수가 증가한다.
- 베타2 수용체는 기관지 평활근에 위치하여 활성 시 기관지 확장을 야기하며 억제 시 기관지를 수축시킨다.

Drug	α value	K_D or K_i Values (nM)	
		β_1	β_2
Propranolol	0	2.7	0.8
Metoprolol	0	45	2300
Pindolol	0.5	4.0	8.9
Isoproterenol	1	200	224
Albuterol	1	7500	2400

1. 위 데이터를 이용하여 각각의 수용체에 대한 propranolol과 metoprolol의 농도-결합 곡선을 그려라. 각 곡선의 기울기는 같다고 가정하라.

2. 어떤 약물이 더 효력이 큰가? 어떤 약물이 수용체 서브타입에 선택적이라고 할 수 있는가?

3. 위 데이터를 이용하여 각각의 수용체에 대한 pindolol 및 isoproterenol, albuterol의 농도-반응 곡선을 그려라. 각 곡선의 기울기는 동일한 것으로 간주하라.

4. 어떤 약물이 더 효력이 큰가? 어떤 약물의 효능이 가장 큰가? 어떤 약물이 수용체 서브타입에 선택적이라고 할 수 있는가?

5. 심박수 변동 없이 기관지 확장을 유도하는 데 가장 효과적인 약물은?

6. 폐 기능의 변화 없이 심박수를 감소시키는 데 가장 효과적인 약물은?

7. 위 환자의 경우, 흡입기 형태의 albuterol이 경구 투여 약물과 같은 제제임에도 불구하고 호흡 문제를 완화시키는 이유를 설명하라.

8. 환자가 VoSpire ER의 추가용량을 매일 복용한다면 무슨 일이 벌어질까?

9. Pindolol이 환자의 고혈압과 천식 모두를 치료하는 데 사용될 수 있는가?

10. 약사가 propranolol 대신 metoprolol로 바꿀 것을 추천했다. 추천한 이유가 무엇인가?

참고

Brunton L, Lazo J, Parker K (eds). Goodman & Gilman's The Pharmacological Basis of Therapeutics, 11th ed. McGraw-Hill Professional, 2005.

Golan D, Tashjian A, Armstrong E. Principles of Pharmacology, Pathophysiological Basis of Drug Therapy, 2nd ed. Lippincott Williams & Wilkins, 2008.

Harvey RA, Champe PC, Finkel R, Cubeddu L. Lippincott's Illustrated Reviews: Pharmacology, 4th ed. Lippincott Williams & Wilkins, 2008.

Katzung BG (ed). Basic and Clinical Pharmacology, 11th ed. McGraw-Hill/Appleton & Lange, 2009.

PART

V

약물치료

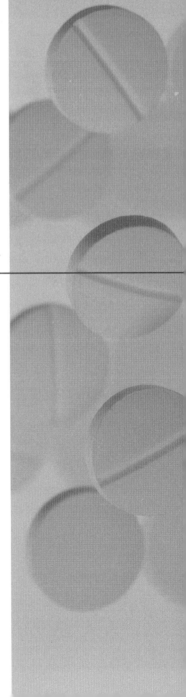

응용과학이라는 이름을 부여할
수 있는 과학분야는 없다.
과학과 과학의 응용이라는 것이
있으며 이는 과일과 과일이
달려있는 나무와 같이 함께
결합되어 있는 것이다.
- Louis Pasteur

15 치료의 변동성
Therapeutic Variability

이전 장에서는 신체가 약물에 미치는 영향(흡수, 분포, 대사, 배설, 약동학)과 약물이 신체에 미치는 영향(약물의 작용, 약력학)에 대하여 논의하였다. 이번 장에서는 정상적이고 상대적으로 건강한 사람들에게서 약물의 처리(disposition)와 작용에 관하여 초점을 맞추었는데 이는 환자들 대부분은 같은 방식으로 약물을 처리하고 약물도 모든 사람에게서 비슷하게 작용한다는 것을 의미한다. 사실, 대부분의 약물에 대한 표준용량과 투여횟수는 대략 정상적인 신체 기능을 가지고 있고 나이는 18에서 65세, 체중은 약 70kg 정도의 평균 환자 집단에서 보이는 약물의 움직임(PK, PD)에 기초한다.

하지만 환자의 특성은 약리학적 반응의 질과 정도에 현저한 영향을 줄 수 있다. 한 약물에 대해 같은 양을 투여해도 모든 사람이 항상 똑같이 반응하지는 않는다. 약물요법에 대한 변동성은 대부분의 약물에 있어서 예외적이라기보다는 일반적이다. 심지어 추천용량에서도 약물 반응의 강도는 환자들에서 종종 차이를 보이는데 이것은 약동학과 약력학적인 개인적 차이 때문이다. 어떤 환자에서는 질적으로 다른 약물 반응이 나타나기도 하는데 보통의 환자에서는 보이지 않는

약물 알레르기와 같은 효과를 보이기도 한다. 환자의 생리학적 및 병리학적 조건의 변화는 이러한 효과를 더욱 복잡하게 만든다.

심지어 가장 성공했다는 약물조차도 환자의 일부분에서만 최적의 이익을 안겨준다. 약물치료를 할 때 환자 개개인의 요구에 맞출 수 있도록 약물요법에 대한 환자반응의 다양성을 고려하여야 한다.

치료의 다양성의 형태

치료 다양성은 환자 간(다른 사람들 사이), 혹은 환자 내(한사람에 대하여 다른 시간에)에서 나타날 수 있다. 다양성은 서로 겹치는 많은 요인들에 의해 일어난다. 학자들은 개인 사이의 유전적 다양성이 약물반응의 변화를 가져오는 중요한 근본적인 이유라고 결론을 내리고 있다. 제 17장에서 유전적 요인에 대하여 자세하게 논의할 것이다. 한 약물이 다른 약물의 움직임에 영향을 주는 약물상호작용 또한 치료의 다양성의 원인이 된다. 이것은 제 16장에서 다루게 된다.

이 장에서는 치료의 다양성을 가져오는 다음과 같은 흔하고 일반적으로 예측 가능한 요인들에 대하여 다룰 것이다.

• 표적 수용체에 도달하는 약물의 농도를 다르게
  하는 약동학적 요인들
• 같은 농도의 약물에 대한 약리학적 반응을 다
  르게 하는 약력학적 요인들
• 알레르기 반응을 가져오는 면역학적 요인들

다른 비약물적 요인들 예를 들면 개인적 성격,
신념, 환자 및 의사의 태도 등은 종종 치료의 변동
성과 관련이 있다. 이 책에서는 이런 것들은 다루
지 않는다.

많은 여러 요인들이 치료 다양성을 야기하고
동일 요인이 약동학 및 약력학적 다양성을 야기
하기도 한다. 환자를 적절히 평가함으로써 다양
성의 공통적 요인을 추측할 수 있다. 이와는 다르
게 다양성이 예측되지 않으면 치료에 실패를 가
져오거나 독성을 야기할 수도 있다.

약동학적 다양성

약동학적 다양성이란 약물의 작용부위로의 송
달이나 작용부위로부터 제거에서 나타나는 다양
성으로 약물의 효능 및 독성과 관련이 있다. 이것
에 대한 확실한 결과는 약물이 너무 많이 혹은 너
무 적게 작용부위에 도달함으로써 야기되는 약물
효과의 변화 및 보통 사용하는 농도보다 더 높은
농도에서 일어나는 약물의 부작용에서 볼 수 있
다. 약동학적 다양성은 좁은 치료범위, 또는 치료
창(therapeutic window)(또는 낮은 치료계수)을
가진 약물에서 특별히 문제가 된다. 왜냐하면 이
들 약물은 그림 15-1에서 보여지는 것과 같이 농

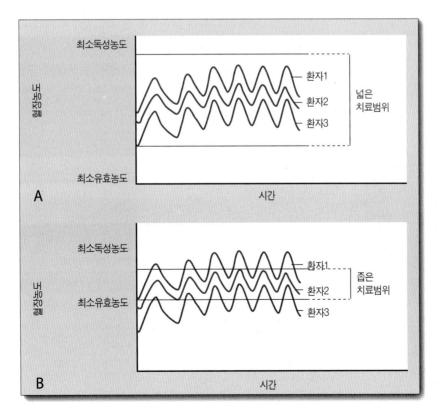

그림 15-1 세 환자에게 여러 번 투여 후 넓은(A) 혹은 좁은(B) 치료범위를 가진 약물의 효능 및 독성에 미치는 각 약물동력학적 변동성의
효과

도가 조금만 달라도 치료의 실패나 독성을 야기하기 때문이다.

평균 환자형에 일치하지 않는 환자인 경우 약물의 흡수, 분포, 대사 및 배설에 있어서 차이를 나타낸다. 이런 경우가 실제로 많으며 약물요법을 시작하기 전 용량이나 용법을 적절히 변화를 주어야 한다.

또한 약동학적 다양성은 약물 대사효소나 세포 내로 약물의 흡수(uptake)나 유출(efflux)을 매개하는 약물수송체와 같은 특정 단백질의 변화를 일으키는 유전적 영향에 기인하기도 한다. 특정 약물에 대하여 비정상적인 ADME 형태를 보이는 환자를 찾아내는 새로운 연구가 이루어지고 있긴 하지만 이러한 유전적 영향은 종종 예측할 수 없다. 유전적 특성과 약물의 효과 및 독성과의 관계를 약물유전학(phramacogenetics)이라 부르는데 이것은 제 17장에서 논의할 것이다.

아래에서 약물동력학적 다양성의 공통되는 원인에 대하여 논의하고자 한다.

체중 및 체성분

약물학적 효과의 크기는 작용부위에 도달하는 약물의 농도(이것은 약물 투여용량과 약동학에 의존한다)에 의존한다. 대부분 약물의 추천 표준용량은 전형적으로 70 kg 성인 남성에 기초를 두고 있다. 만일 ADME 과정이 개인적으로 정상적이라면 작용부위에서의 약물의 농도는 투여용량과 분포용적 V_d에 의존한다. 주어진 용량에서 분포용적이 크면 클수록 작용부위를 포함해서 모든 조직에서의 약물농도는 낮아진다. 이것은 주어진 약물의 용량에서 작은 사람보다 큰 사람에서 조직에서의 약물농도가 낮다는 것을 의미한다. 따라서 체중이 많이 나가는 사람은 충분한 조직농도를 얻기 위해서는 표준용량보다 더 높은 용량을 필요할 것이고 반면 체중이 적은 사람은 표준용량보다 낮은 용량을 필요로 한다. 많은 약물은

각 개인에 알맞게 용량을 조절할 수 있도록 다양한 함량을 가진 형태(10, 20, 30 mg 정제)로 이용 가능하다.

큰 사람은 일반적으로 치료 혈장 또는 조직 농도를 얻기 위해 더 높은 용량을 필요로 하지만, 환자와 관련하여 큰 사람과 작은 사람의 평균을 규정하는 것은 어렵다. 체중을 기초로 하여 용량을 조절하는 간단한 방법은 다음과 같다:

$$필요한 용량 = [평균 용량/70 kg] \times 개인의 체중(kg)$$
(식. 15-1)

식 15-1을 기초로 한 용량조절은 매우 마르거나 살찐 사람에게는 맞지 않다. 왜냐하면 이 식은 체지방과 체수분 등 체성분의 큰 변화를 고려하지 않기 때문이다. 약물의 분포용적은 약물의 지용성에 의존하기 때문에 살찐 사람에서 지용성 약물은 특이하게 큰 분포용적을 나타내는 반면 수용성 약물의 분포용적은 크게 변하지 않는다. 결과적으로 비만환자에서 지용성 및 수용성 약물의 용량은 다른 요인에 의해서 조절되어야 한다. 이런 경우 체중보다는 체표면적이 투여용량을 결정하는데 종종 이용된다.

나이

많은 약물은 어린이와 노인에서 보통 성인에서와는 다르게 작동한다. 이런 차이의 일부분은 앞에서 설명한 대로 신체 크기와 조성의 다양성에 기인한다. 하지만 신체 크기를 고려했더라도 매우 어리거나 늙은 사람에게서 약물의 반응이 예민하게 나타나는 데에는 다른 요인이 관여한다.

특수한 집단(유아 및 노인)에 대해서는 보통 약물의 임상시험에서 제외되며 약물이 처음 시장에 나왔을 때 이들에 대한 약물반응은 일반적으로 잘 모른다. 그러나 이것은 변하고 있는데 지금은 점점 많은 약물에 대해 적절한 용량과 용법을 찾

아내기 위하여 노인 및 소아집단에서도 시험을 하고 있다.

유아 및 어린이. 유아는 매우 주의를 기울여서 약물을 투여해야 하는 환자군이다. 체중이 아주 적은 유아와 보통 성인사이에는 중요한 생리학적 차이가 존재한다. 가장 중요한 것은 아래와 같다.

• 피부 및 뇌-혈관장벽을 포함한 모든 조직에서 약물의 투과도가 높음
• 비례적으로 큰 체수분 용적 및 그로 인한 특정 약물에 대한 높은 분포용적
• 대부분의 기관에서 혈액의 유속이 낮음
• 대사효소가 잘 발달되지 못함으로 인한 약물 대사의 감소
• 사구체여과율의 감소로 인한 신장배설의 감소

결과적으로 유아에게 약물의 사용은 조심스럽게 고려되어야 하며 용량도 적절하게 조절되어야 한다. 1세 정도의 나이부터 대사와 배설 기능이 발달되며, 약물 이용에 있어 어린이는 유아보다 위험이 적다. 12살에서는 성인 용량을 종종 사용한다. 그러나 어린이에게 약물을 사용할 때는 적은 체중과 신체조성의 차이에 대한 보정이 항상 고려되어야 한다.

노인. 노인집단에서는 많은 장기들이 나이에 따라 그 기능이 감퇴한다. 근육무게가 줄어드는 반면 체지방은 증가한다. 흡수 효율은 보통 약간 감소하지만 약물의 대사와 배설의 효율은 크게 감소한다. 간의 영향은 아래와 같다.

• 간무게 감소
• 간혈류 감소
• 효소 활성 감소

신장의 영향은 아래와 같다.

• 네프론 수 감소
• 사구체 수 감소
• 신혈류 감소

이러한 결과로 노인에서 혈장 및 조직에서의 약물농도는 종종 예상보다 높고 약물에 대한 민감도도 증가한다.

성별에 따른 차이

1990년대까지 건강관련 연구자들은 새로운 약물의 안전성과 효능 및 치료를 결정할 때 남성을 활용하였다. 그 이유는 치료에 미치는 여성의 호르몬 변화의 혼란스런 효과, 잠재적 태아의 보호, 만일 태아에 노출되어 해를 끼치는 데에 대한 법적책임 등의 걱정 때문이었다. 결과적으로 가임기 여성은 임상시험으로부터 철저히 배제되었다. 남성을 대상으로 연구된 치료효과, 독성 및 안전성에 관한 자료는 여성에게도 똑같이 적용되었다.

성별. 질병과 치료에 반응하는 남성과 여성 사이의 차이에 관한 발견은 신약개발의 상황을 바꾸어 놓았다. 지금은 특별한 위험이 없는 한 여성도 임상시험에 포함된다.

체중과 체성분의 성별에 따른 차이는 약동학 변동성의 원인이 되기도 한다. 일반적으로 여성은 체중이 적게 나가고 체지방의 비율은 높다. 따라서 다른 약물 용량을 필요로 한다. 남성과 비교하여 여성은 대사속도에서 차이가 있어(보통 낮다) 약의 용량을 조절할 필요가 있다는 증거가 있다. 약물 안전성에 있어 성별에 대한 쟁점은 가임여성과 임산부 및 수유부에 있어 특별히 중요하다.

임신과 수유. 임신과 수유기간에 모체에 투여된 많은 약물은 배아, 태아 및 유아에게 나쁜 영향을 줄 수 있다. 많은 약물들은 태반을 통해 모체로부터 배아나 태아에게 단순확산을 통해서 수송될 수 있고 배아와 태아의 순환계에서의 약물농도는 종종 모체의 농도와 같다. 배아와 태아 세포는 약물에 매우 민감하기 때문에 약물에 노출되면 심한 독작용을 일으킬 수 있다. 독성의 형태와 정도는 약물에 노출될 당시 배아나 태아의 발달단계에 따라 다르다.

배아단계는 수정과 임신 8주차 사이의 기간을 말한다. 이 시기에 주요 장기가 만들어지기 때문에 주요 독성은 약물이 발달 중인 태아에게 상해를 주어 여러 구조에 기형을 유발하는 최기형성이다. 심각한 기형은 유산을 일으킨다. 발달의 태아단계는 주요 장기의 분화가 일어난 후부터 시작되므로 이 시기에 나타나는 약물의 독성은 이미 형성된 장기에서 유발된다.

특별히 지용성인 약물은 수유를 할 동안 모체의 유방으로 신속히 분포된다. 3개월된 유아는 아직 완전히 발달된 대사 및 신장배설을 위한 효소계를 가지고 있지 않다. 따라서 수유를 받는 유아에서는 독성물질 농도가 축적되어 약물에 따라서 다양한 효과가 나타날 수 있다.

건강과 질병

환자의 전반적인 건강은 체내에서 약물이 어떻게 거동하고 작용할 것이지를 결정하는 데 중요하다. 약물배설에 관계되는 간과 신장과 같은 주요한 장기가 정상적으로 작동하지 못하는 환자에게 약물은 종종 투여된다. 간과 신장기능이 손상된 환자는 약물을 신속히 배설하지 못하기 때문에 높은 혈중농도를 나타내고 결과적으로 독성이 유발된다. 이런 환자들에게는 종종 용량이나 용법의 변화가 필요하게 된다.

심혈관계 질환에서 보이는 혈액순환장애는(결과적으로 장기로 가는 혈류속도가 낮음) 약동학의 모든 양상에 영향을 끼친다. 체온, 탈수, 산증 및 알칼리증 등 다른 요인도 일부 약물의 약동학을 변화시킨다. 질병을 가진 환자에 대한 약물투여방법은 종종 간, 신장 또는 심혈관계의 기능을 측정하여 이를 바탕으로 개인화(individualized)할 필요가 있다.

환자의 영양상태도 약동학에 영향을 미칠 수 있다. 영양실조, 비타민 결핍 또는 단백질 합성감소 등은 혈장단백과 대사효소의 수준을 변화시킬 수 있다.

약력학적 다양성

약력학적 다양성은 약물이 작용부위에 똑같은 양이 송달되었는데도 불구하고 약물효과가 다르게 나타나는 것을 말한다. 이것은 표적 수용체의 구조 및 기능, 혹은 약물이 표적에 작용할 때의 넓은 병태생리학적 환경의 차이를 반영한다. 약력학적 다양성이 존재한다는 것은 약물반응과 혈중농도 사이의 연관성이 적다는 것을 의미하며 이런 경우 약동학-약력학의 상호관련성은 유용하지 않게 된다.

성별에 따른 차이

남성과 여성의 생리적 차이는 남성에 비해 여성에서 일부 약물의 약력학의 변화를 가져올 수 있다. 예를 들면, 남성과 여성 사이에 통증의 인지와 통증에 대한 반응에서 차이를 나타내는 경우가 있다. 아편수용체 결합과 아편유사 진통제에 대한 반응에 있어 약물학적 차이가 성별에 따라 나타난다는 과학적 근거가 있다. 이러한 차이는 성별에 특수한 통증완화를 위한 다른 전략의 개발이 중요하고 성별과 관련된 통증 치료방법에 대한 심도 있는 연구가 필요하다는 것을 시사한다.

특이체질

소수의 어떤 사람은 약물의 반응이 매우 이례적이고 예측 불가능한 방식으로 일어나 보통 환자에서 보다 정량적으로 많이 다른 반응을 나타낸다. 예를 들면 어떤 환자는 약물의 아주 낮은 용량에서 큰 반응을 보이는 반면 어떤 환자는 매우 높은 용량에서도 반응을 나타내지 않는다. 또한 반응이 질적으로 다르게 나타내는 경우도 있는데 새로운 약리학적 효과가 관찰되기도 한다. 이러한 반응을 약물 특이체질(idiosyncrasy) 또는 특이체질적 반응이라고 하며 아주 드물게 나타나고 이것은 유전적으로 대사 또는 효소의 결핍 때문에 일어난다고 생각된다. 예를 들면 glucose-6-phosphate dehydrogenase가 결핍된 환자가 산화작용을 나타내는 약물을 복용하면 용혈성 빈혈이 일어난다. 이러한 반응은 용량의존적으로 일어나지만 보통 환자에서는 이러한 반응이 일어나지 않는다.

하루주기리듬(Circadian Rhythms)

하루주기리듬은 약 24시간을 주기로 생물학적 과정이나 활동이 정기적으로 재현되는 것을 말한다. 이 주기는 반복되는 낮과 밤에 반응하는 생체시계에 의해 일어난다. 이 시계는 뇌에 존재하고 있으며 간, 신장 및 혈관 등의 장기를 그 장기내부에 있는 하루주기 시계를 조절함으로써 통제한다. 결과적으로 많은 생리적 변수에서 정점(peaks)과 골(troughs)이 매일 반복재현되는 양식을 볼 수 있다. 하루주기리듬의 인지는 항상성의 개념과는 철학적으로 다르다. 항상성에서는 대부분의 생리학적인 과정은 평형상태에 있고 시간에 따라 많이 변하지 않는다고 본다.

많은 수용체에서나 신호전달경로 및 효소의 활성에서 하루주기리듬이 존재한다고 생각되어 진다. 만일 이런 것들이 약물의 표적이라면 약력학

이 시간에 따라 다를 것이다. 아침에 주로 분비되는 많은 호르몬이 존재하는데 예를 들면 코르티솔, 카테콜라민, 레닌, 알도스테론, 안지오텐신 등이다. 이와는 대조적으로 어떤 물질은 하루 끝이나 밤에 정점을 보이는 것도 있는데 예를 들면 위산, 성장호르몬, 프로락틴, 멜라토닌, 난포자극호르몬, 황체호르몬 및 부신피질자극호르몬 등이 있다.

이런 호르몬에서 하루주기리듬 변화에 대한 영향이 존재하고 여러 가지 흔한 질병에서 증상의 시작이나 악화가 심한 하루주기리듬 의존적으로 변동을 보인다. 일반적으로 천식의 증상은 밤에 더 심하게 나타난다. 사실 천식증상은 낮보다 밤에 50 내지 100배 더 나타나는 것으로 추정된다. 많은 하루주기리듬에 의존적인 요인들은 야간성 천식을 악화시킨다. 예를 들면 코르티솔(항염증성 리간드) 농도는 밤중에 가장 낮고 히스타민(기관지수축 매개자)은 새벽 4시에 가장 높은 수치를 보이는데 이와 일치되게 이 시간에 기관지수축이 가장 심하게 일어난다.

생리적 과정에 대한 효과 때문에 하루주기리듬는 약물의 대사, 배설, 작용의 모든 부분에 영향을 끼치고 투여시간에 의존하는 약물치료의 개인변동성을 일으키는 요인 중의 하나이다. 많은 약물들은 약동학과 약력학에 있어서 정상적이고 재현되는 하루 변동성을 나타낸다. 약동학에 대한 하루주기리듬의 영향은 다음과 같은 과정과 인자들의 시간 의존성 변화와 관련이 있다:

- 위장관의 운동성 및 장흡수 속도
- 장관 효소 활성
- 위산 분비
- 간 약물 대사 활성 및 효소 농도
- 사구체 여과율
- 혈액의 유속
- 요의 pH

특정 약물의 치료창이 좁을수록 혈중 농도에서 하루주기리듬적 다양성은 더욱 중요한 의미를 지닌다. 대부분 약물의 용량과 용법은 약물의 작용, 대사 및 배설에서 이러한 일내 변화를 고려하고 있지 않지만 이러한 요인들이 약물 요법에서 반듯이 고려되어야 한다는 증거가 많다.

예를 들면 세포분열에서 주기적 변화는 화학요법의 독성효과에 대한 민감도에서 생리기능 주기에 따른 변동성을 설명해 준다. 많은 항암제는 세포분열의 특정한 주기에서 활발히 분열하고 있는 정상세포에도 대부분 독성을 나타낸다. 암의 화학요법을 시행하는 시기가 암치료의 치료계수를 개선하는 데 실제로 중요하다는 사실이 알려지고 있다. 코르티코스테로이드와 인터페론은 각각 깨어있는 동안과 잠자기 직전에 투여하면 독성이 적고 더욱 효과가 좋다.

약물 내성

내성(tolerance)이란 (1) 똑같은 용량을 투여해도 시간이 지나면 약효가 상실될 때 또는 (2) 시간이 경과함에 따라 똑 같은 효과를 얻기 위해서는 더 많은 용량을 필요로 하는 것으로 정의할 수 있다. 내성은 언뜻 보기에 직관에 반대되는 것 같다. 왜냐하면 활성이 있는 리간드를 더 많이 가해주면 유도 반응을 줄이기 때문이다. 그러나 수용체 숫자와 민감도는 역동적이고 신호는 리간드의 이용조건에 근거하여 조절된다. 약물이 내인성 리간드를 대신해 작동하거나 내인성 리간드에 대한 반응을 변화시킨다면 이 약물은 수용체의 활성을 변화시킬 수 있다. 따라서 내성은 약물의 존재에 대한 신체의 적응력을 반영하는 정상적인 반응이다.

내성은 원래 약동학적인 것이지만 약력학과도 종종 관련이 있다. 어떤 약물이 자기 자신이 대사를 유도하여 작용부위에서 약물의 농도를 감소시킨다면 역동학적 내성을 유발하는 것이다. 약력학적 내성은 특별한 약물을 반복적으로 노출시킬 때 나타나는 수용체 민감도의 적응적 변화의 결과로 발생된다. 그 결과로 보통 그 약물에 대한 민감성이 감소하거나 잃어버리게 된다. 적응적 변화는 수용체의 하향조절, 세포적응 또는 반응급강하현상(tachyphylaxis; 약물을 몇 번 투여한 후 약물의 반응이 갑자기 감소되는 현상)과 관계가 있다.

약물에 의한 수용체 조절. 제 12장 리간드 및 수용체에서 언급했듯이 수용체가 오랫동안 계속해서 리간드에 노출되면 조직은 수용체의 하향조절(receptor downregulation)에 의해서 수용체 숫자를 감소시킨다. 같은 현상이 약물에서도 일어난다. 예를 들면 효능약(agonist)을 계속해서 투여하면 내성이 유발되어 상용량에서 약물의 효과는 점점 효과가 줄어들고 같은 효과를 얻기 위해서는 많은 양의 약물을 투여하여야 한다.

반대로 수용체의 리간드 활성이 감소되면 신체는 수용체의 민감도를 증가시켜 이를 보상하게 된다. 이것을 수용체의 상향조절(receptor upregulation)이라고 한다. 이것은 리간드에 의해 자극이 일어나는 수용체를 억제하는 길항약(antagonist)을 계속 투여하면 일어난다. 신체의 항상적 반응은 수용체 합성의 속도를 증가시키는 것이다. 갑자기 길항약을 끊으면 반동성 효과를 볼수 있는데 이것은 이제 많은 숫자의 수용체가 내인성 리간드나 다른 작용약에 결합할 수 있기 때문이다.

약물 저항성

약물 저항성(drug resistance)은 약물에 대한 세포의 민감도가 아예 없거나 줄어든 상태를 말하는데 이러한 약물에는 세포의 성장을 억제하는 항암제나 세포사를 유도하는 항균제가 있다. 약물저항성은 보통 추천용량 또는 안전성이 확보된

범위내의 더 높은 용량을 투여해도 일어나고, 투여된 부위에서 약물이 적절하게 흡수되어도 일어난다.

약물 저항성은 두 가지로 나눌 수 있는데 그 하나는 선천적 저항성(intrinsic resistance)인데 이것은 세포나 생명체가 특정 약물에 대하여 원래 민감성이 없어 약물에 대한 반응이 불완전하게 일어나는 경우이고, 다른 하나는 후천적 저항성(acquired resistance)으로 이것은 생명체나 세포가 처음에는 약물에 반응을 하지만 나중에는 저항성을 얻어 반응이 전부 또는 일부만 일어나는 경우이다.

선천적 저항성. 선천적 또는 일차적 저항성은 전신적 또는 세포요인의 결과로 일어난다.

- 전신적 요인: 이 요인은 기능적 막장벽(즉, 혈액-뇌 장벽은 뇌에 세균 감염의 효과적인 치료를 방해함) 때문에 작용부위로 흡수가 감소하거나, 배설이 증가하거나 또는 작용부위로 분포가 감소하여 생명체나 종양에서 약물의 농도를 낮게 한다.
- 세포 요인: 이 요인은 약물 표적 수용체나 효소에 약물이 도달해서 작용하는 것에 영향을 미친다. 이러한 요인은 약물을 유출시키는 단백질에 의해 세포내 약물의 농도가 낮아지거나, 약물에 대하여 수용체의 친화도가 낮거나, 특별한 수용체가 부재하거나, 세포내에서 전구약물(prodrug)이 활성대사체로 활성화가 일어나지 않는 경우를 포함한다.

후천적 저항성. 후천적 저항성은 보통 하나의 약물(또는 화학적으로 비슷한 약물군)에 대하여 표적의 민감도를 다양한 기전을 통하여 변화시키는 유전적 변이와 관계가 있다. 후천적 저항성은 유전이 되는 특징이 있다. 이것은 어떤 세포에 약물이 DNA 돌연변이를 일으켜 생길 수 있다. 아니면 이것은 약물이 어떤 집단의 사람들에게 저항성을 가지는 세포를 제외하고 유전적으로 예민한 세포에 대하여 선택적으로 영향을 끼쳐 일어나기도 한다. 이 두 경우 모두 약물은 처음에는 효과를 나타내다가 후천적 저항성이 발달하면 점점 효과가 없어진다.

세포가 한번 후천적 저항성을 가지게 되면, 즉 한 약물에 대하여 전부 또는 부분적인 저항성을 나타내면 약물을 포함하는 환경에서 세포는 선택적으로 살아남는 강점을 가지게 된다. 선택이란 약물에 저항성을 가진 생명체나 세포가 세포집단에서 많아지는 과정이라 할 수 있다. 결과적으로 약물이 계속적으로 존재하면 결국에는 약물에 저항성을 가진 생명체나 세포만이 살아남아 저항성 집단을 형성할 것이다.

교차-저항성(cross resistance)이란 세포가 화학적으로 관계가 있거나 같은 작용을 가진 약물들에 대하여 저항성을 가지게 되는 경우를 말한다. 따라서 환자가 투여 받아 저항성을 가지게 된 약물과 화학적으로 또는 작용기전이 비슷하기 때문에 환자가 전에 투여 받은 적이 없는 약물에 대해서 저항성을 나타내는 것이 가능하게 된다. 더욱 문제가 되는 것은 복합 교차 저항성(multiple drug resistance) 또는 다중약물내성(multidrug resistance)인데 이런 경우에서는 세포가 다른 화학 구조와 작용기전을 가진 약물에 대해서도 저항성을 나타낸다.

다중약물내성(MDR)은 세포가 단일 종류의 세포독성 물질에 노출된 후 구조 및 기능적으로 관계가 없는 다양한 약물에 대하여 저항성을 나타낼 때 일어난다. 이런 형태의 저항성은 화학요법과 항바이러스 및 항균치료에서 심각한 문제를 야기한다.

여러 가지 기전이 MDR을 일으킬 수 있는데 ATP-의존성 수송체에 의한 세포로부터 약물 유출의 증가, 세포내로의 약물 흡수 감소, 또는 약물 대사 효소의 활성화 등이 있다. 하지만 MDR은 대부분 170 kD ATP-의존성 막수송체로 약물을 유출시키는 펌프 역할을 하는 P-당단백(P-glycoprotein, P-gp)의 과발현과 관련이 있다.

임상적 관찰에서 보면 MDR은 화학요법을 받은 후에 나타나기도 하거나(후천적 저항성) 또는 진단 시에 존재하고 있는 경우(선천적 저항성)도 있다. 화학요법에서 MDR은 암세포에서 세포독성 물질을 유출시키는 펌프로 작용해 약물이 세포내에서 치료 농도에 도달하는 것을 억제하는 P-gp 수송체의 과발현과 연계되어 있다. MDR과 관련 있는 세포독성 물질은 대부분 지용성이고 양친매성(amphipathic)인 천연물인데 실례로 taxanes (pa-clitaxel, docetaxel), vinca alka-loids (vin-norelbine, vincristine, vinblastine), anthracy-clines (doxorubicin, daunorubicin, epirubicin), epipodophylotoxins (etoposide, teniposide), topotecan, dactinomycin 및 mitomycin C 등이 있다.

P-gp의 발현은 보통 정상적으로 P-gp를 발현하고 있는 조직인 대장, 신장, 부신, 췌장 및 간의 상피세포에서 발생한 종양세포에서 제일 높다. 이런 종양은 화학요법이 시행되기도 전에도 일부 항암제에 대해선 저항성을 나타내는 경우도 있다. 이와는 다르게 P-gp의 발현이 치료 초기에는 낮다가 약물에 노출시킨 후에 증가되어 MDR을 나타내는 경우도 있다.

MDR을 역전시키는 방법으로 P-gp를 억제하는 연구가 많이 수행되었다. 많은 P-gp 억제제(경쟁적 또는 비경쟁적)가 동정되었고 이것을 항암제와 같이 투여하게 되었다. 그러나 임상결과는 실망스러웠는데 이런 억제제들은 그 자체가 너무 큰 독성을 가지고 있거나 상대적으로 수송체와 낮은 친화력을 가지고 있거나 또는 다른 바람직하지 않은 약물상호작용을 나타내었다.

저항성을 피하거나 최소화하기 위한 몇 가지 임상시험이 시행되었다.

• 목표한 생명체나 세포를 억제하거나 죽이기에 충분한 세포내 농도를 달성하기 위해 높은 용량을 사용. 치료용량 이하의 농도에서는 저항성의 발현을 조장하기 때문에 이 방법은 약물-저항성 집단이 생길 가능성을 줄여준다.

• 서로 작용기전이 다른 두 개 혹은 그 이상의 약물을 사용하는 복합요법. DNA 변이들이 같은 세포에서 함께 일어나 두 가지 약물에 대해 동시에 저항성을 가지게 될 확률은 낮다. 따라서 이 방법은 저항성을 나타내는 세포의 집단으로 가는 가능성을 줄여준다.

• 하나의 약물에 저항성을 나타내는 세포들은 종종 다른 기전에 의해 작용하는 다른 약물에 대해 증가된 감수성을 보인다. 따라서 약물에 대한 저항성의 기전에 대한 지식은 약물 저항성을 나타내는 생명체나 세포를 특이적으로 표적으로 하는 접근방법을 제공해 준다.

면역학적 다양성

약물 알레르기(drug allergy)는 개인 사이에 나타나는 약물반응의 다양성을 말하는데 이것은 약물에 두 번째 혹은 그 이상 노출되었을 때만 나타나는 면역학적 반응이다. 그 효과는 정량적으로 약물의 정상적 약리학적 효과와는 다르다. 약물에 대한 알레르기 반응은 평상시의 용량-반응 관계를 나타내지 않는다. 오히려 치료용량이하의 낮은 용량에서도 알레르기를 일으키기에 충분할 수도 있다.

약물 알레르기

알레르기 반응은 약물에 대한 부작용으로 이전에 동일 약물에 노출된 경우에 일어난다. 약물

알레르기는 약물독성이나 특이체질과는 다르며 약물 알레르기는 용량 의존적이지 않고 약물에 대한 특이성도 보이지 않는다. 따라서 심지어 어떤 환자에서는 치료용량에서도 알레르기 반응이 일어날 수 있다. 약물 알레르기의 증상은 알레르기 반응을 일으키는 모든 약물에서 비슷하고 평상시 약물의 약리학적 효과와는 관련이 없다.

우리 몸에 존재하지 않는 외래 단백질 같은 많은 거대분자들은 신체에 의해 항원으로 인식되고 이것의 존재는 항체의 생성을 유발한다. 따라서 많은 생물학적 단백질 약물은 항체 형성을 유발할 수 있는 가능성을 가지고 있다. 그러나 작은 분자의 약물 또한 간접적으로 감작(sensitization)을 일으킬 수 있다. 이 간접 효과는 약물(또는 그 대사체)이 내인성 단백질(hapten)과 공유결합을 해 복합체의 약물 부위와 특이성을 가진 항원복합체를 만들 때 일어난다. 그 이후 같은 약물에 노출되면 체내에서 항원-항체 반응을 유발되는데 이것은 연쇄반응으로서 약물과는 상관없이 항상 동일하다.

약물과 관련된 즉시형 과민반응(immediate hypersensitivity reaction)의 가장 중요한 원인은 항생제와 관련이 있다. 이런 반응을 일으키는 약물로는 insulin, 효소(streptokinase, chymopapain), 이종 항혈청(equine antitoxin, antilymphocyte globulin), 쥐형 단일항체, protamine, heparin 등이 있다.

잠재적 알레르기 환자에 약물의 첫 번째 접촉을 감작이라고 한다. 그 다음의 접촉 때에는 몸에서 많은 양의 histamine이 생성되는데 이 오타코이드(autacoid)는 피부발진, 호흡곤란, 혈압강하 및 심한 경우 쇼크와 같은 심각한 부작용을 초래한다. 항원이나 약물과 같은 외래인자에 대한 과도한 면역반응을 과민반응이라고 한다. 두 번째 약물이 노출된 후 수초 내지 수분 안에 증상이 일어나기도 하고(즉시형 과민반응) 또는 두 번째 약물이 노출된 후 수일 내지 수주 안에 최대효과를 나타내는 경우(지연형 과민반응)도 있다. 알레르기 반응의 가장 심각한 증상을 아나필락시스(anaphylaxis) 쇼크라고 하며 이것은 심각하고 치명적인 알레르기 반응이다. 항체에 의해 인식되는 같은 항원결정기(determinant group)를 가진 구조적으로 유사한 약물은 교차 민감성(cross sensitivity)을 나타낼 수 있는데 이것은 심지어 전에 접촉하지도 않았는데도 불구하고 두 번째 약물에 대한 알레르기 반응이 나타나는 경우이다.

환자가 특정 약물에 대해 알레르기를 나타내는 것은 부분적으로 유전경향을 보이는데 약물의 투약기간이나 투여경로와 같은 다른 요인과도 관련이 있다. 알레르기 반응은 종종 경고 없이 일어나며 전혀 예상할 수가 없다.

페니실린 알레르기

페니실린 항생제는 약물 알레르기의 가장 보편적인 원인 중 하나이다. 페니실린은 benzylpenicillin, penicillin V와 penicillin G, amoxicillin, ampicillin, dicloxacillin 및 nafacillin 을 포함하는 베타-락탐 계열의 항생제이다. 이런 약물들은 일반적으로 많은 흔한 세균감염, 즉 피부, 귀, 부비강 및 상기도 감염 등을 치료하는 데 사용된다.

페니실린에 대한 흔한 알레르기 반응은 피부발진, 두드러기, 눈 가려움증 및 입술, 혀 또는 얼굴이 부어오르는 것이다. 심각하고 때론 치명적인 과민반응(아나필락시스)이 페니실린 요법을 받은 환자에서 보고되었다. 아나필락시스 반응은 페니실린을 복용한 후 수 시간 내에 일어날 수 있다. 증상은 호흡곤란, 두드러기, 씨근거림, 어지러움, 의식소실, 빠르거나 약한 심박동, 피부가 파래지고 설사, 오심 및 구토 등이다. 아나필락시스는 주사제로 투여했을 때 더 흔하게 일어나지만 경구 페니실린을 투여 받은 환자에서도 일어난다.

알레르기 반응은 페니실린 과민반응의 전력이

있거나 다알레르기원에 대한 감수성을 가진 사람에게 더 잘 일어나는 것 같다. 페니실린에 알레르기를 보이는 사람은 이와 관련이 있는 다른 항생제, 특히 다른 베타락탐제에 대해서도 교차-민감성을 보인다. 이런 종류의 약물로는 cephalosporins (cephalexin, cefprozil, cefuroxime), carbapenems (imipenem), monoba-ctams (aztreonam) 및 carbacephems 등이 있다.

일반 사람에 있어 페니실린 과민반응의 발생률은 알려져 있지 않다. 환자에게 페니실린 요법을 시행하기 전에 과거에 페니실린이나 cephalosporin 계열 또는 다른 항생제에 대하여 과민성을 나타낸 적이 있는지를 면밀히 물어 보는 것이 중요하다. 입원 환자의 약 10% 정도에서 페니실린에 대한 알레르기를 나타냈다는 보고가 있으며 이 때문에 이런 환자들은 다른 대체 항생제를 투여받는다. 페니실린 알레르기를 평가하는 가장 신뢰성 있는 방법은 페니실린의 주 및 부항원결정기에 대한 피부실험이다.

알레르기 반응이 일어나면 페닐실린 제제는 즉시 투여를 멈추어야 한다. 페니실린 알레르기의 응급 치료는 epinephrine 주사 또는 항히스타민이나 코르티코스테로이드의 정맥 내 주사이다. 산소, 정맥 내 스테로이드의 투여 및 삽관과 같은 기도 처치 등도 지침에 맞추어 행해져야 한다.

약물 순응도

순응도(compliance)란 약물 치료에서 처방전에 있는 과정을 따르는 의지와 능력을 말한다. 약물요법의 비순응(noncompliance) 또는 비고수(nonadherence), 즉 용량을 시간에 맞게 처방전에 있는 방법대로 약물을 복용하지 않는 것은 많은 병만큼이나 위험하고 비용이 많이 든다.

비순응은 치료 용법에 비해 완전 비고수(투약을 놓침) 또는 부분적 고수(처방된 용량대로 완전히 투여되지 않음)로 나누어진다. 순응도가 없든

부분적으로 있든 간에 결과는 약리학적 효과의 감소 또는 약물 저항성의 발현을 초래한다. 비순응의 몇 가지 원인은 다음과 같다.

• 환자가 많은 종류의 약(다중약물요법, polypharmacy)을 복잡한 시간대에 복용할 때 이것을 잘 따르지 못하는 경우
• 약물의 비용 때문에 환자가 복용을 빠트리거나 용량을 줄여서 복용하는 경우
• 부작용 때문에 환자가 약물 복용을 꺼리는 경우
• 환자가 약물의 이득을 잘 이해 못하는 경우

치료의 다양성의 원인으로 작용하는 비순응은 반드시 고려되어야 하며 약물의 용법을 잘 준수하도록 하는 전략을 개발해야 한다.

약물요법의 개인맞춤

특정한 질병을 위한 표준 약물요법, 즉 약물, 용량 및 복용 횟수는 단지 치료의 출발점이다. 표준 약물 또는 용량이 사용되기 전에 환자에게 이 요법이 적합한지를 보기 위하여 이 장에서 논의했던 요인들에 대하여 평가할 필요가 있다. 환자에게 표준요법을 시행할 때 치료를 계속해 나가면서 반응(효능, 부작용)의 관찰이 필요하게 된다.

좁은 치료창을 가진 약물에 대해서 어떤 민감성을 가진 환자에게는 이 약물이 치료 범위 내에 있는 지를 확인하기 위하여 혈중 농도를 관찰할 필요가 있다. 용량이나 약물은 각 환자에게 개인화하여 변화시켜야 한다. 그림 15-2에서 치료의 다양성을 유발하는 요인과 이런 상황에서 행할 수 있는 조치를 요약하였다.

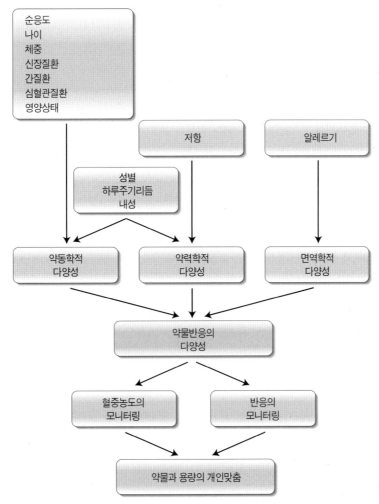

그림 15-2 약물 반응의 변동성을 유발하는 요인의 개요

핵심개념

- 약물의 표준 용량은 일반 환자의 대부분에서 나타나는 반응을 기본으로 한다.
- 특별한 약물에서 특별한 용량의 효과는 모든 사람에게서 절대 동일하지 않으며 같은 사람에서도 시간에 따라 다르게 나타날 수 있다. 표준 약물이나 용량은 각 개인의 필요에 의해 수정될 필요가 있다.
- 약물동력학적 다양성은 환자에서 약물의 ADME의 차이 때문에 생긴다.
- 약물역학적 다양성은 표적 수용체나 환자의 병태생리학적 차이에 의해 일어난다.
- 생리기능주기는 약물동력학 및 약물역학적 다양성에 중요한 원인으로 작용한다.
- 약물내성과 저항성은 일부 환자에게는 약물의 치료적 이용성을 제한할 수 있다.
- 면역학적 다양성, 즉 약물 알레르기는 어떤 환자에게는 심각한 부작용을 초래할 수 있다.
- 약물에 대한 순응도 부족은 개인간 치료적 다양성의 중요한 요소가 된다.

복습문제

1. 같은 용량에서 약물에 대한 환자의 반응이 다른 이유는?

2. 약물동력학적 다양성은 왜 좁은 치료창을 가진 약물에서 특별히 문제가 될까?

3. 환자들에게 약물역학적 다양성을 유발하는 요인들은 무엇인가?

4. 같은 환자에서 시간에 따라 나타나는 다양성을 유발하는 요인은 무엇인가?

5. 약물독성, 약물 특이체질 및 약물알레르기의 차이점을 설명하라.

6. 약물내성과 약물저항성의 차이점을 설명하고 약물저항성을 최소화하는 임상적 접근을 열거하라.

7. 교차 저항성과 다중약물내성의 차이점을 설명하라.

8. 약물에 대한 알레르기 반응은 무엇인가? 알레르기 반응은 약물을 투여한 후 보이는 다른 반응과 어떻게 다른가?

9. 각 환자에게 약물과 약물의 용량이 제대로 투여되도록 담보하기 위한 임상적 접근은 무엇인가?

CASE STUDY 15-1

화학을 통한 더 좋은 약물 투여

신체의 크기가 큰 환자에게 사용되는 올바른 약물의 용량을 확인하는 것은 간단한 과정이 아니다. 비만 환자에서는 그로 인한 생리적 변화와 약물의 물리화학적 성질이 약물의 분포용적에 영향을 미쳐 약물농도가 치료농도보다 낮거나 높게 될 가능성이 있다. 결과적으로 비만 환자에게 용량을 증가시키거나 mg/kg 기준으로 약물을 투여하는 것은 항상 적절하지는 않다.

다음의 세 가지 약물에서 고려해 보자.

Gentamicin은 aminoglycoside계 항생제이다.
- 이 항생제는 극성을 띄는 분자이며 연조직 감염을 치료하는 데 이용된다.
- 이것은 정맥내 주사로 투여된다.

- 이것은 주로 혈관내로 분포되며 세포간극(interstitial sapce)에 약간 분포된다.

Propofol은 마취제이다.
- 이것은 지방용해성이 크며 수면유도제로 쓰인다.
- 이것은 정맥내 주사로 투여된다.
- 이것은 빠르게 지방조직으로 분포된다.

Enoxaparin은 항응고제이다.
- 이것은 크고 극성분자(저분자 heparin)이며 정맥과 동맥에서 형성되는 혈전 생성을 억제(혈전예방)하는 데 쓰인다.
- 이것은 피하 주사로 투여된다.
- 이것은 주로 혈관내강에 분포된다.

Gentamicin

Propofol

n=1 to 21, R= hydrogen or sodium sulfate salt or methoxy group
Enoxaparin

1. 약물의 분포용적은 어떻게 결정되는지 간단히 설명하라.

2. 비만이 아닌 집단에서 위 세 가지 약물 중에서 분포용적 V_d가 가장 큰 것은 무엇인가?

3. 앞 문제에서 인용된 약물이 높은 분포용적을 가지게 되는 이유가 되는 물리화학적 성질은 무엇인가?

Gentamicin의 표준용량은 4 mg/kg이다. 임상 연구에서 비만환자에게 gentamicin의 표준용량을 사용했을 때는 문제가 있음이 밝혀졌다. 결과적으로 비만 환자에서 용량을 결정하는 체중을 산출하는 수정방법은 다음과 같다.

복용량 체중= (DWCF x [ABW − IBW]) + IBW

여기서 DWCF는 복용량 체중 보정계수(dosing weight correction factor) = gentamicin인 경우

0.4, ABW = 실제 체중(actual body weight), IBW = 이상 체중(ideal body weight)

IBW = 50 kg + (2.3 x [키(inches) − 60])

4. 키가 5 ‘5’ 이고 체중이 300–lb인 남성 환자에서 gentamicin의 적절한 용량은 얼마인가?

5. gentamicin의 물리화학적 성질과 비만과 연관된 생리적 변화를 기초하여 이 방법으로 gentamicin의 용량을 조절해야 하는지를 설명하라.

6. Propofol은 DWCF를 필요로 하지 않고 mg/kg 기준으로 복용량을 정하면 된다. Propofol의 물리화학적 성질과 비만과 연관된 생리적 변화를 기초하여 이 방법으로 propofol의 용량을 조절해야 하는지를 설명하라.

7. Gentamicin과 enoxaparin의 물리화학적 성질은 비슷하다. 하지만 enoxaparin의 경우 비만 환자와 비만이 아닌 환자의 복용량은 40 mg으

로 동일하다. 약사는 enoxaparin의 치료계수는 gentamicin과 thiopental의 치료계수보다 더 크다고 한다. 약사의 이 말이 이 경우에 왜 적용이 되는지, 혹은 왜 되지 않는지를 설명하라.

8. 만일 어떤 약물의 용량이 95% 환자에게 유효하다고 하면 이것은 "이 약물의 용량–반응 곡선이 가파른 기울기를 가지고 있다"라는 개념을 지지할까? 왜 그런지 또는 왜 그렇지 않는지를 설명하라.

참고

Brunton L, Lazo J, Parker K (eds). Goodman & Gilman's The Pharmacological Basis of Therapeutics, 11th ed. McGraw-Hill Professional, 2005.

Levine RR, Walsh CT, Schwartz-Bloom RD. Pharmacology: Drug Actions and Reactions, 7th ed. CRC Press-Parthenon Publishers, 2005.

Pacifici GM, Pelkonen O. Interindividual Variability in Human Drug Metabolism, 1st ed. Taylor and Francis, 2001.

Rowland M, Tozer TN. Clinical Pharmacokinetics: Concepts and Applications, 4th ed. Lippincott Williams & Wilkins, 2011.

16 약물 상호작용
Drug Interactions

신약 개발 과정에서, 각각의 성분들은 안전성 및 효능을 평가하기 위해 약동학, 약력학, 약제학적인 특성에 대한 광범위한 시험을 거친다. 상용화될 수 있는 약물이란, 요구되는 용량 범위 안에서 심각한 부작용 없이 바람직한 치료 효과를 나타내야 한다. 그러나 승인된 약물이 자체로는 안전하고 유효적이라 하더라도 다른 약과 함께 사용 시에도 안전하고 효과적이라고 단언할 수 없다.

임상영역에서는, 많은 약물들이 여러 가지 의학적인 증상의 치료하거나 한 가지의 질병을 치료하기 위해 여러 약물과 함께 환자에게 동시에 투여된다(다중약물요법). 두 가지, 혹은 그 이상의 약물이 동시에 투여될 때, 투여되는 약물간의 상호작용이 일어날 가능성은 항상 있다. 즉, 어떤 한 약물의 작용이 다른 약물에 의해 변할 수 있다는 뜻이다. 예상치 못한 약물간의 상호작용은 환자에게 심각한 약물부작용을 일으킬 수 있고, 이는 환자에게 죽음을 가져올 수 도 있다. 약물 간의 상호작용은 환자 사이에 치료효과를 다르게 하고, 이는 보통 나이와 관련한 약력학, 약동학적 변화가 있는 노인에서 특히 흔하다. 여러 종류의 약을 사용하면, 약물 간의 상호작용이 증가하게 되고, 환자가 4개 이상의 약물을 한 번에 복용하

게 되면 약물 간의 상호작용에 따른 위험성은 기하급수적으로 증가하게 된다. 보건 단체들은 최근 약물 치료 효과와 부작용의 증가에 약물 간 상호작용이 기여하는 바에 대해서 관심을 가지기 시작했다.

많은 약물 간 상호작용은 알려진 기전과 경로를 바탕으로 예측 할 수 있고, 결과적으로 용량조절과 대체 약물의 적절한 사용을 통해 막을 수 있다. 흥미로운 점은, 약물간의 상호작용이 가끔은 약물의 치료효과를 강화시키는 데 이용될 수 있다는 점이다. 때때로 두 번째 약물이 첫 번째 약물의 효과를 조절하기 위해 처방된다. 이러한 접근법은 첫 번째 약물에 의한 부작용을 감소시키거나 효과를 증대시키기 위해 사용된다. 그래서 약물 간 상호작용은 항상 회피하여야만 하는 것은 아니고 필요한 경우 응용될 수 있다.

우리 몸 안에서의 생리적, 생화학적인 경로(흡수, 대사, 배설, 수송)는 많은 영양소와 약물의 영향을 받기 때문에, 식품과 약물 간의 상호작용 역시 가능하다. 약물의 작용은 식품 혹은 영양소에 의해 변형될 수 있고, 그 반대 작용도 가능하다. 그 때문에, 약물이 특정 식품과 동시에 투여될 때 그 안전성과 유효성에 대해서 아는 것도 중요하다.

약물간 상호작용

약물 간의 상호작용은 다음과 같이 분류될 수 있다.

- 약제학적 약물상호작용
- 약동학적 약물상호작용
- 약력학적 약물상호작용

약제학적 약물상호작용은 두 가지의 약물이 투여되어 흡수될 때 물리적 혹은 화학적으로 반응할 시에 나타나고, 이로 인해 약물의 흡수되는 양이 변하게 된다. 약동학적 약물 상호작용은 하나의 약물이 다른 약물의 흡수, 분포, 대사, 배설(ADME) 양상을 변화시킬 때 일어난다. 마지막으로, 약력학적 상호작용은 하나의 약물이 다른 약물의 약리학적 효과를 증가 혹은 감소시킬 때 일어난다.

약제학적 약물상호작용

약물 간의 물리적 혹은 화학적인 반응에 의해 약물의 흡수가 간섭 받는 경우를 약제학적 약물 상호작용이라고 부른다. 이러한 상호작용의 대부분은 두 가지 약물이 동시에 경구 투여된 경우에 위에서 방출 혹은 흡수될 때 일어난다. 이 경우 가장 큰 문제점은 흡수되는 약물의 양이 줄어들게 되는 점이다. 이렇게 되면 흡수를 위한 약물의 농도구배가 줄어들게 되고, 생체 이용률이 떨어지게 된다. 이 장에서는 약제학적 약물상호작용의 주요 원인에 대해 논할 것이다.

킬레이션

킬레이트화를 일으키는 물질은 금속이온에 결합해 흡수되기 힘든 염이나 화합물을 만든다. 몇몇 약물은 이러한 특징을 가지고 있다. Ca^{2+}, Mg^{2+}, Al^{3+}, Fe^{3+} 같은 금속 이온은 제산제, 영양제(비타민과 무기물질), 음식(우유와 같은 여러 가지 식품)에 존재한다. 이러한 금속이온을 함유한 물질들과 약물이 함께 투여되면, 킬레이트화를 형성하는 약물은 이러한 금속이온과 결합해 흡수율이 저해되는 화합물을 형성하게 된다.

이러한 킬레이트화의 잘 알려진 예로는, tetra-

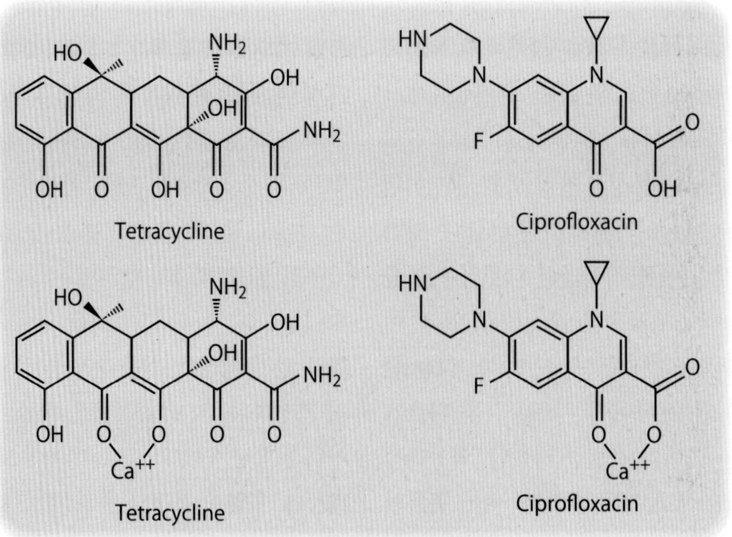

그림 16-1 Tetracycline, ciprofloxacin, 그리고 calcium chelate 들의 구조

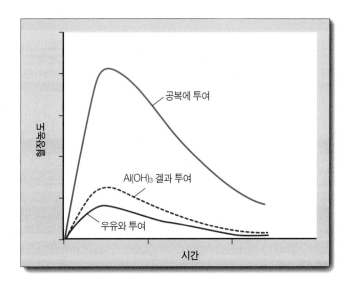

공복에 투여

Al(OH)₃ 겔과 투여

우유와 투여

혈장농도

시간

그림 16-2 제산제인 Al[OH]₃ 겔, 칼슘을 함유한 우유와 함께 투여된 tetracycline의 시간에 따른 혈장농도 곡선을 공복 시 단독 투여된 tetracycline의 시간에 따른 혈장농도 곡선과 비교한 그림이다. tetracycline의 혈중 농도는 금속 이온을 함유한 제품과 함께 투여되었을 때 눈에 띄게 감소하였다.

cycline과 fluoroquinolone(e.g., cipro-floxacin) 계 항생제이다(그림 16-1).

이러한 킬레이트화 반응은 전자공여체(N, S 혹은 O)가 금속이온과 반응해 5개에서 6개 정도의 결합을 통해 고리를 만드는 과정을 포함한다. Tetracycline류와 fluoroquinolone류의 경우에는, 새롭게 형성된 약물-금속 복합체는 물에 녹지 않고, 이는 생체이용률의 저하로 귀결된다. Figure 16-2는 전형적인 tetracycline이 금속이온을 함유한 물질과 같이 투여되었을 때의 시간에 따른 혈장 농도 변화를 나타낸 그림이다. 이러한 경우의 약물 간 상호작용을 예방 혹은 최소화하기 위해서는 투여시간에 있어 2시간 정도 간격을 두는 것이 좋다.

킬레이트화를 일으키는 물질은 중금속 중독을 막기 위해서도 쓰인다. 다량의 혹은 만성적인 납, 수은, 비소 등 중금속에 대한 노출은 독성을 야기한다. 이러한 중금속들은 단백질에 쉽게 결합하고, 잘 배출되지 않는다. EDTA(Calcium disodi-um ethylendiaminetetraacetic acid), penicil-lamine과 같은 극성을 띠는 킬레이트화 물질은 중금속과 결합해 물에 녹는 복합체를 형성하고, 이는 신장을 통해 제거된다.

흡착

흡착 상호작용은 비특이적인 반응으로, 약물분자가 흡착제로 작용하는 고체의 표면에 물리적으로 결합할 때 발생하며, 흡수될 수 있는 약물의 농도를 줄어들게 한다. 이러한 흡착체의 예로는, 제산제, 지사제(kaolin, bismuth subsalicylate), 그리고 이온교환 수지(colestipol, cholestryamine)등이 있다. 이러한 흡착체 약물들은 투여된 후 소화기계에서 다량의 작은 고체입자로 분해되고, 흡착에 필요한 넓은 표면적을 갖게 된다. Cholesty-ramine은 dicumarol, methotrexate, digitoxin 등의 약물을 흡착하고, 그들의 흡수, 생체이용률을 감소시키며 장간순환을 저해한다. 제산제는 digoxin과 철의 흡수를 감소시킨다.

이러한 흡착체와 약물의 상호작용의 해결법 또한 약물 투여간격을 최소 2시간 정도로 유지하는 것이다. 흡착기전은 유용하게 사용될 수도 있다. 활성탄과 같은 흡착체는 경구 투여되어 다양한 종류의 독 혹은 과량 투여된 약물에 대한 해독작용을 할 수 있다.

위 pH의 변화

제산제, 항콜린성 약물, 항히스타민제, 그리고 양성자펌프 저해제들은 위의 산도를 낮추고 위 pH를 높이는 데 사용된다. 이러한 위 pH의 변화는 함께 투여된 다른 약물들의 이온화에 영향을 주고 장내에서 약물들의 비이온화에 대한 이온화 비율에 영향을 준다. 이러한 변화는 경구 투여 후에 용해도, 흡수율, 생체이용률에 차례로 변화를 가져온다.

예를 들어, 에스테르 형태로 흡수된 철염, keto-conazole, 또는 ampicillin은 적절한 용해를 위해 낮은 위내 pH를 요구한다. 위 pH를 높여주는 양성자펌프 저해제인 omeprazole이 만약 다른 약물들과 함께 투여가 된다면, 이 약물은 다른 약물들의 흡수를 방해할 수 있다.

비융화성

정맥주사용액 같은 일부 약물들은 편의를 위해 투여 전에 함께 섞어주지만, 결합될 경우 서로 융화되지 않는 상태가 된다. 이러한 비융화성들은 약학적 상호작용의 한 종류로 간주될 수 있다. 예를 들어, phenytoin은 dextrose 용액이 첨가될 경우, IV bag안에서 불용성염 형태로 침전되고, 결과적으로 경련을 조절하기 위하여 사용된다. Amphotericin은 saline에 녹여 투여될 경우 침전이 생길 수 있으며 심각한 합병증을 일으킬 수 있다. Gentamycin은 대부분의 β-lactam계 항생제와 IV용 수액 내에서 함께 융화되지 못하며, 결과적

으로 항생효과를 상실하게 한다.

약동학적 약물상호작용

대부분의 약물상호작용들은 자연에서 약물 동력학적이며, 이는 다른 약물에 의해 한 약물의 흡수, 분포, 대사, 또는 배설이 변하는 것을 포함한다. 많은 약동학적 상호작용이 연구되어왔고, 보고되었고, 예상될지라도, 예상치 못한 상호작용은 빈번히 발생한다. 약동학적 관점에서, 약물-약물 상호작용의 가장 주요한 효과는 한 개 또는 모든 상호작용하는 약물들이 비정상적으로 높거나 낮은 혈중 또는 조직농도를 나타낸다는 것이다.

흡수를 포함하는 상호작용

흡수가능한 약물농도를 변화시키는 약제학적 약물상호작용과 반대로, 흡수에 영향을 미치는 약동학적 상호작용은 흡수기전 자체를 변화시킬 수 있다. 이러한 상호작용들의 몇몇 흔한 원인들이 여기서 다뤄질 것이다.

위장관 운동성의 변화. 소장은 경구투여된 약물들의 주요 흡수장소이다. 매우 적은 부분의 약물이 위에서 흡수된다.

그러므로 한 약물이 위에 오래 머물러 있을수록, 예를 들어 위배출시간은 길어지고, 약물의 흡수는 느려진다. 반대로, 위배출시간이 짧아질수록, 약물의 흡수는 빨라진다. phenytoin과 morphine같은 약물들은 위 배출을 억제하고 위 배출시간을 증가시킨다. metoclopramide, erythromycin, reserpine과 같은 약물들은 위 배출을 증가시키고 위 배출시간을 감소시킨다. 그러므로 위 배출을 변화시키는 약물들은 흔히 함께 투여되는 약물들의 흡수율에 영향을 미칠 수 있다. 몇몇 약물들, 특히 항콜린 약물과 완하제들은 소장의 운동성에 영향을 준다. 예를 들면 연동운동성

을 변화시켜 장내물질을 아래로 내려가게 하는 것이다. 이러한 변화는 또한 약물들의 위장관내 잔류시간을 변화시키며 잠정적으로는 생체이용률과 흡수율에도 영향을 준다. 한 약물에 의한 위장관내 잔류시간의 변화는 또 다른 경구투여약물의 흡수에 영향을 줄 수 있다. 보통, 위장관 운동성을 저하시키는 약물들(ex. 항콜린성 약물)은 함께 투여되는 약물들의 흡수속도를 낮추긴 하지만, 흡수량를 변화시키는 것은 아니다. 흡수속도의 감소는 원하는 혈중농도에 도달하는 것을 늦출 수 있다. 어떤 상황에서는 흡수량이 감소되는 경우도 있다. 대표적인 예로 항히스타민제인 chlorpheniramine에 의해 위장관 운동성이 감소되는 경우를 들 수 있다. levodopa(파킨슨증후군에 쓰이는)가 chlorpheniramine과 함께 투여되면, levodopa의 흡수감소가 나타난다. 위장관 운동성의 저하는 위장관내 levodopa의 분해를 크게 증가시키게 되고, 흡수 가능한 levodopa의 양이 감소하게 되기 때문이다.

완하제와 같은 위장관 운동성을 상대적으로 증가시키는 약들은 다른 약물들의 흡수량과 흡수속도를 모두 감소시킬 수 있고, 결과적으로 낮은 혈중농도와 나쁜 생체이용률을 보인다. 이러한 결과는 약물들이 소장에서 완전히 흡수되기에 충분한 시간동안 머무르지 못하기 때문이다.

장내 세균총의 변화. 몇몇 경구용 항생제들은 대장에 있는 세균총을 감소시킨다. 이러한 박테리아들은 몇몇 장간순환 중에 대장으로 들어간 다른 약물(예: 경구피임약)들의 탈중합화를 담당한다. 약물들의 대장에서의 대사와(예: digoxin) digoxin의 경우, erythromycin이나 tetracycline과 같은 다른 항생제와의 병용투여할 경우, 예상되는 결과보다 더 큰 혈중농도가 나타날 수 있다. 만약 경구피임약과 항생제들이 병용투여 된다면 deconjugation의 감소는 장간순환과정을 저해하

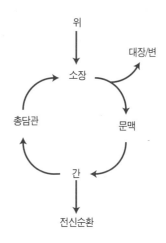

그림 16-3 장간순환. Digoxin과 포합된 경구 피임약은 담관으로 분비되고 소장으로 이동된다. 장내 정상세균상은 digoxin을 대사시켜서 더욱 극성 대사산물로 변에 배출되도록 한다. 정상세균상은 또한 경구피임약의 탈포합화를 일으키게 되고, 이는 더욱 친유성인 모화합물을 생산하게 하여 장내에서 재흡수가 더 잘 일어나게 된다. 항생제에 의한 정상세균상의 파괴는 증가된 digoxin 혈중레벨과 감소된 경구피임약 혈중레벨을 야기할 수 있다.

고 소장에서의 재흡수를 감소시켜 결과적으로 치료농도범위이하로 약물 혈중농도가 감소될 것이다. 그림 16-3은 장관순환과정을 묘사하고 있다.

운반체매개 흡수의 포화

일부 약물들은 흡수를 장내벽에서 존재하는 활성 운반체들에 의존한다. 만약에 이러한 운반체에 대한 또 다른 기질이 장내물질에 존재한다면, 경쟁이 일어날 것이고, 결과적으로 하나 또는 둘 모두 흡수가 감소할 것이다.

분포를 포함하는 상호작용들

분포에 영향을 미치는 가장 주된 상호작용은 한 약물에 의한 다른 약물의 혈장 단백질결합 치환현상이다. 이러한 결과는 한 약물이 다른 약물을 단백질로부터 치환하여 혈장 내 유리형약물농도가 증가하게 되는 것이다. 얼마나 단백질로부터 많이 떨어져 나오는지는 그 약물들의 단백질

에 대한 상대적 친화성으로 알 수 있다. 혈장 내 유리형약물농도가 증가한다는 것은 조직으로 분포될 수 있는 약물들이 증가한다는 것을 의미하고, 분포용적(V_d)은 증가하게 된다. 또한 혈장내 높은 유리형약물농도는 치환된 약물의 소실속도가 증가한다는 것도 의미하고, 신장과 간 클리어런스가 증가하게 된다. 이는 혈중 유리형약물농도를 빠르게 감소시키는 역할을 할 것이고, 이는 혈중 단백질로부터 떨어져 나와 증가되었던 혈장농도를 상쇄시키게 된다. 그러므로, 만약 환자가 정상적인 간기능과 신장기능을 가지고, 약물이 좁은 치료범위를 가지지만 않는다면 유리형 약물의 일시적인 혈장농도의 증가는 임상적으로 중요하지 않다.

배설을 포함하는 상호작용

한 약물의 신장배설은 다양한 이유로 병용 투여되는 약물에 의해 영향을 받을 수 있다. 두 번째 약물은 신장 클리어런스 과정에 공헌하는 어떤 과정도 바꿀 수 있다. 예를 들면 재흡수, 세뇨관분비, 사구체 여과율, 신장혈류속도 등을 변화시킬 수 있다.

소변의 pH 변화. 약산, 약염기의 세뇨관 재흡수에 대한 소변 pH의 효과는 9장에서 논의되었다.

소변 pH를 낮추는 화합물들은 (예를 들면 염화암모늄) 염기성 약물들의 배설을 증가시키고 산성 약물들의 배설을 감소시킨다. 탄산나트륨과 같이 소변 pH를 증가시키는 화합물들은 정반대의 효과를 나타낸다. 예를 들어, 약염기인 항히스타민제와 암페타민의 배설은 탄산나트륨에 의해 감소되고, 염화암모늄에 의해 증가된다. 반대로, 아스피린과 phenobarbital과 같은 약산의 배설은 염화암모늄에 의해 감소되고, 탄산나트륨에 의해 증가된다. 이러한 소변 중 pH의 변화는 약물의 과량 복용 후에 배설을 증가시키기 위해 사용된

다. 제산제의 정기적인 투여는 또한 소변 중 pH의 증가를 보여주고 있고, 높은 pH에서 이온화가 덜 되는 염기성 약물의 배설률을 감소시킨다. 이 결과는 이러한 약물들의 높은 혈중농도를 보이고 있고, 이는 잠정적 독성효과를 지닌다.

세뇨관 분비의 변화. 혈장으로부터 소변으로의 세뇨관배설은 약염기와 약산에 대한 특별한 운반체의 개념을 포함하는 능동수송과정이다. 그러므로, 약산성이나 약염기는 이러한 운반체를 두고 다른 것과 경쟁할 수 있고, 이로 인해 세뇨관분비율이 감소하고, 신장 클리어런스가 감소하게 되며, 결과적으로 혈장 내 농도를 증가시키게 된다. 예를 들어, 아세틸콜린, 히스타민, 몰핀, 아트로핀과 같은 약염기들은 세뇨관 운반체에 대해 서로 경쟁하고 각각의 배설을 낮출 수 있다.

가장 고전적인 예로 probenecid라는 약물을 들 수 있는데, 약산성 약물로서 다른 약산성약물들의 세뇨관 분비를 방해한다. 그러므로, probenecid는 페니실린, cephalosporin, 설폰계 아민들의 신장 클리어런스를 낮출 수 있다. 실제로 probenecid는 혈장 내 높은 항생물질을 조직이 필요로 할 때 다른 약물과 병용 투여된다.

약물대사를 포함하는 상호작용

대다수의 심각한 약물-약물 상호작용은 한 약물이 일으키는 대사효소의 억제 또는 유도 때문에 발생하는 다른 약물의 대사간섭에 의해 발생한다. 대체로, 이러한 상호작용은 배설율이 큰 약물보다 작은 약물이 더 영향을 많이 받는다. 더욱이, 생체내 변화를 포함하는 상호작용들은 좁은 치료농도범위를 가지는 약물들에 대해 더 심각한 결과를 가진다.

우리는 CYP450에 의한 산화반응이 많은 약물들의 가장 보편화된 phase 1 대사과정으로 알고 있다. 그러므로 대부분의 약물대사 상호작용들이

CYP450 효소의 억제 또는 유도를 포함한다는 것은 놀랄 일이 아니다. 대부분의 약물들의 대사에 관여하는 6가지 subfamily가 있다. 이 6가지 sub-family중 CYP3A family가 모든 약물들의 약 55%의 대사과정에 관여하고 있고, CYP2D6 family는 30%를 관여한다. 이 두 효소 family들은 대사관련 약물 상호작용에 가장 일반적으로 연관되어있다.

효소 유도. 대부분의 효소유도 상황들은 기질이 다른 약물을 대사시키는 효소의 세포내 생합성을 증가시킬 때 발생한다. 유도에 의해 대사효소 농도가 증가 되었을 때 나타날 수 있는 영향들은 다음과 같다.

- 약물 대사 속도의 증가 때문에 약물의 작용 지속시간이 감소
- 최소 유효 농도보다 혈장 농도가 낮아지기 때문에 약물의 치료효과가 상실
- 대사체가 약효나 독성이 있을 경우 중요한 약물 대사체의 농도 증가

Barbiturates나 carbamazepine, rifampin, phenytoin같은 약물들은 간 효소를 유도하고 약물 대사를 증가 시킨다고 알려져 있다. 예를 들어 phenobarbital은 warfarin의 대사를 증가시키고 그래서 warfarin의 항응고 효과를 감소시킨다. 일반적으로 이런 경우 warfarin의 양을 보상적으로 증가 시킨다. 그러나 그 뒤에 phenobarbital을 계속 복용하지 않는다면, warfarin 양은 독성을 피하기 위해 줄여야만 한다. 몇몇 약물들(ethanol, carbamazepine)은 반복 투여 후 그들의 자기 대사를 유도한다(자가 유도). 자가 유도는 내성을 야기한다.

유도 과정은 상대적으로 느리고 유도를 일으키는 약물의 만성적인 투여가 필요하다. 유도 기전은 효소 전사를 활성화하는 핵수용체에 대한 약물의 결합이다. 단백질 합성과정은 상대적으로 느리고 최대효과는 보통 약물투여를 지속적으로 10일에서 21일 한 후에 나타난다. 이런 과정의 결과로 효소유도는 치료가 시작되고 몇 주가 되기 전까지는 발견되지 않을 수도 있다. 비슷하게 효소유도의 소실도 천천히 이루어진다. 약물투여의 중단은 효소 합성의 자극을 제거하지만 증가된 단백질들이 제거되는 과정은 정상적인 세포 과정을 거치므로 효소 농도가 정상으로 돌아갈 때까지 보통 수일에서 수주가 걸린다.

효소 억제. 효소 억제는 훨씬 자주 생명을 위협하는 약물 상호작용의 원인이 된다. 만약 약물의 대사가 이 약물의 대사에 중요한 역할을 하는 효소의 억제로 지연이 된다면 나타날 수 있는 영향들은 다음과 같다.

- 약리학적 효과를 증가시키는 높은 혈장 농도. 이것은 약물의 치료지수에 따라 문제가 될 수도 있고 그렇지 않을 수도 있다. 만약 혈장 농도가 최대 안전 농도 이상으로 증가하면 증가된 독성이 나타날 수 있다.
- 전구약물의 생체 내 대사가 저해되는 경우 더 적은 양의 활성 약물이 생길 것이고 이것은 더 낮은 약리 작용을 나타내게 된다.
- 약물의 주대사경로가 저해된다면, 부차적인 대사경로가 활성화되어 흔하지 않던 대사체의 양이 증가하게 될 것이다. 만약 이 대사체가 독성이 있다면 새로운 부작용이 나타나게 된다.

약물상호작용의 경우 효소억제 기전은 앞에서 경쟁적 효소억제와 수용체 억제에 대해서 설명한 것과 같은 개념이다. 억제제는 효소의 활성 부위에 결합하여 작용하고 다른 약물들이 결합하는 것을 막아 대사를 억제하게 된다. 약물들은 억제제나 기질로서 분류된다. 이런 지정은 인체에서

의 농도와 약물이 대사체로 변환되었는지의 비교로서 약물의 효소에 대한 결합력(K_i 또는 K_m value) 부분에 기반을 두고 있다. 억제제는 효소에 결합하지만 대사체로 변환 되지는 않는다. 이런 효과를 내기 위해서는 억제제의 결합력과 농도가 충분해야만 한다. 어떤 경우에는 약물은 같은 효소에 대해 저해제 겸 기질로서 분류되기도 한다. 이런 경우 그 약물은 다른 약물보다 효소에 대해 더 경쟁적이고 대사가 일어나지만 상대적으로 느린 반응으로 계속 효소가 다른 약물이나 기질들과 결합하지 못하도록 한다.

종종 같은 효소의 기질로 분류되는 두 가지 약물을 같이 투약했을 때 어떤 일이 일어날지 예측하는 것은 복잡하다. 대부분의 경우 이것은 문제나 잠재적인 약물 상호작용을 일으키지 않는다. 두 약물이 이론적으로 같은 효소에 경쟁적임에도 불구하고, 이것은 (1) 각각 약물의 농도가 K_m값보다 낮고 따라서 효소를 포화시키지 않으며, 또는 (2) 대사 작용이 충분히 빨라서 대사 속도의 변화를 인지할 수 없다. 다시 말해 기질(저해제가 아닌)로서 분류된 약물에 대해 충분한 양의 효소가 있고 약물농도들은 다른 약물의 대사에 간섭하지 않기에 충분할 정도로(K_m값에 비해) 낮다. 혈장 농도의 최고점에 도달하는 시간, 약물 분포, 내인성 기질의 존재, 대체 대사경로나 배설 경로의 존재 대사과정의 변화가 유의한 유해효과를 일으키는 지의 여부 등과 같은 많은 인자들이 두 기질 약물들이 상호작용을 하는지를 결정할 수 있다는 것을 기억해야 한다.

다음은 두 개의 기질들이 약물 상호작용을 일으키는 몇몇 사례들이 있다. 예를 들어, 메탄올은 알코올 탈수소화효소에 의해 대사되어 독성 물질로 바뀌게 된다. 이러한 반응의 결과물은 실명과 죽음을 야기할 수 있다. 메탄올 독성의 가장 흔한 치료제로 사용되는 것은 에탄올이다. 에탄올 또한 알코올 탈수소화효소의 기질이다. 중독을 일으킬 수 있는 용량으로 투여되면, 알코올은 해당 효소를 포화시켜 메탄올이 독성 대사산물로 대사되는 것을 막는다. 에탄올은 (1) 효소에 대해 메탄올과의 경쟁을 넘어서고 (2) 가용가능한 효소를 포화시키기에 충분히 높은 농도일 때 억제제처럼 작용할 수 있다.

효소 억제를 포함하는 상호작용의 시점이나 개시시간은 효소 유도의 시점이나 개시시간과는 다르다. 억제는 약물이 충분히 높은 농도에 있을 때 발생하게 된다. 그러므로, 억제 관련 약물 상호작용의 개시는 약물을 처음 수회 투여하였을 때 발생하고, 약물이 신체로부터 소실될 때 종료된다. 그러므로 개시와 종료시점은 손쉽게 예상 가능하다.

많은 약물들이 간효소인 CYP450을 억제하고 잠정적으로 약물상호작용을 야기한다. 예를 들어 fluoxetine은 효소 CYP2D6를 억제하고 이러한 경로를 통해 대사되는 약물들 대표적으로(metoprolol, simvastatin, tramadol)의 혈중농도를 증가시킨다.

Table 16-1은 약물들의 주요 대사효소인 CYP3A4 효소에 대한 몇몇 중요한 유도제와 억제제를 보여주고 있다.

음식 상호작용

많은 음식과 음료는 약물과 상호작용을 일으키는 성분들을 가지고 있다. 왜냐하면 음식과 음료

표 16-1 중요한 CYP3A 억제제와 유도제	
CYP3A 억제제	*CYP3A 유도제*
Ketoconazole	Carbamazepine
Itraconazole	Rifampin
Fluconazole	Rifabutin
Cimetidine	Ritonavir
Clarithromycin	St. John's wort
Erythromycin	Troleandomycin
Grapefruit juice	

는 상당수가 약물과 같은 ADME 기전을 공유하기 때문이다. 이 상호작용의 보편적인 예는 다음과 같이 요약되어 있다.

음식과 함께 섭취

식사와 함께 약물을 섭취하는 것이 위장관의 부작용을 줄이고, 투약 스케줄을 기억하기에 편리하기 때문에 종종 추천된다. 하지만, 음식은 위의 비우는 속도를 줄이고, 약물과 결합하며, 장점막에서의 흡수부위에 대한 약물의 접근을 감소시키고, 위장관의 pH를 변경하고, 용해속도를 변경하기 때문에 약물의 흡수를 변화시킬 수 있다. 음식은 alendronate, captopril, didanosin과 같은 약물과, 여러 항생제의 흡수양과 속도를 줄인다. 반면, theophylline과 같은 지질친화성 약물은 고지방 식사와 함께 투여되었을 때 흡수가 향상된다. 지방은 약물에게 지질 용매를 제공하여 약물의 용해속도를 증가시키고, 위의 배출 속도를 느리게 하여, 약물이 지질용매와 접촉하는 시간을 증가시킨다.

알코올

알코올은 약동학이나 약력학(Pharmacokinetic and Pharmacodymamic)적인 다양한 상호작용을 가지고 있다. 따라서 알코올과 약물을 동시 섭취를 하지 않도록 강력히 권장한다.

알코올은 CNS를 억제하고 중독되기 쉬우며, 다른 CNS억제약물과 함께 투여되면 상가적 또는 상승적인 약리학적 상호작용을 일으킬 수 있다. 또한 알코올은 혈관이완을 일으키며 혈관이완제와 동시 투여가 되면 저혈압을 일으킬 수 있다.

알코올은 mixed-function oxidase(MFO)효소에 의해 산화되고, 이 효소 시스템에 의한 약물대사에 대해 약물과 경쟁한다. 만성적인 알코올 섭취는 특정 MFO 효소의 증가를 야기하여, 특정 약물의 독성 대사체 농도를 증가시킨다. 예를 들어 acetaminophen의 대사는 알코올을 섭취 하였을 때 독성 대사체 농도가 높아진다. 알코올은 또한 간에서 glutathione을 고갈시키기 때문에 acetaminophen의 독성대사체와 glutathione의 conjugation대사를 감소시킨다.

자몽주스

위장관이나 간에서 CYP450 효소(특히 CYP3A4)에 의해서 산화 대사를 받는 약물은 잠재적으로 자몽과 상호작용이 있다. 자몽주스는 CYP3A4와 결합하는 다양한 bio flavonoid와 furanocoumarin이 많이 있어서 효소를 불활성화 시키거나 억제하여 초회통과 대사를 억제시킨다. 따라서 자몽주스는 위장관에서 CYP3A4를 억제함으로써 몇몇 중요한 약물의 경구투여 시 생체이용률을 높일 수 있다. 자몽주스의 과다한 섭취는 또한 간의 CYP450 억제를 해서 더욱 생체이용률을 높인다. 이러한 상호작용은 칼슘채널봉쇄제(i.e., felodipine)나 HIV-protease 억제제(i.e., saquinavir)에 영향을 준다. 한잔의 자몽주스나 반잔의 자몽주스는 이러한 약물의 혈중농도를 높이는데 상당한 역할을 하고 이로 인해서 약물의 효과와 독성은 증가된다.

그러나 자몽주스는 vinblastine, cyclosporine, digoxin, fexofenadine등의 약물의 흡수를 억제하기도 한다. 세포 단계에서 실시한 한 실험은 자몽주스가 장 점막 상피세포에 있는 P-glycoprotein에 의존적인 펌프를 활성화 시킨다고 밝혔다. 이러한 영향은 자몽의 CYP3A4 억제에 의한 영향에 부분적으로 반대적인 영향을 준다는 것을 의미한다. 혈중농도를 낮추고 약효를 떨어뜨리는 것이다. 이렇게 CYP450과 p-gp에 대한 자몽의 효과를 종합적으로 본다면 자몽주스의 약물 상호작용에 대한 효과를 예측하기 어려우며 다양할 수 있다는 것을 알 수 있다.

다른 음식물 성분들

Tyramine은 치즈와 술, 이스트, 절인 음식등과 음료 등에 있는 자연적인 성분이다. 이는 간에서 monoamine oxidase (MAO)에 의해 대사된다. 항우울제인 phenelzine, tranylcypromine과 같은 약물은 MAO 효소를 억제하는데, 이는 tyramine의 대사를 억제하고 결과적으로 tyramine의 농축을 의미한다. 이 영향으로 교감 신경 절에서 노르에 피네프린이 분비가 증가하게 된다. 이는 환자에 있어서 갑자기 혈압이 상승하여 고혈압 위기를 유발할 수 있다.

시금치나, 브로컬리와 같이 비타민 K를 함유하는 음식은 더 큰 용량의 warfarin을 필요로 하게 만든다. 비타민 K가 와파린의 약력학적 길항제로 작용하기 때문이다. 따라서 환자는 와파린 치료를 받는 동안 일정한 식사를 유지해야 한다.

때때로 몇몇 성분의 음식은 약물의 부작용을 경감시켜주기도 한다. 예를 들면 많은 항생제는 감염된 미생물만을 파괴하는 것이 아니라, 장내의 자연적인 박테리아도 파괴시켜 밸런스를 깨트린다. 이러한 불균형은 설사나, 질의 감염을 유발할 수 있다. 활성상태의 lactobacillus acidophilus를 섭취하는 것은 이러한 위장관의 부작용을 줄여줄 수 있다.

일반적으로 많이 나타나는 약물-음식 상호작용은 표 16-2에 정리하였다.

약물-약초의 상호작용

과일이나 채소를 많이 먹는 식습관의 변화와 영양 보충제와 생약제제의 섭취증가는 식물이나 식물에서 유래된 성분인 phytochemical에 대한 인체의 노출을 점차적으로 증가시켰다. 따라서 생약제제나 영양보조제가 서로 상호작용하거나 처방된 약과 상호작용할 수 있다. phytochemical은 CYP450을 억제하거나 활성화 시킬 잠재성을 가지고 있다. 이러한 영향은 phytochemical 이 많이 존재하는 장에서 흔히 일어나기 쉽다. CYP450 활성의 변화는 전신순환하기 전이나 대사되기 전의 약물의 운명을 변화하게 한다. 게다가 phytochemical은 약물이 세포내에 들어가는 것에 영향을 줘서 약물의 약리학적인 활성에 영향을 준다. 따라서 phytochemical은 잠재적으로 약물의 효과를 바꿔서 약물의 효과가 줄거나, 크게 증가하는 등의 변화를 줄 수 있다.

예를 들어, St. John's wort의 섭취는 indinavir (Crixivan), cyclosporin(Sandimmune, Neoral)과 같이 CYP3A2와 CYP3A에 의해 대사되는 약물과의 임상적으로 중요한 상호작용을 일으킨다.

표 16-2 약물-음식 상호작용	
약물	**음식에 의한 효과**
아세트아미노펜, 아스피린, 디곡신	흡수의 지연, 흡수량의 감소
ACE억제제(captopril, moexipril)	혈중농도의 상당한 감소
Fluoroquinolones(ciprofloxacin, levofloxacin, ofloxacin, trovafloxacin), tetracycline	제산제(특히 마그네슘이나 알루미늄 제산제), 철 보충제와 함께 복용 시 흡수 감소
Didanosine	음식(특히 산성음식, 주스)과 함께 섭취 시 흡수의 상당한 감소
Saquinavir, griseofulvin, itraconazole, lovastatin, spironolactone	음식(특히 고지방식)섭취 시 흡수의 증가
Famotidine	흡수의 지연, 흡수량 감소
Ketoconazole	산성 음식과 음료와 함께 섭취 시 상당한 흡수의 감소
Iron, levodopa, penicillins(대부분), tetracycline, erythromycin	

ACE, angiotensin-convertine enzyme.

표 16-3 약물과 약초성분의 상호작용(문헌에 보고되고 잠재적인 위험성을 가지고 있는 것)

약물	약초	잠재적인 약물 상호작용
Alprazolam	Kava	alprazolam의 CNS작용 증가
Digoxin	Licorice	digoxin의 상당한 혈중농도 증가 야기
	Hawthorn	심장 독성 증가
	인삼	digoxin의 상당한 혈중농도 증가 야기
	St. John's wort	digoxin의 혈중농도 감소 야기
Lithium	broom, buchu, dandelion, juniper	lithum의 혈중농도 증가
Estrogen	Herbal tea	estrogen의 혈중농도 증가
Paroxetin & other SSRIs	St. John's wort	의식 불명, 오심, 피로
Phenelzine	인삼	불면증, 두통, 작열감, 환각
Spironolactone	Licorice	칼륨 저하증, 근육 약화
Theophyllin	St. John's wort	theophylline의 혈중 농도 증가
Warfarin	인삼, 마늘, feverfew, cayenne	출혈경향, bruising
	Licorice	출혈경향성 증가
	알파파	혈액응고 방지 능력의 감소
	비타민 E (200IU/day)	혈액응고방지 능력의 증가, 혈소판의 응집 방해 능력 증가, 출혈경향성 증가
	생강	혈액응고 능력의 증가, 출혈 시간의 증가

CNS, central nervous system; SSRIs ; selective serotonin reuptake inhibitors.

digoxin(Lanoxin)과의 상호작용이 보고되었는데 P-gp배출펌프의 억제와 관련이 있다. 이러한 상호작용은 CYP 동종효소의 유도와 약물 배출 수송체의 유도가 연관이 있다는 것을 의미하며, 약물의 혈중농도를 줄일 수 있다는 것을 의미한다. cyclosporine의 경우에는 약물이 치료 농도보다 낮게 유지하게 되어 이식거부반응을 야기할 수 있다. St. John's wort의 예에서 볼 수 있었던 약물 상호작용은 경구피임약에도 적용될 수 있는데 출혈이나 피임효과의 감소까지도 생길수 있다.

표 16-3은 문헌에서 보고되고, 잠재적으로 위험성을 가지고 있는 약물과 생약성분의 상호작용을 보여주고 있다. 보고된 것 이외에도 많은 약물-약초의 상호작용이 있을 수 있다.

상호작용 다루기

수많은 약물 상호작용이 약학 및 의학문헌에 보고되었으며, 노인층과 처방약의 가짓수가 증가하여 빈도가 증가하고 있다. 앞서 말했듯이, 약물 상호작용은 일부환자에서는 중요하지 않은 것부터 일부환자에서는 심각하고 생명을 위협하는 것까지 다양하다. 반면 다른 상호작용은 약물효과를 증진시키기 위하거나, 부작용을 줄이기 위해 유발시키기도 한다. 잠재적인 약물 상호작용을 확인하고 평가하고, 조절하는 능력은 약사의 중요한 기능으로 여겨지기 시작했다. 많은 자료, 개요서, 소프트웨어 프로그램이 상호작용을 밝히고 조절하는 데 도움을 줄 수 있다. 하지만 이러한 자료는 임상적으로 관련된 약물 상호작용의 모든 변수를 밝혀줄 수는 없다. 임상적으로는 한 사람에게는 괜찮은 것이 다른 사람에게는 반대의 작용이 일어날 수도 있다. 임상적인 의미의 결정은 스킬(환자의 정보를 모으고 약물 정보를 분석하는 스킬)과 판단을 필요로 하는 결정이다.

환자에게 새로운 약물을 처방할 때(처방, 일반의약품, 천연물) 첫 번째로 고려해야할 것은 환자가 어떤 약을 복용하고 있고, 영향인자가 될 수 있는 질환이 있는가를 결정하는 것이다. 만약 상호작용이 잠재적으로 문제가 있다면, 다양한 선택과 치료법이 가능하다. 현재 복용중인 약물과 상호작용을 하지 않는 약물을 선택할 수 있다. 만약 대안으로 사용할 수 있는 대체약물이 없다면, 새롭게 투여하고자 하는 약물을 사용하기 위해서

기존 치료법을 수정할 수 있다(약물 종류, 약물 용량, 다른 투여 제형, 투여 경로 등을 수정할 수 있다.).

가끔, 약물 상호작용은 알려져 있거나 예측이 가능하지만 그것의 정도는 예측 불가능할 수 있다. 이러한 경우 환자들은 지속적으로 모니터링

표 16-4 고령자에게서 관찰되는 매우 심각한 약물 상호작용			
약물1	약물2	부작용	기전
Warfarin	NSAIDs	심각한 위장관 출혈	NSAIDs는 위장을 보호하는 내벽을 파괴하고 혈소판의 집합을 감소시킨다
Warfarin	Macrolide계 항생제	warfarin의 상승된 작용과 잠재적인 출혈	macrolides는 warfarin의 대사를 억제한다. warfarin의 작용은 장내세균총의 감소를 통하여 연장되어 혈액응고에 필수적인 비타민K의 감소를 유도한다
Warfarin	Quinolone계 항생제	warfarin의 상승된 작용과 잠재적인 출혈	정확한 기전은 알려져 있지w 않다. arfarin의 clearance 감소와 장내세균총의 감소가 원인이 될 수도 있다.
Warfarin	Phenytoin	warfarin과 phenytoin의 상승된 작용	정확한 기전은 알려져 있지 않으나 간의 대사와 유전자의 작용으로 와파린과 페니토인의 대사에 영향을 미칠 것으로 예상한다.
ACE inhibitors	Potassium supplements	혈장 칼륨농도의 증가	ACE 억제는 lower aldosterone의 생성을 감소시키며 칼륨 분비를 억제한다
ACE inhibitors	Spironolactone	혈장 칼륨농도의 증가	알려져 있지 않으나 상가작용일 가능성이 크다
Digoxin	Amiodarone	digoxine 독성	자세한 기전은 알려져 있지 않다. Amiodarone은 digoxin의 clearance를 감소시켜 digoxin활성을 연장시킬 수 있다. 또한 심장의 동방결절에 대한 상가 작용일 수도 있다
Digoxin	Verapamil	digoxin 독성	맥박의 감소와 근육의 수축을 통한 시너지 효과로 심장 마비를 일으킬 수도 있다
Theophyllines	Quinolones	theophylline 독성	amiophylline과 quinolone을 통한 theophylline의 간 대사 억제CNS, central nervous system; SSRIs ; selective serotonin reuptake inhibitors.

이 되어야 하며 이에 따라 추가적인 변경사항이 적용될 수도 있다. 임상의들이 장기간의 약물치료법에서 특히 문제가 될 수 있는 약물 상호작용들을 확인하였다. 이들 각각의 약물상호작용들은 주로 노인에게 흔히 만성적으로 투약되는 약물들이며, 이들 상호작용들은 적절히 관리되지 않으면 매우 해로울 수 있다. 이러한 약물들이 표 16-4

에 기술되어 있다. 표에 기재된 약물들은 주로 장기간 요법으로 고령자들에게 빈번하게 적용되며, 함께 사용 시 유해반응을 일으킬 잠재성이 있다. 하지만 환자들 개개인의 개인차 때문에 상기 약물들을 함께 투여한 모든 환자가 유해반응을 경험하는 것은 아니다. 그러나 이들 조합은 심각한 부작용을 유발할 잠재성을 가지고 있다.

핵심개념

- 다중 약물 요법은 환자에게 심각한 약물 부작용을 초래할 수 있다
- 약물 동력학적 반응은 한 약물이 다른 약물에 대한 상가, 상승, 혹은 길항작용의 결과물이다
- 동시에 투약된 약물들은 개개인의 약물학적, 약물 동력학적 속성을 변경시킬 수 있다
- 음식과 영양분의 공급은 각종 약물과 반응하여 약효를 증진시키거나 감소시킬 수 있다.

- 공통 약제의 상호작용은 위장관에서 흡수될 수 있는 약물의 감소를 야기할 수 있다
- 약초나 otc 약물들은 전문의약품들과 상호작용을 일으킬 수 있으며 약물 상호작용 평가 시에 염두에 두어야 한다
- 약물 동력학적 작용은 주로 ADME의 과정 일부를 포함하고 있으며 여기에는 다른 약물에 의하여 일반적으로 반응하는 대사/배설 과정도 포함하고 있다

복습문제

1. 약물 상호작용들이 주로 고령자에게서 발견되는 이유는 무엇인가?
2. 어떠한 의약품 상호작용이 약물의 흡수속도 혹은 생체이용률을 높이거나 줄일 수 있는지 설명하시오
3. 분포를 포함하는 반응들을 어떻게 일어나는가? 또 이것은 왜 소수의 약물들에게 임상적으로 매우 중요한가?
4. 어떤 종류들의 약물들이 뇨의 pH를 변화시키는가? 그리고 왜 이러한 작용은 다른 약물의 배설작용에 변화를 줄 수 있는가?
5. 약물 반응에서 혈장 농도의 효소 유도/억제 작용의 의의에 대하여 설명하시오
6. 식사와 동시에 약물을 복용하는 경우 어떻게 특정 약물들의 생체이용률이 증가하거나 감소하는지에 대하여 설명하시오
7. 포도주스와 함께 약물을 복용 시 특정 약물들이 어떻게 혈장농도를 변화시키는지에 대하여 설명하시오
8. 어떤 종류의 약물 상호작용이 투여간격을 한 시간에서 두 시간 간격을 둠으로써 약물 상호작용을 최소화할 수 있는가? 또한 이런 접근을 통하여서도 불가피한 반응은 무엇인가?
9. 환자의 약물 상호작용을 최소화하기 위하여 임상적으로 접근하는 방법에는 대표적으로 어떤 것이 있는가?

약물 상호작용으로 인한 통증

한 23살 여성이 점심 시간 때 농구를 하다가 발목을 심하게 삐었다. 몇 시간 후 진단을 통하여 의사는 붓기와 발적 상태를 관찰하고 통증과 염증을 치료하기 위하여 celecoxib (celebrex)을 즉시 복용하도록 5일치 약을 처방하였다. 이틀이 지났지만, 그녀는 상태가 충분히 호전될 기미가 보이지 않았으며 요로 감염증상을 보이기 시작하였다. 의사는 celebrex의 용량을 두배로 증가시키도록 권하였으며 또한 Septra DS (sulfamethoxazole 800mg/trimethoprim 160mg) 을 추가로 처방해주었다.

그녀의 환자 약력에는 그녀가 페니실린 계열의 항생제에 알러지를 보유하고 있으며 근 6년간 머리에 입은 부상으로 발작을 치료하기 위한 목적으로 Dilatin (phenytoin, 100mg tid)을 복용 중이라고 기술되어 있다.

아래 표를 이용하여 잠재적인 약물 상호작용을 평가하시오.

약물	2C8	2C9	2C19	2D6	3A4
Celecoxib (Celebrex®)		⊙			
Phenytoin (Dilantin®)		⊙	⊙		↑
Sulfamethoxazole		↓			
Trimethoprim	↓				
Zolpidem (Ambien®)					⊙

⊙ = 각 효소의 기질; ↑ = 효소유도제; ↓ = 효소억제제.

1. Celecoxib가 초기 용량에서의 약효가 효과적이지 않았던 이유를 설명할 약물 상호작용이 있는가?
2. 표준 용량으로 환자에게 Celecoxib을 투여하였을 때 약효가 크게 나타나지 않게 하였을 만한 요인들에 대하여 설명하시오
3. Septra DS의 추가 처방으로 어떠한 약물 상호작용이 발생할 수 있는가?
4. 이러한 상호작용의 기전과 시간에 따른 반응을 기술하시오
5. 이와 같은 특별한 경우, Septra DS와 celecoxib은 두드러질 정도의 상호작용을 초래하였는데 septra DS와 phenytoin사이의 상호작용은 크게 의미가 있지 않다. 어떠한 요인들이 이

것의 이유가 되는가?
6. 상호반응을 회피하여 환자를 효과적으로 치료하기 위해서는 어떠한 변경사항이 만들어져야 하는가?
7. Zolpidem은 초단시간형 수면진정제이다. 만약 환자가 위에 있는 약물들을 모두 복용하면서 이 약물을 추가로 복용하였을 시 어떠한 반응이 나타나겠는가?
8. Zolpidem을 복용하였을 시 기전과 시간에 따른 반응을 기술하시오
9. 당신은 zolpidem을 포함하는 상호작용이 특별한 의미가 있을 것 같은가? 만약 그러하다면 상호작용을 방지하기 위하여 어떠한 변경사항이 이루어질 수 있는가?

참고

Baxter K. Stockley's Drug Interactions, 9th ed. Pharmaceutical Press, 2010.

Hansten PD, Horn JR. Drug Interactions Analysis and Management. Facts and Comparison, 2010.

McCabe BJ, Wolfe JJ, Frankel EH. Handbook of Food-Drug Interactions. CRC Press, 2003.

Rodrigues AD. Drug-Drug Interactions, 1st ed. Marcel Dekker, 2001.

Tatro DS. Drug Interaction Facts 2011. Facts and Comparisons, 2010.

17 약물유전체학
Pharmacogenomics

같은 용량의 약물을 서로 다른 환자에게 투여하였을 경우 약물반응에서 차이를 보일 수 있다. 약물치료에서 약물반응의 다양성은 흔한 것이지 예외적인 것이 아니다. 15장에서 생리학적 요소와 환경적인 요소가 환자에서 약물 효과의 차이를 유발한다는 것에 대해서 다뤘다. 그러나, 이러한 요소들이 개인에서 약물반응의 다양성을 나타내는 원인이라 하더라도 여전히 개인 간 약물반응에서 큰 다양성들이 존재한다.

약물반응에 있어서 개인 간의 다양성은 새로운 약물의 개발이나 승인을 매우 어렵게 하기도 한다. 어떻게 약물의 이익 위험비(benefit-to-risk ratio)를 고려할 것인지, 전체 집단에 약물을 사용하는 것을 고려해도 되는지? 이런 질문들은 환자들에게 유익함을 줄 수 있는 약물들이 일부의 환자에서 부작용이 발생하여 결코 시장에 나오지 못하게 하거나, 일부의 환자에서 심각한 유해반응이 발생하여 시장으로부터 퇴출되는 결과를 종종 초래하기도 한다. 약물반응의 다양성의 원인을 밝혀내고, 다양성을 상쇄시킬 수 있다면 모든 약물들은 적합하게 선택된 환자에서 보다 안전하고 더욱 효과적으로 사용할 수 있을 것이다. 환경, 식이, 나이, 생활습관과 건강의 상태는 개인의 약물반응에 영향을 주고 유전적인 요소들은 약물반응, 효과가 나타나지 않는 것과 독성반응에도 영향을 준다. 개인내 다양성이 적고 개인 간 큰 차이를 보이는 집단이 존재한다는 것은 약물반응을 결정하는 주요한 원인이 유전적인 요인이라는 것을 나타낸다. 따라서, 개인의 유전적인 구성을 이해하는 것은 보다 더 큰 효과와 안전성을 가진 약물을 설계하고 사용하는 데 중요한 열쇠가 될 수 있다.

또한 유전적 요인들은 건강과 질병을 결정하는 것에도 중요하다. 감염 질환, 심혈관계 질환, 또는 암이던지 간에 많은 질병들은 유전적인 영향을 받는다. 유전적인 연구들은 질병을 발생시키는 유전자를 확인하고, 질병의 발병 위험이 높은 사람을 찾고, 치료적인 접근법들을 제공하게 될 것이다. 유전자 변이의 분석은 약물의 투여 시 도움을 받을 수 있는 환자를 선택하거나, 내성 또는 약물유해반응을 나타낼 수 있는 사람을 선택하는 데 도움을 주게 될 것이다.

질병과 약물치료에 대한 유전적 요소의 영향을 이해하기 위하여 먼저 어떻게 유전자가 단백질 발현을 제어하는지 간략하게 복습하고자 한다.

유전학 복습

염색체

우리의 유전물질들은 핵내에 염색체라고 하는 곳에 위치해 있다. 인간은 23쌍의 염색체로서 전체 46개를 가지고 있다. 한 쌍은 성염색체로서(23번 염색체), 여성은 2개의 X염색체를 가지고 남성은 X와 Y염색체를 갖는다. 다른 22쌍은(1-22번 염색체) 상염색체(autosome)라고 한다. 각 염색체는 하나의 DNA 분자를 포함하고, 종종 나선 사다리에 비유되는 이중나선 구조로서 서로 감겨 있는 2개의 폴리뉴클레오티드 가닥으로 구성된다. 사다리의 측면은 2개의 당과 인산 골격이고, 사다리의 가로대는 각 사슬로부터 유래된 2개의 염기쌍으로 구성된다. 나선구조는 van der Waals 힘, 염기 사이의 수소결합, 염기와 당분자를 둘러싼 물 분자와의 친수성 상호작용 등에 의해 안정화 된다. 염기쌍 사이의 수소결합은 에너지적으로 가장 안정한 DNA 배치를 하게 한다. 아데닌 (A)과 티민(T), 구아닌(G)과 시토신(C)이 쌍을 이루며, 이들은 상호보완적인 염기쌍(complementary base pairs)이라고 한다. 인간 염색체에는 약 3억 염기쌍이 존재한다.

유전자

유전자들은 특별한 특성이나 기능을 암호화하는 정보를 가진 염색체상의 정밀한 DNA 서열이다. 염기쌍의 서로 다른 서열은 다른 메세지를 암호화하고 있다. 암호화된 정보는 3단어로서 (triplets) 되어 있고, 코돈이라고 한다. 거의 모든 유전자들은 단백질을 암호화하는 첫 번째 기능을 가지고 있다. 전사(transcription)과정은 DNA를 mRNA로 바꾸는 과정이며, 번역(translation)은 mRNA에서 기능적인 단백질로 전환시키는 과정이다. 유전적인 암호는 DNA의 코돈과 궁극적으로 단백질을 조합하는 아미노산들이 서로 일치하게 한다. 이러한 코돈들의 정밀한 서열이 서로 다른 단백질을 합성할 수 있도록 하게 된다.

인간 DNA의 10% 미만이 기능적인 유전자를 포함하고 있다. 유전자들 사이에 다른 DNA부분인 조절 부위(regulatory region)가 존재하여 유전자의 활성을 조절한다. 또한 뚜렷한 기능을 하지 않고, 단백질을 암호화하지 않는 긴 DNA 부위가 존재한다.

각 유전자는 염색체의 특별한 부위 또는 좌위 (locus)에 존재한다. 유전자들은 대립 유전자 (alleles)라고 하는 2개의 대체적인 형태로 존재하며, 각 염색체 쌍에서 서로 다른 부모로부터 하나씩 물려받은 것이다. 두 염색체의 같은 좌위에 같은 대립 유전자가 있는 경우 이러한 대립유전자는 동형접합(homozygous)이라고 한다. 만약 두 개의 좌위에 있는 대립 유전자들이 서로 다른 경우 이형접합(heterozygous)이라고 한다. 대립 유전자들은 서로 대체적인 형질들을 나타내며, 어떤 대립 유전자들은 같은 쌍에서 다른 것보다 우월하게 작용한다.

유전자들의 대부분은 모든 인간에서 동일하다. 사실 침팬지와 인간은 유전적으로 98% 이상이 유사하다. 개인의 유전자 서열은 약 1,000 염기쌍마다 1쌍 정도가 차이가 나며, 이러한 차이가 인간의 모든 차이를 설명하기에는 너무 적어 보인다. 하지만, 이런 작은 차이가 단백질의 차이를 암호화하고, 무한한 DNA서열의 변화가 나타나도록 한다. 폭넓은 의미로 인간의 유전적인 다양성은 개인 간의 DNA 서열의 차이인 것이다.

인간 유전체

유전체(genome)는 생물체의 모든 유전적인 정보를 말한다. 인간 유전체는 약 3만 개의 알려진 유전자들로 구성되었고, 이는 인간의 복잡함을 고려하면 적은 숫자로 보인다. 그것은 환경과 같은 다른 요소들이 인간의 생리에 중요한 역할을 하고 있다는 것을 말해준다. 유전형(genotype)은 유전적인 구성 또는 개인의 유전체를 말하며 모든 유전자들 또는 특별한 유전자와 관련이 있다. 반면에, 표현형(phenotype)은 유전형과 환경의 상호작용에 의한 것이다. 표현형은 표면상으로 발현되는 것으로, 외양 또는 환경적인 조건들이 특별한 상황에서의 세포, 개인 또는 생명체에 의해 나타나는 행동을 말한다.

유전자 발현

유전 암호 또는 유전형이 모든 생물학적인 기능들을 통제하지는 않는다. 종(species)간의 차이와 개인 간의 차이는 모든 유전자들이 항상 발현되는 것은 아니므로 서로 다른 유전자보다는 유전자 발현의 차이에 의한 것이다. 유전자 발현은 생물체의 유전형이 표현형으로 나타나는 것으로, 유전자가 최종 기능을 하는 단백질로 변환되는 과정이다.

요리책을 유전체라고 하면 유전자 발현은 식사 조리법의 선택이라고 생각할 수 있다. 특정한 시간에 사용된 같은 책의 조리법에 따라서 매우 다른 식사가 될 수 있다. 타이밍의 작은 차이와 유전자 발현의 정도에 따라 많은 개인 간의 차이가 나타날 수 있다. DNA 자체보다 mRNA 발현 양상의 다양성이 질병의 발생과 약물반응의 다양성을 나타내는 더 큰 원인이다. 그래서, 질병을 이해하고 약물치료의 접근을 위해서 유전자 서열을 알아야 하는 만큼 유전자 발현의 정보는 매우 유용할 것이다.

DNA가 mRNA로 전사되는 과정이나 mRNA가 단백질로 번역되는 과정의 변화로 인하여 단백질 구조의 변화가 발생된다. 유전자 전사물인 mRNA는 단백질로 번역되기 이전에 다양한 방법으로 스플라이싱된다. 번역과정 이후에 많은 단백질들은 주로 탄수화물이나 인산기가 결합되는 번역 후 변형(posttranslational modification) 과정을 통해 화학적으로 변하게 된다. 그런 변형과정은 직접적으로 유전자에 의해 암호화된 것은 아니지만, 많은 단백질들의 기능을 조절하는데 중요한 역할을 한다. 그 결과 하나의 유전자가 50개의 서로 다른 단백질을 암호화할 수도 있다.

유전자 변이와 질병

유전체 연구는 유전자의 구조, 기능과 질병의 활동에 관한 방대한 정보를 제공하고 있다.

유전자 변이의 종류

돌연변이

유전자 변이(genetic variation)의 한 형태인 돌연변이(mutation)는 영구적인 변화 이거나 DNA의 구조적인 변화이다. 돌연변이는 무작위적으로 발생되고, 방사선과 돌연변이성 화학물질을 포함하는 외부요인에 의해 발생될 수 있다.

돌연변이는 인구 집단에서 1%미만의 빈도를 갖는 유전체 변이이고, 보통 유해하다. 하지만, DNA의 암호화되지 않는 부위에서 발생된 어떤 돌연변이들은 생리학적이거나 생화학적인 효과를 나타내지 않는다. 가끔, 돌연변이는 오랜 시간 동안 인구집단의 적응(adaptation)과 진화(evolution)에 영향을 주어 유익하게 하고, 유기체의 생존 기회를 향상시킨다. 그런 유익한 돌연변이들이 유전자풀(gene pool)내에 존속하게 된다면 보통 다형성이 나타나게 된다.

생식세포 돌연변이(germline mutation)나 유전적인 돌연변이(hereditary mutation)는 생식세포 또는 단일 세포 단계에서 접합자(zygote)에서 발생되는 DNA의 유전되는 변화이다. 그런 돌연변이는 자손의 모든 세포에서 통합되어 있다. 생식세포 돌연변이들은 많은 유전적인 질환에서 중요한 역할들을 한다. 또한, 망막아세포종(eye tumor retinoblastoma), Wilms 종양, 유년기의 신

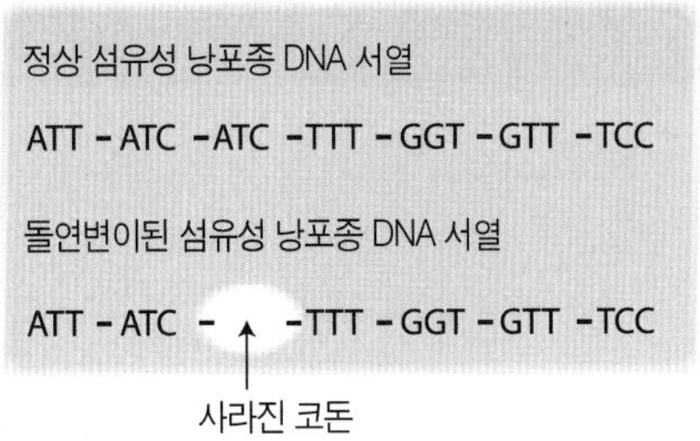

정상 섬유성 낭포종 DNA 서열

ATT - ATC -ATC -TTT - GGT - GTT -TCC

돌연변이된 섬유성 낭포종 DNA 서열

ATT - ATC - 　 -TTT - GGT - GTT -TCC

사라진 코돈

그림 17-1 섬유성 낭포종(cystic fibrosis, CF)을 일으키는 돌연변이의 예. 페닐알라닌(phenylalanine)을 암호화하는 코돈 ATC가 결손되는 돌연변이로 인하여 비정상적인 단백질을 만들게 되고, 이로 인하여 섬유성 낭포종이 발생하게 된다.

장 악성종양 등의 특정한 암세포에서 나타나기도 한다.

　반면에 획득 돌연변이(acquired mutation)는 임신이후에 단일 세포에서 발생되는 유전자 또는 염색체의 변화이다. 이러한 변화는 모든 세포로 전달되고, 돌연변이에 의한 세포의 클론을 형성하게 된다. 획득 돌연변이들은 생식세포와 반대로 일반적인 체세포에서 나타나고 조상으로부터 전달되지 않는다. 획득 돌연변이로부터 발생되는 많은 질병들이 있다. 예를 들면, 사람들에서 많이 발생하는 유방암과 대장암은 변형된 유전자들이 유전되지 않는다. 모든 암의 5% 또는 10% 정도만이 유전되는 암의 형태이다. 특히, 노인들에서 진단되는 것은 획득 돌연변이에 의해 발생되는 암이 많다.

　많은 돌연변이된 유전자들은 생리학적으로 중요한 단백질이 제 기능을 하지 못하는 단백질이 되게 하고 직접적으로 질병의 원인이 된다. 예를 들면, 정상의 헤모글로빈 단백질에서 하나의 아미노산에 변이가 발생되면 겸상 적혈구성 빈혈(sickle cell anemia)을 유발한다. 그림 17-1은 낭포성 섬유종(cystic fibrosis)의 원인 돌연변이를 나타낸 것이다. 돌연변이를 찾는 것으로부터 과학자들은 질병의 분자 유전적인 기초를 확인하고 이해할 수 있다. 실질적으로 어떤 유전자에 결점이 생기면 질병이 발생하거나 약물에 대한 반응

이 바뀔 수 있는 것이다.

유전자 다형성

　유전자 변이의 또 다른 종류인 다형성(polymorphism)은 집단 내에서 상당한 빈도로 나타나는 DNA 변이이다. 일반적으로 다형성은 집단 내에서 최소한 1% 이상의 빈도를 보인다. 다형성이 낮은 빈도로서 발생되는 것이 돌연변이 또는 유전자 변이이다.

　다형성은 아마도 생식세포 돌연변이에서 시작되었고, 유전되기 때문에 어떤 환자 집단에서는 흔히 나타나게 된다. 다형성들은 돌연변이보다 유익하고, 어떤 환경에서 개인에게 생존적인 이득을 주기 때문에 많은 다형성들은 유전자풀 내에서 계속 유지하게 된다. 그러나, 같은 다형성은 또 다른 해로운 특징이 될 수 있다.

　겸상 적혈구 빈혈의 유전자는 수천 년 전에 돌연변이가 발생된 것이다. 변형된 유전자는 자식들에게 유전되고 말라리아에 선택적인 저항성을 보이게 되므로 말라리아 발생지역에서 흔히 나타나게 되었다. 그러나, 변형된 유전자는 또한 비정상적인 헤모글로빈을 만들고 양쪽 부모로부터 변형된 유전자를 물려받은 아이는 겸상 적혈구 빈혈을 일으킨다. 단지 하나만 변형된 유전자를 가진 아이는 질병에 대한 증상은 없지만 그들의 자손에 전달되는 유전자 소인을 가지고 있는 것이다.

　다형성들은 특히 어떤 민족이나 인종에서는 중요하다. Glucose-6-phosphate dehydrogenase (G6PD)는 정상적으로 적혈구내에 존재하며, 산화적 스트레스로부터 세포를 보호한다. G6PD결핍은 성염색체와 연관된 다형성으로 전 세계적으로 4백만 명에서 나타나고 있다. 흑인 남성의 약 10%와 보다 소수의 흑인여성에서 G6PD결핍이 나타난다. G6PD결핍 유전자를 물려받으면 말라리아에 대한 저항성을 나타내게 된다. 하지만, 유

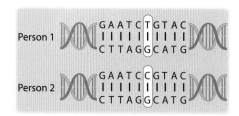

그림 17-2 DNA서열에서 단일염기치환(sing-nucleotide poly-morphism)의 예. 일반적인 사람들에서의 T가(person 1) 일부의 사람들에서는 C로 치환되었다(person 2).

전적 다형성은 적혈구를 파열시키는 치명적인 용혈성 빈혈(hemolytic anemia)을 야기한다. 이러한 빈혈은 잠두(fava bean)를 복용하거나, 어떤 꽃가루를 흡입했을 때, 감염이나 어떤 약물을 복용하는 등의 특별한 상황에 노출되었을 때 발병된다. Chloroquine, pamaquine, primaquine, aspirin, probenecid와 비타민 K등은 G6PD가 결핍된 사람에게 용혈성 빈혈을 증가시킨다.

단일염기치환. 유전자 다형성의 가장 흔한 형태가 단일염기치환(Single-nucleotide polymor-phism, SNP)으로서, DNA 분자의 특정한 부위중 하나의 염기만 변화된 것이다. 단일염기인 A가 다른 3개의 염기인 C나, G 또는 T로 바뀌는 것을 말한다. SNP의 예로서, AAGGTTA라는 DNA 조

각이 ATGGTTA로 바뀌는 경우로서 두 번째 A가 T로 치환되었다. 그림 17-2는 SNP의 개념을 설명하고 있다. 다른 흔하지 않은 유전자 변이로서 DNA의 단일 염기나 여러 개의 염기가 중복(duplication) 또는 결손(deletion)되는 경우도 있다.

SNP는 개인의 유전자 차이를 크게 나타내고, 그런 SNP정보들을 수집한 큰 데이터 베이스들이 있다. SNP는 유전체의 어떤 곳에서든지 발생할 수 있고, 그들의 좌위는 최종적인 효과를 결정하는데 중요하다. SNP는 암호화되는 부위에서 발생할 수도 있고(cSNP), 조절부위(rSNP)에서 그리고, 비암호화 부위에서 발생하기도 하며 이들을 anonymous SNP라고 한다.

비암호화 부위에서 발생된 SNP는 가장 흔한 형태의 SNP로서 유전자 기능에 대한 영향이 없다. cSNP이지만 synonymous SNP는 단백질의 아미노산 서열을 변화시키지 않고 기능적인 변화를 일으키지는 않을 것이다. 단지 nonsynonymous SNP들은 서로 다른 아미노산을 암호화하게 되고, 질병이나 약물의 반응에 영향을 줄 수 있다. 이러한 SNP들의 효과는 두 개의 아미노산이 얼마나 다르고, 단백질 구조, 접힘(folding)과 활성부위의 배치(configuration) 정도에 대한 변화에 따라서

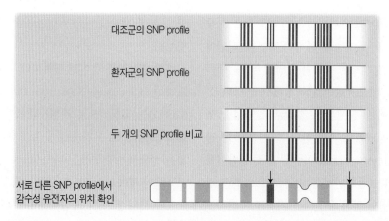

그림 17-3 단일염기치환(sing-nucleotide polymorphism)을 이용한 개인에서 질병 감수성 유전자들의 위치를 확인하는 연관 연구들. 두 군에서의(대조군과 질병이 유발된 환자군) 특별한 유전자들 또는 변이들을 찾고, 두 군 간의 표현형의 차이를 야기하는 유의한 유전자 변이들과의 연관성을 확인한다.

크게 달라진다. 인간 유전체에 이십만 개의 cSNP 가 있는 것으로 추정된다.

그림 17-3은 SNP연관 연구(SNP association study)를 통하여 개인의 질병에 감수성이 있는 유전자들의(disease-susceptibility) 위치에 대한 접근방법에 대하여 설명하고 있다.

단일유전자 질병

인간 유전학에서는 단일유전자에 의해 질병이 발생되는 유전자들을 확인하는 것에 먼저 중점을 두었다. 과학자들은 현재 하나의 유전자 돌연변이가 약 6천 개의 유전병을 일으킨다고 생각하고 있다. 이런 질병들로는 낭포성 섬유종, 헌틴병 (Huntington's disease), 겸상적혈구 빈혈증, 혈우병(hemophilia)과 같은 많은 폐와 혈액질환을 포함한다. 흔하지는 않지만, 이런 단일유전자에 의해 발병되는 질병은 전세계적으로 수백만명에서 발생되고 있다. 이런 질병들의 100개 이상에 대해 분자적인 결점이 잘 알려져 있다. 단일 유전자에 의해 발병되는 질병들은 초기 진단에 앞서서 질병의 과정을 이해하고 가능한 치료법을 찾는 것이 중요하다.

대부분의 단일유전자에 의해 발병되는 질병들은 몇몇을 제외하고는 환경에 무관하게 발생한다. 돌연변이가 유전된 사람이라면 질병이 발병될 것이며 그 사람의 생활습관이나 생활 상태와는 무관한 것이다.

단일유전자에 의한 질병들은 X염색체와 연관되어 있는 반성유전(X-linked), 상염색체 열성유전(autosomal recessive) 또는 상염색체 우성유전(autosomal dominant)으로 분류된다. 질병이 발생되는 유전자의 결점은 돌연변이 대립형질 또는 질병을 발병시키는 형질을 가진 것으로 알려져있다. X염색체와 연관된 질환들은 단일유전자에 의해 발생되는 질환들로서, 결점이 있는 유전자가 X염색체상에 존재한다. X염색체와 연관된 대립유전자들은 우성이거나 열성이다. 저인산염혈증(hypophosphatemia)과 같은 소수의 질환들은 우성 유전의 특성을 가지고 있다. 반성열성유전으로 혈우병 A와 뒤셴형 근육위축증(Duchenne muscular dystrophy)등이 있다. 상염색체와 관련되어 발병되는 질환들은 염색체 1-22번의 결점에 의해 발병된다. 낭포성 섬유종, 겸상 적혈구 빈혈과 같은 상염색체 열성유전 질환들은 질병이 발병되는 두 개의 대립 유전자가 있는 사람에서만 나타난다. 헌팅병과 같은 상염색체 우성 유전질환들은 단지 한 개의 대립 유전자만 있어도 발병된다.

표 17-1은 흔한 단일유전자 질환들을 나타내었다.

표 17-1 단일유전자에 의해 발병되는 질병들의 예와 돌연변이가 나타난 염색체와 돌연변이의 형태.

Disorder	Mutation	Chromosome
색맹	P	X
낭포성 섬유종	P	7
다운증후군	C	21 (extra chromosome)
혈우병	P	X
클라인펠터 증후군	C	X (extra chromosome)
척추파열	P	1

P, 점 돌연변이(point mutation) 또는 하나의 유전자 내에 삽입이나 결손; C, 추가적 염색체(chromosome extra)나 소실(missing) 또는 둘 다

다유전자 질병

　다유전자에 의한 질병들은 더 흔하고 복잡한 질병들로서 여러 개의 유전자의 결함으로 인하여 발생된다. 그런 질병들은 여러 가지 유전자들의 대립 유전자에 유전적 결함의 조합으로 발생된다. 이런 질병들은 많은 사람들에서 흔히 나타나는 질환들로 천식, 심장질환, 성인에서 발병되는 당뇨병, 두통과 알츠하이머 질환 등이다. 우울증과 다른 정신질환들은 한 번에 여러 가지 유전자들의 변화로 인하여 발병되는 것으로 보고 있다. 이런 질병들은 단일 유전자에 의한 질병과는 달리 명확한 유전적인 양상이 관찰되지는 않는다. 그러나, 복잡한 질환들은 여전히 가족에서 집단으로 발생되고, 단일유전자 질환에서와 같이 예측할 수는 없다.

　많은 흔한 다유전자에 의해 야기되는 질병들은 결점이 있는 감수성 유전자들과 외부 환경 인자들(식이, 대기 오염물질, 담배연기와 알레르기 항원의 노출등) 사이의 복잡한 상호작용에 의해 발병된다. 감수성 유전자들은 특정한 질병이 발병되는 개인의 위험도를 증가시키게 되지만, 반드시 질병이 발병되는 것은 아니다. 유전자의 서로 다른 대립형질들은 서로 다른 감수성 또는 위험도를 가지고 있다. 염색체 19번 상의 APOE유전자는 질병의 감수성 유전자의 한 예이다. APOE의 변이형 대립유전자 2개를 가진 사람은 서로 다른 APOE 유전형을 가진 사람에 비해 알츠하이머 질환이 발병될 위험이 더 크다. 감염성 질환들에서 질병의 징후는 개인마다 다르고, 감염된 유전체와 환경적인 요인의 영향을 모두 받으므로 좀 더 복잡하다.

　폭 넓은 스펙트럼에 걸친 질병들을 결정하는 것으로서 환경보다 유전적인 것이 상대적으로 더 중요하다. 어떤 질병들에서는 외부요인이 더 중요하지만, 어떤 경우에는 내부 요인이 더 중요하다. 감수성 유전자들은 발병 나이, 진행 속도 또는 그것을 방어하는 것에 영향을 줄 수 있다. 그것들의 유전 규칙과 질병에서 역할을 이해하는 것은 복잡한 문제이다. 연구자들은 유전적 요인들이 질병에 대한 개인의 감수성을 더 크게 하는 것으로 보고 있으며, 환경적인 요인들은 질병이 실질적으로 발병될 수 있는지 여부를 결정하는 것으로 본다. 예를 들면, 같은 유전자의 감수성을 가진 두 사람이 완전히 다른 두 환경에 있다면 한 사람은 질병이 발병되지만 다른 사람은 발병되지 않을 것이다. 단지 질병에 영향을 주는 환경에 있는 사람만 질병이 발생하게 되는 것이다. 그래서 질병의 감수성에 대한 초기의 지식은 환경과 생활습관을 조절하여 질병을 예방하거나, 예방요법이나 초기 투여를 시작할 수 있게 해줄 것이다.

　그림 17-4는 단일유전자와 다유전자에 의해 발생되는 질환들의 차이를 설명한 것이다.

연관

　유전자의 뒤섞임(genetic shuffling)이 거의 없이 한 세대에서 다음 세대로 전달되는 긴 DNA 블록이 있다. 염색체를 펼치면 이러한 블록을 포함하는 유전자 변이는 단지 서로 다른 사람에서 4 또는 5개의 양상으로 나타난다. 이러한 DNA 단편들은 주로 중요한 단백질을 만드는 하나 또는 그 이상의 유전자들을 포함하거나, 다수의 유전자 조절 부위 단편과 아무런 기능이 없는 다수의 단편으로 되어 있다.

　연관은 DNA 단편들이 함께 유전되려고 같은 염색체에서 서로 밀접하여 위치해 있는 것이다. 이런 DNA단편들 중의 하나는 관심 있는 유전자일 것이고 또 다른 것은 마커이다. 마커는 염색체에서 물리적인 위치를 확인할 수 있는 유전되는 DNA 조각이다. 마커는 유전자이거나 기능을 모르는 DNA 조각이다. 염색체상에서 두 개의 조각이 서로 밀접해 있을수록 DNA 수선이나 재조합 과정에서 분리될 가능성이 더 낮아지고, 그것들

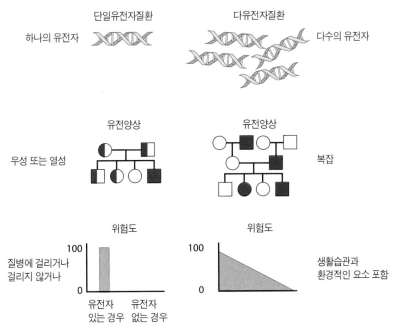

그림 17-4 단일유전자 질환(monogenic disease)과 복잡한 다유전자 질환(polygenic disease)의 차이. 단일유전자에 의해 발병되는 질환은 하나의 유전자에 결손이 발생하고 유전 양상을 상당히 예측할 수 있다. 다유전자에 의해 발병되는 질환은 여러 유전자들에 결손이 발생되어 나타나고 유전되는 것들이 조합되어져서 복잡한 유전 양상을 보인다. 단일유전자 질환은 유전형과 표현형의 상관관계가 명확하다(질병에 걸리거나 걸리지 않거나). 다유전자 질환은 유전형과 표현형의 관계가 복잡하고, 생활습관이나 환경적인 요소들의 영향으로 인하여 더 복잡하게 된다. 사람은 질병의 민감성 또는 위험도가 다르며 정확한 위험도는 확실하게 결정할 수 없다.

은 함께 유전될 가능성이 더 커지게 된다.

그래서, 마커는 일반적으로 표현형과 관련이 없지만 표현형을 나타내는 유전자와 밀접해 있기 때문에 표현형을 예측하는 데 매우 유용할 수 있다. 마커는 대략적인 위치는 알고 있지만 아직까지 유전자의 유전 양상이 알려지지 않은 유전자들을 간접적으로 추적하는 데 흔히 이용된다. SNP는 유전체에서 흔히 나타나는 것이고 비교적 유전적으로 안정함으로 훌륭한 생리학적인 마커들로서 질병과 관련된 유전자를 찾는 데 이용할 수 있다.

유전자 변이와 약물반응

일부 유전자 변이는 질병의 발생을 초래하고, 또 다른 형태의 유전적 변이는 개인의 약물반응에 있어서 약동학(pharmacokinetics)적 또는 약력학(pharmacodynamics)적으로 영향을 주기도 한다. 유전자 변이는 단백질 구조를 변화시키는 유전자의 변화뿐만 아니라, 단백질 합성에 영향을 주어 단백질의 양적 변화를 유도하는 유전자 조절부위의 변화도 포함한다. 생체내에서 약물의 거동은 수용체, 약물대사효소, 약물수송체 및 약물과 결합하고 수송하는 단백질들과의 상호작용으로 인하여 매우 복잡하다. 개인마다 작지만 매우 중요한 유전자 다형성으로 인하여 개인에서 이런 단백질들의 구조나 양에 변화를 가져오게 되고, 각 개인마다 약물반응의 큰 차이를 유발하게 된다.

약물유전체학과 약물유전학

약물유전학(pharmacogenetics)의 역사는 약 40년 정도 되었으며, 약물에 대한 개인의 반응에서 다양성에 영향을 주는 유전적 요인을 연구하는 분야이다. 이 분야 연구자들의 대부분은 간대사 효소 특히, CYP450효소에 영향을 주는 유전적 변이에 대하여 주로 연구를 하고 있다. 약물유전학은 인구 집단 내에서 약물대사에 변화를 가져올 수 있는 사람을 찾아서 적절한 약물치료요법을 하려고 한다. 약물의 대사에서 유전적인 차이를 밝혀내는 것은 원하지 않는 약물반응이 나타난 후에 약물 용량을 조절하는 과정을 거치지 않고, 처음부터 약물을 좀 더 효과적이고 안전하게 처방할 수 있도록 해준다. 많은 약물유전학 연구들은 심각한 독성 반응을 야기하는 약물 특이체질을(소수의 환자에서 나타나는 비정상적인 약물반응) 설명하기도 한다. 대부분 특이체질 반응(idosyncratic reaction)은 약물대사 효소의 유전적 변이에 의해서 유발한다고 알려져 있다.

약물유전학은 초기에 약물대사에 중점을 두었지만 지금은 약물의 흡수, 분포 및 배설에 영향을 주는 수송체를 포함하는 약물 disposition 영역까지 확장되고 있다.

약물유전체학(pharmacogenomics)은 약물 반응에 대한 개인의 유전 및 유전체의 효과에 대하여 연구하는 분야이다. 그것은 다양한 유전자와 대립 유전자에 대해 폭넓게 연구하는 것이다. 어떤 생리학적인 상태에서 발현이 되거나 되지 않는 모든 유전자에 대한 연구와 어떻게 약동학적 및 약력학적 측면에 영향을 주는지에 대하여 연구를 한다. 일반적으로 약물유전학과 약물유전체학은 서로 혼용하여 사용하지만, 약물유전체학은 유전체 전장(genome-wide) 접근에 주로 사용하는 반면 약물유전학은 특별한 개인적인 차이에 중점을 둘 때 사용한다.

유전자 변이의 결과

약물의 약동학적인 거동과 개인의 약력학적인 반응은 직접적으로 약물-단백질 및 약물과 다른 생체분자와의 상호작용과 관련이 있다. 그래서, 세포 단백질의 다양성을 직접적으로 유발하는 것을 관찰하면 약물치료에서 유전적인 다양성을 좀 더 완전하게 이해할 수 있을 것이다. 약물반응에서 개인 간의 차이는 약물대사효소, 약물수송체 또는 약물 표적을 암호화하는 유전자의 서열 변화에 의한 것일 수 있다.

약물대사효소들

약물대사효소에서 유전자 다형성들은 약물대사 반응을 다르게 하여 일정한 인구집단들을 작은 군들로서 구별되는 양상을 보인다. 이러한 차이들은 효소의 양적 변화와 활성 변화를 가져올 수 있다. 효소들의 구조적인 변화는 Michaelis 상수인 K_m 또는 최대 반응속도인 V_{max}, 또는 둘 다를 증가 또는 감소시키게 된다. 사람에서 약물대사효소는 30개 이상의 family들이 있으며 거의 대부분 유전적 다형성을 가지고 있다. 모든 효소의 구적적인 변화들이 약물대사에서 유의한 임상적인 차이를 가져오지는 않지만, 이러한 다형성들의 많은 부분들은 효소를 암호화하는 기능적인 변화에 영향을 준다.

유전자 증폭(gene amplification)은 효소의 mRNA 발현을 증가시키고, 효소의 양을 증가시키게 되며 약물을 빨리 제거시켜 환자가 약물에 대한 저항성을 나타내게 한다. 유전자 결손은 효소가 전혀 만들어지지 않거나, 불완전 또는 기능이 없는 효소로 만들어 져서 효소활성을 결핍시키게 된다. 이러한 환자들은 특정한 약물에 대한 대사능 저하군(slow metabolizer)에 해당된다. 이러한 경우, 상용량을 사용하였음에도 불구하고 약물농도가 빠르게 독성농도에 도달하게 된다. 그림 17-5는 전형적인 약물의 정상 대사군과 대사능 저하군의 빈도를 보여준다.

CYP 효소들. 대부분의 약물대사에 관여하는

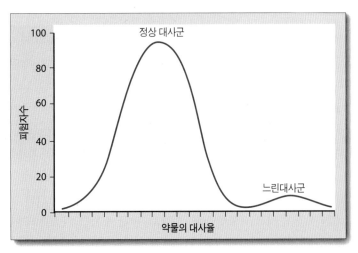

그림 17-5 전형적인 두 봉우리 형태(bimodal)의 양상을 보이는 약물의 정상적인 대사군과 느린 대사군의 빈도를 나타낸 분포도. X축은 대사률(metabolic ratio)로서 혈장 중 모약물의 농도와 대사체의 농도의 비로 나타낸다. 대사률이 높을 수록(느린 대사군) 약물유해반응 이 나타날 가능성이 증가한다. 이 예에서는 인구 집단의 낮은 빈도가 느린 대사군인 경우이다. 세 봉우리 형태(trimodal)의 그래프에서는 3개의 대사군으로 분류되는 경우이다.

CYP450효소들에 대하여 많은 연구가 있었다. 높은 빈도의 다형성을 보이는 6개의 CYP약물대사 효소가 있다(CYP1A2, CYP3A4, CYTP2A6, CYP2C9, CYP2C19과 CYP2D6). 예를 들어, CYP2D6는 약 90개의 SNP 변이가 있으며, 그중 10개는 임상적으로 중요하다. CYP2D6는 항우울 제(amitriptyline, fluoxetine, paroxetine), 항정신 병용약(risperidone, haloperidol)과 마약성 진통 제(morphine, codeine)를 포함하여 50개 이상의 약물대사에 관여한다. 고혈압 치료제인 debriso-quine의 CYP2D6에 의한 대사는 CYP2D6 활성의 지표로서, 대사능 저하자(poor metabolizers, PM), 중간 대사능을 갖는 사람들(intermediate metabolizer, IM), 보통의 대사능을 갖는 사람들 (extensive metabolizer, EM), 대사능이 증가된 사람들(ultra-rapid metabolizers, UM)로 분류하고자 할 때 사용되던 대표적인 약물이다. 인종에 따라 1-10%가 CYP2D6 PM에 해당한다.

다른 효소들. SNP에 영향을 받는 다른 효소들도 많이 있다. 예를 들어, isoniazid를 포함하는 약물 들의 phase II의 아세틸화(acetylation)에 중요한 역할을 하는 N-acetyl-transferase-2 (NAT2)의 많은 변이들이 SNP에 의한 것이다. 특히, 빠른 대사와 느린 대사를 일으키는 변이로 구분되며, 이들은 각각 rapid acetylator와 slow acetylator로 구분된다. Rapid acetylator들은 더 많은 용량의 약물이 필요하고 slow acetylator들은 좀 더 적은 용량의 약물이 필요하다. 아세틸화를 서서히 하게하는 변이를 가진 환자는 약물이 오랫동안 체내에 유지되어 높은 혈중농도가 된다. Isonazid를 투여하는 폐결핵환자에서 slow acetylator보다 rapid acetylator에서 isoniazid의 작용시간이 짧아져서 치료실패율이 증가하게 된다.

임상적용 특정 약물의 대사능이 저하된 사람을 확인하는 것은 투여 이후의 약물농도를 모니터링 하는 것으로 가능하다. 일반적으로 약물농도가 높게 나타나는 것은 대사효소의 결함으로 인하여 대사가 느리게 진행되었다는 것을 의미한다. 그러나, 약물 농도를 모니터링 하는 것은 비싸고 불편하며, 높은 혈중 약물농도는 다른 생리학적인 문제들로부터 발생할 수 도 있다.

약물대사효소의 유전적 다형성을 유전형 검사를 통해서 확인하는 것은 좀 더 직접적인 접근방법이며 언젠가는 폭넓게 이용하게 될 것이다. 하지만, 그런 유전정보의 이용이 자명하지만은 않다. 많은 약물들은 한 가지 이상의 반응으로 대사되고 한 가지 이상의 효소가 대사에 관여된다. 게다가, 각 효소들은 모두다 임상적으로 유의하지는 않겠지만 여러 가지 다형성을 가질 수 있다. 그래서, 특정한 효소의 개인에 따른 다형성을 확인하는 것은 약물치료 계획을 세우는 데 도움이 될 것이다.

일반적으로, 약물의 치료역이 좁거나, 또는 전구약물(prodrug)로서 대사에 의해 반드시 약리학적으로 활성인 대사체가 생성되는 약물의 경우에 약물의 대사경로가 유전적 다형성에 영향을 받는 경로를 통해서 주로 배설된다면 임상적으로 유의하게 약물대사에서 다형성이 나타나게 될 것이다.

많은 제약회사들은 서로 다른 방식으로 대사능 저하자에 관한 문제에 대해 노력을 하고 있다. 예를 들어, CYP2D6의 다형성은 높은 빈도로 발생하므로 제약회사들은 약물의 구조적 설계시 CYP2D6에 의해서 대사되지 않도록 하려고 하고 있다.

약물 표적

약물의 작용부위에서 약물의 농도가 적절함에도 불구하고 약물 효과는 약력학적인 측면에서 개인간의 차이를 유발할 수 있다. 약물의 표적 분자가 어떻게 약물 반응을 나타내는지, 표적 분자의 신호전달과정의 또 다른 하위의 요소들이 약물 반응에 어떻게 영향을 미치는지 등의 변화에 의해 약물반응이 조절된다. 약물대사효소의 유전적 다형성에 관한 정보는 많음에도 불구하고 수용체 구조에 영향을 주거나, 약물의 약력학에 영향을 주는 다형성에 대해서는 중요하지만 아직까지 잘 알려져 있지 않다.

수용체 유전자의 돌연변이는 수용체의 반응을 증가시키거나 감소시킬 수 있다. 수용체 반응이 감소된 수용체는 상향조절(up-regulation) 또는 하향조절(down-regulation)되어도 정상일 때 보다 덜 민감하게 반응한다. 그런, 수용체 유전자의 모든 돌연변이가 약물치료에 문제를 보이는 것은 아니다. 사실, 어떤 돌연변이는 약물에 대한 수용체의 반응을 증가시켜 유익한 효과를 가져오기도 하고, 어떤 경우는 약물과 수용체의 상호작용에 전혀 유의한 영향을 안 주기도 한다.

예를 들면, β_2-아드레날린성 수용체의 어떤 유전형을 가진 천식환자의 경우 가장 흔하게 처방되는 흡입제인 albuterol에 대해 반응을 나타내지 않는다. 이러한 예에서 보면, 약물의 작용점이 β_2-아드레날린성 수용체라는 정보를 알 수 있다. 만약 이 유전자의 16번 위치가 adenine이라면, albuterol에 대한 약물 효과를 잘 나타내게 될 것이다. 만약 반대의 경우로 이 위치에 guanine이라고 하면, 수용체는 기능을 나타내지 못하게 될 것이고 약물반응도 안 나타나게 될 것이다.

정상세포와 비교하여 암세포는 종종 독특한 유전자와 단백질의 조합을 나타낸다. 예를 들면, BRCA1 또는 BRCA2 유전자의 돌연변이를 가진 사람들은 다른 mRNA 양상을 나타내게 되고, 단백질들은 세포주기와 세포증식을 조절하게 된다. 유전자의 돌연변이나 유전적 변이에 근거한 암세포의 분류는 진단기술로서 매우 가치가 있고 최선의 치료를 선택하는 데 도움을 줄 수 있다.

박테리아나 바이러스와 같은 감염질환에 사용하는 약물의 유전형검사의 경우에도 최선의 치료를 선택하는 데 도움을 줄 수 있다. 많은 감염질환에 사용하는 약물들은 돌연변이를 일으키고, 어떤 항생제나 항바이러스 제제에 대한 저항성이 나타나게 된다. 예를 들면, 환자에서 HIV-AIDS 바이러스의 유전형검사가 된다면, 어떤 약물에 대해서 저항성을 나타내는지 알 수 있을 것이다. 환자에게 적절한 약물의 선택은 좀 더 성공적인 치료가 될 수 있고 경제적일 수 있다.

신호전달이나 약물반응에 영향을 주는 다른 하위 단백질의 유전적 변이에 관한 여러 가지 예가 있다. ACE억제제는 angiotensin I을 angiotensin II로 전환시키는 것을 억제하고 bradykinin의 분해를 억제한다. Bradykinin의 G 단백 결합 수용체의 다형성은 ACE 억제제의 대표적인 부작용의 하나인 기침을 나타내는 것과 관련이 있다. 그래서 ACE억제제의 직접적인 작용부위는 아니지만 이 약물의 전체적인 반응에 영향을 주게 된다.

약물수송체

많은 약물수송 단백질은 약물의 흡수, 분포와 배설에 관여하며, 이들의 유전적 변이는 개인간의 약물 disposition에 차이를 가져올 수 있다. 약물수송단백질들이 약물의 작용분자라면 약력학에도 영향을 줄 수 있다. 많은 약물수송체들은 아직까지 잘 알려지지 않았고, 기능들도 또한 완전하게 확인되지 않았으므로, 수송체의 다형성이 약물의 disposition이나 반응에 미치는 영향을 이해하기 위해서는 많은 연구가 필요하다.

약물의 disposition과 관련된 가장 많이 연구된 것이 염색체 7에 있는 ABCB1 유전자 (MDR1을 암호화)에 의해 암호화되는 P-glycoprotein이다. 여러 가지 약물에 대한 저항성을 나타내고, 배출수송체인 MDR1의 다형성은 경구 흡수율의 차이를 가져오고, 약물 작용 기관에 여러 가지 약물을 축적 시키기도 한다. 예를 들어, MDR1유전자의 변이는 수송체의 발현이 저하되고, 경구투여 후 digoxin의 농도가 증가하게 된다.

세로토닌 재흡수 억제제의 작용부위인 세로토닌 수송체는 유전적 변이가 약물반응과 관련되어 잘 알려져 있는 수송체이다. 유전형과 항우울제의 반응간의 상관관계가 잘 알려져 있다.

약물유전체학의 임상적용

가장 성공적인 약물이라도 일부의 환자에서만 적절한 치료효과를 나타내고, 일부의 환자에서는 아무런 효과가 없으며, 또 다른 사람에서는 부작용을 나타내기도 한다. 예를 들면, HMG-CoA 환원효소 저해제 (atorvastatin과 같은 statin계 약물)의 경우 30%의 환자에서 약물반응이 나타나지 않으며, β차단제(예: propranolol)의 경우는 35%에서, 삼환계항우울제 (예: desipramine)의 경우 50%의 환자에서 약물반응이 나타나지 않는다.

어떤 약물에 대해 효과를 보고 있는 환자라고 할지라도 최적의 약물용량은 사람마다 매우 다양하다. 예를 들면, warfarin의 경우 하루 치료용량이 20배 정도 차이가 나며, propranolol의 경우 40배 정도 차이가 난다. 다빈도로 사용하는 고질혈증 치료제인 simvastatin의 경우에도 약물 용량과 반응의 다양성은 뚜렷하게 나타난다. 40 mg 투여에서 41%까지 LDL(low-density lipoprotein) 수치가 감소하고, 80 mg일 때 47%, 160 mg일 때 53%까지 감소한다. 그러나, 최고 투여용량인 160 mg의 경우 5%의 환자는 10-20% LDL 수치가 감소하고, 6%의 환자에서는 전혀 감소되지 않았다. 이러한 예들은 매우 성공적이고 상대적으로 안전한 약물일지라도 약물반응에서 개인간의 차이가 매우 크다는 것을 시사한다.

약물 효과와 독성에서 개인 간의 다양성적인 측면에서 유전자 다양성을 추적할 수 있다. 약물유전체학의 하나의 목표는 특정한 약물에 대해 유익한 효과를 나타내는 환자군을 정확하게 구분하는 것이다. 반대의 상황으로 어떤 약물로부터 독성의 위험성이 증가되는지 밝혀내는 것도 중요하다. 약물의 효과나 독성에 영향을 주는 결정적인 유전자가 존재하는지 또는 하지 않는지 밝혀내는 검색방법을 개발하면 환자에게 맞는 최적의 약물용량을 찾는 데 도움이 될 것이다. 그림 17-6은 약물유전체학이 미래의 약물치료에 영향을 줄

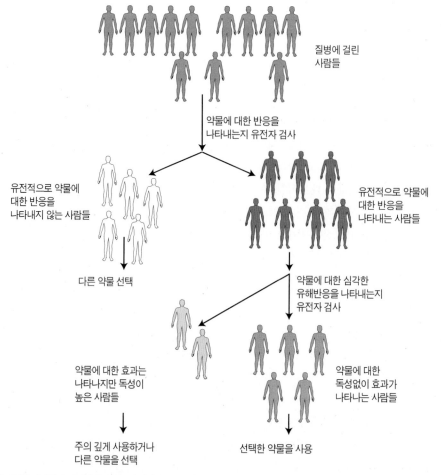

질병에 걸린
사람들

약물에 대한 반응을
나타내는지 유전자 검사

유전적으로 약물에
대한 반응을
나타내지 않는 사람들

유전적으로 약물에
대한 반응을
나타내는 사람들

다른 약물 선택

약물에 대한 심각한
유해반응을 나타내는지
유전자 검사

약물에 대한 효과는
나타나지만 독성이
높은 사람들

약물에 대한
독성없이 효과가
나타나는 사람들

주의 깊게 사용하거나
다른 약물을 선택

선택한 약물을 사용

그림 17-6 약물유전체학이 미래의 약물치료에 영향을 줄 수 있는 방법으로 올바른 환자에게 올바른 약물 치료를 찾는 것이다

수 있는 방법에 대해 설명한 것이다.

예를 들면, 많은 연구들에서 알츠하이머 환자의 20-40%가 tacrine에 효과를 보는 것으로 추측된다. APOE4의 유전자를 가진 사람의 경우 약물 효과가 더 낮게 나타난다. Tacrine사용에 있어서 약물의 작용 부위에 대한 도움을 주고, 알츠하이머 치료의 검증된 임상시험 자료 분석을 활성화하고, APOE4를 가진 환자에게 맞는 새로운 치료제를 개발할 수 있도록 해야 할 것이다.

약물유전체학이 미래의 약물치료에 영향을 줄 수 있는 방법은 다양하다.

• 진보된 질병 진단: 어떤 사람의 질병에 대한 감수성을 알고 있다면 어린 나이에 생활습관이나 환경적인 요인들을 변화시켜 유전적인 질환의 발병을 피하거나 보다 덜 심각하게 되도록 할 수 있다. 환자의 질병에 대한 감수성의 정보를 먼저 알고 있다면, 의사가 환자를 모니터링하고 질병의 발병초기에 적절한 치료를 할 수 있을 것이다.

• 표적 약물: 제약회사들은 질병과 관련된 단백질, 효소와 RNA등을 근거로한 약물을 설계할 수 있고, 최적의 치료효과를 나타내고 정상세포에는 최소한의 영향을 주는 특정한 질병을 목표로 하는 표적약물을 개발하여 치료효과를 증대시킬 수 있을 것이다.

• 약물 선택: 환자에게 맞는 적절한 약물을 선택

하는 방법으로 시행오차 방법 대신에 의사들은 환자의 유전정보를 분석하고 초기단계부터 치료할 수 있는 최적의 약물을 처방할 수 있게 될 것이다. 이런 방법은 회복 시간이 빠르며 부작용을 감소시키고, 안전성을 증가시킬 수 있다.

- 용량 선택: 현재 환자의 체중과 나이에 근거한 약물용량을 산출하는 방법 대신에 개인의 약물 체내 동태를 고려한 유전적 특징에 근거한 약물용량을 산출할 수 있게 될 것이다. 이것은 효과와 안전성을 최대화할 수 있다.

- 범용의 약물 설계: 약물유전체학은 개인의 흔한 다형성에 영향을 받지 않거나 이를 우회할 수 있는 약물을 설계하는 데 이용할 수 있을 것이다. 이러한 약물은 모든 환자에게 효과적이고 안전할 것이다.

단백질체학

사람의 유전체와 많은 병원균의 유전체들에 대한 해명은 질병의 이해와 치료를 하는 데 많은 도

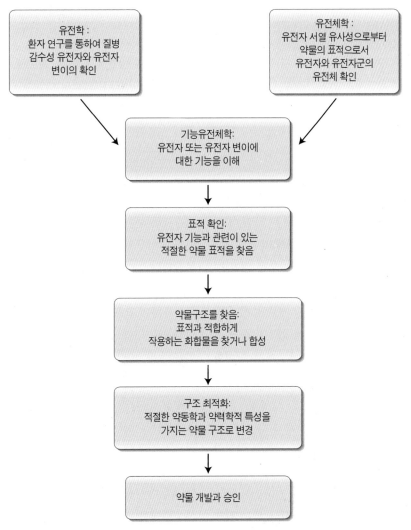

그림 17-7 신약을 개발하기 위한 유전자와 유전체 연구의 이용 전략. 유전자와 유전체 연구의 전략들을 합치고 표적을 찾는 것에 중점을 둔다면 신약과 효과적인 약물을 개발하는데 유용할 것이다. 유전체와 유전자 연구들은 표적을 찾는데 중점과 속도를 제공하므로 서로 상호 보완적이다.

움을 주고 있다. 인간 게놈 프로젝트는 지금까지 알려지지 않은 단백질을 암호화하는 수천 개의 유전자의 구조와 서열에 대한 정보를 알려주었다. 약 3만 개의 유전자들이 백만 개의 단백질로 전사된다. 대부분의 경우, 유전자 서열만으로 단백질의 구조와 질병에 대한 역할을 제대로 알지 못한다. 이러한 많은 단백질들은 특성이 잘 밝혀진 것들로서 생리학적인 기능을 예측할 수 있지만, 또 일부의 단백질들은 구조와 기능이 전혀 알려지지 않은 새로운 것들이다.

단백질체(proteome)는 유전체(genome)에 의해 발현된 모든 단백질을 의미하고, 단백질체학(proteomics)은 체내에 있는 단백질을 체계적으로 확인하고, 생물학적인 역할을 확인하는 학문이다. 개인의 유전체는 크게 변하는 것은 아니지만, 특정 세포의 단백질들은 유전자만큼 극적으로 변하여 환경에 따라 반응이 작동되거나 또는 되지 않을 수 있다. 단백질체의 동력학적 특성을 연구하는 기능 단백질체(functional proteome)는 특정 시간에 세포로부터 만들어지는 모든 단백질의 기능을 확인하는 분야이다. 인간은 10만 개 이상의 단백질이 있지만, 단지 일부분만이 세포에 따라 발현된다. 세포의 어떤 유전자들은 일정 시기에 활성화되고 또는 세포는 성숙되고, 많은 유전자들은 영구히 불활성화된다. 세포의 종류나, 세포가 특정한 일을 할 수 있는지 없는지 등을 결정하게 하는 단백질의 조성은 세포에서 활성화되고, 또는 불활성화되는 유전자들의 양상으로 결정되는 것이다.

질병의 경과와 관련된 단백질을 찾는 것은 연구자들이 어디서, 언제, 어느 정도 단백질 발현이 되었는지 등의 일련의 것들을 찾고, 이러한 요소들이 어떻게 질병의 상태에 따라 변하는지 찾는 것이다. 특정시간에 세포에 존재하는 모든 단백질을 안다면 현재 발현되고 단백질을 생산하는 유전자를 알게 될 것이다. 세포 생활주기의 여러 단계에서 이러한 일련의 과정들이 반복된다면 특별한 생리학적인 과정의 생화학적 스케줄을 알게 되는 것이다.

인간의 많은 질병들은 단백질의 구조를 직접적으로 변화시키는 것과 관련된 단백질 상호작용의 이상으로 발생한다. 그러나, 모든 단백질이 질병을 나타내는 것은 아니다. 유전자가 암호화하는 단백질의 기능을 알아야 유전체 서열정보의 진정한 가치를 알게 될 것이며, 이것이 단백질체학에서 해야 될 일이다.

궁극적으로, 단백질체학는 새로운 질병의 지표와 약물의 표적을 찾는 데 도움을 줄 것이고, 질병을 예방하고 진단하는 약물 등의 개발에 도움을 주게 되며, 질병을 극복할 수 있게 도움을 주게 될 것이다. 생명공학과 의학의 미래는 단백질체학에 의해 상당히 영향을 받겠지만 여전히 아직은 해결해야할 많은 일들이 있다. 유전체 시퀀싱은 매우 방대하지만 제한되어 있다는 문제가 있다. 인간의 유전체는 고정된 숫자의 유전자만 존재한다. 단백질체는 수백 개의 조직이나 수천 개의 질병과 관련되어 있거나 영향을 주며, 수초 이내에 변화가 이루어지므로 단백질체 시퀀싱은 훨씬 더 복잡하다.

대부분의 약물들은 어떻게 해서든 단백질과 상호작용하여 작용을 나타내지만 지금 알려진 모든 약물들은 대략 300-500개의 인간 단백질에만 영향을 준다. 10만 개 이상의 인간 단백질들은 기능을 모르며 이러한 단백질들에 작용할 약물들이 개발될 수 있을 것이다. 이러한 새로운 단백질들은 질병의 새로운 과정을 연구하고 치료적인 목적으로 사용할 수 있는 새로운 표적 분자를 찾는 데 엄청나게 많은 기회를 제공하게 될 것이다. 단백질의 합성을 차단하는 화학물질을 만들었다면, 생물체에서 단백질의 역할을 규명하는 데 도움을 주게 될 것이고, 이러한 화학물질의 구조를 적절하게 잘 다듬는 다면 약물이 되게 될 것이다.

약물유전체학의 전망

"모든 환자에게 맞는 하나의 약은 없다" 라는 말은 약물 치료의 격언이다. 약학분야에서 새롭게 해야 할 일은 약물 치료 시 왜 개인 간 약물 반응의 차이가 나타나는지를 이해하고, 이러한 다양성을 고려한 약물을 설계하는 것이다. 많은 제약회사들은 개인맞춤약물(individualized medicine)을 실현하기 위하여 직접적인 많은 연구들을 시작하고 있다. 지금은 약물에 알맞은 적절한 환자를 찾는 것에 대해 주로 연구하고 있다.

머지않아 유전자 분석은 개인맞춤약물-적절한 시간에 적합한 약물을 적절한 환자에게 사용하는 것-을 실현하는 데 도움을 줄 것이다. 약물반응의 개인 간의 차이를 유발하는 분자적인 기초를 이해하면, 개별화된 환자로서 약물치료를 할 수 있고, 그 시점의 환자에게 가장 알맞은 약물과 용량을 찾을 수 있게 될 것이다. 우리는 또한 환경적인 요소가 치료의 성공에 중요한 역할을 한다는 것을 잘 알고 있다. 약물반응에 영향을 주는 환경적인 요소와 분자적인 요인들을 완전하게 이해하는 것은 오랫동안 진행되고 복잡하겠지만 매우 흥미로운 과정이 될 것이다.

핵심개념

- 유전자 변이는(genetic variation) 돌연변이나(mutation) 다형성(polymorphism)으로부터 기인한다. 돌연변이는 상대적으로 드물며, 다형성은 인구 집단에서 최소 1%의 빈도로서 유전적인 변이를 나타내는 것이다.
- 단일염기치환(sing nucleotide polymorphism, SNP)은 가장 흔한 다형성이며 유전자에서 하나의 염기가 치환된 것이다.
- 단일유전자에 의한 질병(monogenic disease)은 하나의 유전자에서 유전적인 결함 때문에 발생하는 것이다. 대부분 단일유전자에 의한 질병들은 개인의 생활습관이나 환경에 무관하게 발생된다.
- 다유전자에 의한 질병(polygenic disease)은 가장 흔한 것이고, 여러 가지 질병을 발생시키는 유전자들의 결함과 개인의 생활습관, 환경과 서로 상호작용 되어 발생한다.
- 유전적 변이는 약물의 약동학(pharmacokinetics) 또는 약력학(pharmacodynamics)적인 것에 영향을 끼쳐서 개인의 약물반응에 영향을 주게 된다.
- 약물대사효소의 다형성은 집단 내에서 구별되는 군으로서 나타나게 된다(대사속도가 느리거나, 중간이거나, 빠른 군).
- 약물 표적의(수용체, 효소) 변이들이나 신호전달과정은 약물의 약력학에 영향을 주게 된다.
- 약물 수송체(transporters)의 유전적 변이들은 흡수, 분포, 대사, 제거 또는 약력학에 영향을 준다.
- 약물유전체학은 환자를 위한 약물 치료의 결과를 향상시키거나, 좀 더 안전하고 효과가 좋은 약물을 개발하는데 매우 큰 영향을 줄 것이다.
- 단백질체학(proteomics)은 체내의 모든 단백질의 구조와 기능을 밝혀내는 것이고, 유망하며 크게 발전될 분야이다.

복습문제

1. DNA에서 돌연변이를 일으키는 3가지 원인을 기술하고, 생식세포 돌연변이와 체세포 돌연변이가 어떻게 다른지 설명하라.

2. 돌연변이(mutation)와 단일염기치환(SNP)을 포함한 유전적 변이의 주요 형태를 설명하라.

3. 돌연변이와 유전적다형성이 어떻게 다른가? 단일염기치환(SNP)은 무엇을 의미하는지 설명하라.

4. 모든 돌연변이와 유전적 다형성은 질병을 일으키는가? 왜 그렇지 않은가?

5. 약물대사효소, 약물수송체와 약물 표적들의 유전적 변이의 효과에 대해서 상세히 설명하라.

6. 왜 다유전자에 의한 질병이 단일유전자에 의한 질병보다 더 복잡한가?

7. 환경은 질병이 발생하는데 어떻게 영향을 줄 수 있는가? 감수성 유전자(susceptibility genes)는 무엇을 뜻하는가?

8. 어떻게 SNP가 약물의 대사, 수송 및 작용에 영향을 줄 수 있는가?

9. 왜 CYP유전자의 SNP들은 개인의 약물 반응의 다양성과 관련이 있는가?

10. 약물의 연구와 치료에서 약물유전체학은 어떤 이익들을 줄 수 있는가?

11. 왜 단백질체(proteome)는 질병을 이해하고 새로운 약물의 발견이나 개발에 유전체(genome) 만큼 또는 이보다 더 중요한가?

약물대사 효소 : 유전성

CYP2D6는 100개 이상의 대립 유전자가 보고되었고, 이들 중 일부는 효소활성을 변화시킨다. 두 개의 같은 CYP2D6 wild-type 유전자를 가지는 CYP2D6*1/*1은 EM(extensive metabolizers)으로서 보통의 대사능을 가지는 사람이다. EM 군은 인구집단에서 높은 빈도로 나타나며, 더 낮은 빈도로서 PM(poor metabolizers), IM(intermediate metabolizers)과 UM(ultra metabolizers) 군이 나타난다.

Case 17-1

Tamoxifen은 에스트로겐 수용체(ER)-양성 유방암을 예방하고 치료하는 표준 호르몬 치료약물이다. 유방세포의 ERα의 길항제로서 ER-양성이고 에스트로겐에 민감한 유방암 세포의 성장을 억제한다. Tamoxifen은 citrate염의 형태로 경구로 투여하며 아래의 그림과 같이 광범위한 대사를 받는다.

장기간에 걸친 tamoxifen의 치료를 받은 환자에서 endoxifen의 혈장중 약물농도가 4-hydroxy tamoxifen 보다 6-12배가 상승하였다. Endoxifen과 4-hydroxy tamoxifen은 효력이 같고, tamoxifen보다 ERα 수용체의 친화력이 10배 더 크다.

1. PM, IM과 UM의 각각의 표현형일 때의 유전형에 대하여 설명하라.
2. 어떤 CYP2D6의 표현형인 여성들에게 tamoxifen을 사용하였을 때, 다른 CYP2D6 표현형인 여성들과 비교하여 재발률(relapse rate)이 증가하였고, 무병생존기간(disease-free survival time)이 짧게 나타났다. 치료효과가 낮은 표현형은 무엇이며, 그 이유를 설명하라.
3. Tamoxifen 치료의 부작용은 중등도 내지 심한 안면홍조이다. 다른 군에 비해 PM의 여성에서 tamoxifen에 의해 발생된 안면홍조의 정도가 덜 심하게 나타난다. 왜 그런지 이유를 설명하라.
4. 항우울제(fluoxetine, paroxetine)를 복용하고 있는 여성들은 tamoxifen을 복용하였을 때 안면홍조가 나타나지 않았다. Tamoxifen과 이런 항우울제를 병용 처방하는 것은 흔한 경우이다. Tamoxifen에 의한 안면홍조 발생이 fluoxetine에 의해 감소된 가능한 약리학적 기전은 무엇인가?
5. Tamoxifen과 fluoxetine의 병용은 tamoxifen의 효능에 어떤 효과를 주겠는지 설명하라.

Case 17-2

Metoprolol은 선택적인 β_1-수용체 차단제로서 CYP2D6의 기질이다. Metoprolol은 고혈압에 사용되며 용량은 원하는 효과에 도달할때 까지 용량을 조절한다.
1. CYP2D6에 의한 대사가 각 표현형에서 metoprolol의 용량에 어떤 영향을 줄 수 있는지 설명하라.
2. CYP2D6 대립유전자의 유전형 검사는 tamoxifen을 투여하기 이전에 필요하겠지만, metoprolol의 투여 전에는 필요하지 않다. 이유를 설명하라.
3. Metoprolol을 복용하고 있는 환자에게 CYP2D6를 억제하는 약물을 추가적으로 투여하는 것을 고려할 수 있다. EM 또는 PM중의 어떤 표현형에서 임상적으로 좀 더 유의한 상호작용이 나타날 수 있겠는가?
4. CYP2D6 UM에서 codeine을 사용하면 어떤 결과가 나타나겠는가?
5. CYP2D6*1/*1 유전형인 환자에게 codeine이 더불어 clarithromycin을 추가로 투여하면 어떻게 UM으로 표현형이 변경될 수 있는지 설명하라.

Codeine, Norcodeine, Codeine-6-glucuronide, Morphine

참고

McLeod HL (ed). Pharmacogenomics: Applications to Patient Care, 2nd ed. American College of Clinical Pharmacy, 2009.

Weber W. Pharmacogenetics, 2nd ed. Oxford University Press, 2008.

Wong S, Linder MW, Valdes R (eds). Pharmacogenomics and Proteomics: Enabling the Practice of Personalized Medicine. AACC Press, 2006.

Zdanowicz M. Concepts in Pharmacogenomics. ASHP, 2010.

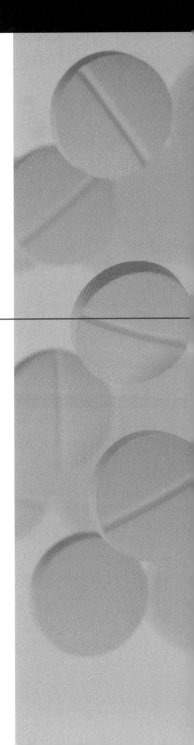

Special Topics

과학에 있어서 중요한 점은
새로운 사실을 얻는 것 보다
그 사실에 대해 고찰하는
새로운 방법을 얻는 것에 있다.
- Sir William Bragg

18 생물학적 의약품
Biopharmaceutical Drugs

시판되고 있는 대부분의 약들은 일반적으로 화학합성에 따라 제조되어진 작은 분자 형태이다. 이 책에서 우리 논점은 이러한 "일반적인" 약들의 작용에 맞추어져 있다.

그러나, 새로운 치료제 중 거대분자(예: 단백질과 항체)의 수가 증가하고 있으며, 그러한 경향은 계속될 것으로 예상된다. 이 약들의 대부분은 크고, 복잡한 분자이거나 자연에서 추출되거나 일반적인 화학합성법에 따라 제조되기는 어려운 분자들의 혼합물이다.

이들은 의미상 약간의 차이가 있는 단어들임에도 biotech drugs, biologics, biologicals, biopharmaceuticals 등의 여러 가지 다양한 이름들로 명명된다.

생물학적 제제(biopharmaceuticals)은 생명공학기술에 의해 생명체에서 생산되며, 진단이나 치료목적으로 쓰이는 물질로 정의된다. 만들어지는 과정에 초점을 두어, 이 물질들은 biotech drugs이라고 불리며, 펩타이드치료제나 단백질치료제, 항체, 올리고뉴클레오타이드와 핵산유도체, 그리고 DNA제제 등이 포함된다. 생물학적 제제는 biologics (또는 biologicals) 라 불리우는 넓은 의미의 치료제의 일부분이며 미생물이나 동식물과 같은 생체에서 생산된 치료제로 정의될 수 있다. Biologics는 생물학적 제제뿐만 아니라 혈액과 혈액 구성 물질, 백신, 많은 자연적인(가공되지 않은) 근원에서 추출되어진 생체분자들도 포함한다.

이 단원에서 생물학적 제제에 대한 설명은 주로 단백질 치료제와 항체에 맞추어질 것이다. 또한, 핵산 유도체와 유전자 치료법에 대해서도 다룰 것인데 이 새로운 치료학적 접근법은, 아직 걸음마 단계이지만, 향후 엄청나게 진보될 것이 예측되기 때문이다.

생물공학 및 유전공학

대부분의 생물학적 제제들은 인체용 약물을 만들거나 변형하기 위하여 생물체나 생물체의 일부분을 사용하는 공정인 생물공학을 이용하여 만들어진다. 인체 세포에서 단백질의 자연적 생합성 과정 중에 여러 복잡한 효소들이 단백질을 만들고 그들의 활성형 3차원 구조로 폴딩하는 데 관여한다. 이러한 상호작용은 단백질을 만드는 생물체에 자연적으로 존재하는 매우 좁은 범위의 환경에서 최적으로 작용한다. 이러한 엄격하게 조절되는 과정들이 화학적 합성에 의해 단백질 합성을 배가시키는 것을 불가능하게 한다. 대신에

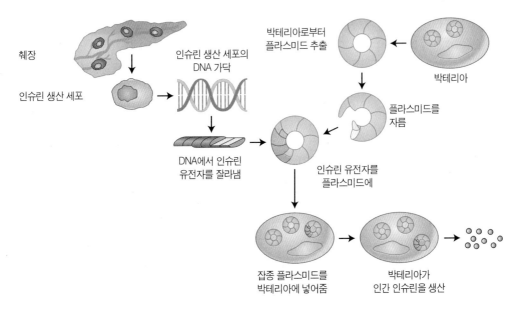

췌장

인슈린 생산 세포

인슈린 생산 세포의
DNA 가닥

박테리아로부터
플라스미드 추출

박테리아

DNA에서 인슈린
유전자를 잘라냄

플라스미드를
자름

인슈린 유전자를
플라스미드에

잡종 플라스미드를
박테리아에 넣어줌

박테리아가
인간 인슈린을 생산

그림 18-1 DNA 재조합 기술이 사람 인슐린 생성에 이용되는 개괄적인 방법

단백질들은 실험동물, 미생물 또는 특별한 동물 또는 식물의 배양세포에서 만들어지고 추출되어야 한다.

생물공학의 빠른 성장은 주로 생물체의 유전자를 다루는 능력에 기인하여 왔다. 유전공학 (genetic engineering) 또는 재조합 DNA기술 (recombinant DNA technology)은 한 염색체에서 다른 염색체로 또는 한 생물체에서 다른 생물체로 유전정보를 옮기는 공정이다. 이것은 원하는 유전자를 위치하게 하고, 이를 분리하고, 이를 원하는 목적을 이루기 위해 다른 세포나 생물체의 유전체로 옮기는 일련의 기술을 포함한다. 이는 치료목적의 생물학적 약품을 대규모로 만들기 위하여 생물체, 세포 또는 그들의 일부분을 사용하게하는 자연과학과 공학의 복합학문이다. 생명공학, 유전공학 DNA재조합 기술 등은 종종 서로 혼용하여 사용된다. 인간 인슈린을 생산하기 위하여 재조합 DNA기술을 사용하는 법에 대한 전체적인 과정이 그림 18-1에 보여져 있다.

유전공학의 출현전에 생물학적 약물의 공급은 단백질을 자연적 원천에서 얻어야 했기 때문에 제한적이었다. 예로서 인슈린은 도살된 돼지에서 수집되었고, 인간 성정호르몬은 인간사체로부터 얻었다. 유전공학으로 관심있는 단백질약물의 유전자가 많은 양의 단백질을 생산할 수 있는 적당한 호스트 생물체로 옮겨질 수 있다. 많은 치료적 단백질과 단백질 기반 약물들이 생물공학과 유전공학의 발전의 결과로 상업적으로 쉽게 활용가능하다. 생물공학에 대한 상세한 설명은 이 장에서 다루지 않는다.

생물학적제제 접근 방법의 이점

대부분의 일반적인 약물들의 표적은 단백질들이다. 특히 세포 표면의 수용체 단백질들이나 촉매 단백질(효소)들이다. 그 목표는 단백질의 핵심적으로 내재된 역할을 증가시키거나 또는 감소시키는 것, 그리고 그렇게 함으로써 질병이나 질환을 유발시키는 병리학적 과정을 변환시키는 데에 있다. 이러한 단백질들은 매우 다양하며, 여러 세포에 위치하고 있기 때문에 각각의 새로운 약물들은 사전 준비 없이 맨 처음부터 개발되어져야 한다. 게다가 원하지 않는 위치에 존재하는 같은 단백질 목표물에 대한 효과가 간섭인자로 작동하여 부작용이 나타날 수도 있다. 이 약물들은 또한 완벽하게 선택적이지 않아서 구조가 비슷하거나, 목표하지 않았던 단백질들에게서도 작동하여 부작용이 나타날 수 있다. 단백질의 작용을 변화시키는 소분자 약물을 사용하는 것 보다는 그 단백질 자체를 사용하는 것이 약으로 작동할 가능성이 클 것이다. 이러한 치료목적의 단백질들과 펩타이드들이 기존의 약물들로 충분하게 치료되지 못하는 질환들을 관리하게 해주는 생물약제학적 약물들의 범주에 속하게 되는 것이다. 재조합 DNA와 배양세포는 이제 환자들에게 직접 투여되는 이러한 치료적 단백질들을 생산하기 위해 사용될 수 있다. 몇몇 질환들은 유전자 자체에 결함이 있어서 인체에서 요구하는 올바른 단백질을 생산할 수 없거나, 충분한 양의 단백질을 생산하지 못하여 발생한다. 그 예로는 혈우병에서의 혈액응고인자들과 당뇨병의 치료에 사용되는 인슐린이 있다.

다른 질병들은 어떤 단백질들이 비정상적으로 과잉 생산될 때 야기된다. 예를 들어, 유방암 환자군의 약 25%는 암세포 표면의 HER2라는 수용체가 과다하게 발현되어 있다. 결과적으로, 그 세포들은 성장 신호에 더욱 민감하게 반응하여 계속해서 분화하게 된다. 우리는 이 수용체를 막고 성장 신호들을 받아들이지 못하게 함으로써 암세포의 성장을 억제하기 위해 항체(단백질의 일종)를 사용할 수 있다. 게다가 항체-수용체 결합은 특정 면역 세포들이 그 암세포를 공격하여 죽일 수 있도록 자극할 수 있다.

그러므로, 치료적 단백질들이나 항체들을 약물로 사용하는 것은 질병치료의 더욱 선택적이고 직접적인 형태라고 보여 진다. 더욱 직접적인 방법은 인체 내의 단백질 생성을 바꾸는 것이다. 그 중 하나는 단백질을 암호화하는 메신저 RNA(mRNA) 분자를 상대로 하는 생물학적 약물을 설계하는 것이 될 수 있다. 이 접근 방법은 핵산기반(nucleic acid-based) 치료법으로 명명될 수 있다.

궁극적으로, 유전자치료법은 결핍되거나 손상된 유전자를 대체하기 위해 올바른 복제본을삽입하기 위하여 사용한다. 이러한 모든 치료적 접근법은 그림 18-2에서 나타내고 있다.

생물약제 제제의 분류

치료 단백질들

치료 단백질들은 일반적인 소분자 약물들로 적절하게 치료되지 않는 질환들의 관리에 사용되는 약물을 대표한다. 단백질들은 두 가지 방향의 치료법으로 사용될 수 있다. 첫 번째로 많은 양의 특정 단백질 약물이 질병이나 외상에 관여하는 일련의 과정을 억제하는데 투여될 수 있다. 예를 들어 피브린 용해제(Activase®나 Retavase®같은 혈전 용해용 생명공학 의약품)는 심근 경색의 치료에 촉진적 치료법으로써 사용되어 진다. 고농도로 사용되었을 때는 이들의 자연적인 생물학적 기능이 혈액 내 혈전들을 녹이는 데 사용되어질 수 있다. 또 다른 응용법은 환자에게서 결핍되거나 손상된 단백질들을 보충하거나 대체하는 대체적 치료법이다. 예를 들어, 인슐린을 대체적 요법으로 사용하여 당뇨병 환자의 췌장에서 낮은 농도로 만들어진 인슐린을 보상하기 위해 인슐린이 투여될 수 있다. 치료적 단백질 약물의 선택적 예시는 표18-1에서 보여 준다.

단백질의 구조

펩타이드들과 단백질들은 아미노산을 기본으로 하여 만들어진다. 펩타이드와 단백질의 차이는 크기에 있는데 이는 다소 임의적이고 가변적인 기준이다. 펩타이드는 두어 개의 아미노산들이 펩타이드 결합에 의해 공유 원자가로 이어져 있는 화합물이다. 단백질은 최소 50개의 아미노

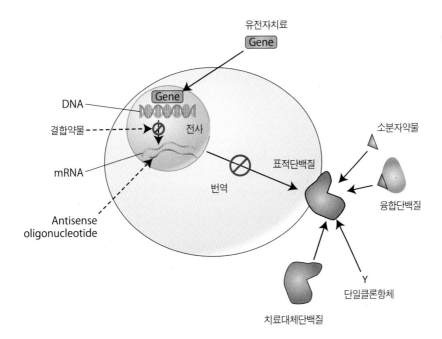

그림 18-2 표적 단백질의 기능을 변형하는 여러 가지 치료적 접근법. 이 그림은 세포 표면의 단백질 표적만을 나타내고 있지만 표적은 세포 내에 존재할 수도 있다. 분자가 작은 약물은 단백질에 결합할 수 있다. 이 단백질은 공급이 부족하면 대체될 수 있다. 단일클론항체는 단백질에 매우 특이적인 방법으로 결합하며 그것의 기능을 바꾼다. 융합 단백질(항체 단편을 지닌 치료적 단백질)은 재조합 단백질을 겨냥하는 데 도움이 될 수 있다. 안티센스 약물은 단백질을 만드는 번역 과정을 막을 수 있다. DNA 결합 약물은 전사 과정을 변화시킬 수 있다. 유전자 치료는 단백질 합성을 조절하는 게놈을 변화시킬 수 있다.

표 18-1 상용화된 치료적 단백질 약품의 예			
상품명	**활성 약물**	**분류**	**적응증**
Procrit®	Epoetic alfa	Erythropoietin	빈혈(화학요법)
Aranesp®	Darbepoetin alfa	Erythropoietin	빈혈(화학요법)
Humatrope®	Somatotropin	Human growth hormone	성장호르몬 결핍
Follistim®	Follicle stimulating hormone	Follicle stimulating hormone	배란 장애
Remicade®	TNF alpha	Tumor necrosis factor	
Neupogen®	Filgrastim	Granulocyte colony stimulating factor	골수 이식
Avonex®	Interferon beta-1a	β-Interferon	다발성 경화증
Humulin®	Human recombinant insulin	Insulin	당뇨
Activase®	Recombinant alteplase	Tissue plasminogen activator	급성 심근경색

Note that for bases, the pKa value reflects that of the conjugate acid (BH+) form.

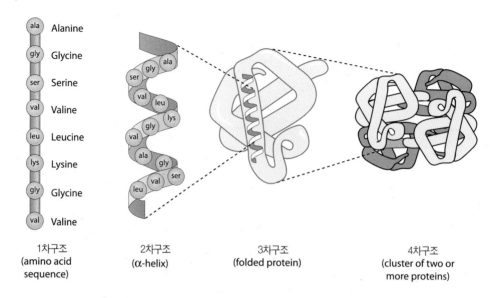

| 1차구조 (amino acid sequence) | 2차구조 (α-helix) | 3차구조 (folded protein) | 4차구조 (cluster of two or more proteins) |

그림 18-3 단백질 구조의 단계. 펩티드 결합으로 연결된 아미노산은 일차 구조의 사슬을 형성한다. 이차 구조는 사슬의 아미노산 잔기의 측쇄 사이의 상호작용 (주로 수소 결합)으로 생긴다. 아미노산의 측쇄는 더 나아가 수소 결합 또는 이황화 결합을 통해 접혀서 환경에 맞는 3차원의 삼차 구조를 형성한다. 사차 구조는 두 개 이상의 단백질 분자가 결합하여 복합체 (complex)를 형성할 때 생긴다

산들로 구성된 기능성 펩타이드 복합체로서 특징적으로 삼차 구조의 형태를 갖는다. 많은 펩타이드 복합체 약물들은 합성될 수 있고 그러므로 그들이 생물제제학적 특성의 일부를 공통으로 가진다 해도 엄격하게는 생물공학 약물의 범주에 들어가지 않는다.

다른 작은 펩타이드 복합체들은 아직 화학적으로 합성될 수 없고 그래서 재조합 방법으로써 제조되어질 수밖에 없다. 따라서 단백질이라는 단어는 생물공학에 의하여 만들어진 펩타이드 복합체를 모두 아우르는 단어로 사용되어질 것이다.

예를 들어, 인체 존재 성선자극호르몬 유리호르몬(GnRH)의 합성 동속물인 nafarelin acetate (Synarel®)는 데카펩타이드(분자량 1,322)이고, 정확하게는 생물공학 기법으로 제조된 약물이 아니다. 이 약은 여성의 자궁내막증이나 자궁근종을 치료하는 데 사용되어진다. Nesiritide (Natrecor®)는 32개의 아미노산으로 이루어진 생물공학 약물로서 급성 울혈성심부전에 사용되는 인간 B형

나트륨이뇨 작용의 펩타이드(분자량 3,464)이다.

단백질의 2차, 3차 구조는 기능에 있어서 매우 중요하다.

단백질의 3차 구조는 아미노산들 사이의 다양하며, 흔히 약한 상호작용에 따라서 결정된다.

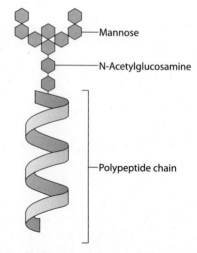

그림 18-4 탄수화물 (mannose)가 N-acetylglucosamine으로 단백질에 공유 결합하는 전형적인 당단백질.

표 18-2 단백질이 당화 또는 다른 번역 후 변형을 거치면서 받게 되는 물리 화학적 및 생물학적 성질의 변화

상물리화학적 성질	생물학적 성질
용해도	면역원성
단백질 접힘 양상	표적에 대한 친화도 및 결합
3D 입체 구조의 안정성	다른 단백질과의 상호작용
가수분해에 대한 감수성	혈장 반감기
변성에 대한 감수성	국소화 (localization)

가끔, 많은 단백질들은 기능성 복합체로서 4차 구조를 형성한다. 그리고 이런 배열 상태에서만 단백질 본연의 기능을 가지게 된다. 단백질들의 구조적 특성은 그림 18-3에서 보여준다. 전부는 아니지만 다수의 내인성 단백질들이 번역 후 변형을 겪는데 당단백을 만들어내기 위해서는 카보하이드레이트가 단백질에 달라붙게 된다(글리코실화 반응)(그림. 18-4). 표 18-2.의 목차에서 나타낸 것과 같이 치료단백질 약물의 생물학적, 물리화학적 역할에 있어서 올바른 글리코실화 반응은 매우 중요하다.

치료단백질의 제조

단백질 약물들은 일반적으로 가공된 "숙주(host)" 세포의 대규모 배양에 의해 만들어 진다. 빠르게 자라는 세포내에 만들고 싶은 단백질 표적 유전자를 인공적으로 삽입하여 키우게 된다. 이러한 세포들은 커다란 발효조 안에서 자라 적절한 시간에 용해되고 원하는 단백질을 분리하고 정제하는 과정을 거치게 된다. 생산 과정을 위한 숙주 유기체의 선별은 기술성, 경제성을 고려하여 선택된다.

단백질을 온전한 상태로 분리하고 정제하는 것은 엄청난 기술적 도전이다.

화학적 구조가 파악된 소분자 약물들은 실험실 내에서 정확하게 생합성될 수 있고, 이들의 구조와 순도는 높은 정확성과 정밀도로 용이하게 확인이 가능하다. 반면에, 생물공학 산물은 더 많은 기술을 요구하고, 따라서 간단한 화학적 생합성

보다 더 비싸다.

최종단백질 생산물의 구조는 제조과정 동안의 온도, 염 함유량이나 pH의 미세한 변화에 있어서도 변화될 수 있다. 제조시의 가변성은 원하지 않는 단백질 접힘의 원인이 될 수 있고, 그에 따라서 단백질의 효능과 안정성에도 영향을 미칠 수 있다.

제조 후에, 생물학적 제제의 순도와 농도 결정은 어려운데, 이는 생명공학의 분석 기구가 일반적인 약물의 경우보다 10에서 100배 정도 감도가 떨어지기 때문이다. 그러므로, 최종적으로 기대하는 약물을 얻기 위해서는 생물학적 제제의 제조과정 동안 매우 광범위하고 엄중한 시험이 실시되어야 한다. 다시 말해서, 제조과정의 환경은 약물의 특성과 순도를 결정하게 된다. 일반적으로 생물학적 제제의 완제 후 시험은 품질 보증에 있어서는 충분하지 못하다.

세균 숙주. 예를 들어 Escherichia coli와 같은 많은 박테리아(세균)는 주변의 플라스미드와 같은 DNA 분자를 받아들임으로써 새로운 유전자를 손쉽게 획득할 수 있다.

많은 양의 박테리아 세포는 상용화된 크기의 발효조에서 쉽게 키워져서 치료적 단백질로 사용 가능한 양을 만들어낼 수 있다. 이것은 생체 외에서 인간 단백질들을 사실상 무제한으로 생산하는 것을 가능하게 만들었다.

그러나, 세균 숙주들은 몇 가지 단점들을 보인다. 세균 숙주에는 최종 산물에서 박테리아 세포

벽에 의한 파이로제닉(발열성) 과 엔도톡신(면역성) 감염의 위험이 존재한다. 게다가, 박테리아는 글리코실화, 인산화 같은 번역 후 수정 과정이 없기 때문에 인간 단백질 추출물이 생성되지 않을 수도 있다.

세균 숙주들은 특히 작은 단백질(30kD 이하의)이나 번역 후 수정과정이 필요 없는, 예를 들면 인슐린이나 성장 호르몬 등과 같은 단백질들에 적당하다. 예를 들어, 보통 사용되는 E. coli 같이 비싸지 않은, 배양해서 길러내기 쉬운 일반적으로 가공되는 세균들이 이러한 단백질 약물들을 제조하는데 적절하다.

효모 세포 숙주

효모들은 박테리아 발현 시스템의 결점을 극복하기 위해 단백질을 재조합하는 방법으로 사용되어 왔다. 박테리아와 비교하여 효모의 가장 뚜렷한 장점은 "진짜" 생물학적 활성이 있는 체내 단백질을 생산하는 데 필수적인 다양한 번역 후 수정과정의 능력을 갖고 있다는 점이다. 게다가 효모 발현 시스템은 다음과 같은 장점들을 가진다 : 고농도의 단백질 분비량, 빠른 성장속도, 간편한 대량 생산, 유전자 조작의 편이, 동물 발현 시스템보다 저렴한 가격, 엔도톡신(면역성)의 제거, 바이러스의 용해, 병원성이 인체 내에서 보고되지 않았다는 점.

효모들은 또한 50kD 이상의 보다 큰 단백질들도 생산할 수 있는 능력이 있다.

제빵이나 양조 등에 흔히 사용되는 안전한 효모인 Saccharomyces cerevisiae는 인터페론이나 HBsAg등 재조합 단백질의 생산에 최초로 사용되었다. 그러나 S. cerevisiae는 때때로 글리코실화된 단백질에서 과도한 글리코실화를 야기하므로 다른 효모숙주들이 특정한 경우의 단백질의 발현에보다 적합한 특성을 지녔는지 평가되어져 왔다. Pichiapastoris는 이러한 목적으로 폭넓게 사용되어져 온 효모이다.

비록 효모에 의한 번역 후 변형과정의 양식이 생각보다 어려워도 이는 다른 실험적 환경이나 유전자 조작 기술을 변화시킴으로써 바뀌어 질 수 있다.

포유동물 세포 숙주

발현시키기 어렵거나, "완벽하게 진짜" 같은 사람 단백질들을 얻고 싶을 때는 포유동물과 같은 고등 유기체 숙주 세포를 이용하여 생산할 수 있다. 그러나, 치료 단백질의 제조 과정의 글리코실화의 예측이나 농도 일관성은 포유동물 숙주의 경우에도 문제이다.

유전적으로 가공된 중국 햄스터 난소 세포(CHO 세포)는 많은 생물공학 의약품의 생산에 폭넓게 이용되어 왔다. 이 세포는 생리 활성이 있는 재조합 단백질의 분비에 필요한 번역 후 과정이 이행된다. 게다가, CHO 세포는 재조합 단백질 제조과정의 잠재적으로 심각한 문제가 되는, 사람 바이러스에 의한 감염 감수성이 매우 낮다.

그러나, CHO 세포는 사람에서 유래하지 않았기 때문에 CHO에서 생산된 단백질들은 때로 대응되는 인간 유래의 세포와 비교하였을 때 글리코실화가 다르게 이루어져 있어서 정확한 단백질의 생산을 위해서는 더욱 발전된 유전자 가공이 요구된다.

불행히도, 포유동물 숙주는 배양과 DNA감염(transfection)이 어렵고 비싸다. 그리고 밀도가 낮고 성장 속도가 느리기 때문에 생성 단백질의 범주는 더욱 좁다. 포유동물 세포들은 또한 바이러스성 DNA나 종양형성유전자를 포함하고 있을 위험을 가지기 때문에 재조합 단백질 산물은 더욱 광범위한 시험이 실행되어져야만 한다.

형질전환 동물 숙주. 복제된 유전자들은 동물의 체내에서 생식세포 내로 삽입되어 발현될 수 있

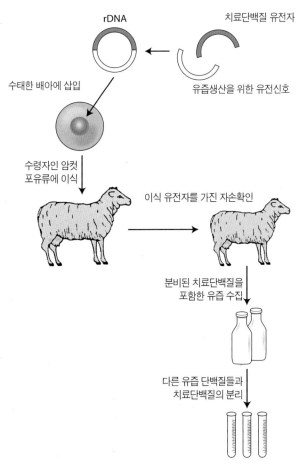

rDNA

치료단백질 유전자

수태한 배아에 삽입

유즙생산을 위한 유전신호

수령자인 암컷
포유류에 이식

이식 유전자를 가진 자손확인

분비된 치료단백질을
포함한 유즙 수집

다른 유즙 단백질들과
치료단백질의 분리

그림 18-5 유즙을 통해 치료단백질을 분비하는 형질전환동물을 개발하는 과정

다. 외래 유전자가 자체의 게놈으로 받아들여져서 유전적으로 가공된 동물을 형질전환유기체라고 부르고, 삽입된 유전자를 전이유전자라고 칭한다. 전이유전자에 의해 표적화된 단백질은 동물의 우유, 알 또는 혈액을 통해 분비되고 수집되어 정제된다. 소, 양, 염소, 닭, 토끼와 돼지 같은 가축들은 몇몇 잠재적으로 유용한 단백질들이나 약물들을 생산하기 위하여 이러한 방법으로 변형되어져 왔다. 요즘 사용되는 파밍(pharming) 이라는 새로운 단어는 농업(farming)과 약물제제(pharmaceuticals)의 합성어로서 발전된 생명과학을 이용한 영농업의 방법을 말한다.

복제기술은 농업기술 분야에서 급격하게 발전되어 왔다. 한 마리의 적당한 형질전환 동물이 길러지면 똑같은 동물의 수가 급속도로 무제한 증식된다. 포유동물에 의한 우유는 치료단백질 생산의 목표물이 되어 왔고, 그림 18-5.에 개괄적으로 나타내었다. 치료단백질의 유전자는 포유동물의 선(샘)에서 우유 생산에 직접 관여하는 DNA 신호와 결합된다. 이 재조합 DNA는 수정된 동물 배아(소, 양, 염소 또는 쥐)로 주입된다. 그 배아들은 정상적으로 살아남아 낳아질 수 있다고 기대되는 암컷 수용 동물에 옮겨지게 된다. 이러한 암컷들의 새끼들은 또한 계속해서 설계된 단백질들을 생산할 수 있을 것이다.

형질전환 동물들은 이제 복잡한 번역 후 변형 과정이나 대량으로 필요한 치료단백질들의 생산에 있어서 사용되어지고 있다.

형질전환 동물들에서의 단백질 분리는 숙주세포들로부터 분리하는 것보다 훨씬 쉽다. 그러나 형질전환 동물들로부터 생물학적 제제를 얻기 위한 성숙한 동물의 발달에 걸리는 시간이 너무 길기 때문에 최근에 매우 비싸게 통용되고 있다.

ATIII로도 알려져 있는 사람 안티트롬빈의 재조합 형태인 ATryn®는 생물공학 치료제제의 산물을 얻기 위한 형질전환 기술의 선두주자이다. 이것은 처음으로 미국 식품의약품안전청인 FDA(the Food and Drug Administration)의 승인을 받은 유전자 이식 산물 치료단백질이다. 안티트롬빈은 항응고, 항염증 작용을 가진 혈중 단백질인데 현재 사람의 혈액 채취를 통해서 얻어지지만 기존의 재조합 단백질 생산 기술로는 발현시키기 어려웠다.

ATryn는 유전적으로 가공된 염소의 우유에서 생산된다. 이 단백질의 아미노산 서열은 사람의 혈액에서 유래한 안티트롬빈의 것과 동일하다. ATryn의 글리코실화 특성은 혈액 유래 안티트롬빈의 것과는 다른데, 이것은 헤파린의 친화도 상승과 효능 증가를 일으킨다.

형질전환된 식물 숙주. 식물의 생물공학 기술은 농산물의 품질을 개선시키기 위한 용도였으나, 이제는 백신과 같이 인체 건강을 위한 생물학적 제제를 생산하는 기술로서 연구되어지고 있다. 형질 전환된 동물과 마찬가지로, 형질 전환된 식물 역시 선택된 치료단백질의 생산을 위해 가공되어질 수 있을 것이다. 식물들과 식물 세포들은 대량으로 길러내기에 간편하고 저렴하다. 그리고 사람의 병원균은 식물체에서 복제되지 않기 때문에 최종 산물을 더욱 안전하게 공급할 수 있다.

사용 가능한 식물들의 종류는 계속해서 시험되어지고 있는데, 그 중에는 옥수수, 대두, 카놀라, 자주개자리, 그리고 담뱃잎 등이 있다.

한 가지 접근법은 이들 자체를 수확하는 것보다 생물반응기 (바이오리엑터) 식물세포 시스템을 사용하는 것이다.

유전적으로 가공된 식물 세포들, 예를 들어 당근과 담뱃잎 세포와 같은 것들은 폐쇄적이고 관리되어지는 산업 생산 규모의 환경에서 잘 자랄 수 있다. 폐쇄시스템은 항체, 복잡한 효소, 그리고 식물 유래의 의약품들을 포함한 모든 범위의 단백질들을 제조할 수 있는 데 알맞은 안정성과 최적의 환경을 제공한다.

유전자 이식 식물에 기인한 생물학적 제제에는 몇 가지 결점들이 있다.

한 가지는 낮은 생산수율, 즉 약물을 얻을 수 있는 잎이나 씨앗과 같은 식물 조직내 농도가 너무 낮다는 것이다. 수율을 개선시키기 위한 노력은 계속되고 있다.

또한 포유동물과 비교하여 식물에서의 글리코실화(당화)과정은 약간 다르다는 것이다.

식물 글리칸들은 사람에서 면역성을 띨 수 있다. 식물에서 글리코실화 반응의 변형을 위하여 유전적 조절 과정은 인간과 보다 비슷한 글리코실화를 위해 연구되고 있다.

마지막으로, 환경에 미치는 생물학적 변형식물의 영향과 농작물과의 잠재적 교차오염은 항상 이슈화되었지만, 생물반응기의 이용으로 그 위험성은 축소되었다.

현재까지 유전자이식 식물 유래 약물은 FDA로부터 승인받은 것이 없다. 한 가지, taliglucerase alfa가 치료제제로서 임상에서 3차까지 성공적으로 진행되었다. 이것은 식물 세포에서 발현되는 재조합 글루코세레브로시다아제 효소로서 고셔병의 치료제이다.

치료항체들

항체들은 당단백 합성물에 속하는 면역글로불린 항체로서 B 세포(B 림프구라고도 불림)에서 분비되는 면역 시스템이다. 이들은 박테리아 표면, 바이러스나 암세포에 존재하는 외래 구조(항

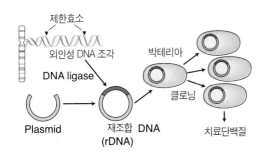

그림 18-6 재조합 DNA 치료적 단백질을 만드는 전반적인 과정

원)를 감지하여 면역 시스템에 의한 공격의 표지로 삼는다. 불행하게도, 이 면역 시스템은 때때로 결손되거나 파손된 세포들을 제거할 수 있을 만큼 충분한 양의 항체를 만들어내지 못하여 질병으로 이어지게 된다. 대부분의 모든 세포들은 광범위한 표면 항원들을 나타낸다. 일부는 다양한 세포 종류에서 관찰되며, 고유표면항원 (unique surface antigens, USAs) 이라고 불리는 것은 특정 세포에 선택적이다. 따라서, USAs에 선택적인 항체들은 특정세포에만 선택적으로 작동하게 된다. 실제로, 이 항체들은 암세포나, 바이러스 감염 세포들 또는 감염 부위의 미생물 세포들과 같은 특정 세포 타입을 목표물로 선택적인 특효약으로서 작용 가능하다.

치료용 항체들은 정확하게 세포 표면의 항원들을 인지하여 결합한 후, 생리학적 반응을 매개하는 생물학적 제제이다. 치료용 항체들은 그 자체로도 약물이 될 수 있고, 혹은 특정한 세포에서만 선택적으로 작동하는 약물을 표적하는 매개체의 역할을 할 수도 있다. 표적 항원에 결합하고 난 후에는, 치료용 항체는 다음 몇 가지 기능 중에 한 가지를 수행할 것이다: 세포 막 수용체를 활성화시키고 세포의 기능을 변화시킨다, 암세포의 성장을 막는다, 세포를 공격하기 위해 인체 내 면역 시스템을 가동시킨다, 혹은 항암요법으로부터 암세포의 감수성을 높인다.

항체 구조

Igs 는 큰 혈장 단백질로서 주로 당 사슬구조를 포함하고 있다. 이 항체의 기본적인 구조는 단위체로서, Y-모양을 가지는데, 두 개의 똑같은 H사슬 당단백질과 두 개의 L사슬 당단백질이 서로 이황화결합으로 인해 연결되어있다 (Fig. 18-6). 각각 H, L사슬의 끝부분에 있는 아미노산 배열은 항체와 항원과 결합할 수 있는 부분에 따라 크게 달라진다. 각 항체는 두 개의 똑같은 항원결합부위를 가지고 있으며, 이 부위는 어떠한 특정의 항원에 결합하게 해주는 역할을 한다.

H사슬은 다섯 가지 형태로 존재하며 (γ, δ, α, μ, 그리고 ε), 이 형태들은 서로 다른 Ig class (IgG, IgD, IgA, IgM, IgE,) 를 구분해주는 역할을 한다.

각각 H사슬은 모든 Ig들이 동일하게 가지고 있는 불변부(constant region)와, B 세포들로 인해 만들어지는 가변부(variable region)가 있으며, 이 부분은 각각의 Ig에 따라 다르지만, 같은 B 세포로 만들어지는 Ig 끼리는 동일하다.

L 사슬은 두 가지 형태 γ 및 κ 형태로 존재하며, 모든 항체들이 둘 중 하나를 가지고 있다.

각 L 사슬마다 하나의 불변부와 하나의 가변부를 가지고 있다.

H 와 L 사슬이 접합하게 되면, 항체의 영역또는 도메인부위가 각각의 사슬보다 더 중요해진다. Y 형태의 분자에서 각각 나누어지는 끝부분의 절반을 Fab 부위(fragment, antigen binding)라고 하며, 이는 항원과 결합할 수 있는 H, L 사슬을 가지고 있다. 항체가 효소반응으로 분해될 때 두 개의 Fab 절단부들과 H 사슬 불변부를 지니는 Y 줄기인 한 개의 Fc 절단부(fragment crystallizable)를 내놓는다. Fab 부위는 굉장한 다양성을 가져서 어떤 항원이 인체에 침투하든지 간에 다양한 항체를 생성하게 만들 수 있는 반면, 불변 Fc 부위는 항체의 종류를 결정한다(예로는 IgG). Fc 부분은 항체가 혈액 속에서 반감기를 길게 만드는 데 중

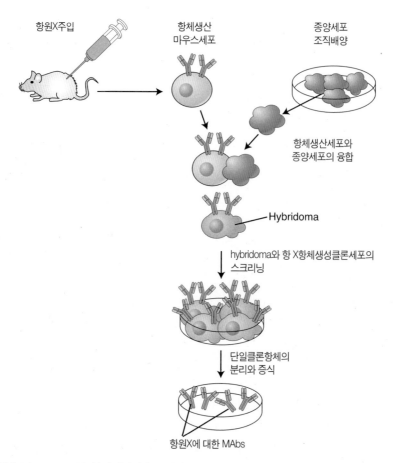

항원X주입

항체생산
마우스세포

종양세포
조직배양

항체생산세포와
종양세포의 융합

Hybridoma

hybridoma와 항 X항체생성클론세포의
스크리닝

단일클론항체의
분리와 증식

항원X에 대한 MAbs

그림 18-7 혼성세포 (hybridomas)를 이용한 쥐의 단일클론항체 (MAb)를 생산하는 개략도.

요한데, 이는 치료용 항체에 있어서 굉장히 중요한 요소이다.

다클론항체(Polyclonal antibody). 항원이 쥐 또는 사람에게 주사되면 일부 B cell 들이 항체를 만들어 항원과 결합할 수 있게 한다. 각각의 B cell 들은 오직 한 가지의 항체를 만들 수 있지만, 다른 종류의 B cell 들은 항원의 다른 부분들과 결합할 수 있는 구조적으로 다른 항체들을 만들 수 있다. 이러한 항체의 혼합체를 다클론항체라 한다. 비록 이러한 혼합체가 서로 다른 형태의 Ig들을 가지고 있지만, 혼합체에 존재하는 각각의 항체는 동일한 항원에 반응한다. 이 항체들의 선택성은 치료약제로서 매력적인 부분이다.

단클론 항체(monoclonal antibody). 항체를 만들기 위한 일반적인 방법으로는 실험동물(쥐)에 항원을 주사하여 혈청에 들어있는 항체를 수집하는 방법이다(항체를 갖는 혈청을 antiserum 이라 한다). 이 방법의 단점으로는 antiserum에는 매우 소량의 항체를 포함하지만, 불필요한 물질들이 함유되었다는 점이다. 또 다른 단점은 이러한 항체들은 여러 가지 B cell들에 의해서 만들어진 다클론성이라는 점이다.

단클론항체(monoclonal antibody, Mab)는 일정한 구조를 지니며, 한 개의 클론세포에서 만들어진 동일한 선택성을 갖는 항체이다. Mab 는 항체를 만들어내는 세포(B-림프구)와 지속적으로 무한

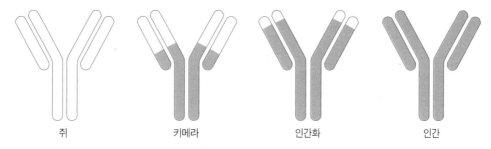

쥐   키메라   인간화   인간

그림 18-8 쥐 (murine), 키메라 (chimeric), 인간화 (humanized) 및 인간 (human) 단일클론항체의 차이점.

복제하는 암세포와 융합시켜, 두 가지의 세포특성을 동시에 갖는 융합세포(hybridoma)를 만든다. 이러한 융합세포는 서로 똑같은데, 그 이유는 한 가지의 세포에서 만들어지기 때문이며, 지속적으로 증식하며, 많은 양의 항체 복제가 생산 가능하다. Figure 18-7에 나오듯이 이런 rDNA technology의 사용으로 많은 양의 동일하고 순수한 항체를 만들 수 있다. -mab 는 단클론 항체들의 명명시 접미사로 사용된다. 과거에 제조된 Mab들 중에는 상기와 같은 명명법을 따르지 않는 것들도 있다.

키메라, 인간화 인간항체(chimeric, Humanized, and Human antibodies). 마우스와 같은 동물들을 이용해서 항체를 만들 때 가장 큰 문제점은 인간 면역 시스템이 쥐의 항체와 맞지 않으며, 이로 인해 human anti-mouse antibody (HAMA)라는 것이 생성되어 면역 반응이 일어난다는 것이다. HAMA 면역 반응의 첫 번째 문제점으로는 치료로 이용되는 항체들을 몸 밖으로의 배출을 촉진시켜 항체의 반감기를 줄인다는 점이다.

둘째, 설치류 항체로 인해 나타나는 알러지반응, HAMA 반응은 발진같은 가벼운 부작용에서부터, 신부전증 같은 목숨을 위협하는 부작용을 초래한다. HAMA는 또한 향후 설치류 기원 항체 치료 시 이차 알러지 반응을 초래하게 할 수도 있다.

이러한 단점들로 인해 설치류 기원 항체 치료제의 사용이 제한되었으나, 아직 몇 가지의 약들이 존재하며, 이러한 약들의 접미사엔 -omab 이 붙는다.

이러한 HAMA의 단점들은 마우스기원 항체에 인간 염기배열을 넣음으로써 줄어들었다. 인간 염기배열이 어느 정도에 들어갔느냐에 따라 다른데, 이렇게 만들어지는 물질을 키메라(chimeric) 항체 (약 65% 정도; 접미사는 -ximab), 또는 인간화 humanized 항체(90% 이상, 접미사는 -zumab). 이러한 인간 염기배열의 삽입은 항체들의 면역반응을 줄이는 데 도움을 준다.

그러나, humanized 항체들은 마우스기원 항체들에 비해 다소 약하게 항원들과 결합을 하여 효능이 낮을 수 있다.

완전한 형태의 인간(human) 항체가 최근 개발되었으며(접미사는 -umab), 이들로 인해 많은 종류의 생물학적 제제들이 만들어 지고 있다. 이렇게 만들기 위한 방법은 마우스 항체 유전자의 발현이 억제됨과 동시에 인간 항체 유전자발현으로 대체된 유전자 변형 마우스를 이용하는 방법이다. 이러한 쥐들은 완전한 단클론형태의 인간 항체를 만들 수 있게 되고, 이러한 방법으로 애초에 있어야 되는 마우스 단클론항체의 인간화 과정이 필요 없어지게 된다. 유전자 변형쥐에서 만들어지는 인간 유전자들은 안정한 상태이며, 새끼에게도 그 유전자가 그대로 옮겨진다.

융합단백질(fusion protein). 융합단백질은 원래 서로 다른 단백질을 만들어내는 두 개 혹은 그 이상

표 18-3 상용화된 치료적 MAbs, 항체 단편 및 융합 단백질의 예		
상품명	단일클론항체	적응증
마우스		
Orthoclone OKT-3®	Muromonab-CD3	장기 이식 거부반응
Zevalin®	Ibritumomab	비호지킨백혈병
Bexxar®	Tositumomab	비호지킨백혈병
키메라		
Erbitux®	Cetuximab	전이성 대장암
Remicade®	Infliximab	류마티스성 관절염, 크론씨병
ReoPro®	Abciximab	혈관성형술 이후 응혈
인간화		
Avastin®	Bevacizumab	전이성 대장암
Herceptin®	Trastuzumab	유방암
Lucetis®	Ranibizumab	습성황반변성
Synagis®	Palivizumab	호흡기계 기능 약화
인간		
Humira®	Adalimumab	류마티스성 관절염
Vectibix®	Panitumumab	대장암
융합단백질		
Enbrel®	Etanercept	류마티스성 관절염

의 유전자들을 합체시 생산되는 단백질을 칭한다.

이 융합유전자의 단일 폴리펩티드 기원 단백산물은 각각의 단백질이 원래 가지고 있던 기능들을 다 가지고 있다. rDNA 기술이 치료단백질과 항체가 융합되어 만들어진 융합단백질(재조합 융합단백질)을 만드는 데 도움이 되었다. 이러한 치료제로서의 융합단백질을 만드는 목적은 각각의 "모체" 단백질이 가지는 작용을 접합시켜, 키메라 단백질을 만들어내기 위함이다. 키메라(chimeric)와 인간화(humanized) Mabs 들은 융합단백질로 정의할 수 있다. 이러한 융합단백질의 예로는 자가면역 반응으로 일어나는 류마티스성 관절염에 사용되는 약인 etanercept(enbrel)이 있다. 이 약은 인간 IgG Fc 부분에 종양괴사인자(tumor necrosis factor) 수용체를 결합한 융합 단백질이다. Enbrel 은 TNF 억제제로서 TNF α에 결합하여, TNF가 인체내에서 과다한 염증작용을 일으키는 것을 줄인다.

항체 단편, 단일클론 항체들은 큰 크기로 인해 표적 조직이나 장기로 침투하는 데 어려움이 있다. 이러한 현상때문에 항체단편을, 특히 Fab 단편을 만들기 시작했다. 이러한 단편들은 보다 작은 크기로 인해 표적 조직, 장기 혹은 종양에 침투가 쉬워졌고 당연히 효력이 증가되었다. 이러한 작은 Mab들은 또한 다른 Mab 들이 접근할 수 없는 효소의 결합부위에 결합할 수 있다. 또한, Fc 부분을 제거함으로써 면역반응의 가능성 또한 줄일 수 있다. 항원과 결합된 Fab 단편은 직접 단백질을 가수분해해서 만들거나 유전공학기술로 만들 수 있다.

이러한 예로는 Fab 치료제인 ranibiz-umab (Lucentis)가 있다. 또한, 원래 형태인 마우스 항체보다 크기가 매우 작으며, 인간화 Mab 인 bevacizumab (Avastin)가 있다. 이 약물은 표적 결합부위인 안구에 있는 VEGF (vascular endothelial growth factor A, 혈관내피생성인자)에 보다 높은 친화성을 갖는다. 이 두 가지 약물은 노인성 황반변성에 의한 시력감퇴에 쓰인다.

항체-약물 결합체. 항체약물결합체(면역접합이라고 알려짐) 단백질에서 유래된 약들을 의미한다. 이들은 세포독성인 약물들과 인위적으로 연결자를 통해 공유결합시킨 재조합 항체를 가지고 있다. 이것의 목적은 세포독성인 작은 분자들의 약물학적 효능과, Mab들의 높은 표적선택성을 결합시키는 것이다.

항암제인 doxorubicin, daunomycin, vinca alkaloids 그리고 taxoids 들은 암세포를 없애는 데 효율적이지만, 제한된 선택성과 정상세포에 미치는 독성들로 인하여 좁은 치료범위를 갖는다. 반면, rituximab, trastuzumab 및 panitumumab 같은 MAb 약들은 악성종양에 치료제로 쓰이지만, 지속적으로 세포독성인 약들과 동시에 사용을 해야 치료효과를 볼 수 있다. MAb-약물 결합체는 이러한 부족한 점을 뛰어넘을 수 있을 것이다. 다양한 종류의 결합체들은 현재 연구 단계에 있거나, 임상실험을 진행 중이다.

생물학적제제 약물의 제형

일반적인 저분자 의약품은 액상이나 고체상으로 쉽게 바꿀 수 있으며, 저장 가능하다. 반면, 생물학적제제 (특히 단백질)는 생물학적 숙주에서부터 대부분 액상으로 추출이 되는데, 이는 단백질의 3, 4차 구조가 물에 제일 잘 보존되기 때문이다.

단백질은 실제 임상적으로 사용될 수 있는 양보다 훨씬 작은 양으로 발효매체에 나타나기 때문에 농축시켜야 한다.

단백질을 농축시키는 데 방법으로는, 여과장치, 크로마토그래피, 동결 건조, 투석, 침전화 등이 있다. 이 모든 방법은 잠재적으로 치료목적의 단백질의 안정성에 영향을 미친다.

생물학적 활성을 위해서, 단백질제제를 제조, 제형화, 심지어 보관 시에도 1차 구조뿐만 아니라 2, 3, 4차 구조 또한 신경을 써야 되며, 대부분의 단백질의 활성 및 folding 구조는 그 분자에 가해지는 환경(용매, pH, 온도 등)에 따라 달라진다. 이러한 점이 단백질의 제형화에서 사용되는 용매와 첨가제를 제한시키며, 따라서 많은 종류의 단백질 제형은 단순히 완충된 액상상태로 존재한다.

좋은 제형은 단백질성 약품의 입체구조를 유지하게 하며, 뭉치는 것을 억제, 산화작용을 줄이며, 안정성 증가에 도움을 준다.

그러나, 이런 용액상태의 제품이 낮은 안정성을 갖는 경우에는 임상에서 실제 사용할 수 있는 정도의 유효기간을 가지기 매우 힘들다. 냉장보관을 했음에도 불구하고, 실질적으로 사용하기엔 매우 유효기간이 짧다.

아주 제한된 종류의 생물약제학 제제만이 액상에서 2년 이상 냉장보관이 가능하다.

동결건조(Lyophilization)기술은 용액을 고체상으로 전환시키며, 주로 백신, 바이러스, 혈액 제품 같은 생물공학적 약품들을 만들 때 사용된다. 동결건조는 승화를 이용해 액상에서 고체상으로 변하게 한다. 단백질이 포함된 멸균 용액이 제조되어 주된 용기에 담겨져 얼려진다. 완벽히 얼려진 상태에서 바로 수증기로 바꾸면서 물을 제거한다. 그러면 용기안에 담겨진 것은 고체(약품과 첨가제)이며, 단백질의 3D 입체구조가 동결건조된 상태로 보관된다. 이 기술은 주로 lyoprotectant라는 단백질 동결건조과정에서 일어나는 변질을 막기 위해 첨가되는 물질이 사용된다.

물은 단백질의 열 변성을 촉진시키는데, 이러한 과정으로 물을 제거하므로 건조된 단백질 파우더들의 안정성은 더 높아진다. 건조된 파우더는 기계적인 변성에도 문제 없다. 이 파우더들이 다시 적합한 용매, 식염수, 완충액 같은 것들과 재

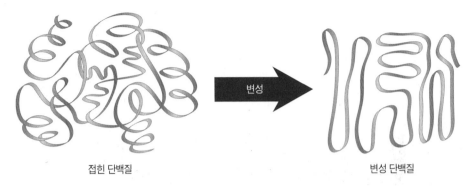

접힌 단백질   변성   변성 단백질

그림 18-9 단백질 변성. 활성형이며, 접힌 단백질은 변성을 받아 부분적 또는 완전히 펼쳐진 구조를 갖게 될 수 있다.

용해 시, 성공적으로 동결건조된 단백질은 최적화된 활성 및 적합구조 형태로 녹으며, 이렇게 만들어진 용액은 환자들에 투여된다.

동결건조된 생물약제학 제제로는 류마스트성 관절염에 사용되는 etanercept(Enbrel) 과 inflix-imab(Remicade), 다발성 경화증에 사용되는 interferon beta-1α (Avonex®), 그리고 유방암에 사용되는 trastuzumab(Herceptin®) 가 있다. 대략 50% 정도의 시판되는 단백질 치료제는 동결건조를 통하여 만들어진다. 모든 종류의 생물공학적 제품이 동결건조 가능한 것은 아니다. 제조 과정에서 3D 입체구조가 보존되지 않을수 있으며, 최종 고체가 쉽게 재용해되지 않을 수도 있다.

생물학적 제제의 안정성

물리적, 화학적 불안정성은 생물학적 제제의 활성을 잃게 하거나, 잠재적인 독성을 나타내게 할 수 있다. 이러한 불안정성은 생산, 정제, 제형화, 보관과정이나 제품 취급 과정에서 나타날 수 있다. 앞서 말했듯이, 단백질들의 손실과 변형을 항상 실험적으로 측정하는 것은 불가능하므로, 위에 있는 과정 및 취급을 정확하게 조절하는 것이 생물학적 제제를 만드는 데 굉장히 중요하다.

아미노산 사이에 존재하는 펩티드 본드로 되어 있는 단백질 1차 구조는 화학 반응을 통해 변성, 손상이 되어 화학적 불안정성을 초래한다. 공유결합은 가수분해반응으로 분해될 수 있으며(생체내 혹은 제품 자체에서), 단백질은 두 가지 이상의 서로 화학적으로 다른 분자로 깨질 수 있다. 단백질에서 관찰되는 다른 화학반응으로는 산화, 탈아미드화, 그리고 가끔 이성질체화도 관찰이 된다. 이러한 종류의 화학적 불안정화는 소분자 약물의 아미드, 에스테르 결합에서 일어나는 것과 비슷하며, 적절한 pH와 완충액의 조절로 줄일 수 있다.

물리적 불안정성은 단백질에서 매우 중요한 부분이므로 보다 더 자세히 조사해본다. 변성(denaturation)은 단백질의 2, 3, 4차 구조의 모든 변형을 칭한다.

이 과정은 수소결합, 소수성 상호작용, 그리고 염 결합이 깨지면서 일어나며, 단백질이 접힌(folded) 상태에서 안 접힌(unfolded) 비 특이성 3차원 구조로 변하는 것을 말한다(Fig. 18-9). 변성 과정 자체로는 펩티드 결합을 깨뜨리기에는 너무 약해서 1차 구조는 바뀌지 않는다.

이러한 비접힘(unfolding) 상태는 접힌 (folding) 상태하에 숨겨져 있던 소수성 아미노산 잔기를 수분에 노출시키는 결과를 일으킨다. 이러한 현상은 몇 가지 결과를 일으킨다.

하나로는 흡착(adsorption)인데 이것은 unfold된 단백질 분자가 용기 기벽에 붙어 용액의 단백질 농도를 낮춘다. 그래서 용액이 담겨질 용기의 구성성분(예를 들면 유리의 종류)이 흡착을 줄이기 위해서는 굉장히 중요하다. 잔여물이 용액 표면에 노출되어 여러 종류의 단백질분자들끼리 엉김(aggregation)을 초래시켜 더 큰 분자로 만들기도 한다. 이러한 엉김상태의 단백질이 용액에 남을 수 있으며, 침전물이 될 수 있을 정도로 난용성일 수 있다.

단백질의 농도가 증가할수록 용액의 엉김은 증가한다. 많은 종류의 Mab들은 높은 투여량이 요구된다(1~2 mg/kg).

단백질은 병원에서 정맥주사 혹은 정속주입을 할 경우, 피하주사를 할 경우와 같은 병원 내 다양한 상황에서 간편하게 투여할 수 있도록 충분히 농축되어야 한다. 이러한 점이 제형 그리고 안정성의 중요성을 강조하는데, 그 이유는 보통 항체는 고농도에서 서로 엉김현상을 일으키는 경향이 있다. 여러 가지의 치료펩티드 또는 치료단백질은 보다 작은 양의 용액이 환자에게 투여되어 용액으로 인해 겪게 될 환자들의 불편함을 덜어내고자 고농도로 제형화된다.

물리적 불안정성은 분자를 보호하는 적절한 첨가제(염, 당, 아미노산, 글리세롤) 등의 사용으로 줄일 수 있다. 많은 단백질은 용액이 진탕 시 또는 공기방울 생성에 의해서 변성 혹은 침전되는데, 이 이유는 공기방울과 단백질 분자가 더해서 기체-액체 경계면을 형성해 입체구조에 변화를 주기 때문이다. 단백질 용액의 제조, 운송 및 사용하는 과정에서 진탕은 피하는것이 좋다.

엉김현상은 높은 온도에서 많이 일어난다. 그래서 단백질 치료제는 냉장된 상태에서 배달되고 보관되어야 하는데, 이렇게 하게 되면 비용이 많이 든다.

원형의 활성단백질 농도는 화학적, 물리적 불안정성으로 인하여 줄어들 수 있다. 예를 들어, 인슐린은 냉장온도보다 높은 온도에 있을 시 빠르게 엉김현상이 일어나 활성을 잃어버린다. 더

하여, 이러한 단백질의 변성은 면역성에 영향을 주어 굉장히 위험한 부작용을 초래할 수 있는데, 이 부분은 나중에 다루겠다. 소분자약물과 단백질약품 간의 불안정성을 비교 시 단백질 약품이 더 짧은 유효기간을 가졌으며, 흔히 냉장보관이 필요하다. 동결과정은 약품속에 있는 단백질의 물리적 안정성에 큰 영향을 미칠 수 있으므로 생물공학적 약품에는 적합하지 않다. 만약 가능하다면, 동결건조가 이러한 불안정성을 줄일 수 있는데, 이유는 물질이 사용 직전까지 건조된 상태라서 그렇다.

생물학적 제제의 흡수, 분포, 대사, 배설 (ADME)

현재 상용화되어 있는 대부분의 약물들은 분자량이 1000 이하이다(예: Aspirin 의 분자량은 180). 이러한 약물들은 대부분은 소수의 작용기를 갖는 유기화합물로 이루어져 있다. 반면, 생물학적 제제에서 제일 큰 부분을 차지하는 단백질 치료제는 10개 혹은 100개의 아미노산으로 이루어져 있으며, 각각의 아미노산 크기도 약물들의 크기와 비슷하다. 예로는 분자량이 약 22,500인 interferon beta-1a (Avonex®)이 있다. 이러한 큰 극성 약물은 우리 몸에서 일반적인 상용화된 약물들과는 다른 방법으로 처리된다.

흡수

큰 극성분자들이기 때문에, 대부분의 단백질 치료제들은 투여부위에서 대부분은 상피층을 통과하지 못하므로 무조건 주사제로 투여를 해야 된다. 대부분 정맥, 피하, 근육주사로 투약이 이루어진다. 또 다른 경우, 예를 들어 퇴행성 시력감퇴에 사용되는 약물의 경우 작용부위 (눈)에 바로 주사가 되며, 이는 표적장기 내 충분양의 약물농도를 보장한다. 물론 이렇게 비경구 투여를 하는

것이 효능에 있어서 만족스럽겠지만, 아무래도 특수처치가 필요하며, 불편하여, 물리적인 스트레스, 고통, 감염에 대한 위험성을 감수해야 되는 단점도 분명히 있다.

최근에 발표된 연구결과에 따르면, 코, 입(구강, 설하)으로 들이마시는 흡입제제가 조만간 가능할 것이라고 한다.

소분자성 폴리펩티드 약물들은 이러한 대체경로로 투여가 가능하다. 예를 들면 rDNA 기술을 통해 만들어서 골다공중에 사용되는 코 분사제인 폴리펩티드 호르몬 calcitonin-salmon (Fortical®)이 그 예이다. 생체이용률 약 3~5%정도 이지만, 치료적인 효과를 보기에는 충분하다.

분포

대부분의 생물학적 제제는 분자량이 크다. 전신 혈류에 들어가면, 대부분 혈관에 머물게 되어 분포용적이 작다. 예를 들어 adalimumab (Humira)의 분포용적은 5L 이고, trastuzumab의 분포용적은 kg당 44 mL 밖에 되지 않는다 (혹은 70kg인 사람에게 약 3L 정도).

그러나 이렇게 분포용적이 작다고 해서 약물이 조직에 안 들어간다는 것을 의미하는 것은 아니다. 많은 단백질 약품들은 목표 조직에 있는 모세혈관벽에 존재하는 수송체들과 운반체들에 의해서 인식된다. 이러한 수용체 매개성 또는 운반체 매개성 수송, 혹은 세포내 섭취(endocytosis) 작용들로 인하여 목표조직에 원하는 만큼의 양이 도달할 수 있으며, 이는 충분한 효능을 나타낼 수 있게 한다. 그 예로는 nartograstim(과립 백혈구 생성 인자 유도체, granulocytecolony stimulating factor(G-CSF))가 수용체 매개성 세포내 섭취과정으로 목표 조직인 골수에 분포되는 것이다. 이러한 분포 과정은 운반체가 포화되기 전까지 농도에 따라 분포량이 달라진다. 이것은 분포가 목표 조직에만 작용을 하고 전체적인 분포용적값은 낮

기 때문이다.

다수의 생물공학적 약물들은 종양에 작용을 한다. 종양에서의 혈관 구조는 일반조직과 매우 다르다. 종양세포는 빠르게 자라기 위해서 필요한 영양과 산소 공급을 받기 위하여 계속 새로운 혈관 생성을 자극한다. 이렇게 종양 내에 생성된 혈관들은 구조적으로 내피세포와 세포내 간연접이 고르게 배열되어 있지 않는 비정상적인 구조를 갖는다. 이러한 특이성 때문에 거대분자들이 분포될 수 있고, 이 분자들은 일반 조직보다는 종양에 더 많이 축적된다.

단백질 치료제는 다른 상용화된 약물들과 같이, 혈장단백질에 비특이적으로 결합할 수 있다. 그리고 이러한 치료제는 대부분 특이 내재 "결합" 단백질에 결합을 하게 된다. 사실 이 결합이 이동과 조절에 꼭 필요하다. 이 결합은 약물이 파괴되고 제거되는 것을 막아서 반감기를 늘릴수 있고, 혹은 더 빨리 대사되게 하여 배설을 촉진시킬 수도 있다. 예로는 성장호르몬이 이러한 두 가지 선택성 결합단백질을 갖는 단백질로 알려져 있다.

제거

앞서 다른 장에서 언급했듯이, 상용화된 소분자 약물들은 배설과 대사로 제거된다. 이러한 작용 또한 생물학적 제제에 적용될 수 있다. 더해서, 생물공학적 약물의 독특한 구조와 구성성분이 수용체 매개성 및 항체 매개성 제거가 가능하게 해준다.

대사. 펩티드와 단백질은 펩티다아제나 다른 단백분해 효소들로 인해 가수분해되어 아미노산이 된다. 이러한 과정을 단백질 분해라 한다. 이러한 효소들은 인체내에 있는 모든 조직에 존재하며, 펩티드가 빨리 대사될 수 있게 해준다.

여러 종류의 펩티다아제를 갖는 혈액, 간 및 신장은 아마도 펩티트 대사에 제일 중요한 부위일

것이다. 분해되는 펩티드나 단백질의 분자량이 작을수록 더 빨리 분해된다. 그러므로, 분자량이 4000 이하인 작은 펩티드는 혈장에서 1분이라는 유효기간을 가지고, 분자량이 15000 이상 되는 단백질은 몇 시간 정도의 유효기간을 가지며, 분자량이 50000 이상 되는 단백질은 인체 내에 며칠 동안 존재한다.

배설

대부분의 펩티드, 단백질 약물은 극성이며, 물에 용해된다. 그러므로 사구체여과율이 단백질이나 펩티드의 분자량에 따라 배출시키는 데 큰 역할을 한다. 분자량이 5000 이하인 것은 사구체에 문제없이 여과되지만, 분자량이 60000이상인 것은 여과율이 급격히 제한된다. 분자량이 5000에서 60000 사이인 화합물은 크기보다는 전하상태와 형태가 여과율에 더 큰 작용을 하게 된다.

비록, 분자량 한계치의 혈청 알부민 (~69000)이 약물이 사구체에 여과 유무의 측정을 위해서 사용되지만, folding 이후 상태의 분자량이 단백질 약품의 사구체여과 유무를 측정하는 데 더 정확한 예측지표일 것이다. 신장여과에 "가장 적합한 공극 크기"는 약 지름 10 nm 정도이며, 이 크기보다 작은 단백질 치료제의 제거에서 신장 배설이 큰 역할을 한다.

대부분의 작은 펩티드약물은 광범위하게 여과된다. 이런 점에도 불구하고, 빠른 속도로 소화가 되는 것이 광범위한 사구체여과율보다 펩티드 약물의 짧은 유효기간에 더 큰 기여를 한다. 심지어 펩티드가 혈장내에 마무르며, 완전히 여과되어도 작은 크기의 펩티드 약물의 반감기는 보통 나타나는 4~5분 정도 보다 그다지 높지 않은 20 분 정도밖에 되지 않는다. 그러므로 대사는 배설보다 빠를 것이며, 작은 펩티드 의약품 청소의 주결정 인자이다.

반면, 펩티드약품 보다는 단백질 치료제가 대사면에서 보다 더 안정화된 상태이다. 따라서 신장 배출이 제거율에 보다 중요한 역할을 한다. 분자량이 18800이며, 2.5 nm의 지름을 가지는 재조합 과립 백혈구 생성 인자 유도체(G-CSF) Filgrastim은 신장 제거율이 Filgrastim의 배출에 약 70% 정도에 영향을 주며, 뇨로 배설되는 것으로 알려져 있다.

수용체 매개성 제거. 시판되어있는 소분자약물에서 아주 미세한 양의 약물만 인체 내 수용체와 결합하여 제거하며, 이러한 결합은 보통 가역적이다.

따라서, 약물-수용체 결합은 약물 제거율에 관여하지 않는다.

반면, 생물학적 제제는 표적 수용체와 굉장히 큰 결합성을 가지므로 약물제거율의 큰 부분이 수용체결합과 관련이 있다.

더 나아가, 단백질 치료제와 Mab들의 수용체결합은 비가역적이고, 보통 표적세포에서 섭취되어 변성을 일으킨다. 그러므로 약물-수용체 결합과정은 효능뿐만 아니라 단백질 약물의 제거율에도 큰 영향을 미치며, 이러한 과정을 표적수용체매개성 배출(target receptor-mediated elimination)이라고 한다. 만약 수용체나 표적의 수가 적을 경우 목표 수용체성 배출로 인한 제거율이 고농도 단백질 약물 투여 시 포화 될 수가 있다.

생물학적 제제는 비표적 수용체에도 결합이 가능하므로 앞장에서 설명했듯이 약물의 섭취에 의한 제거가 가능할 것이다. 특히 이 과정에는 보통 간과 비장에 있는 당단백질 수용체가 관여한다고 알려져있다.

이러한 수용체의 가장 핵심적인 기능은 혈청 당단백질을 조절하는 것이다. 더하여, 글리코실화된 단백질 약물을 제거하는 작용에도 기여한다.

항체-매개성 제거. 생물학적 제제가 면역반응을 일으킬 수 있는 점은 이후 뒷 부분에서 다루게 될 것이다. 생물공학적 약물이 인체내에 들어가면, 인체는 이러한 약물을 중화시키기 위해 항체를 만든다(antidrug antibodies, 혹은 ADAs).

이러한 ADA 들은 약물과 결합해서 약물이 작용하는 것을 효과적으로 막는다. 그러므로, 단백질 약물을 이러한 ADA들로 차단하는 과정도 제거 과정에 포함된다.

생물학적제제의 약리학적 고려사항

소분자 약물 분자의 생물학적 작용을 설명하는 일반적 개념의 대부분이 생물학적 제제에도 적용될 수 있다. 소분자 약물 등의 생물학적제제 약물은 체내의 다른 분자들과 상호작용하여 효과를 나타낸다. 복잡한 구조에도 불구하고 생물학적제제를 약으로 개발하는 것과 체내에서의 후속 작용은 체내에 이미 존재하는 생화학적 경로나 세포 내에서 일어나는 일에 영향을 주는 것으로 한정된다. 소분자 약물과 같이 생물학적 제제는 새로운 생물학적 기능을 창조하거나 부여하지 못한다.

전장에서 기술한 약물 작용에 대한 논의는 약물이 리간드로 작용하여 내인성 표적 단백질과 상호작용하는 것에 초점을 맞추었다. 많은 경우에 이러한 원칙은 생물학적제제에서도 성립한다.

그러나 일부 생물학적제제에서는 그 관계가 역전된다. 약물이 마치 수용체처럼 작용하는 단백질이나 항체로서 인체 내 내인성 리간드에 결합하여 원래의 표적과 상호작용하지 못하게 하는 것이다. 비록 이러한 관계는 앞서 기술한 약물 작용에 대한 논의와 반대되는 것이지만 근본적인 개념은 같다. 즉, 끌어당기는 힘과 화학적 결합, 질량 작용의 법칙, 그리고 용량 반응 관계는 리간드-수용체 상호작용과 이어지는 생물학적 반응을 결정하는 중요한 요인이다.

치료용 단백질과 항체의 잠재적인 장점은 소분자약물 분자로는 얻을 수 없는 특이성을 갖게 되므로 질병을 치료하기 위한 다른 수단이 된다는

점이다. 기존 약물로는 적절히 또는 안전하게 치료되지 못했던 많은 질병들이 생물학적제제의 활용으로 치료가 될 수 있다. 그러나 생물학적제제는 만능 마법약 (magic bullet)이 아니며, 부작용 또는 잠재적으로 위험한 유해 반응을 일으킨다는 점을 주의해야 한다.

생물학적 제제의 기회와 한계

생물학적 제제 약물은 질병의 치료를 위해 자연적으로 유래하는 산물이기 때문에 약으로서 매력적이다. 그러나 제조 과정과 약 자체의 복잡함은 이들의 개발에 주요한 문제점으로 작용하고 널리 사용되는 데 커다란 제약이 된다. 지금은 생명공학 기술로써 순수한 단백질을 성공적으로 대량 생산할 수 있게 되었지만, 제조과정, 사용, 저장 중에 3D 구조를 통제하는 것이 안전성과 효능에 필수적이다. 환자에게 단백질을 안전하고, 정확하고, 편리하고, 또한 재현 가능한 방법으로 전달하는 것은 어렵다. 이러한 문제점이 극복되더라도, 신체는 종종 단백질을 소분자와는 다르게 처리하기 때문에 사용이 제한된다.

생물공학 약품의 면역원성

면역체계란 이질적인 유기체와 단백질에 대한 방어기작이다. 면역 체계는 "자아"와 "타아" 구조를 구분하는 능력을 갖도록 진화하였다. 비록 생물학적 제제는 흔히 "자아" 단백질과 유사하게 설계되지만 극히 작은 차이만으로도 면역 체계가 이를 "타아"(즉, 항원)으로 인식하여 면역 반응을 일으킬 수 있다. 그 반응이란 항원성 분자의 특정한 부분인 에피토프(epitope)에 대한 항체를 생산하는 것이다. 대부분의 생물학적 약품은 잠재적으로 면역원성이다. 즉, 환자가 ADA를 생성하는 것을 유도한다. ADA는 약의 치료 활성을 줄이거나 제거할 뿐 아니라 알러지 쇼크, 아나필락시스

와 같은 유해반응을 야기할 수 있다. 잠재적으로 더 심각한 문제는 ADA가 교차반응성을 갖고 있다는 것인데 유사한 다른 단백질에 대해 면역반응이 일어나게끔 할 수 있다. 또한 치료 단백질에 대한 ADA는 그 단백질이 보충 또는 대체하고자 했던 필수적인 내인성 단백질을 중화시킬 수도 있다. 일례로 erythropoietin (epoetin, EPO)의 장기투여 후 보고된 ADA 생성이 있다. 그 환자의 면역반응으로 인하여 내인성 erythropoietin 또한 중화하는 ADA가 생산되는 예이다. EPO는 골수의 적혈구생성에 필수적이기 때문에 이 단백질의 결핍은 환자에게 심각한 혈구 무형성증을 일으킬 수 있다. 많은 생물학적 제제가 면역이 결핍된 환자들에게 사용되고 있기 때문에 아주 작은 양의 잠재적 면역원성인 물질이라도 심각한 위험을 초래할 수 있다. 과학자들은 처음에는 면역원성이 돼지와 젖소에서 유래한 인슐린과 같은 비인간 단백질을 사용한 것이나 상품의 오염물질이 원인일 것으로 생각했다. 따라서, 이러한 문제들이 인간 단백질과 동일하거나 또는 거의 동일한 순수 단백질을 생산하는 재조합 기술의 도래와 함께 사라질 것으로 생각되었다. 그러나 비록 심각한 면역 반응은 감소하였으나 생물학적 제제에 관련된 면역원성은 여전히 심각한 문제로 남아있다. 생물학적 제제 의약품의 사용으로 발생하는 면역원성과 관련된 흔한 요인 중 몇 가지는 다음과 같다.

염기 서열의 차이

인간이 아닌 기원으로부터 유래한 치료 단백질들은 인간 단백질과 아미노산 염기 서열이 약간 다를 수 있다. 비내인성 염기 서열의 수가 클수록 일반적으로 면역원성의 증가가 있을 수 있다. 외부 단백질에 대한 면역 반응은 내인성 단백질과 유사성이 큰 단백질에 대한 반응보다 빨리 시작되고 또한 비가역적일 가능성이 높다. 사람 몸의 내인성 단백질과의 염기 서열 차이는 rDNA 기술

로 인해 최소화되었다. 대표적인 예로는 인슐린이 있는데 이전에는 돼지 또는 소 근원으로 얻었다면 지금은 rDNA 기술로 생산되고 있다.

그러나 인간 단백질과 동일한 염기 서열을 갖는 단백질이라도 때때로 면역원성을 나타내는 경우가 분명히 존재한다. 역으로 인간 염기 서열과 약간 다른 염기 서열을 갖는 단백질이 면역원성을 증가시키지 않는 경우도 있어 이를 예측하기는 어렵다.

이는 MAb의 경우도 비슷하다.

비인간 MAb은 빠른 면역반응을 보이며 후속 노출은 빠르고 진전되는 면역 반응으로 이어지기 때문에 일회성 치료 또는 면역이 억제된 환자들에게만 적합하다. 비인간 염기 서열이 인간 대응(키메라와 인간화된 MAb)으로 대체되는 양이 증가함에 따라 염기 서열의 차이에 따른 면역 반응의 위험이 점진적으로 감소하고 있다. 완전히 인간화된 MAb은 가장 낮은, 그러나 전혀 없지는 않은 면역원성 위험을 갖는다. 항체에 대한 에피토프는 종종 단백질의 표면에 있는 적은 수의 아미노산 잔기에 위치한다. 이것들이 동정되고 조작될 수 있다면 단백질의 효능에 영향을 주지 않고 면역원성 위험을 줄일 수 있을 것이다.

번역 후 변형

앞서 우리는 단백질의 생물학적 활성을 결정하는데 번역 후 변형의 중요성을 다루었다. 당화는 종 특이적이고 세포특이적인 과정이다. 재조합 단백질 제조에 사용되는 숙주 세포는 면역원성에 큰 영향을 준다. 예를 들어 내인성 interleukin 2는 E.coli에 의해서 만들어진 것보다 적은 면역원성을 보이는데, 이는박테리아가 단백질을 당화할 수 없기 때문이다. 재조합 인간 과립구-대식세포 집락자극인자 (granulocyte-macrophage colony-stimulating factor)와 IFN-beta와 같이 당화가 되지 않은 당단백질은 항원성 에피토프에 노출됨으로

써 항체를 유도한다. 당화는 종종 항체가 결합하는 에피토프를 막고 항원성을 감소시킨다. 또한 당화는 분자의 용해도, 안전성 및 활성을 돕는다.

적절한 당화 또한 중요하다.

만약에 어떤 치료 단백질이 내인성 인간 단백질과 같은 방법으로 당화되지 않는다면 생물학적 활성을 나타내지 않을 수도 있고 면역원성이 될 수 있다. 따라서 재조합 인간 당단백질일지라도 거의 대부분이 내인성 대상과 정확히 일치하는 당화 패턴을 갖지 않으며, 항상 면역원성 위험을 동반한다.

안정성 문제

단백질의 화학적 불안정성은 모든 변화가 면역원성을 초래하는 것은 아니지만, 면역 체계가 외인성이라고 인식할 수 있는 산물을 야기할 수 있다. 예를 들면, 산화 또는 탈아미드화 반응은 새로운 입체구조를 생성하거나, 단백질 상의 에피토프를 변화시켜 그 에피토프의 인식을 증가 또는 저해할 수 있다. 이는 면역원성 잠재성을 증가 또는 감소시킬 수 있다.

단백질 의약품의 응집은 응집체가 면역 체계에 의해 더 쉽게 인식되기 때문에 단백질의 면역원성을 증가시킬 수 있다. 그러므로 단백질 약품의 적절한 제형과 안정화는 효능뿐 아니라 안전성에도 매우 중요하다.

약물 전달 문제

단백질의 제형이 적절하지 않은 경우 그 단백질은 산화나 응집 같이 더 면역원성이 되는 변화를 거치게 될 수 있다. 오염물질이나 불순물은 그 자체로도 면역원성이거나 치료적 단백질이 더 면역원성을 띠도록 만드는 아쥬반트 (adjuvant) 효과를 줄 수 있다. 숙주 세포 단백질이 동정된 후에야 약품으로부터 그것을 제거할 방법을 개발하고 그 임상적인 영향을 배제할 수 있다.

일반적으로 면역원성은 환자에게 투여된 용량과 약의 총량의 증가와 함께 증가한다. 또한 생물학적 제제의 급성 투여는 면역원성과 관련될 확률이 만성 투여에 비해 낮다. 투여 경로 역시 면역원성에 영향을 미친다.

연구 결과 어떤 단백질의 근육 내 투여와 피하 투여는 정맥 투여에 비해 약간 더 면역원성이 있다고 한다. 아마도 이는 정맥 투여의 경우 식세포에 적게 노출되고 접촉 시간이 짧기 때문일 것이다. 따라서 피하와 근육 내 투약 경로가 몇몇 약물에서 편의를 위해 이용되기는 하나 정맥 주사가 선호되는 투여 경로이다.

환자의 감수성

전반적인 면역 상태를 포함하는 환자의 특성이 어떤 환자가 면역 반응을 일으킬지를 결정하는 데 중요한 역할을 할 수 있다. 만약에 어떤 환자

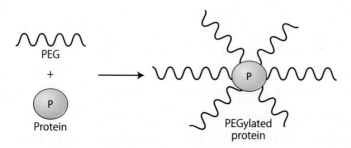

그림 18-10 PEGylation, 단백질에 여러 개의 polyethylene glycol 분자가 공유부착

표 18-4 상용화된 PEGylated된 단백질 약품의 예

상품명	약물	적응증
PEGasys®	PEG–interferon–alpha–2a	간염
PEGintron®	PEG–interferon–alpha–2a	간염
Neulasta®	PEG–filgrastim(granulocyte colony–stimulating factor)	호중구감소증
Adagen®	PEG–adenosine deaminase	면역 결핍증
Oncaspar®	PEG–asparaginase	암
Somavert®	PEG–visomant(growth hormone)	말단 비대증

의 면역 체계가 선천적으로 또는 다른 어떤 약물의 투여로 인해서 억제되어 있다면, 정상적으로 면역 체계가 작동하는 환자보다 면역 반응을 일으킬 가능성이 낮을 것이다. 이는 anti-B 세포 MAb인 rituximab(Rituxan®) 경우에서 볼 수 있는데, 주로 사용되는 대상인 암 환자에서는 그렇지 않지만 류마티스성 관절염 환자에서는 강하게 면역원성을 나타낸다.

게다가 특정 생물공학 의약품은 자체가 면역제어를 목적으로 설계되어 있으므로 이 경우 투여의 양, 빈도 및 경로가 고유의 항원성보다 효능에 더 큰 영향을 준다.

생물공학 의약품의 PEGylation

과학자들은 투여 이후 체내에서 단백질의 반감기를 연장할 방법을 시험해 왔다. 치료 단백질은 고분자나 덱스트란, 다른 당류의 공유 결합적 수식이나 다른 단백질과의 가교 등을 통해 화학적으로 변형되었다. 이러한 모든 변형들은 순환 시간을 연장하거나 독성 또는 면역원성을 회피하는 것을 목적으로 한다.

단백질의 배열과 독성과 관련된 많은 문제점에 대한 해결책 중 한 가지는 PEGylation인데, 이는 Figure 18-10에서 나타난 것과 같이 단백질에 하나 또는 그 이상의 유연한 폴리에틸렌글리콜(PEG)을 붙이는 것이다. PEG는 중성의 수용성, 무독성 고분자로서 광범위한 분자량형태로 이용

가능하다. PEG는 물에서 광범위하게 수화되고 큰 배제 체적을 가지므로 다른 분자나 세포가 수화된 구조에 너무 가까이 가는 것을 막아준다. PEGylation에 사용되는 PEG는 단백질과 근사한 분자량을 갖는다.

PEGylation은 단백질의 아미노기 또는 설프히드릴기와 PEG 분자내의 화학적 반응기(예를 들어 카보네이트, 에스테르, 알데히드 등) 사이에 공유 결합을 형성하여 만들어진다. 무작위적인 수식은 단백질의 생물학적 활성을 변화시킬 수 있으므로 PEG가 결합하는 아미노산 위치를 신중하게 선택해야 한다.

PEGylated된 단백질은 전구약물 (prodrug)로 볼 수 있는데 이는 체내에서 단백질-PEG 결합이 깨져서 활성이 있는 단백질 약으로 유리되어야만 하기 때문이다. 현재 사용되는 PEGylated 약품의 예는 Table 18-4와 같다.

단백질 PEGylation의 장점은 용해도와 생리화학적 안정성의 증가, 분포의 개선, 신장 제거율의 감소, 대사 속도의 감소 및 혈장 내 반감기의 증가 등이 있다.

예를 들면, 한두 개의 10 내지 20 kD PEG 분자의 수식은 작은 단백질의 순환 반감기를 몇 배로 증가시킬 수 있다. 생물학적 반감기를 증가시키고 치료 단백질의 체내 효능을 개선함으로써 PEGylation은 환자에게 요구되는 주사 빈도를 감소시킬 수 있다. 또한 여러 개의 PEG 분자로 단백질을 변형하는 것은 에피토프를 가려서 그 단

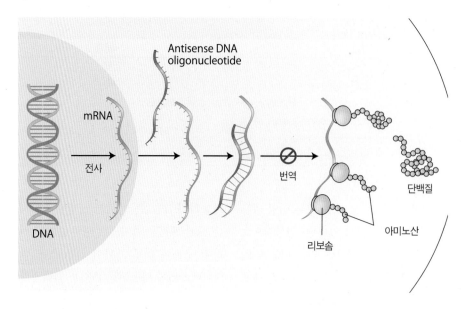

그림 18-11 세포의 핵과 세포질에서 안티센스 올리고뉴클레오티드 약이 mRNA를 표적하고 번역 및 단백 합성을 저해하는 방법

백질 또는 MAb에 대한 중화 항체 생성을 예방할 수 있다.

핵산 기반 치료제

DNA와 RNA의 구조와 기능에 대한 이해도의 증가와 새로운 생물공학 방법의 등장은 기능적인 핵산을 이용하여 혁신적인 약을 설계하기 위한 표적과 도구로 사용할 수 있는 기회를 제공하였다. 핵산은 가치 있는 약물 표적일뿐 아니라 그 자체로서 약으로 작용하도록 설계될 수 있다.

안티센스 올리고뉴클레오티드(Antisense oligonucleotides)과 압타머(aptamers) 및 리보자임(ribozymes)은 원치않는 유전자 발현을 억제(silence)시키기 위하여 사용될 수 있다. 세가지 전략 모두에서 공통적인 사항은 원치 않는 단백질의 합성이 mRNA 수준에서 저해된다는 것이다.

안티센스 올리고뉴클레오티드

올리고뉴클레오티드란 뉴클레오티드(DNA 또는 RNA)의 짧은 서열로서 통상적으로 염기쌍이 25개

이하이며 분자량이 6000 내지 8000 정도이다.

우리 몸의 유전자는 염색체 내에 DNA를 따라 일련의 긴 뉴클레오티드로 구성되어 있다. 특정 유전자가 발현되어야 할 때, 그 유전자로부터 전사를 통해 mRNA가 생산되고 이는 단백질로 번역된다. 이중가닥 DNA(double-stranded DNA)와 달리 mRNA 분자는 외가닥이며 상보적인 핵산 가닥에 결합한다. 따라서 Figure 18-11에서 나타내듯이 표적 mRNA와 상보적인 염기 서열(안티센스 염기서열)을 갖고 있는 외가닥 올리고뉴클레오티드 약이 세포 내로 들어가면 그것은 그 mRNA와 결합할 것이고 번역에 적합하지 않은 이중가닥(duplex)을 생성할 것이다.

원칙적으로 안티센스 기술은 거의 모든 세포 내 과정을 완전히 특이적으로 표적할 수 있다. 만약 어떤 단백질이 암세포의 성장에 도움이 된다면, 적절한 안티센스 올리고뉴클레오티드를 이용하여 그 단백질이 만들어지는 것을 막을 수 있을 것이다. 안티센스 올리고뉴클레오티드는 매우 특이적이어서 체내의 다른 단백질의 생성에 영향을 줄 가능성은 거의 없다. 이러한 특이성은 기존의

암 치료법에서 종종 나타나는 부작용을 줄여줄 것으로 기대된다.

안티센스 약품은 단백질 합성을 표적으로 하기 때문에 약효의 발현이 느릴 것 (24시간에서 48시간)으로 생각되며, 따라서 패혈증이나 심혈관계 질환처럼 급성의 치명적인 질병에는 사용이 제한될 것이다.

안티센스 기반으로서 현재까지 승인된 약은 fomivirsen sodium (Vitravene®) 하나로서 AIDS 환자에서 거대세포바이러스 망막염(cytomegalovirus retinitis)의 치료에 쓰인다. Vitravene은 안구 유리체에 국소 주사함으로써 전달된다.

압타머

압타머란 외가닥 올리고뉴클레오티드로서 보통 단백질인 특이적인 표적에 결합하여 불활성화 시킨다. 압타머는 항체와 유사하지만 잠재적으로 더 나은 매력적인 치료제가 될 수 있는 몇 가지 성질을 갖고 있다. 압타머는 MAb과 같은 방식으로 작용하는데 핵산 염기서열을 기반으로 3차원 구조로 접힘 (folding)으로써 표적에 결합한다. MAb에 비해 작은 압타머의 크기는 세포 표면에 노출되어있지 않은 표적에 쉽게 도달할 수 있게 한다. 작은 크기로 인해 빠른 신장 제거율(몇 분의 반감기)를 보이므로 압타머는 PEGylation 등의 방법으로 변형되어야만 한다. 출시된 압타머 약품 중 하나는 pegaptabnib sodium (Macugen®)으로서, 세포 외 VEGF에 결합할 수 있는 3차원 구조를 도입한 pegylated된 압타머이다.

노인황반변성(age-related macular degeneration, AMD)에서 VEGF의 특정 아형(isoform)이 과발현되어 새로운 혈관의 성장을 촉진한다. Macugen은 그 VEGF 아형에 특이적으로 결합하여 저해함으로써 병리적인 혈관 성장을 감소시킨다. 습성 AMD의 치료를 위해서 Macugen은 안내 주사를 통해 눈에 국소적으로 전달된다.

유전자 치료

유전자 치료는 유전자를 질병의 치료 또는 예방에 사용하는 아직 실험적인 기술이다. 미래에

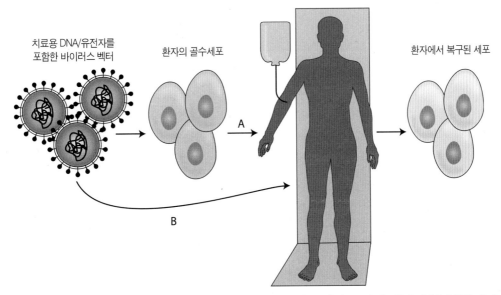

그림 18-12 ex vivo (A)와 in vivo (B) 유전자 치료의 예. ex vivo 치료법에서는 환자로부터 세포 (골수세포 등)을 절제하여 원하는 유전자 또는 DNA를 재조합 기술을 통해 그 세포에 주입한다. 변형된 세포는 다시 환자에게 주사된다. In vivo 유전자 치료법은 치료적 DNA를 함유한 벡터를 환자에게 직접 주입하는 방법을 포함한다.

는 이 기술로 환자의 세포에 적절한 유전자를 주입함으로써 질병을 치료하는 것이 가능할지도 모른다. 연구자들은 유전자 치료에 다음과 같은 여러 가지 접근을 시도 중이다.

- 질병을 일으키는 변이된 유전자를 건강한 유전자로 교체
- 부적절하게 작동하는 변이된 유전자를 불활성화 또는 "녹아웃(knocking out)"
- 질병을 이겨내는데 도움이 되는 새로운 유전자를 체내에 도입
- 안티센스 약으로 유전자 수복

비록 유전자 치료가 수 많은 질병(유전 질환, 몇몇 형태의 암 및 특정 바이러스 감염 등)에 대한 촉망 받는 치료법이기는 하지만, 여전히 위험하며, 아직은 이 기술이 안전하고 효과적인 가에 대한 연구가 진행 중이다. 유전자 치료는 현재 다른 치료법이 없는 질병의 치료를 대상으로 시험 중이다.

유전자 치료의 궁극적인 목적은 가능하면 부작용이 적거나 전혀 없이 질병을 영구적으로 치료하는 것이다.

성공적인 유전자 치료는 두 가지 주요 구성 요소가 필요한데 바로 치료적 유전자와 적합한 유전자 전달시스템-적절한 세포에 적절한 유전자를 집어 넣는 방법이다.

여러 가지 치료적 유전자가 동정되었음에도 불구하고 모든 유전자 치료 전략은 공통적인 문제점을 수반한다-원하는 세포로 유전자를 도입하는 "벡터(vector)"를 포함하는 선택적인 유전자 전달시스템의 필요성이다. Figure 18-12A에서 보이듯이, 만약 표적 세포가 접근 가능하고 환자로부터 추출될 수 있다면(예를 들어, 골수나 간 등), ex vivo 접근법이 사용될 수 있다. 그러나 보통은 표적 세포가 접근이 불가하기 때문에 in vivo 접근법인 유전자 전달시스템이 표적 세포에 도달하기

를 바라며 환자에게 직접 투여되게 된다(Fig. 18-12B).

지금까지 가장 성공적인 전달 벡터는 바이러스이다. 특히 아데노바이러스(adenovirus)는 DNA를 함유한 바이러스 군으로서 대부분의 세포 유형을 용이하게 감염시킬 수 있다.

대부분의 유전자 치료 연구에서 일차적으로 선택되는 벡터임에도 불구하고 바이러스는 환자에게 여러 가지 잠재적 문제를 갖고 있다. 이는 독성, 면역 및 염증 반응, 그리고 유전자의 통제와 표적 문제 등을 포함한다. 게다가 바이러스 벡터들이 일단 환자의 체내로 들어가서 질병을 일으킬 수 있는 능력을 회복할 것이라는 우려도 있다. 비바이러스성 또는 합성 벡터들(예로, 리포솜(liposomes)과 폴리캐티온성(polycationic) 수송체)가 유전자 전달에서 점차 주목을 받고 있다. 이들의 주요 과제는 표적 세포에 도달하기 전과 후에 많은 생물학적 장벽을 극복하는 것이다.

유전자가 성공적으로 표적 세포에 주입된다 할지라도 게놈에 통합되고 기능을 유지해야만 한다. 변화된 세포는 안정적이고 오랫동안 살아있어야만 한다. 유전자 치료의 이런 한계는 장기적인 효과를 보장하는 것을 어렵게 만들어 환자는 질병을 치료하기 위해서 여러 차례의 치료를 받아야 한다. 단일 유전자성(monogenic) 질환(단일 유전자의 결함으로 인한)은 유전자 치료의 가장 좋은 치료 후보이다. 불행하게도 심장 질환, 고혈압, 알츠하이머병, 관절염 및 당뇨와 같은 가장 흔히 일어나는 질환들은 다유전자성(많은 유전자의 변이로 인한)이며 유전자 치료로 효과적으로 치료하기가 특히 어려울 것이다.

면역 체계를 활성화해서 유전자 치료의 유효성을 떨어뜨리는 것도 잠재적인 위험이 된다. 게다가 외부 물질에 대한 면역 체계의 항진된 반응은 환자들이 유전자 치료를 반복해서 받는 것을 어렵게 만든다.

핵심개념

- 생물학적제제 약물이란 화학적 합성이 아닌 생물공학적 방법 (살아있는 유기체 또는 살아있는 유기체의 일부를 사용)을 이용하여 제조된 치료적 약물이다.
- 대부분의 생물학적 제제는 박테리아, 효모, 또는 포유류 세포를 숙주로 한 rDNA 공법을 이용하여 만든다. 형질전환 식물과 동물 또한 생물학적 제제를 만드는 데 사용되고 있다.
- 인간의 생물학적 제제를 생산 시에는 다양한 숙주들의 당화의 차이가 고려되어야 한다.
- 치료 단백질은 자연적으로 발생하거나 약간 변형된 단백질로서 환자에게 생물학적 약물로서 치환 또는 촉진 요법을 목적으로 투여된다.
- 치료 항체는 항원에 대한 반응으로 생성된 단백질로서 생물학적 제제 또는 약물 표적 시스템으로 사용된다.
- 단일클론항체 (Monoclonal antibodies, MAbs)는 혼성 세포(hybridoma) 기술로 생산된다. MAb은 동물 유래일 수도 있고 또는 키
  메라, 인간화된 또는 인간의 항체처럼 부분적으로 인간 유래일 수도 있다.
- 생물학적 제제는 화학적 및 물리적 안정성 문제가 있는 큰 분자이다.
- 생물학적 제제 약물은 만들기가 어렵고 비용이 많이 들며, 동정하고 순도를 시험하기가 어렵다.
- 대부분의 생물학적 제제는 수용액이나 동결건조된 고체로 얻을 수 있으며, 사용 전에 복원하도록 설계되어 있다.
- 대부분의 생물학적 약품 용액은 낮은 안정성과 투과도 때문에 주사로 투여되어야만 한다.
- 면역원성은 생물학적 약물과 관련된 주요한 안전성 문제 중 하나이다.
- 핵산 기반 치료제는 생물공학 약품의 새로운 분야이다.
- 유전자 치료란 결함이 있는 유전자를 고칠 목적으로 개인의 세포에 유전 물질을 전달하는 것이다.

복습문제

1. 단백질이 치료법에서 어떻게 약물로서 사용되는가?
2. 생물공학(biotechnology), 생물학적 약물(biologics), 그리고 생물학적 제제(biopharmaceuticals)를 설명하라.
3. 재조합 DNA 기술을 이용하여 치료적 단백질을 만드는 과정을 설명하라.
4. 재조합 단백질의 제조에 쓰이는 숙주 세포 종류를 비교하라. 재조합 단백질을 제조하는 데 형질전환동물을 이용하는 것의 이점은 무엇인가?
5. 단일클론항체의 구조를 설명하라. 단일클론항체와 다중클론항체의 차이점은 무엇인가?
6. 혼성세포기술로 단일클론항체를 제조하는 과정을 개략적으로 설명하라.
7. 쥐(murine), 키메라(chimeric), 인간화(humanized), 그리고 인간 MAbs의 차이는 무엇인가? 그들의 상대적인 장점과 단점을 설명하라.
8. 대부분의 생물약제학적 약물이 주사로 투여되는 이유는 무엇인가?
9. 단백질의 불안정성의 근원이 무엇이며 제형 공법(formulation techniques)으로 어떻게 불안정성을 최소화 하는지 설명하라.
10. 변성(denaturation) 과정과 그 결과를 간략하게 설명하라.
11. 생물학적 제제 약물의 짧은 작용시간과 면역 원성에 영향을 주는 요인들은 어떤 것들이 있는가?
12. in vivo 및 ex vivo 유전자 치료의 차이점은 무엇인가?
13. 유전자 치료에서 DNA를 수송하는데 벡터가 필요한 이유는 무엇인가?

참고

Crommelin D, Sindelar RD, Meibohm B
(eds), Pharmaceutical Biotechnology:
Fundamentals   and Applications, 3rded.
InformaHealthcare, 2007

Crewal IS, Emergic Protein Biotherapeutics,
1sted.CRCPress, 2009

Meibohm B (ed), Pharmacokinetics and
Pharmacodynamics of Biotech Drugs:

Principles and Case Studies in Drug
Development, 1sted.Wiley-VCH,
2007

Van de Weert M, Moeller EH (eds), Immuno-
genicity of Biopharmaceuticals (Biotechnolo-
gy: Pharmaceutical Aspects), 1sted. S
pringer, 2008.

19 의약품 개발과 승인
Drug Discovery and Approval

미국에서 모든 의약품 및 생물 의약품은 시장에 출시를 위한 승인을 받기 전에 적응증에 맞는 유효성과 안전성을 담보할 수 있도록 엄격한 과학적 검사와 검증을 거쳐야 한다. 평균적으로 잠재적 의약품으로 분리되거나 합성된 1만개의 화합물들 중 1개만이 시장이 요구하는 모든 조건을 충족한다. 대부분은 다음과 같은 이유들 때문에 중도에 퇴출된다.

- 기대했던 유효성 수준의 부족,
- 수용할 수 없는 독성,
- 안정성 미흡, 낮은 수용성, 낮은 세포투과력, 높은 청소율 등과 같은 의약품으로서 미흡한 약제학적 성질,
- 시장성의 결핍 또는 지나친 경쟁

제약회사는 가능한 개발 과정 초기에 문제가 있을 가능성이 있는 화합물들을 확인하고 제거한다. 하나의 신약을 시장에 내어 놓기까지 소요되는 비용은 평균 8억불이고, 소요되는 기간은 10~15년이다. 어떻든, 안전하고 유효한 의약품이 성공적으로 시장에 도입되기까진 긴 기간과 복잡한 과정을 거쳐야 한다.

식품의약품안전처

미국에서 식품의약품안전처(FDA, 식약처)은 신약의 개발과 출시를 규제한다. 식약청의 기능들 중 하나는 안전하고 효과적인 의약품이 적절한 시기에 시장에 도입되고 지속적으로 안전하게 사용될 수 있도록 모니터링하는 일들을 도움으로써 보건을 증진하고 보호하는 것이다. 전통적 의약품과 생물학적 의약품에 덧붙여, 식약청은 이식관련 조직, 의료기기, 수의용 의약품, 육류와 가금류를 제외한 식품, 동물 사료, 담배관련 제품 등과 같은 보건 관련 제품들을 규제한다. 덧붙여, 식약청은 화장품, 의료소모품, 이동전화기, 전자레인지, 레이저 등과 같은 방사선이나 전자파를 방출하는 기기 등도 규제한다. 식약처은 생물-화학적 테러에 대해서도 대처해야하는 책임이 있다. 테러 발생 시 피해자들에게 시의 적절하게 치료제를 공급해야 한다.

식품의약품안전처 센터

미국 식약처는 본연의 임무를 수행하기 위해 몇 개의 센터로 나누어져 있고, 주요 센터들은 그림 19-1과 같다. 이들 중, 의약품 평가 연구 센터

와 생물학적제제평가연구센터가 사람에게 사용하는 의약품의 심사, 승인 및 사후 검토업무를 수행함으로써 의약품의 개발과 승인에 관여한다.

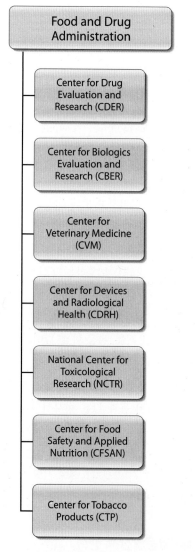

그림 19-1 미국식품의약품안전처 내 주요 센터. 의약품 평가 연구센터는 OTC, 제네릭, 처방약, 대부분의 생물의약품을 포함한 사람에게 사용하는 모든 의약품에 대해 책임지고 있다. 생물학적제제평가연구센터는 백신, 혈액제제, 유전자 치료제와 같은 생물학적제제와 일부 생물의약품에 대해 책임을 지고 있다.

식품의약품안전청 의약품 규제의 발전

　미국의 의약품 규제 체계는 지속적으로 발전해왔다. 초기에 도입된 의약품 규제는 공적인 요청의 결과로 이루어졌고, 의회가 일련의 법안을 통과시켰다. 의약품을 규제하는 현 미국 식약처의 권한은 1938년 연방 식품, 의약품 및 화장품 법에 근거한다. 이 법은 현재까지 많은 변천과정을 거쳤다. 연방규정집(Code of Federal Regulations, CFR)은 모든 최종 규정들을 정리한 자료집이다. 1938년 법 이전과 이후에 도입되었던 주요 사안들 중 일부를 아래에 요약하였다.

- 식품·의약품법(1906): 최초 의약품법은 출시 의약품의 약효(strength)와 순도(purity) 표준에 대해 규정하였지만, 효력과 안전성의 근거를 요구하진 않았다. 식약청은 의약품의 포장 등에 표시되었있는 사항들을 확인하고 검증하여 거짓 표시되어 있는 것들은 퇴출 시켰다.
- 연방 식품, 의약품 및 화장품(FD&C) 법(1938): 1906 법이 1938년 의회에서 개정되었다. Sulfanilamide 엘릭실 제품에 포함된 독성 성분 때문에 107명이 사망했던 사고가 개정작의 단초가 되었다. 의약품 제조자(사)들은 의약품을 시장에 내어놓기 전에 그 의약품의 안전성을 검증해야만 했다.
- 덜함-험프리(Durham-Humphrey) 수정법(1951): 수정법은 의약품을 처방의약품과 비처방의약품으로 분류하고 각 의약품에 표시하여 처방의약품은 의사의 처방에 의해서만 판매하도록 하였다. 처방의약품은 자가투여하기에 안전하지 않은 의약품으로 의사의 지시나 감독하에 사용할 수 있도록 정하였다.
- 케파우버-해리스(Kefauver-Harris) 의약품 수정법(1962): 출시된 의약품을 더 엄정하게 관리하도록 개정된 법률이 의회에서 통과되었다. 제

약회사가 그들의 제품의 안전성 뿐만 아니라 용법에 적시된 유효성도 검증하도록 규정되어 졌다. 부가해서, 제약회사는 의약품에 관한 모든 위해 반응을 식약처에 보고하도록 하였다. 의료 간행물에 의약품 광고를 하는 경우 의약품의 위험성을 포함한 모든 정보를 제시하도록 하였다. 또한, 임상시험에 참여하는 대상자들에게 승낙을 얻도록 하였다.

- 희귀질환의약품법(1983): 희귀질환이란 미국에서 20만명 이하의 사람들에게서 발병하는 질환, 예를 들어, 헌팅턴씨병(Huntington's disease), 뚜렛증후군(Tourette's syndrome), 근위축증 등이 있다. 이 법은 제약회사에 재정 인센티브와 일정기간 동안 시장 지배권을 부여하여 희귀질환 치료 약물의 개발을 진작시키기 위해 통과되었다.

- 의약품 가격경쟁 및 특허기간 회복법(1984): 이 법은 저렴한 제네릭 의약품들이 신속하게 시장에 도입될 수 있는 길을 열었다. 제네릭의 약품의 승인을 위해선 덜 엄격하고 간결한 신청 절차가 도입되었다. 사례로, 신약들의 특허권은 식약처 승인절차로 손실된 기간까지 연장되었다.

- 처방약 수수료 법(PDUFA, 1992): 이 법은 처방의약품 제조자가 신청한 신약에 대해 식약처이 심사하는 비용을 지불하도록 하였다. 이 법 체계는 식약처이 신청에 대한 심사를 촉진할 수 있도록 부가적인 자금을 제공하였다.

- 식약처수정법(FDAAA, 2007): 이 법은 처방약 수수료법과 두 개의 다른 중요 법: 어린이를 위한 최고 약물 법(BRCA)과 소아연구동등법(PREA)에 권한을 재부여하고 있다. 이 두 법은 소아 치료의 연구와 개발을 진작시키기 위해 고안되었다.

신약 개발

의약품 개발 노력은 기초 연구에서 시작되어 점진적으로 특정 궤도 업무 즉, 인간 질병의 치료를 위한 의약품 생산이라는 최고 지점으로 이동한다. 전체 경로는 약물 표적의 선정, 신약의 주요 후보 화합물의 확인, 동물에서 독성시험에 적합한 화합물로 변환, 임상시험 후보약물의 선택 등과 같은 잘 고안된 이정표를 포함한다.

신약의 주요 후보 화합물의 선정

이 과정은 스폰서 즉, 제약회사와 함께 시작하여 환자에게 유용하고 시장에 적합할 것으로 여겨지는 신약 후보물질을 찾는 것이다. 광범위한 초기 연구는 2장(약물과 그 표적)에서 기술한 바와 같이 질병 진행 및 잠재적 표적(수용체, 효소)에 대한 연구로 진행된다. 일련의 예비화합물들은 바람직한 약물 표적과의 상호작용 및 유효한 친화력에 기초하여 확인된다. 일부 세포모델에서 이들 화합물들의 유효성과 잠재적 독성을 검색한 후 선정된 최고 후보물질을 주요 후보 화합물(lead compound)이라 하며, 이를 다음 단계의 전임상 시험에 적용한다. 주요 후보 화합물은 확대 연구와 변환 연구(후보 최적화)를 거쳐 의약품에 가까워진다. 이 과정에서, 유효성, 독성 및 흡수-분포-대사-배설(ADME) 성질의 측면에서 최적화되도록 화합물의 화학구조가 변환된다. 최종화합물을 전임상후보약물이라 한다.

전임상 시험

초기 전임상 개발의 목표는 전임상후보약물이 사람에서 소규모 임상 시험에서 안전한지, 다음 단계의 개발에 타당할 만큼 동물에서 충분한 약리 활성을 나타내는지를 정하는 것이다. 화합물의 독성, 약리활성 및 ADME 특성을 평가하기 위해 시험관 실험과 동물 생체 내 실험을 통해 전임상시험 동안 초기 활성이 검색된다. 부가적인 시험에서 화학구조, 순도, 물리화학적 성질에 관한 연구가 수행된다. 초기 임상시험에 사용될 제제가 고안되고, 화합물 형성과 용량 제형을 위한 제조 과정이 개발된다. 전임상 개발은 이전 장들에서 살펴본 거의 모든 개념들을 포함한다.

전임상시험 과정에 제기되는 의문점들은 "동물에서의 결과들이 사람에서의 결과와 상관성이 있는가?" 하는 것이다. 질병 진행과 ADME는 실험동물과 사람에서 종종 다르게 나타난다. 적절한 동물 모델의 고안은 전임상 개발에 매우 중요한 고려사항이다. 특정 질병과 관련하여 화합물의 약리 작용을 연구하기에 최선인 동물 모델도 종종 ADME 특성이나 기타 작용들을 연구하는 데 적합하지 않다. 후보약물을 사람에게 처음 적용하기에 타당하도록 동물실험 자료를 연장하는 것에 관한 결정은 매우 어렵고, 이 단계에서 시험은 1~5년 소요된다. 평균적으로 전임상 시험이 이루어진 1000개의 후보 화합물들 중 오직 한 개가 임상시험에 진입한다. 즉, 성공률이 0.1%이다.

주요 후보화합물의 최적화와 전임상시험 동안 활동을 그림 19-2에 도시하였다.

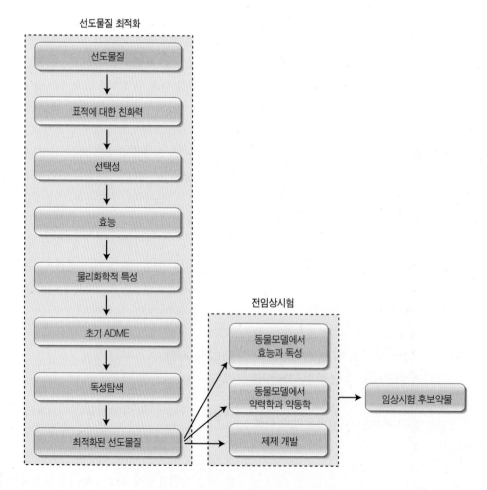

그림 19-2 주요 후보화합물의 최적화, 전임상시험, 임상 개발을 위한 후보 약물 선정 과정. 이 과정은 약 2~10년이 소요된다.

연구신약

시험관 및 동물 실험의 결과가 가능성을 보인다면 제공자는 다음 단계의 개발 즉, 사람에서의 시험을 식약처에 신청할 수 있다. 이런 점에서 화합물은 법적 상태가 변하여 연구의약품이 된다. 연구신약신청은 제공자가 식약처에 그 의약품을 사람에서 임상시험할 수 있도록 승낙해달라는 제안이다. 연구신약신청은 표 19-1에 예시된 5종의 광범위한 정보를 포함한다. 식약처는 법적으로 30일 내에 제출된 연구신약신청서류를 심사해야 한다. 식약처가 30일 내에 거절하지 않으면 연구신약신청은 승인된 것으로 간주된다.

어떻든, 임상시험 시작 전에 연구신약이 심사되어야하고 제안된 임상시험이 수행될 병원이나 의료센타의 임상시험심사위원회가 승인해야만 한다. 임상시험심사위원회는 시험대상자들을 포함하여 생물의료 연구를 의례적으로 심사하고 감시한다. 일차 목적은 시험기간 동안 임상시험에 참여하는 사람들의 권리와 복지를 보장하는 것이다. 임상시험심사위원회는 제공자의 임상시험 계획과 절차, 승낙서, 연구자 소책자, 임상시험관련 기타서류를 심사한다. 임상시험심사위원회는 승인할 것인지 또는 거절할 것인지에 대한 권한을 갖고 있고, 시험의 변경을 요구할 권한을 갖고 있다.

임상시험

안전성과 유효성을 입증하기 위해선 신약이 3단계의 사람에서 통제된 시험을 거쳐야한다. 그 단계들은 점진적으로 장기간 시험할 더 많은 시험 대상자를 필요로 한다. 시험 참여 전에 시험 대상자들에게 강요 없이 자유롭게 승낙할 수 있도록 약물과 시험과정에 대한 정보를 충분히 제공해야한다. 식약처는 임상시험수행과 관련된 많은 가이드라인들을 발행하고 임상시험과정에 제공자들과 만날 수도 있다.

통제된 임상시험에서 시험 대상자들은 처치군(연구약물 투여군)과 대조군으로 분류한다. 시험 목적에 따라 대조군의 환자들에게 아무 처치도 하지 않던지, 플라시보(연구약물과 유사한 외형의 무약효 약물 투여)약물을 처치하던지, 유효한 것으로 검증된 약물을 투여(양성대조군)하거나, 연구 하에 있는 약물의 다른 용량을 투여할 수 있다. 처치군과 대조군은 처치 결과에 영향을 줄 수 있는 특성들에 있어서 가능한 유사해야만 한다. 예를 들어, 처치군과 대조군 환자들 양측 모두 그 약물의 치료 표적에 해당하는 질병상태여야 한다. 또한, 연령, 체중, 일반적 건강 상태 및 시험결과에 영향을 줄 수 있는 다른 특성 모두 유사해야 한다. 무작위로 칭하는 과정에서 시험 대상자들

표 19-1 연구신약신청 자료에 제공되어야 할 정보

정보	상세내용
화학, 제조 및 제어	허용된 안전성과 제제의 화합물
	cGMP하에서의 관리생산
흡수, 분포, 대사 및 배설 (ADME)	투여경로, 반감기, 대사경로
독성	전신 및 장기 독성: 육안 및 현미경적 변화; 두가지 종의 동물,
	의도한 인체노출 기간의 변환적용
	효과적인 용량과 관찰된 부작용 없는 용량 사이의 예상 안전역
작용기전과 약리학	시험관내 수용체에 대한 효과
	실험동물모델 생체내 효능
임상개발계획	초기 연구의 상세한 프로토콜

을 처치군과 대조군으로 분류할 때 의도적으로 각 군을 선정하기보다는 무작위로 분류한다. 시험군이 충분히 확보되면 중요한 특성들이 유사한 시험자들 중에서 처치군과 대조군을 무작위로 선별한다.

무작위와 더불어, 맹검으로 알려진 또 다른 특성이 임상시험 수행이나 결과 분석에서 개입될 편견이나 간섭을 제지한다. 단일맹검법은 시험대상 환자만 본인이 시험약물을 복용하는지 플라시보 약물을 복용하는지 모르게 시험하는 것이다. 이중맹검법은 시험 대상 환자, 시험자 및 자료 분석자 모두 누가 시험약물을 복용하는지 모르게 시험하는 것이다. 오직, 시험이 중단되거나 종료된 후에 처치군과 대조군을 확인할 수 있다.

임상 1상 시험

임상 1상 시험은 사람을 대상으로 시행되는 연구신약의 1차 시험이다. 20~100명의 건강한 지원자에게 단회 투여하여 반응을 검색한다. 저용량에서 시작하여 점진적으로 용량을 증가시킨다. 1상 시험에서 중점적으로 검색하는 사항은 사람에서 시험약물의 안전성 프로파일과 ADME 특성에 대한 것이다. 유효성에 대한 평가는 이루어지지 않는다. 임상 1상 시험에선 맹검법을 시행하지 않고, 소요기간은 약 1년이다.

임상 1상 시험에선 약물의 1차 위해효과를 확인하고 안전용량 범위를 확정한다. 지원자들에서 나타나는 위해 반응은 세밀하게 검색되어야 한다. 임상 1상 시험 끝까지 약물이 잘 받아들여지고, 수용할 수 없는 독성과 같은 문제들이 나타나지 않으면 임상 2상 시험에 들어갈 수 있다.

임상 1상 시험은 약물의 ADME에 대한 중요한 정보를 제공할 수 있다. 사람에서 약물이 어떻게 흡수되고, 분포-대사-배설되는지를 검증하기 위해 혈액, 뇨, 기타 생물학적 시료들을 검색한다. 특히, 시험 의약품의 흡수와 생체이용률에 대한 자료는 약점들을 개선하기 위해 제형을 변경하는 데 사용된다. 사람에서 배설 경로와 약동학적 특성에 대한 정보는 임상 2상 시험에서 용량 설계를 하는데 사용된다.

임상 1상 시험에 진입했던 약물 중 약 70%가 다음 단계인 임상 2상 시험에 진입해 왔다. 나머지 약 30%는 혈중 농도가 유효성을 나타내기에 불충분할 정도로 낮거나 건강한 사람도 감내할 수 없는 이유들 때문에 다음단계의 진입에 실패하였다.

임상 2상 시험

임상 2상 시험은 임상 1상 시험이 성공적으로 완료된 후에 시작된다. 일부 시험은 그 약물이 임상적으로 유효한지를 검증하는 연구이다. 표적 질환이나 증상을 가진 소규모의 환자를 대상으로 시행된다. 이 시험 동안 식약청에서 정한 임상적 최종 표지 즉, 환자가 어떻게 느끼고, 기능하고, 생존하는지를 반영한 특성들이 약효를 검증하기 위해 제안된다. 약효(유효성) 기준으로 최적용량과 최적 투여 방법을 결정하기 위해 용량 범위 연구(시험)가 시행된다. 임상 2상 시험에서 약물의 약력학과 작용기전에 대한 연구가 세밀하게 이루어진다.

대부분의 임상 2상 시험은 이중 맹검법과 무작위법으로 수행된다. 또한, 교차설계 즉, 두 번 째 시험에선 처음에 플라시보 약물을 투여받았던 환자가 연구 약물을 투여받고 반대로 연구약물을 투여받았던 환자는 플라시보 약물을 투여 받는 방식이 진행된다. 임상 2상 시험에 100~200명의 환자 지원자가 참여하고 약 2년의 기간이 소요된다.

임상 2상에 진입했던 의약품 중 약 40%가 다음 단계인 임상 3상 시험에 진입한다. 시험 약물이 유효하고, 치료 용량에서 안전성이 확보되고, 약동학적 특성이 다음 단계의 개발에 적합하다면 임상 3상 시험을 실시할 수 있다. 이 단계의 시험에서 수집된 정보는 더 좋은 흡수와 생체이용률을 확보할 수 있도록 더 세밀한 투여제형과 임상 3상 시험에 필요한 용량설계를 하는 데 사용된다. 임상 2상 시험과정에서 탈락한 연구약물은 대개 효과가 충분치 않거나 임상 1상 시험에서 나타나지 않았던 수용 불가능한 부작용을 나타내었다.

임상 3상 시험

임상 3상 시험에서 제공자는 식약처의 승인에 필요한 유효성과 안전성에 대해 통계적으로 유의한 근거를 확보하기 위해 핵심적인 시험들을 수행한다. 유효성과 안전성을 확증하기 위해 나이, 성별, 건강 상태 등 더 다양한 대규모 시험군(1000~3000명)을 대상으로 약물의 시험이 진행된다. 더 나아가, 이 시험은 여러 센터에서 수행되고, 종종 세계 여러 나라에서 수행된다. 이러한 대규모 시험군에서 시행되면, 환자의 부분군이나 환자 100명 중 한 명이나 두 명에서 나타날 수 있는 위해 반응도 검색할 수 있다. 장기간의 안전성(만성 독성)을 확인해야하기 때문에 임상 3상 시험은 더 오랜 기간이 소요된다. 약물의 유효성 대비 위험성을 평가할 수 있는 부가적인 자료, 용량설계, 설명서(package insert)에 포함될 정보들이 이 시험에서 확보되어야 한다.

임상 3상에 진입한 약물의 약 70%가 이 관문을 성공적으로 통과하였다. 이 단계에서 연구약물의 실패가 종종 의약품 개발연구의 새로운 길을 열기도 한다. 과학자들은 이약이 사람에게 적용했을 때 왜 실패했는지를 파악하기 위해 노력하고, 다시 돌아가서 관련 화합물들에 대해 연구한다. 즉, 어떤 다른 유사체가 더 유효한 약물 후보가 될 수 있는지에 대해 연구한다.

생물표지자와 대리표지자

임상 시험에서 가장 어렵고, 시간과 비용이 많이 소모되는 부분은 임상적 표지 즉, 환자가 어떻게 느끼고, 반응하고 생존하는가에 있어서 통계적 유의성이 있는 개선 상황으로 유효성을 검증하는 것이다. 신속하게 유효성을 예단할 수 있는 지표로 전통적 임상 기준보다 생물표지자의 활용이 점점 증가하고 있다. 생물표지자는 질병의 진행 상태를 평가하고 진단할 뿐만 아니라 치료에 대한 반응을 검색할 수 있는 정량적 지표이다. 임상시험에서 식약처가 허락한 생물표지자를 대리표지자라 한다. 즉, 임상적 최종 표지 대신에 사용되는 임상 검사치나 신체적 징후를 말한다. 대리표지자는 역학적 근거, 치료, 병태생리 또는 기타 과학적 근거에 기초하여 임상적 유용성(위해성 또는 유용성의 결핍)을 예단할 수 있게 한다.

골절위험성을 증가시키는 질환인 골다공증을 예로 들어 살펴보자. 골다공증에서 생물표지자는 뼈의 낮은 미네랄밀도이다. 골다공증을 치료하는 약물의 임상적 최종 표지는 낮은 골절율인데, 이를 위해서 즉, 항골절 유효성을 검증하기 위해선 대규모의 시험군과 오랜 시험기간이 필요하다. 뼈의 미네랄 밀도의 개선이 대리 표지자가 될 수 있는데, 이를 이용하면, 환자에서 약물이 골다공증에 대해 유효한지를 쉽게 검색할 수 있다. 다른 예로 심장병과 연관이 있는 콜레스테롤치의 증가를 볼 수 있다. 많은 스타틴계 약물(예: simvastatin)들이 심장병을 예방한다는 직접적 증거 없이 혈중 콜레스테롤치를 낮춘다는 근거로 그 유효성이 승인되었다. 식약처는 종종 승인 후에 제약회사에 그 약물이 공지된 임상적 최종 표지를 달성하는지 확인하도록 요청한다.

생물표지자는 개개약물의 개발 영역에서 대단한 가능성을 보여왔다. 생물표지자는 약물이 투여되기 전에 이미 어떻게 반응할 것인지를 예단케 한다. 또한, 화합물의 유효성과 안전성을 확인하는 초기 단계에서 신약개발 속도를 빠르게 가져갈 수 있다는 가능성을 제공하였다.

신약승인신청에 대한 심사와 승인

3단계 임상시험의 성공적 완료 후에 제약회사는 식약청에 신약 승인을 신청할 수 있다. 의약품을 시장에 내어 놓기 위해선 식약처의 허락을 받아야한다. 신약승인 신청서에는 전임상시험, 동물연구, 사람에서 임상시험에 관한 자료와 의약품의 제조와 표기에 관한 정보 등의 의약품의 이력과 경험 등에 대한 자세한 사항을 담아야한다. 신약승인신청서는 대개 10만 쪽 또는 그 이상에 이른다. 화학자, 약리학자, 의사, 현장감독관, 통계학자 및 특정약물 전문가 등으로 구성된 의약품 평가 연구 센터의 심사팀이 모든 신약승인신청서를 심사한다. 이 팀은 의약품승인 결정의 전 과정에 책임을 진다.

심사 형태

첫 번째, 심사팀은 승인신청이 표준 심사 대상인지 또는 우선 심사 대상인지를 정한다. 표준심사는 S로 표하고, 우선 심사는 P로 표시한다. 우선 심사 대상은 다음과 같다.

- 다른 유효한 약물이 없어서 치료의 진전을 나타내는 경우
- 현 의약품보다 더 유효하거나 더 안전한 경우
- 현 의약품보다 다른 잇점들이 있는 경우(편의성, 부작용 감소, 내성 개선)

표준 심사는 기존 시장에 있는 의약품에 비해 사소한 잇점만 있는 경우에 시행한다. 더 나은 우선성은 승인신청된 의약품이 다음과 같은 사항들을 포함해야 한다.

1. 신물질(NME)
2. 승인된 의약품의 새로운 염, 에스테르 또는 다른 공유결합 유도체
3. 새로운 용량형 또는 제형
4. 기존 의약품의 새로운 복합제
5. 승인 의약품의 새로운 제제
6. 승인 의약품의 새로운 적응증.
7. 승인 신청없이 미리 출시된 의약품
8. 승인된 의약품의 일반의약품으로 전환

이러한 분류는 상호 배타적이지 않다. 예를 들어, 신 제형은 새로운 염을 포함할 수 있다. 제약회사가 분류를 제안할 수 있으나 최종적으론 식약청이 결정한다. 최종 분류 번호는 식약처가 신약승인 신청의 심사 우선 순위를 결정할 것이다.

심사팀은 잘 관리된 임상시험의 결과가 약물의 유효성에 대한 잠재적 근거를 제공하는지와 그 결과가 설명서에 공지된 용도 조건에서 안전함을 보여 주는지를 결정하기 위해 면밀하게 신약승인신청을 검토한다. 처방약을 위한 의약품 설명서에 공지되야 하는 정보는 대개, 처방약을 위한 사용설명서로서 제공되며, 이는 표 19-2에서 설명하였다.

식약처 자문위원회

식약처와 제약회사는 광범위한 국내 전문가 들의 의견을 반영할 수 있도록 식약청소속이 아닌 사람들로 구성된 자문위원회가 그 의약품을 심사할 것을 요청할 수도 있다. 자문위원회는 의사, 통계학자, 약리학자, 역학자, 환자나 공공을 대표할 수 있는 소비자 등과 같은 전문가들로 구성한다. 이 집단은 유효한 근거에 비중을 두고, 위험 대비 이점을 평가하고, 의약품 승에 관한 참고의견을 제공한다. 구속력은 없지만 식약청은 대개 자문위원회의 권고를 받아들인다. 자문위원회는 의약품 승인단계에서 중요한 역할을 하지만 의약

표 19-2 의약품 라벨링에 들어갈 전형적인 정보, 대개 처방의약품에선 사용설명서에 그 정보를 담고 있다.

박스형 경고

매우 심각하고 잠재적으로 약물의 생명을 위협하는 부작용: 포장내 설명지 상단의 검은 색 상자 안에 강조

설명

화학 구조, 분자량, 약물의 물리 화학적 성질: 제형, 비활성 성분을 포함한 구성성분, 투여 경로

임상 약리학

작용기전, 약동학 (생체 이용률 및 ADME 포함), 임상 시험 결과의 간단한 요약, 연령, 성별, 또는 인종간 차이, 기타

적응증

임상 용도, 즉, 승인된 적응증, 특수 집단에서의 용도, 소아 및 노인 환자에서의 용도, 약물 작용의 유전적 차이: 장기 기능이 손상된 환자에서의 용도 (예: 간 또는 신장 질환자)

사용금기

약물이 사용되어서는 안 되는 상황이나 환자의 특징 (예: 유사한 군의 약물에 대한 알레르기 반응 전력)

경고

약물사용 시 심각한 위험, 약물사용을 중단해야 하는 상황, 가장 심각한 것은 검은 굵은 글자로 표시

주의사항

안전성과 유효성을 보장받기 위하여 치료 중 해야 하는 행동, 약물상호작용, 식품상호작용, 과민반응을 포함, 임신부 또는 수유부에 대한 주의사항

유해반응

임상시험중 약물의 권장용량에서 발견된 모든 유의한 부작용

과용량

약물의 LD_{50} 과용량 증상, 권장 행동

약물남용과 의존성

남용가능성, 정신적 또는 신체적 의존성

용량과 투여

용량별 특별 나이군: 승인된 증상에 대한 권장용량 (초기 및 최대 용량)과 빈도, 약물투여에 대한 지시사항, 저장 지시사항 (온도, 차광, 열, 공기접촉)

투여방법

투여경로, 제형 (색상, 모양, 표시 등의 설명 포함), 강도, 포장단위

품 개발 초기나 출시 후 모니터링 기간에 역할을 할 수도 있다.

의약품 승인

식약처의 목표는 의약품승인 신청 후 6개월 내에 우선순위약물의 의약품승인신청 심사를 완료하는 것이다. 표준 설계약물은 10개월 내에 완료한다. 어떻든, 실제 승인 기간은 다양하다.

의약품승인신청 심사팀은 심사가 완료된 후 의

약품승인신청에 대한 아래의 3가지 조치사항 중 하나로 처리한다.

- 승인 : 제공자가 미국 내 시장에 즉각 출시할 수 있다.
- 비승인: 그 의약품은 미국 내 시장에 출시될 수 없고, 그 결정에 대한 자세한 사유를 제공한다.
- 승인 가능: 제공자가 완료된 심사결과 사항에서 특정 조건을 충족하고 확인된 결격사항을 시정한 후 식약처가 승인할 준비가 되어있다.

일단 식약처가 승인하면, 제공자는 의약품을 시장에 시판할 수 있고, 의사들은 처방할 수 있다. 승인은 특정의약품(활성 성분, 투여경로, 용량, 제형, 강도, 제조자 등)으로 제한하고, 적응증(질병, 질환)은 사용승인 신청의 사항에 국한됨을 참고하라. 이러한 기준에 변화가 있으면 또 다른 식약청 심사를 요청해야 한다.

조기 사용 허가

식약처는 공식적 승인 전에 생명에 위협을 받고 있는 환자에게 유망한 신 치료법을 사용할 수 있도록 의약품 조기 사용 허가 프로그램을 설계해왔다. 조기사용 허가 하에서 환자들에게 임상 2상에서 유망한 것으로 나타난 연구단계 약물을 사용할 수 있다. 환자들에겐 그 약물이 아직 승인되지 않았고, 약간의 위험을 감수해야 된다는 사실을 알려야 하나 심각한 질환을 가진 환자들은 전형적으로 더 큰 위험도 감수할 수 있다. 조기사용허가의 예는 품목허가전임상시험용약으로 치료하는 것과 임상시험에 참여하는 것이 제한된 조건을 가진 개별 에이즈환자를 위한 설계된 병렬트렉프로그램이 있다.

시판 후 조사

식약처가 승인한 후, 그 의약품은 시판 후 조사 단계로 진입한다. 시장에서 의약품이 사용되는 전기간 동안 수행된다. 식약처는 시장의 모든 의약품을 전 기간 동안 모니터한다. 즉, 의약품평가연구센터의 약물안전성 사무국(ODS)이 이 기능을 한다. ODS의 의료감시보고프로그램은 유의한 건강유해 반응이 신속하게 확인될 수 있도록 고안된 의약품의 유해 반응과 문제를 보고하는 자발적 방법이다. 그것은 보건 실무자(약사, 의사, 간호사)와 환자를 위한 자원프로그램이다. 보고는 제약회사에 위임되었다.

시판되는 약에서 유해반응이나 문제가 확인되면, ODS는 다음의 조치를 취할 수 있다.

- 고지(labeling) 변경: 의약품의 사용설명서에 새로운 정보를 추가하도록 제약회사에 요청함
- 경고 표시(boxed warnings): 의약품 사용 설명서에 경고표시를 추가함
- 의약품 회수(recall) 또는 퇴출(withdrawals): 이것은 식약청이 취할 수 있는 가장 강력한 조치이다. 회수는 시장에서 한 단위 또는 그 이상으로 생산된 의약품의 제거를 포함한다. 퇴출은 시장에서 영원히 철회되는 것이다.
- 의료와 안전성 경고: ODS는 보건 전문가, 유통과 미디어기관에 의약품에 관한 새로운 정보를 제공한다.

그림 19-3과 표 19-3은 신약개발과정의 단계들을 요약하였다. 오늘날 신약개발 비용은 약 8억달러로 평가된다.

임상 4상 시험

일부 의약품에 대해, 식약처는 의약품이 일반적 사용(4상 임상시험) 후에도 제공자에게 장기(만성) 효과를 평가하기 위한 추가 연구를 요청한다. 이는 임상, 1상, 2상, 3상 시험에서 그 약물의 모든 효과를 평가할 수 없기 때문이다. 신약승인 신청 자료는 전형적으로 수백에서 수천 환자에 대한 안전성 자료를 포함한다. 만약 5천 명 중 한 명 또는 천 명 중 한 명에서 임상시험 중에 없었던 위해 반응이 일어나면 출시 후 수십만명의 환자들이 그 약물을 사용할 때엔 심각한 안전성 문제로 대두될 수 있다. 임상 4상 시험에선 약물상호작용, 대체 용량설계 또는 특정환자군에서 반응 등과 같은 다양한 다른 문제들을 다룰 수도 있다. 제약회사는 의약품 허가사항에 다른 새로운 정보를 더하거나, 용량 설계를 최적화하거나 적

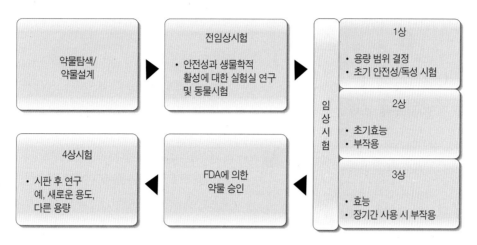

그림 19-3 전임상 시험을 시작으로 마지막의 시장에서 모니터링 활동까지 신약개발의 단계

은증을 확대하기 위해 승인 후 임상시험을 수행할 수도 있다. 이러한 시험들을 통해, 예를 들어, 경쟁 의약품과 비교해서 드문 위해효과 또는 우수한 효력과 같은 중요한 시장 정보를 제공할 수 있다. 다른 의약품 또는 다른 치료법(수술, 입원 치료)과 비교한 치료가격 경쟁력을 평가하기 위해 출시 후에 결과 연구도 시작된다.

보충 신약승인신청

신약승인신청의 승인 후, 제공자는 약물(화학 형태, 결정성, 입자크기 등), 제형(부형제, 부형제의 양 등), 또는 조제 과정에 있어서 어떤 변화도 만들지 말아야한다. 만약, 변화가 필요하면 제조업자는 변경된 의약품이 기존 승인된 의약품과 치료적으로 동일함을 기술한 보충 신약승인신청

표 19-3 신약개발의 다양한 단계, 활동, 기간 및 성공율.

시험종류	시험 군	기간	목적	성공율
전임상	시험관 시험 동물 시험	3-5년	동물에서 유효성, 안전성 및 ADME	5,000 화합물 시험 IND 신청
		임상 1상		
임상 1	20-100명의 건강한 지원자	1-1.5년	급성 안전성, ADME, 용량	5개 후보 약물 상으로 진입 임상 1
임상 2상	20-100명의 건강한 지원자	1.5-2년	유효성, 단기 안전성	
임상 3상	1000-3000명의 환자 지원자	2-4년	장기간 안전성, 유효성 확인	
		NDA 신청		
FDA 심사 NDA 승인		1-4년		한 약물 승인
임상 4상	약물복용 전 환자	장기간	PMS	

을 제출해야 한다. 보충 신약승인신청은 이번 장의 초판부에 설명된 대로 분류와 우선순위를 지정한다.

의약품 개발의 국제 조화

과거에, 신약승인을 위한 요구 사항은 나라마다 다르다. 그래서 각 나라에서 신약이 승인되고 환자에게 사용되기 전에 매번 임상시험이 반복되어야 했고, 종종 전임상시험도 요구되었다. ICH는 미국, 유럽연맹(EU), 일본 3국의 의약품 행정가, 제약산업 대표들을 모아서 효율적이면서 통일성있는 국제적 의약품 규제과정 즉, ICH 가이던스를 만들었다. 이들 국가에선 의약품의 안전성, 유효성, 품질에 대해 동일한 관점에서 그 규제체계를 공유한다. 이러한 노력의 목표는 다음과 같다.

• 미국소비자와 다른 나라 소비자들에게 신약의 도입에 필요한 기간을 최소로 지연시킴
• 신약의 연구와 개발에 있어서 이중 시험을 최소화 함
• 신약승인에 대한 요구사항에 있어서 일관성을 창조할 수 있는 가이던스 서류를 개발함

제네릭의약품의 개발과 승인

식약처가 승인한 제네릭의약품은 용량, 효능, 투여경로, 품질, 제조특성 및 적응증이 브랜드의 약품(최초 신약, 혁신신약)과 동일하다.

제공자는 제네릭의약품의 출시를 위해선 약식신약신청서(ANDA)를 제출해야 한다. 약식신약신청 과정은 식약처에서 의약품 승인에 필요한 비싼 비용이 소요되는 동물시험, 임상 1상에서 3상까지의 시험을 생략할 수 있게 했다. 이는 위 시험들이 이미 최초 신약 개발과정에 수행되었기 때문이다. 제네릭의약품의 승인을 위한 ANDA

요구사항은 다음과 같다.

• 혁신신약과 동일한 활성 성분을 함유해야 한다. 단, 불활성 성분은 달리할 수 있다.
• 혁신신약의 강도, 용량 형태, 투여경로와 동일해야 한다.
• 혁신신약과 생동성이 동일해야한다.
• 본질, 강도, 순도와 품질에 대해 혁신신약과 동일한 표준을 적용한다.
• 혁신신약 생산과정에 요구되는 식약청의 GMP 규제하에서 제조되어야 한다.

이모든 사항이 충족되면, 혁신신약과 동일한 치료 범위를 가진 것으로 간주되고, 대부분의 환자에게 혁신신약 대신 교체되어 사용될 수 있다. 두 의약품의 흡수율, 최고혈장농도, 흡수량, AUC가 통계적으로 다르지 않다면, 그 두 약물은 생물학적으로 동등한 것으로 간주된다. 다른 말로, 생동성은 제네릭의약품과 혁신신약의 혈장농도 곡선이 대칭적임을 의미한다.

생동성은 24-36명의 소규모 건강한 지원자를 대상으로 소규모의 단일 용량 생동성 임상시험을 통해 설명된다. 즉, 제네릭의약품과 혁신신약의 혈장농도 곡선이 비교된다. 생동성시험은 ANDA의 유일한 임상시험이다.

액제나 알려져 있거나 잠재적인 생동성 문제가 없는 기타 약물과 같은 특정 의약품은 생체 생동성시험요구가 제외될 수 있다. 이런 경우 제네릭의약품의 임상시험은 불필요하다. 치료동등성을 설명하기 위해 용출시험과 같은 시험관 시험으로 충분할 수 있다. 생동성 요구사항에 관한 자세한 설명은 이 교제의 집필 방향외적인 부분이다.

의약품개발에 있어서 약물유전체학

17장, 약물유전체학에서 최적 치료 선택에 대한 환자의 유전 정보 효과를 설명하였다. 환자에 따라 약물의 효과가 나타나지 않는지 또는 독성을 나타내는지의 유전적 다양성에 관한 정보들은 전임상과 임상시험에서 활용된다. 바이오마커(생물표지인자) 또는 유전자 표지인자는 어떤 특정 약물이 환자들에 더 적합하고 민감한지를 확인하는데 사용된다. 적절한 임상시험 참가자들은 대사상태, 약물표적의 다형성과 질병의 감수성에 대한 정보를 제공한다. 임상시험의 초기에 생화학적으로 약물에 반응성이 좋은 사람을 선택할 수 있다. 임상시험의 초기에 생화학적으로 약물에 반응성이 좋은 사람을 선택할 수 있다. 약물유해반응이 나타날 것으로 예측되는 대사가 느린 사람과 같은 환자들은 임상시험에서 제외할 수 있다. 임상시험설계에서 약물유전학적 접근의 이점은 다음과 같다.

- 제약회사는 유전자 표적을 사용하여 보다 쉽게 잠재적 치료법을 개발할 수 있다. 이전에 실패한 의약품 후보물질들도 그것들이 작동하는 적합한 군에 잘 들어맞으면 다시 개발될 수도 있다.
- 이러한 방식으로 선정된 소규모 대상자 시험으로도 통계적으로 유의한 결과를 나타낼 수 있다. 임상시험에 필요한 환자의 수를 줄일 수 있다.
- 유해 반응이 예견되는 환자들을 제외하고, 약물에 반응할 것으로 예상되는 환자만을 선정하기 때문에 임상시험 참여자들의 위험성을 줄일 수 있다.
- 특정 유전자 군을 표적으로 시험이 이루어지기 때문에 임상시험에서 의약품의 실패율은 감소하고, 더 큰 성공가능성을 제공할 것이다.
- 임상시험 자료가 일원화되고 응집되기 때문에

의약품 심사와 승인 과정은 짧아질 것이다.
- 소규모 환자군의 질병에 대한 치료가 더 쉽게 개발될 것이다.
- 환자들에게 효과적인 치료법을 찾으려고 노력한다면, 대상 약물의 수를 줄일 수 있을 것이다. 치료를 위한 시행오차의 접근은 표준이 되지 않을 것이다.
- 가능한 약물 표적 범위의 증가는 건강관리의 총비용을 줄일 것이다.

현재는 임상 시험대상자의 20%에서 효과가 있는 약물은 승인되지 않지만, 동일한 유전 표지 인자 또는 생물학적 표지인자를 가진 20%의 제한된 환자군을 위한 약물이 승인될 수도 있다.

일반의약품
(Over-the-Counter Drugs; OTC)

OTC 약물 또는 비처방 의약품은 의사의 처방이 필요하지 않은 의약품이다. OTC 약물을 개발하고 시판하는 1차 방법은 앞서 설명했던 과정이다. 즉, 제공 회사가 전임상 연구를 수행하고, 임상시험을 수행하고, OTC약물의 신약승인신청서를 제출한다.

OTC 약물을 도출하는 2차 그리고 더 자주 사용된 기전은 처방의약품을 OTC 약물로 전환하는 것이다. 이 과정에서 승인된 처방의약품의 제공자는 처방의약품을 OTC 약물로 전환하는데 필요한 보충 청구서류를 식약청에 제출한다. 식약청은 PMS 과정에서 취득한 정보를 포함하여 처방의약품으로서 약물 성상을 심사한다. 전환하는데 있어서 다음과 같은 세 가지 고려사항이 있다.

- 잠재적 독성과 부작용 위험성
- 건강관리 전문가 없이 상황에 대한 적절한 자가 진단

• 안전하고 효과적인 방식으로 사용할 수 있는 용이성

처방약의 OTC 약물로 전환은 소비자가 건강관리 전문가의 도움없이 의약품을 쉽게 사용할 수 있도록 하는 것이다. OTC 약물을 출시하는 세 번째 방법은 앞의 두 방법에 필요한 신청절차 없이 출시하는 OTC 약물 심사 과정이다. 식약청과 전문가 자문패널은 의약품 그 자체보다는 의약품 중 활성 성분들이 OTC 약물로 사용하기에 안전하고 유효함을 설정한다.

핵심개념

- 미국에서 식약청은 출시된 의약품을 관리한다. 특히, CDER과 CBER은 사람에게 사용하는 의약품과 생물학적 제제를 관리한다.
- 소수 국회법은 지난 몇 년간 의약품 규제를 설정하고 개선했다.
- 의약품 후보군에 대한 전임상시험(시험관 시험 및 동물 시험)은 사람에서 일차 시험으로 진행할 수 있는 최선의 화합물을 선정한다.
- IND 신청은 제공자가 사람에서 임상시험 승인을 식약청에 요청하는 것이다.
- 임상 1상 시험은 건강한 지원자를 대상으로 급성독성 양상과 ADME의 특성을 파악하는 것이다.
- 임상 2상 시험에선 환자를 대상으로 유효성을 검색하고 적절한 용량설계를 구축한다.
- 임상 3상 시험에선, 대규모 다양한 환자를 대상으로 유효성과 장기간의 안전성을 시험한다.
- 임상시험 완료 후에 제공자는 식약청에 NDA를 제기할 수 있다. 식약청은 승인, 거절(비승인)과 승인가능으로 답한다.
- 식약청의 PMS는 모든 출시된 의약품에 대해 전 출시기간 동안 시행한다. 제약회사에게 시판 후에 임상 4상시험을 요청될 수도 있다.
- 제네릭 의약품은 ANDA 하에 승인될 수도 있다.
- 적절한 임상시험 대상자를 선정하고 자료를 분석하는데 약물유전체학적 접근을 이용하는 임상시험들이 설계되고 있다.

복습문제

1. CDER과 CBER의 특정 업무는 무엇인가?
2. IND 신청을 위해 식약청은 무슨 정보를 제출해야하는가?
3. 임상시험 시작전에 IRB 심사는 왜 필요한가?
4. 임상시험은 왜 무작위 맹검으로 시행되어야 하는가?
    단일 맹검과 이중 맹검은 무엇을 의미하는가?
5. 임상 1상, 2상과 3상 시험의 목표는 무엇인가? 이를 위한 대상자의 수와 기간은?
6. 임상시험의 기간을 최소화하고 비용을 줄이기 위해 대리 최종 판정 표지는 어떻게 활용하는가?
7. NDA의 목적은? NDA의 심사와 승인에는 무엇이 포함되는가?
8. 식약청 심사를 위해 NDA 제출에 무엇이 우선되어야 하는가?
9. PMS는 왜필요한가? 임상4상 시험은 언제, 왜 시행되는가?
10. ANDA는 NDA와 어떻게 다른가? 제네릭의약품의 승인에 필요한 시험은 무엇인가?
11. 약물유전학적 접근이 신약개발 과정을 어떻게 개선할 수 있는가?
12. 처방의약품과 OTC 의약품의 차이는 무엇인가?
    처방의약품에서 OTC 의약품으로 전환 과정은?

참고

Cayen MN. Early Drug Development: Strategies and Routes to First-in-Human Trials, 1st ed. Wiley, 2010.

Friedhoff LT. New Drugs: An Insider's Guide to the FDA's New Drug Approval Process for Scientists, Investors and Patients. PSPG Publishing, 2009.

Mathieu M. New Drug Development: A Regulatory Overview. Parexel Intl Corp, 2008.

Ng R. Drugs-From Discovery to Approval, 2nd ed. Wiley-Liss, 2008.